A luz dos dias

Judy Batalion

A luz dos dias

A história não contada da resistência feminina nos guetos de Hitler

Tradução de
Marina Vargas

1ª edição

Rio de Janeiro
2023

Título original: *The Light of Days: The Untold Story of Women Resistance Fighters in Hitler's Ghettos*

Texto revisado segundo o Acordo Ortográfico da Língua Portuguesa de 1990.

Direitos desta edição adquiridos pela
EDITORA ROSA DOS TEMPOS
Um selo da
EDITORA RECORD LTDA.
Rua Argentina, 171 – Rio de Janeiro, RJ – 20921-380 – Tel.: (21) 2585-2000.

CIP-BRASIL. CATALOGAÇÃO NA PUBLICAÇÃO
SINDICATO NACIONAL DOS EDITORES DE LIVROS, RJ

B333L
Batalion, Judy
A luz dos dias : a história não contada da resistência feminina nos guetos de Hitler / Judy Batalion ; tradução Marina Vargas. – 1. ed. – Rio de Janeiro : Rosa dos Tempos, 2023.

Tradução de: The light of days: the untold story of women resistance fighters in Hitler's ghettos
Inclui bibliografia e índice
Notas
ISBN 978-65-89828-17-4

1. Segunda Guerra Mundial, 1939–1945 – Resistência Judaica – Polônia. 2. Mulheres judias no Holocausto. 3. Holocausto, Judeu (1939–1945) – Polônia – Narrativas pessoais. 4. Judeus – Perseguições – Polônia. I. Vargas, Marina. II. Título.

22-81290 CDD: 940.531832
CDU: 94(100)"1939/1945"

Gabriela Faray Ferreira Lopes – Bibliotecária – CRB-7/6643

Impresso no Brasil
2023

Em memória de minha bubbe Zelda,
e para minhas filhas, Zelda e Billie.
L'dor v'dor... Chazak V'Amatz.[1]*

Em memória de todas as judias da Polônia
que resistiram ao regime nazista.

* De geração em geração... Tenham força e coragem. [*N. da T.*]

Varsóvia com a face chorosa,
Sepulturas em cada esquina,
Há de sobreviver a seus inimigos,
E ainda verá a luz dos dias.

De "A Chapter of Prayer", canção — dedicada ao levante do gueto de Varsóvia — que ganhou o primeiro lugar em um concurso musical. Escrita por uma jovem judia pouco antes de sua morte e publicada em *Frauen in die Ghettos* [Mulheres nos guetos] (1946).

SUMÁRIO

LISTA DE PERSONAGENS
(Por ordem de aparição)

Renia Kukiełka: nascida em Jędrzejów, mensageira do Movimento Liberdade em Będzin.

Sarah Kukiełka: irmã mais velha de Renia, camarada do Liberdade que cuidava de órfãos judeus em Będzin.

Zivia Lubetkin: nascida em Byten, líder do Liberdade na Organização de Combate Judaica (ŻOB) e no levante do gueto de Varsóvia.

Frumka Płotnicka: nascida em Pinsk, camarada do Liberdade que liderou a organização de combate em Będzin.

Hantze Płotnicka: irmã mais nova de Frumka, também líder e mensageira do Liberdade.

Tosia Altman: líder da Guarda Jovem e uma de suas mensageiras mais ativas, baseada em Varsóvia.

Vladka Meed (nome de batismo: Feigele Peltel): mensageira do Bund em Varsóvia.

Chajka Klinger: líder da Guarda Jovem e da organização de resistência em Będzin.

Gusta Davidson: mensageira e líder do Akiva, baseada em Cracóvia.

Hela Schüpper: mensageira do Akiva, baseada em Cracóvia.

Bela Hazan: mensageira do Liberdade, baseada em Grodno, Vilna, Białystok. Trabalhava com *Lonka Kozibrodska* e *Tema Schneiderman*.

Chasia Bielicka e *Chaika Grossman*: mensageiras da Guarda Jovem que faziam parte de um círculo de agentes secretas antifascistas em Białystok.

Ruzka Korczak: líder da Guarda Jovem na organização de combate de Vilna (FPO) e líder guerrilheira nas florestas.

Vitka Kempner: líder da Guarda Jovem na organização de combate de Vilna (FPO) e líder guerrilheira nas florestas.

Zelda Treger: mensageira da Guarda Jovem em Vilna e nas florestas.

Faye Schulman: fotógrafa que se tornou enfermeira e combatente guerrilheira.

Anna Heilman: proveniente de uma família assimilada, integrante da Guarda Jovem de Varsóvia que participou da resistência em Auschwitz.

INTRODUÇÃO
DURAS NA QUEDA

A sala de leitura da Biblioteca Britânica cheirava a papel velho. Encarei a pilha de livros de história sobre mulheres que eu havia pedido — não eram livros *demais*, disse a mim mesma, não era uma quantidade *tão imensa*. O que estava na base da pilha era o mais incomum: de capa dura, encadernado com um tecido azul surrado, as bordas das páginas amareladas e cortadas de modo irregular. Decidi abri-lo primeiro e deparei com cerca de duzentas páginas cobertas de letras miúdas — e em iídiche. Era uma língua que eu conhecia, mas não usava havia mais de quinze anos.

Quase o devolvi à pilha sem ler. Mas alguma coisa me instou a continuar, então folheei algumas páginas. E em seguida mais algumas. Eu esperava encontrar um lamento hagiográfico maçante e vagas discussões talmúdicas sobre a força e a coragem feminina. Mas, em vez disso, deparei com mulheres, sabotagem, rifles, disfarces, dinamite. Eu tinha acabado de descobrir um *thriller*.

Seria possível que fosse verdade?

Fiquei atônita.

*

Eu estava em busca de mulheres judias fortes.

Aos 20 anos, no início dos anos 2000, eu morava em Londres e trabalhava como historiadora da arte durante o dia e comediante à noite. Em ambas as esferas, minha identidade judaica era um problema. Os comentários dissimulados e irônicos sobre minha aparência e meus maneirismos judaicos tornaram-se comuns, vindos de acadêmicos, galeristas, plateias, colegas comediantes e produtores. Pouco a pouco, comecei a compreender que o fato de eu ostentar meu judaísmo tão abertamente, tão casualmente, era chocante para os britânicos. Cresci no Canadá, em uma comunidade judaica de laços muito estreitos, depois frequentei uma faculdade na costa leste dos Estados Unidos. Em nenhum desses lugares minha origem era algo incomum; eu não precisava ter uma persona pública e outra privada. Na Inglaterra, no entanto, o fato de deixar minha alteridade tão "na cara, bem, era considerado impróprio e causava desconforto. Fiquei chocada ao me dar conta disso, paralisada pela inibição. Não sabia muito bem como lidar com essa situação: Ignorar? Responder com uma piada? Agir com cautela? Esbravejar? Fingir que não tinha muita importância? Me disfarçar e assumir uma dupla identidade? Fugir?

Recorri à arte e à pesquisa em busca de ajuda para resolver essa questão, e escrevi uma peça sobre a identidade judaica feminina e o legado emocional do trauma que era transmitido de geração em geração. Meu modelo de bravura feminina judaica era Hannah Senesh, uma das poucas mulheres que fizeram parte da resistência durante a Segunda Guerra Mundial que não foram esquecidas pela história. Quando criança, frequentei uma escola judaica secular — cuja filosofia era baseada nos movimentos judaicos poloneses — onde líamos poesia hebraica e romances em iídiche. Em minhas aulas de iídiche no quinto ano, lemos sobre Hannah e sobre como, aos 22 anos, na Palestina, ela se juntou às tropas de paraquedistas britânicos na luta contra os nazistas e voltou à Europa para ajudar na resistência. Não conseguiu cumprir sua missão, mas se tornou um exemplo de coragem. Durante sua execução, ela se recusou a usar venda, insistindo em olhar de frente a bala que a mataria. Hannah encarou a verdade, viveu e morreu por suas convicções e se orgulhava abertamente de ser quem era.

Naquela primavera de 2007, eu estava na Biblioteca Britânica, em Londres, procurando informações sobre Senesh, em particular discussões mais aprofundadas sobre sua personalidade. Descobri que não havia muitos livros sobre ela, então pedi todos aqueles que mencionassem seu nome. Um deles estava escrito em iídiche. Por pouco não o coloquei de volta na pilha.

Em vez disso, peguei *Freuen in di Ghettos* [Mulheres nos guetos],[1] publicado em Nova York em 1946, e o folheei. Nessa antologia de 185 páginas, Hannah era mencionada apenas no último capítulo. Antes disso, havia 170 páginas repletas de histórias de outras mulheres — dezenas de jovens judias desconhecidas que lutaram na resistência contra os nazistas, a maioria de dentro dos guetos poloneses. Essas "garotas do gueto" subornavam guardas da Gestapo, escondiam revólveres dentro de pães e ajudavam a construir sistemas de bunkers subterrâneos. Flertavam com nazistas, os compravam com vinho, uísque e doces e, furtivamente, os matavam a tiros. Realizavam missões de espionagem para Moscou, distribuíam documentos de identidade falsos e panfletos clandestinos e eram portadoras da verdade sobre o que estava acontecendo com os judeus. Cuidavam dos enfermos e davam aula para as crianças; detonaram bombas nas linhas de trem alemãs e sabotaram o fornecimento elétrico de Vilna. Elas se vestiam como não judias, trabalhavam como empregadas domésticas no lado ariano da cidade e ajudavam judeus a escapar dos guetos por canais e chaminés, cavando buracos nas paredes e rastejando sobre telhados. Subornavam carrascos, redigiam boletins para a rádio clandestina, mantinham o ânimo do grupo elevado, negociavam com proprietários de terras poloneses, convenciam guardas da Gestapo a carregar por elas malas cheias de armas, criaram um grupo de nazistas antinazistas e, é claro, cuidavam da maior parte da administração na clandestinidade.

Apesar dos anos de educação judaica, eu nunca tinha lido relatos como aqueles, que impressionavam pelos detalhes sobre o trabalho cotidiano e extraordinário das mulheres combatentes. Eu não tinha ideia de quantas judias tinham se envolvido no esforço de resistência, nem do grau desse envolvimento.

Aqueles escritos não apenas me surpreenderam, mas me tocaram pessoalmente, virando de cabeça para baixo a compreensão de minha própria história. Eu venho de uma família de judeus poloneses sobreviventes do Holocausto. Minha *bubbe* Zelda (homônima da minha filha mais velha) não lutou na resistência; mas a história de sua fuga, bem-sucedida porém trágica, moldou minha compreensão de sobrevivência. Ela — que não parecia judia, com as maçãs do rosto salientes e o nariz afilado — fugiu de Varsóvia durante a ocupação, atravessou rios a nado, se escondeu em um convento, flertou com um nazista, levando-o a fazer vista grossa, e foi transportada em um caminhão que levava laranjas para o leste, atravessando por fim a fronteira russa, onde sua vida foi salva, ironicamente, ao ser enviada para um campo de trabalhos forçados na Sibéria. Minha *bubbe* era forte como um touro, mas perdeu os pais e três das quatro irmãs, todos os quais haviam permanecido em Varsóvia. Ela me contava essa história terrível todas as tardes enquanto cuidava de mim depois da escola, com lágrimas e fúria nos olhos. Minha comunidade judaica em Montreal era composta em grande parte por famílias de sobreviventes do Holocausto; tanto a minha família quanto as famílias vizinhas estavam repletas de histórias semelhantes, de dor e sofrimento. Meus genes ficaram marcados — até mesmo alterados, como os neurocientistas agora sugerem — pelo trauma. Eu cresci em uma atmosfera de vitimização e medo.

Mas ali, em *Freuen in di Ghettos*, havia uma versão diferente da história das mulheres durante a guerra. Fiquei em choque com aqueles relatos sobre sua agência. Tratava-se de mulheres que agiam com determinação e coragem — até mesmo com violência —, ao contrabandear, reunir informações, realizar missões de sabotagem e combater com armas nas mãos; elas tinham orgulho de seu ímpeto. Aquelas escritoras não pediam piedade, antes celebravam a bravura e a intrepidez. Mulheres que, muitas vezes famintas e torturadas, foram corajosas e destemidas. Muitas tiveram oportunidade de fugir, mas não o fizeram; algumas até mesmo escolheram voltar e lutar. Minha *bubbe* era minha heroína, mas e se ela tivesse decidido arriscar a vida ficando para combater? Uma pergunta passou a me assombrar: O que eu teria feito em uma situação semelhante? Lutar ou fugir?

*

A princípio, imaginei que as várias dezenas de agentes da resistência mencionadas em *Freuen* representassem o montante total. Mas assim que comecei a me debruçar sobre o assunto, histórias extraordinárias de mulheres combatentes começaram a surgir de todos os cantos: arquivos, catálogos, pessoas desconhecidas que me enviavam por e-mail a história de sua família. Encontrei dezenas de memórias de mulheres publicadas por pequenas editoras, além de centenas de depoimentos em polonês, russo, hebraico, iídiche, alemão, francês, holandês, dinamarquês, grego, italiano e inglês, da década de 1940 até os dias atuais.

Os estudiosos do Holocausto têm debatido sobre o que "conta" como um ato de resistência judaica.[2] Muitos adotam a definição mais ampla: qualquer ação que afirmasse a humanidade de um judeu; qualquer feito individual ou coletivo que, mesmo não intencionalmente, desafiasse a política ou a ideologia nazista, incluindo simplesmente permanecer vivo. Outros acreditam que uma definição tão generalista minimiza a importância daquelas pessoas que arriscaram a vida para desafiar ativamente o regime, e que é preciso fazer uma distinção entre resistência e resiliência.

Os atos de insurreição praticados por mulheres judias na Polônia, o país no qual me concentrei, abrangiam todo esse espectro, consistindo em uma variedade de ações, desde aquelas que envolviam planejamento complexo e cálculos elaborados, como detonar grandes quantidades de TNT, até as espontâneas e simples, e algumas tinham até mesmo um toque de comédia pastelão, envolvendo disfarces, mordidas e arranhões para escapar das garras dos nazistas. Para muitas dessas mulheres, o objetivo era resgatar judeus; para outras, morrer e deixar um legado de dignidade. *Freuen* destaca a atividade das "combatentes do gueto": agentes clandestinas que emergiram dos movimentos da juventude judaica e trabalhavam nos guetos. Essas jovens eram combatentes, editoras de boletins clandestinos e ativistas sociais. Sobretudo, constituíam a esmagadora maioria de "mensageiras", uma função específica que estava no centro das operações. Disfarçavam-se de gentias e viajavam entre guetos e cidades bloqueadas, contrabandeando pessoas, dinheiro, documentos, informações e armas, muitas das quais obtidas por elas mesmas.

Além de atuar como combatentes do gueto, muitas mulheres judias fugiam para as florestas e se juntavam a unidades guerrilheiras, realizando ações de sabotagem e missões de inteligência. Alguns atos de resistência eram eventos pontuais e "não organizados". Várias judias polonesas se juntaram a unidades de resistência estrangeiras, enquanto outras trabalhavam com a resistência polonesa. Essas mulheres estabeleciam redes de resgate[3] para ajudar outros judeus a se esconder ou fugir. Por fim, resistiram moral, espiritual e culturalmente, ocultando sua identidade, distribuindo livros judaicos, contando piadas durante os transportes para aplacar o medo, abraçando companheiras para mantê-las aquecidas[4] e improvisando cozinhas onde serviam sopa aos órfãos. Às vezes, esta última atividade era organizada, pública e ilegal; outras vezes, era algo pessoal e íntimo.

Após meses de pesquisa, eu tinha diante de mim algo que, para uma escritora, é ao mesmo tempo um tesouro e um desafio: havia reunido mais histórias incríveis de resistência do que jamais poderia imaginar. Como fazer uma triagem e selecionar minhas personagens principais?

No fim das contas, decidi seguir minha fonte inspiradora, *Freuen*, com seu foco nas combatentes do gueto oriundas dos movimentos juvenis Liberdade (Dror) e Guarda Jovem (Hashomer Hatzair). O texto central, a contribuição mais longa de *Freuen*, foi escrito por uma mensageira que assinava como "Renia K.". Senti-me intimamente atraída por Renia, não por ser a líder mais conhecida, a mais militante ou a mais carismática, mas por razões opostas. Renia não era uma idealista nem uma revolucionária, mas uma garota inteligente de classe média que por acaso se viu em meio a um pesadelo repentino e interminável. Ela demonstrou estar à altura da situação, motivada por um profundo senso de justiça e também pela raiva. Fiquei fascinada por seus impressionantes relatos de travessia de fronteiras e contrabando de granadas, e pelas descrições detalhadas de suas missões secretas. Aos 20 anos, Renia registrou a experiência que viveu nos cinco anos anteriores em uma prosa equilibrada e reflexiva, repleta de rápidas caracterizações, impressões francas e até mesmo espirituosas.

Mais tarde, descobri que os textos de Renia em *Freuen* foram extraídos de um longo livro de memórias[5] escrito em polonês e publicado em hebraico na Palestina em 1945. Seu livro foi um dos primeiros relatos pessoais de grande fôlego sobre o Holocausto (de acordo com algumas pessoas, teria sido *o* primeiro).[6] Em 1947, uma casa editorial judaica no centro de Nova York lançou uma versão em inglês, com introdução de um eminente tradutor.[7] Logo depois, no entanto, o livro e seu universo caíram na obscuridade. Encontrei o nome de Renia apenas em menções passageiras ou em comentários de acadêmicos. Neste livro, resgato sua história das notas de rodapé, revelando essa mulher judia anônima capaz de atos de incrível bravura. Entrelacei à história de Renia histórias de combatentes judaico-polonesas de diferentes movimentos clandestinos e com missões diversas, tudo isso para mostrar a amplitude e o escopo da coragem feminina.

*

A tradição judaica está repleta de histórias de vitórias improváveis: Davi e Golias, os escravos israelitas que desafiaram o faraó, os irmãos Macabeus que derrotaram o Império Grego.

Esta não é uma delas.

A resistência dos judeus poloneses obteve vitórias relativamente ínfimas em termos de sucesso militar, baixas nazistas e número de judeus salvos.[8]

Seu *esforço* de resistência, no entanto, foi muito maior e mais organizado do que eu jamais havia imaginado, e colossal em comparação com a narrativa do Holocausto que conheci ao longo de minha vida. Havia grupos judeus armados operando na clandestinidade em mais de noventa guetos da Europa Oriental.[9] Além de Varsóvia, "pequenas ações" e levantes ocorreram em Będzin, Vilna, Białystok, Cracóvia, Lvov, Częstochowa, Sosnowiec e Tarnów.[10] A resistência armada judaica eclodiu em pelo menos cinco grandes campos de concentração e extermínio — incluindo Auschwitz, Treblinka e Sobibor —, bem como em dezoito campos de trabalhos forçados.[11] Trinta mil judeus se juntaram a destacamentos de guerrilheiros nas florestas.[12] Redes judaicas apoiaram financeiramente 12 mil judeus na clandestinidade em Varsóvia.[13] E há ainda os incontáveis exemplos de atos diários de desobediência.

Por que, eu me perguntava, nunca tinha ouvido essas histórias? Como era possível que nunca tivesse ouvido falar das centenas — até mesmo milhares — de mulheres judias que tinham se envolvido em todos os aspectos dessa insurreição, muitas vezes em posição de comando? Por que *Freuen* era um título obscuro em vez de um clássico nas listas de leitura sobre o Holocausto?

Como acabei descobrindo, muitos fatores, tanto pessoais quanto políticos, têm conduzido a elaboração da narrativa sobre o Holocausto. Nossa memória coletiva foi moldada por uma onipresente resistência à resistência. O silêncio é uma forma de influenciar percepções e operar deslocamentos de poder, e atuou de maneiras diferentes na Polônia, em Israel e na América do Norte ao longo das décadas. O silêncio é, também, uma técnica para lidar com os traumas e seguir vivendo.

Mesmo quando vão contra a corrente e relatam histórias de resistência, os escritores dão pouco destaque às mulheres.[14] Nos raros casos em que incluíram mulheres em sua narrativa, elas foram com frequência retratadas por meio de tropos narrativos estereotipados. No interessante filme *Insurreição*, produzido para a TV em 2001 e que conta a história do levante do gueto de Varsóvia, as mulheres combatentes estão presentes, porém mal representadas como de costume. Mulheres que ocuparam lugares de liderança foram reduzidas a personagens secundárias; "namoradas dos" protagonistas. A única protagonista feminina é Tosia Altman, e, embora o filme a mostre contrabandeando armas corajosamente, ela é retratada como uma garota bonita e tímida que cuidava do pai doente e foi arrastada de forma passiva para um papel na resistência, completamente inexperiente e submissa. Na realidade, Tosia já era uma das líderes do movimento juvenil Guarda Jovem bem antes da guerra; sua biógrafa enfatiza a reputação de "garota charmosa" combativa e um pouco "desajuizada".[15] Ao reescrever sua história de vida, o filme não apenas distorce seu caráter, mas também apaga todo o mundo da educação, do treinamento e do trabalho feminino judaico que a tornou quem ela era.

Nem é preciso dizer que a resistência judaica aos nazistas na Polônia não foi uma missão feminista radical empreendida apenas por mulheres. Os homens também lutaram e atuaram como líderes e comandantes. Mas, por causa de seu gênero e de sua capacidade de camuflar o fato de serem judias, as mulheres eram especialmente talhadas para realizar algumas tarefas cruciais e potencialmente fatais; em particular, atuando como mensageiras. Conforme descreveu a combatente Chaika Grossman: "As garotas judias eram o centro nervoso do movimento."[16]

*

O eminente cronista do gueto de Varsóvia Emanuel Ringelblum escreveu sobre as mensageiras na época: "Sem um murmúrio, sem um segundo de hesitação, elas aceitam e realizam as missões mais perigosas (...). Quantas vezes olharam a morte nos olhos? (...) A história das mulheres judias vai ser uma página gloriosa na história dos judeus durante a atual guerra."[17]

Em 1946, o único propósito de *Freuen* era informar os judeus americanos quanto aos incríveis esforços das mulheres judias nos guetos. Muitos dos colaboradores do livro simplesmente presumiram que aquelas mulheres se tornariam conhecidas, sugerindo que, no futuro, historiadores mapeariam esse extraordinário território. A combatente Ruzka Korczak escreveu que essas histórias de resistência feminina são "os maiores tesouros de nossa nação" e se tornariam parte essencial do folclore judaico.[18]

Setenta e cinco anos depois, essas heroínas permanecem em sua maioria desconhecidas, as páginas destinadas a elas no livro da eterna memória[19] ainda por escrever. Até agora.

PRÓLOGO
UM SALTO NO TEMPO: DEFESA OU RESGATE?

Do alto, pode-se confundir a pequena cidade, com seu reluzente castelo e seus edifícios em tons pastel, sua paisagem urbana de cores suaves, com um reino mágico. Fundada no século IX, Będzin foi inicialmente construída para ser uma cidade-fortaleza,[1] guardando a antiga rota comercial entre Kiev e o Ocidente. Como muitas das cidades medievais da Polônia, sobretudo aquelas localizadas nessa região de densas florestas ao sul do país, a vista de Będzin é magnífica. As paisagens verdejantes não sugerem divisão e morte, decretos e batalhas sem fim. À distância, ninguém imaginaria que essa cidade majestosa, encimada por uma torre dourada, tenha sido um símbolo da quase destruição do povo judeu.

Localizada na região polonesa de Zaglembie, Będzin foi um lar para judeus durante centenas de anos. Eles trabalhavam e prosperavam na província desde o início do século XIII. No fim do século XVI, o rei concedeu aos judeus de Będzin o direito de ter suas casas de oração, comprar terras, realizar transações comerciais ilimitadas, abater animais para consumo e distribuir álcool. Por mais de duzentos anos, contanto que pagassem os impostos, eles estiveram protegidos e estabeleceram uma sólida rede de relações comerciais. No século XIX, a cidade passou ao rigoroso domínio prussiano e em seguida ao domínio russo, mas os grupos locais se opuseram a esses colonizadores estrangeiros e defenderam a fraternidade judaico-polonesa. No século XX, a economia prosperou, escolas modernas foram abertas, e Będzin se tornou um centro de novas filosofias, em particular o socialismo. As ondas de novos costumes geraram conflitos internos apaixonados e prolíficos: os partidos políticos, os catedráticos e a imprensa ligados ao judaísmo floresceram. Como em muitas cidades do país, os judeus constituíam um crescente percentual da população, intimamente entrelaçados à tessitura do cotidiano. Os falantes de iídiche constituíam um contingente essencial da região; Zaglembie, por sua vez, se tornou parte integrante de sua identidade.

Em 1921, quando Będzin era chamada de "a Jerusalém de Zaglembie", os judeus eram proprietários de 672 fábricas e oficinas locais. Quase metade dos habitantes da cidade eram judeus,[2] muitos deles abastados: médicos, advogados, comerciantes e proprietários de fábricas. Formavam um grupo liberal, secular, moderadamente socialista, que frequentava cafés, tinha casas de veraneio nas montanhas, apreciava noites de tango e jazz e esquiava, sentindo-se europeus. A classe trabalhadora e os judeus religiosos também prosperaram, com dezenas de locais de culto e uma ampla seleção de partidos nos quais poderiam votar para o conselho judaico. Nas eleições municipais de 1928, dos 22 partidos que estiveram representados, 17 eram organizações judaicas. O vice-prefeito de Będzin era judeu. Obviamente, os judeus não tinham como saber que o mundo dinâmico que haviam construído seria, em breve, totalmente destruído — muito menos que teriam de lutar por seu legado e por sua vida.

*

Em setembro de 1939, o exército invasor alemão tomou Będzin. Os nazistas incendiaram a grande sinagoga românica da cidade — um elemento central orgulhosamente construído no sopé da colina do castelo —, em seguida assassinaram dezenas de judeus.[3] Três anos depois, 20 mil judeus usando braçadeiras com a estrela de Davi[4] foram forçados a se mudar para um pequeno bairro fora da cidade, onde várias famílias tinham de se espremer em casebres ou em quartos pequenos. Pessoas que haviam desfrutado de séculos de relativa paz, prosperidade e integração social, séculos de cultura, viram-se confinadas em uns poucos quarteirões caindo aos pedaços. A comunidade de Będzin ganhou um novo bolsão. Um bolsão escuro e úmido. O gueto.

Os guetos de Zaglembie estiveram entre os últimos da Polônia a serem "liquidados"; o exército de Hitler chegou ali em um estágio mais tardio da guerra, para levar a cabo sua "Solução Final".[5] Muitos dos habitantes do gueto tinham autorização de trabalho e foram enviados para realizar trabalhos forçados em oficinas e fábricas de armas alemãs, em vez de serem despachados de imediato para campos de extermínio. Em Będzin, a comunicação postal ainda era possível. Esses guetos tinham contato com a Rússia, a Eslováquia, a Turquia, a Suíça e outros territórios não arianos. Assim, mesmo nesses bolsões escuros, surgiram células de resistência judaica.

Entre as casas abarrotadas, em meio a uma atmosfera de pânico, inquietação e terror, havia um edifício especial. Uma construção que se manteve firme não apenas por sua sólida fundação (que em breve estaria apoiada sobre uma rede de bunkers subterrâneos), mas também graças ao cérebro, ao coração e aos músculos de seus habitantes. Ali ficava o quartel-general da resistência judaica em Będzin. Uma resistência originada da filosofia do movimento trabalhista sionista, que valorizava a agência dos judeus, o trabalho na terra, o socialismo e a igualdade. Os "camaradas" cresciam nutridos por uma dieta singular de trabalho físico e empoderamento feminino. Ali funcionava um dos centros do movimento juvenil Liberdade.

*

Em fevereiro de 1943, o gueto estava assolado pelo frio, o ar pesado como chumbo. O movimentado edifício comunal estava excepcionalmente silencioso. A habitual movimentação dos programas culturais do Liberdade — cursos de idiomas, apresentações musicais, seminários sobre a conexão entre o coração e a terra — havia se extinguido. Nada de vozes nem música.

Renia Kukiełka, uma jovem judia de 18 anos, militante em ascensão no movimento de resistência clandestina, surgiu, vinda da lavanderia. Ela ia se juntar à reunião que estava sendo realizada em torno de uma grande mesa no andar térreo do quartel-general, onde aconteciam os planejamentos mais importantes. Um local que conhecia bem.

— Conseguimos alguns documentos — anunciou Hershel.

Todos arquejaram. Eram bilhetes premiados: para fora da Polônia, para a sobrevivência.

Aquele era um dia decisivo.[6]

Frumka Płotnicka, com seus olhos escuros e a testa franzida, estava em uma das cabeceiras da mesa. Oriunda de uma família pobre e religiosa de Pinsk, era uma adolescente introvertida quando se juntou ao movimento e, em virtude de sua seriedade inata e de seu pensamento analítico, ascendera na hierarquia. Com o início da guerra, rapidamente se tornou uma das líderes na clandestinidade.

Hershel Springer, que dividia com ela o comando da "seção" de Będzin, estava na outra cabeceira. Amado por todos, Hershel tinha "em si tanto do caráter popular judeu"[7] que era capaz de entabular uma conversa franca com qualquer pessoa com quem tivesse raízes em comum, de um carroceiro a um açougueiro, debatendo sobre os assuntos mais triviais. Como sempre, seu sorriso largo e caloroso era uma força reconfortante contra a destruição que reinava do lado de fora; o gueto imundo que ficava mais vazio a cada dia, o eco do nada.

Renia se sentou em seu lugar à mesa entre eles, junto com o restante dos jovens judeus.

Ela frequentemente se via abismada pela incredulidade, em choque diante da sua realidade. Em um intervalo de apenas alguns anos, havia deixado de ser uma adolescente de 15 anos com seis irmãos e pais amorosos e se tornara uma órfã, sem saber nem mesmo quantos de seus irmãos e irmãs ainda estavam vivos ou onde poderiam estar. Com a família, havia atravessado campos cobertos de cadáveres. Mais tarde, fugira por outros campos, completamente sozinha. Poucos meses antes, havia saltado de um trem em movimento e se disfarçado de camponesa polaca, passando a trabalhar como empregada doméstica para uma família que era parcialmente alemã. Havia insistido em frequentar a igreja com eles, como parte do disfarce, mas na primeira vez tremera a cada movimento, com medo de não saber quando se levantar, como se sentar, como fazer o sinal da cruz. A adolescente havia se tornado uma atriz, constantemente representando. A dona da casa gostava dela e a elogiava por ser asseada, trabalhadora e até mesmo educada. "É natural", mentira Renia, em parte. "Venho de uma família culta. Éramos ricos. Só depois que meus pais morreram é que tive que começar a fazer trabalho braçal."

Ela era bem tratada, mas assim que conseguiu contatar secretamente sua irmã Sarah, soube que precisava se juntar a ela, ao que restava de sua família. Sarah providenciou para que Renia fosse clandestinamente para Będzin, para o centro do grupo jovem Liberdade, do qual ela fazia parte.

Renia agora era uma moça instruída que lavava roupa, escondida nos fundos. Sua presença ali era ilegal, uma intrusa entre intrusos. Os nazistas haviam dividido a Polônia conquistada em territórios distintos. Renia tinha documentos apenas para o Governo Geral, a área que servia como "lixão racial",[8] uma fonte inesgotável de trabalho escravo — e, por fim, local de extermínio em massa de judeus europeus. Ela não tinha documentos para viver em Zaglembie, uma área anexada pelo Terceiro Reich.

À direita de Renia estava sentada Hantze, irmã de Frumka e seu completo oposto, com um espírito exuberante e um otimismo inabalável que iluminavam o ambiente. Hantze adorava contar aos camaradas como havia enganado os nazistas vestindo-se de mulher católica, desfilando bem diante deles, ludibriando-os repetidas vezes. Sarah, de feições esculpidas com maçãs do rosto proeminentes e olhos escuros e penetrantes,[9] estava presente, junto com a namorada de Hershel, Aliza Zitenfeld, com quem compartilhava o cuidado das crianças órfãs do gueto. A jovem Chajka Klinger, a franca e aguerrida líder de um grupo-irmão, talvez também estivesse à mesa, pronta para lutar por seus ideais: verdade, ação, dignidade.

— Conseguimos alguns documentos — repetiu Hershel.

Cada documento permitia a entrada de uma pessoa em um campo de internamento; permitia que uma pessoa permanecesse viva. Eram passaportes falsos de países aliados, onde alemães eram mantidos prisioneiros. Os portadores desses passaportes eram retidos pelos nazistas em campos especiais para serem trocados por alemães que haviam sido capturados nesses países — um dos vários esquemas envolvendo passaportes[10] dos quais tinham tomado conhecimento nos anos anteriores. Talvez, esperavam, aquele fosse legítimo. Tinham sido necessários meses de organização para obter aqueles documentos, um processo extremamente caro e perigoso que envolvia enviar cartas escritas em códigos secretos, junto de fotografias, a falsificadores especializados. Quem receberia um daqueles passaportes?

Ou será que ninguém deveria usá-los?

Defesa ou resgate? Lutar ou fugir?

Esse era um debate que vinham travando desde o início da guerra. Um número reduzido de judeus com um número ainda mais reduzido de armas não era páreo para os nazistas, então qual era o propósito de resistir? Estariam lutando para morrer com dignidade, por vingança, para deixar um legado de honra para as gerações futuras? Ou estariam lutando para provocar danos, resgatar e salvar — e, se fosse esse o caso, a quem? Indivíduos ou o movimento? Crianças ou adultos? Artistas ou líderes? Os judeus deveriam lutar nos guetos ou nas florestas? Como judeus ou junto aos poloneses?

Agora, uma decisão de fato precisava ser tomada.

— Frumka! — chamou Hershel do outro lado da mesa, olhando diretamente em seus olhos escuros.

Ela o encarou de volta, com a mesma firmeza, mas permaneceu em silêncio.

Hershel explicou que havia chegado de Varsóvia a diretriz de uma líder respeitada por todos: Zivia Lubetkin. Frumka deveria usar um dos passaportes para deixar a Polônia e ir para Haia, onde ficava a Corte Permanente de Justiça Internacional da Liga das Nações, precursora da ONU. Sua missão era representar o povo judeu e contar ao mundo o que estava acontecendo. Em seguida, viajaria para a Palestina, onde serviria como testemunha oficial das atrocidades nazistas.

— Ir embora? — perguntou Frumka.

Renia olhou para ela com o coração disparado. Podia sentir que Frumka também estava atordoada, quase podia ver sua mente aguçada trabalhando por trás da expressão impassível. Frumka era a líder, a rocha que sustentava a todos, tanto os homens quanto as mulheres. Quem seria convocado para acompanhá-la? O que seria deles sem ela?

— Não — declarou Frumka com seu jeito firme, mas gentil. — Se tivermos que morrer, vamos morrer todos juntos. Mas — e nesse momento fez uma pausa — vamos lutar por uma morte heroica.

Ao ouvir suas palavras, sua segurança, todos na sala deixaram escapar um suspiro. Como se todo o edifício tivesse ressuscitado, os presentes começaram a bater os pés, alguns até mesmo sorriam. Frumka bateu com o punho sobre a mesa, um gesto simples e rápido como o do martelo de um juiz.

— Está na hora. Está na hora de reunirmos nossas forças.

E foi assim que tiveram a resposta unânime: defesa.

Renia, sempre pronta, levantou-se de um salto da cadeira.

Parte 1

Garotas do gueto

Garotas heroicas (...). Corajosamente, elas viajam pelas cidades e vilas da Polônia (...). Enfrentam o perigo mortal todos os dias. Fiando-se em seu rosto "ariano" e no lenço de camponesa com que cobrem a cabeça. Sem um murmúrio, sem um segundo de hesitação, elas aceitam e realizam as missões mais perigosas. Alguém precisa viajar para Vilna, Białystok, Lemberg,[1] Kovel, Lublin, Częstochowa ou Radom, para contrabandear publicações ilegais, mercadorias, dinheiro? As jovens se voluntariam como se fosse a coisa mais natural do mundo. Há camaradas que precisam ser resgatados de Vilna, Lublin ou alguma outra cidade? Elas aceitam a missão. Nada é obstáculo para elas. Nada as detém (...). Quantas vezes olharam a morte nos olhos? Quantas vezes foram detidas e revistadas? (...) A história das mulheres judias será uma página gloriosa na história do judaísmo durante a atual guerra. E as Chajkas e Frumkas serão as personagens principais dessa história. Porque essas moças são incansáveis.[2]

Emanuel Ringelblum, anotação no diário, maio de 1942

1. PO-LIN

RENIA

OUTUBRO DE 1924

Na sexta-feira, 10 de outubro de 1924,[1] enquanto os judeus de Jędrzejów se preparavam para a véspera do Shabat,[2] encerrando o expediente das lojas, fechando o caixa, cozendo, picando e fritando, Moshe Kukiełka saiu apressado de seu armazém. A casa da família, na rua Klasztorna (do Mosteiro), número 16, era uma pequena construção de pedra em uma avenida arborizada, logo depois da curva de uma magnífica abadia medieval famosa por seu interior turquesa e dourado. Naquela noite, a casa estava particularmente agitada. À medida que o pôr do sol se aproximava, a luz alaranjada de outono sangrando, vermelha, sobre as colinas e os vales exuberantes da região de Kielce, o forno dos Kukiełka esquentava, as colheres tilintavam, o fogão sibilava, e os sinos da igreja forneciam o ruído de fundo usual para o falatório da família, em iídiche e polonês.[3] De repente, um novo som: o primeiro choro de um bebê.

Moshe e Leah eram ao mesmo tempo modernos e praticantes, assim como seus três filhos mais velhos. Eles abraçavam a cultura polonesa e celebravam as tradições judaicas. Moshe costumava correr para casa ou até um *shtiebel* (casa de oração) para fazer as orações e a refeição do Shabat, caminhando apressado pela praça da cidade, ladeada de fileiras de prédios em tons pastel, passando por comerciantes judeus e agricultores cristãos que viviam e trabalhavam lado a lado. Naquela semana, apressou ainda mais o passo em meio ao frio ar outonal. Como mandava a tradição, velas eram acesas e o Shabat em si era recebido em casa como uma noiva, mas naquele dia Moshe receberia outra pessoa. Uma visitante ainda melhor.

E então ele chegou e a encontrou: sua terceira filha, que imediatamente se tornou a menina de seus olhos atentos. Rivka,* em hebraico, é um nome cujas raízes têm vários significados, incluindo "conexão", "união" e até "cativante". Na Bíblia, Rivka era uma das quatro matriarcas do povo judeu. Evidentemente, naquela família parcialmente assimilada, a bebê ganhou também um nome polonês: Renia. O sobrenome Kukiełka se assemelha ao polonês Kukielo, sobrenome da família que, havia gerações, administrava a casa funerária local.[4] Os judeus costumavam compor seus sobrenomes acrescentando terminações bonitas, como *-ka*, aos sobrenomes poloneses. Kukiełka significa "marionete".

Era 1924, apenas um ano depois que a nova Polônia fora finalmente reconhecida pela comunidade internacional e tivera seus contornos territoriais definidos após anos de ocupação, partilha e fronteiras em constante deslocamento. (Segundo uma velha anedota judaica, um homem pergunta se sua cidade fica em território polonês ou soviético. Respondem-lhe: "Este ano, estamos na Polônia." "Graças a Deus!", exclama o homem. "Eu não suportaria mais um inverno russo.") A economia se mantinha à tona e, embora a maioria dos judeus em Jędrzejów vivesse abaixo da linha da pobreza, Moshe tinha um pequeno negócio bem-sucedido, administrando um armarinho onde vendia botões, roupas e material de costura. Ele sustentava uma família de classe média, com acesso à música e à literatura. A mesa do Shabat, posta naquela semana pelas duas filhas mais velhas e por parentes[5] dos Kukiełka enquanto Leah se ocupava de outras coisas, estava repleta das iguarias típicas do dia[6] pelas quais Moshe tinha condições de pagar: licores, bolo de gengibre, iscas de fígado com cebolas, *cholent* (guisado de feijão e carne cozidos durante horas), *kugel* de batata e macarrão doce, compota de ameixas e maçãs, e chá. Os bolinhos de *gefilte fish* de Leah, servidos quase todas

* Em português, Rebeca. [*N. da T.*]

as sextas-feiras, viriam a se tornar os favoritos de Renia. Sem dúvida, a refeição foi ainda mais festiva naquela semana.

Às vezes, os traços da personalidade já são perceptíveis, até mesmo inconfundíveis, nas primeiras horas de existência de alguém; psicologias estampadas na alma. É possível que Moshe soubesse, quando a segurou nos braços pela primeira vez — transmitindo-lhe sua gentileza, sua inteligência e sua perspicácia —, que seu espírito conduziria a filha por jornadas que, em 1924, uma pessoa dificilmente poderia imaginar. É possível que já naquele momento soubesse que sua pequena Renia, de grandes olhos verdes, cabelos castanho-claros e feições delicadas — sua pequena e encantadora marionete —, tinha nascido para grandes feitos.

*

Jędrzejów[7] era uma *shtetl*, palavra em iídiche traduzida como "pequena cidade", e usada para se referir a cidades mercantis polonesas com uma significativa população judaica. O nascimento de Renia acrescentou mais uma pessoa aos 4.500 judeus que já viviam na cidadezinha, compondo quase 45% da população. (Seus irmãos mais novos, Aaron, Esther e Yaacov, o pequeno Yankel, logo somariam mais três.)[8] A comunidade judaica, estabelecida na década de 1860, quando os judeus finalmente foram autorizados a se instalar na região, era majoritariamente pobre. Os judeus trabalhavam, em sua maioria, como caixeiros-viajantes ou mascates, ou eram proprietários de pequenos negócios com lojas na arejada praça do mercado e em seu entorno. O restante se dedicava, sobretudo, a atividades artesanais: sapateiros, padeiros, carpinteiros. Jędrzejów não era tão moderna quanto Będzin, que fazia fronteira com a Alemanha e o Ocidente, mas mesmo ali havia uma pequena elite local composta de médicos, enfermeiros e professores; havia até mesmo um juiz judeu. Cerca de 10% dos judeus da cidade eram ricos, proprietários de madeireiras, moinhos de farinha e oficinas mecânicas, bem como de imóveis na praça principal.

Como no restante da Polônia, a cultura judaica moderna floresceu enquanto Renia crescia e tornava-se uma típica criança dos anos 1930. Naquela época, apenas em Varsóvia havia o impressionante número de 180 jornais judaicos: 130

publicados em iídiche, 25 em hebraico e 25 em polonês.[9] Da mesma maneira, dezenas de assinaturas de revistas passavam pelos correios de Jędrzejów. A população judaica local crescia. Diferentes locais de culto foram estabelecidos para atender às várias correntes do judaísmo. Mesmo em uma cidade pequena como aquela, foram abertas três livrarias, uma editora e algumas bibliotecas judaicas; grupos de teatro e de leitura proliferavam; partidos políticos se multiplicavam.

O pai de Renia se dedicava ao estudo do judaísmo e a obras de caridade, dando comida aos pobres, preparando os mortos na sociedade funerária *chevra kadisha* e servindo como cantor local. Votava em partidos e candidatos sionistas. Os sionistas religiosos veneravam os ideais oitocentistas do escritor Theodor Herzl (1860-1904), acreditando que uma existência judaica plena e verdadeira só seria possível em uma pátria onde os judeus fossem cidadãos de primeira classe: a Palestina. A Polônia podia ter sido seu lar por séculos, mas era um lar temporário. Moshe sonhava em um dia mudar-se com a família para "a Terra Prometida".

Os partidos organizavam palestras e comícios políticos. É possível imaginar Renia acompanhando seu barbudo e amado pai a uma das grandes e cada vez mais populares reuniões sionistas da cidade, como a palestra sobre "A luta por uma Palestina judaica", realizada em 18 de maio de 1937.[10] Vestindo a blusa azul-marinho e branca, em estilo marinheiro, a saia plissada e as meias até o joelho[11] do uniforme de colegial polonesa, uma eterna amante de caminhadas,[12] Renia segurava com força a mão de Moshe enquanto andavam resolutos, passando pelas duas novas bibliotecas sionistas a caminho da animada reunião na qual centenas de judeus debatiam e discutiam acaloradamente questões sobre pertencimento. Enquanto os poloneses negociavam sua nova identidade em uma pátria recém-estabilizada, o mesmo acontecia com os judeus. Como se encaixavam naquele novo país, um lugar onde viviam ininterruptamente havia mais de mil anos, sem nunca terem sido de fato considerados poloneses? Eram poloneses ou judeus em primeiro lugar? A questão moderna da identidade na Diáspora estava no centro de intensos debates, em especial devido a um antissemitismo que não parava de crescer.

*

Moshe e Leah Kukiełka valorizavam a educação. O país havia testemunhado um influxo maciço de escolas judaicas: escolas hebraicas seculares; escolas preparatórias para o ensino médio, com aulas em iídiche; escolas religiosas apenas para meninas ou apenas para meninos. Das quatrocentas crianças judias de Jędrzejów, cem frequentavam a escola beneficente Talmud Torá, o jardim de infância judaico ou a unidade local da escola primária para meninas Beit Yaakov, onde as alunas usavam mangas compridas e meia-calça.[13] Por razões de proximidade — e porque a educação religiosa era cara e com frequência reservada apenas aos meninos —, Renia, como muitas outras meninas judias, frequentava a escola pública polonesa.[14]

Não importava. Ela era a primeira de sua turma de 35 alunos. Quase todas as suas amigas eram católicas, e ela falava polonês fluente no pátio da escola. Sem que soubesse na época, essa imersão cultural, incluindo a capacidade de falar a língua nacional sem um sotaque que soasse judaico, viria a ser a parte mais importante de seu treinamento para atuar na clandestinidade. Mas, embora se destacasse e estivesse bem assimilada, Renia não era totalmente incluída. Durante uma cerimônia em que foi chamada para receber uma condecoração acadêmica, um colega atirou um estojo em sua testa, o que a deixou marcada[15] — literalmente. Então, ela era aceita ou não? Renia, na verdade, se equilibrava sobre uma barreira multissecular: a questão da "identidade judaico-polonesa".

A Polônia vinha evoluindo desde a sua fundação.[16] Com fronteiras geográficas em constante mudança, sua composição étnica variava à medida que novas comunidades eram incluídas em seu território. Os judeus medievais haviam migrado para a Polônia porque aquele local era um refúgio seguro se comparado à Europa Ocidental, onde haviam sido perseguidos e de onde foram expulsos. Ficaram aliviados ao chegar àquela terra tolerante e com boas oportunidades econômicas. "Polin", o nome hebraico para o país, é formado por "Po" e "Lin", e significa "Aqui ficamos". Polin oferecia-lhes uma liberdade e uma segurança relativas. Um futuro.

Uma moeda do início do século XIII, em exibição no Museu Polin da História dos Judeus Poloneses, em Varsóvia, ostenta letras hebraicas. Já naquela altura, os judeus falantes de iídiche constituíam uma minoria de tamanho considerável, parte integrante da economia polonesa, trabalhando como banqueiros, padeiros e oficiais de justiça. A Polônia dos primeiros tempos era uma república[17] cuja Constituição foi ratificada mais ou menos na mesma época que a dos Estados Unidos. O poder real era limitado por um parlamento eleito pela classe dos pequenos nobres. As comunidades judaicas e os nobres tinham acordos mútuos: a pequena nobreza protegia os judeus que se estabeleciam em suas vilas e cidades e lhes concedia autonomia e liberdade religiosa; os judeus, em contrapartida, pagavam impostos elevados e realizavam atividades econômicas proibidas aos cristãos poloneses, como empréstimo e financiamento mediante cobrança de juros.

A Confederação de Varsóvia, assinada em 1573, foi o primeiro documento na Europa a determinar legalmente a tolerância religiosa. No entanto, por mais que estivessem oficialmente integrados à cultura polonesa e partilhassem suas filosofias, tradições e estilo de se vestir, sua comida e sua música, os judeus ainda se sentiam diferentes, ameaçados. Muitos poloneses se ressentiam da liberdade econômica dos judeus. Estes sublocavam cidades inteiras dos nobres, e os servos poloneses sentiam-se rancorosos em relação ao domínio de seus senhorios judeus. Alguns líderes comunitários e religiosos disseminaram a odiosa e absurda mentira de que judeus matavam cristãos, em especial crianças, para usar seu sangue em rituais religiosos. Isso levou a ataques contra indivíduos da comunidade judaica, com ocasionais períodos de tumultos e assassinatos em larga escala. A comunidade judaica estreitou os laços que a uniam, buscando força em seus costumes. Existia uma relação de "atração e repulsão" entre judeus e poloneses, e suas respectivas culturas se desenvolviam entrelaçadas uma à outra. Vejamos, por exemplo, o *challa* trançado: o pão macio e rico em ovos, símbolo sagrado do Shabat judaico. Esse pão também é um *chalka* polonês e um *kalach* ucraniano — é impossível saber qual versão surgiu primeiro. As tradições se desenvolveram simultaneamente, as sociedades se entrançaram, unidas sob uma reluzente cobertura (agri)doce.

No fim do século XVIII, entretanto, a Polônia se desintegrou. O governo era instável, e o país foi invadido ao mesmo tempo pela Alemanha, pela Áustria e pela Rússia, para depois ser dividido em três regiões — cada uma delas governada por um captor, que impôs seus próprios costumes. Os poloneses permaneceram unidos por um anseio nacionalista e mantiveram sua língua e sua literatura. Os judeus poloneses mudaram de acordo com a ocupação: os alemães aprenderam a língua saxônica e se transformaram em uma classe média instruída, enquanto aqueles governados pelos austríacos (galegos) viviam na extrema pobreza. A maioria dos judeus, contudo, passou a ser governada pela Rússia, um império que impôs decretos econômicos e religiosos à população, em grande parte formada por indivíduos da classe trabalhadora. As fronteiras também mudaram. Jędrzejów, por exemplo, primeiro pertenceu à Galícia; em seguida foi conquistada pela Rússia. Os judeus viviam sob tensão, sobretudo no aspecto financeiro, pois as mudanças nas leis afetavam seus meios de subsistência.

Durante a Primeira Guerra Mundial, os três países que ocupavam a Polônia lutaram entre si em território polonês. Apesar das centenas de milhares de vidas perdidas e da economia dizimada, a Polônia saiu vitoriosa: a Segunda República foi instaurada. A Polônia unificada precisou reconstruir suas cidades e sua identidade. O cenário político estava dividido; o anseio nacionalista por tanto tempo acalentado se expressava de maneiras contraditórias. De um lado, os monarquistas nostálgicos que clamavam pelo restabelecimento da Polônia pluralista de outrora: a Polônia como um Estado de nações. (Quatro de cada dez cidadãos do novo país pertenciam a uma minoria.) Do outro, os que vislumbravam a Polônia como um Estado-nação — uma nação étnica. Um movimento nacionalista que defendia uma raça polonesa pura cresceu rapidamente. Toda a plataforma desse partido se concentrava em caluniar os judeus poloneses, apontados como culpados pela pobreza e pelos problemas políticos do país. A Polônia nunca se recuperara da Primeira Guerra Mundial ou de seus conflitos subsequentes com os países vizinhos, e os judeus foram acusados de se aliar ao inimigo. Esse partido de extrema direita promovia uma nova identidade polonesa que era definida especificamente como "não judaica".[18] O fato de gerações terem permanecido lá — sem mencionar a igualdade de direitos formais — não fazia qualquer diferença. Como postulava a teoria racial nazista, que o partido prontamente adotou, um judeu jamais poderia ser um polonês.

O governo central instituiu uma lei de descanso aos domingos e discriminava os judeus nas políticas públicas relativas ao trabalho, mas sua liderança era instável. Poucos anos depois, em 1926, por meio de um golpe de Estado, Józef

Piłsudski, uma mistura incomum de monarquista e socialista, assumiu o controle da Polônia. O ex-general e estadista defendia um território multiétnico e, embora não tenha ajudado os judeus de um modo direcionado, eles se sentiam mais seguros sob seu regime semiautoritário do que sob o governo representativo.

Piłsudski, no entanto, tinha muitos opositores e, com sua morte, em 1935, quando Renia completou 11 anos de idade, os nacionalistas de direita assumiram facilmente o poder. Seu governo era contrário à violência direta e aos pogroms (que aconteceram mesmo assim), mas os boicotes aos negócios de judeus eram incentivados. A Igreja condenava o racismo nazista, mas promovia sentimentos antijudaicos. Nas universidades, os estudantes poloneses defendiam a ideologia racial de Hitler. Cotas étnicas foram estabelecidas, e os estudantes judeus foram encurralados em "guetos acadêmicos" no fundo das salas de aula. Por ironia, dentre todos os grupos, eram os judeus aqueles que tinham a educação mais tradicionalmente polonesa: muitos falavam polonês (alguns como único idioma) e liam jornais judaicos nessa língua.

Até mesmo uma pequena cidade como Jędrzejów testemunhou um antissemitismo crescente[19] ao longo da década de 1930, com insultos raciais e boicote a negócios, destruição de vitrines e incitação de tumultos. Renia passava muitas tardes olhando pela janela, em alerta, temendo que vândalos antissemitas incendiassem sua casa ou fizessem mal a seus pais, pelos quais sempre se sentiu responsável.

A famosa dupla de comédia Dzigan e Schumacher,[20] que tinha sua própria companhia de cabaré em Varsóvia e fazia apresentações em iídiche, começou a abordar o antissemitismo nos palcos. Seu esquete de humor sinistramente presciente intitulado "O último judeu na Polônia"[21] retratava um país que de repente se via sem seus judeus, em pânico por causa da economia e da cultura destroçadas. Apesar da intolerância crescente, ou talvez inspirados pelo desconforto e pela esperança, os judeus vivenciaram uma era de ouro de criatividade na literatura, na poesia, no teatro, na filosofia, nas ações sociais, no estudo religioso e na educação — todas coisas das quais a família Kukiełka desfrutava.

A comunidade judaica na Polônia era constituída por uma multiplicidade de orientações políticas, e cada uma reagiu à sua maneira àquela crise de xenofobia.

Os sionistas estavam cansados de se sentir cidadãos de segunda classe, e Renia ouvia com frequência o pai falar da necessidade de se mudarem para uma pátria judaica, onde os judeus pudessem se desenvolver como povo, sem ficarem limitados por barreiras de classe ou religião. Liderados por intelectuais carismáticos que defendiam a língua hebraica, os sionistas discordavam fundamentalmente dos outros partidos. O partido religioso, devotado à Polônia, defendia menos discriminação e que os judeus fossem tratados como todos os outros cidadãos. Muitos comunistas apoiavam a assimilação, assim como muitos membros das classes mais abastadas. Com o tempo, o Bund,[22] um grupo socialista da classe trabalhadora que promovia a cultura judaica, se tornou o maior partido. Seus integrantes eram muito otimistas; tinham esperança de que os poloneses se tornassem mais moderados e se dessem conta de que o antissemitismo não resolveria os problemas do país. O Bund diaspórico insistia que a Polônia era o lar dos judeus, e que eles deveriam permanecer onde estavam, continuar a falar iídiche e reivindicar seu lugar de direito. O grupo organizou unidades de autodefesa, com a intenção de firmarem-se. "Onde vivemos, este é o nosso país." *Po-lin.*

Lutar ou fugir. A eterna questão.

*

Conforme Renia amadurecia e entrava na adolescência, é provável que tenha passado a acompanhar a irmã mais velha, Sarah, em atividades do grupo jovem.[23] Nascida em 1915, Sarah era nove anos mais velha que Renia, e uma de suas heroínas. Com olhos penetrantes e lábios delicados que sempre deixavam entrever um sorriso, era a intelectual onisciente, a benfeitora sensata cuja autoridade Renia simplesmente sentia. É possível imaginar as irmãs caminhando lado a lado com passos decididos, cheias de senso de dever e energia, ambas vestidas à moda da época: boina, blazer justo, saia pregueada na altura da canela, cabelos curtos penteados para trás e presos por grampos. Renia, sempre atenta ao que estava na moda, estaria arrumada da cabeça aos pés, um padrão que manteve por toda a vida. O estilo do período entreguerras na Polônia, influenciado pela emancipação das mulheres e pela moda parisiense, assistiu à substituição das joias, rendas e plumas pelo foco em cortes simples e no conforto. A maquiagem era ousada, com sombra escura para os olhos e batom vermelho-vivo; os cabelos e as saias foram encurtados. ("Era possível ver o sapato inteiro!",[24] escreveu um autor satírico da época.) Em uma foto tirada nos anos 1930, Sarah[25] aparece usando sapatos de salto baixo e grosso que permitiam que andasse rápido — uma necessidade, já que as mulheres da época caminhavam muito, percorrendo longas distâncias a pé para o trabalho e a escola. Sem dúvida, as pessoas viravam a cabeça para olhar quando as irmãs entravam na sala de reunião.

Nas décadas entre as duas guerras mundiais, a escalada do antissemitismo e da pobreza gerou uma depressão coletiva[26] entre os jovens judeus poloneses. Essa juventude se sentia alienada de seu país, o futuro incerto em comparação com o de seus antepassados. Os judeus não podiam fazer parte dos grupos de escotismo poloneses, de forma que 100 mil deles se juntaram a grupos da juventude judaica filiados a diferentes partidos políticos.[27] Esses grupos proporcionavam rumos existenciais e esperança em relação ao futuro. Os jovens judeus de Jędrzejów eram parte de um florescente cenário de coletivos juvenis. Em algumas fotografias,[28] os integrantes desses grupos aparecem usando roupas de cores escuras e posando como sóbrios intelectuais, de braços cruzados; em outras, estão ao ar livre, no campo, empunhando ancinhos, músculos flexionados, bronzeados e cheios de vida.

Como o pai, Sarah era sionista, mas, ao contrário de Moshe, fazia parte do Liberdade,[29] um grupo de sionistas trabalhistas secular e socialista. Em sua maioria oriundos da classe média e com educação formal, os sionistas trabalhistas ansiavam por uma pátria onde viveriam em coletivos, falariam hebraico e desfrutariam de um sentimento de pertencimento. Embora incentivassem a leitura e o debate, não deixavam de lado a forma física, que também era valorizada como uma maneira de desmentir o mito do judeu intelectual preguiçoso e de promover a agência de cada pessoa. Dedicar-se ao trabalho braçal e contribuir com os recursos coletivos era fundamental. Eles idealizavam o cultivo da terra; a autossuficiência agrícola andava de mãos dadas com a independência pessoal e comunitária.

Havia diversas organizações de jovens sionistas trabalhistas — algumas mais intelectuais ou seculares; outras, voltadas para a caridade, a defesa da causa ou o pluralismo —, mas todas adotavam os valores poloneses tradicionais de nacionalismo, heroísmo e sacrifício individual, dando-lhes um contexto judaico. O Liberdade se concentrava na ação social e atraía sobretudo pessoas da classe trabalhadora que falavam iídiche. O grupo organizava acampamentos de verão, campos de treinamento (*hachshara*) e fazendas comunais (*kibutzim*) para que os integrantes se preparassem para a emigração, estimulando o trabalho árduo e a vida em cooperativa — muitas vezes para o desespero dos pais. Moshe reprovava o Liberdade não apenas por ser excessivamente liberal e insuficientemente elitista, mas também pelo fato de os "camaradas" serem priorizados em relação à família biológica, com os líderes tratados como figuras exemplares — quase como pais substitutos. Ao contrário dos escoteiros ou das organizações desportivas, esses movimentos juvenis influenciavam todas as esferas da vida de seus membros; eram campos de treinamento físico, emocional e espiritual. Os jovens definiam a si mesmos com base no grupo ao qual pertenciam.[30]

Sarah era uma defensora ferrenha da igualdade e da justiça social e tinha um interesse especial no aconselhamento de crianças. Na Casa-Museu dos Combatentes do Gueto há várias fotos dela em um campo de treinamento na cidade de Poznań, a cerca de 300 quilômetros de Jędrzejów, em 1937. Em uma das fotografias, ela está de pé na frente de uma estátua, usando um terno de corte justo e gola alta, o chapéu ligeiramente inclinado para o lado, como mandava a moda; séria e determinada, com um livro nas mãos. Havia um mundo moderno a conquistar.

Na Polônia, as mulheres desempenhavam ao mesmo tempo papéis tradicionais e progressistas, estimuladas por uma filosofia educacional positivista e pela Primeira Guerra Mundial, que as empurrou para os empregos formais. Na nova república, o ensino fundamental era obrigatório, inclusive para as meninas. As universidades foram abertas a estudantes do sexo feminino. As polonesas conquistaram o direito ao voto[31] em 1918, antes da maioria dos países ocidentais.

Na Europa Ocidental, as famílias judias eram, em sua maioria, de classe média e seguiam costumes burgueses mais estritos, com as mulheres relegadas ao domínio doméstico. Na Europa Oriental, contudo, a maioria dos judeus era pobre e, por necessidade, as mulheres trabalhavam fora — especialmente nos círculos religiosos, nos quais era aceitável que os homens se dedicassem aos estudos em vez de trabalhar. As mulheres judias[32] estavam amplamente integradas na esfera pública: em 1931, 44,5% dos assalariados judeus eram mulheres, embora elas ganhassem menos do que os homens. A idade média com que se casavam foi adiada para o fim da casa dos 20, até mesmo início da casa dos 30, sobretudo devido à pobreza. Isso resultou em um declínio da fertilidade e, como consequência, um aumento da presença de mulheres no mercado de trabalho. Na verdade, até certo ponto, a forma como as mulheres da Europa Oriental equilibravam vida profissional e familiar se assemelhava bastante às normas de gênero modernas.

Séculos antes, as mulheres judias tinham conquistado "o direito ao conhecimento". A invenção da imprensa levou a uma proliferação de livros em iídiche e hebraico destinados ao público feminino; convenções religiosas permitiram que as mulheres frequentassem os serviços; a nova arquitetura das sinagogas passou a incluir um anexo feminino. As mulheres judias agora eram poetas, romancistas, jornalistas, comerciantes, advogadas, médicas e dentistas. Nas universidades, as judias constituíam uma grande porcentagem do corpo discente feminino, matriculadas sobretudo em cursos de humanidades e ciências.

Embora os partidos sionistas certamente não fossem "feministas"[33] — as mulheres não ocupavam cargos públicos, por exemplo —, as jovens vivenciavam um certo grau de paridade[34] na esfera da juventude socialista. A Guarda Jovem, grupo juvenil ao qual pertencia o irmão mais velho de Renia, Zvi, instituiu a ideia do "grupo íntimo", com uma estrutura de liderança dupla. Cada seção era comandada por um homem e uma mulher. O "Pai" era o líder nos processos de aprendizado, e a "Mãe", a líder emocional; com paridade de poderes, eles se complementavam. Nesse modelo familiar, "seus filhos" eram como irmãos.

Esses grupos estudavam Karl Marx e Sigmund Freud, além de revolucionárias como Rosa Luxemburgo e Emma Goldman. Defendiam explicitamente as discussões de cunho emocional e a análise das relações interpessoais. Grande parte dos membros estava no fim da adolescência, idade em que muitas mulheres são mais maduras do que os homens e, consequentemente, tornavam-se organizadoras. As mulheres passavam por treinamento de autodefesa; aprendiam a ter consciência social, a ser autoconfiantes e fortes. A União Pioneira (Hechalutz), organização que reunia vários grupos da juventude sionista e promovia treinamento agrícola com o objetivo de prepará-los para viver como pioneiros na Palestina, tinha um plano B para o caso de os homens serem recrutados para o Exército polonês, que colocava exclusivamente mulheres nos cargos de comando. Inúmeras fotos de jovens da década de 1930 mostram mulheres ao lado de homens, todos vestidos de forma similar, com casacos e cintos escuros, ou calças e roupas de trabalho; também elas erguiam foices como se fossem troféus e empunhavam gadanhas como se fossem espadas, preparando-se para uma vida de árduo trabalho braçal.

Sarah era uma sionista trabalhista devotada. Bela, a irmã entre ela e Renia, também se juntou ao Liberdade, e Zvi era fluente em hebraico. Renia, jovem demais para se filiar, passou o início da adolescência absorvendo a paixão das irmãs, e é possível imaginá-la comparecendo a reuniões, atividades esportivas e festividades — a irmã mais nova que as acompanhava, assimilando tudo, de olhos bem abertos.

Em 1938, Renia, então com 14 anos, estava concluindo o ensino fundamental. Um pequeno grupo de estudantes judeus recebia educação secundária geral na Escola Secundária do Distrito Coeducacional em Jędrzejów, mas ela não conseguiu frequentar o ensino médio. Em alguns relatos, atribuiu isso ao antissemitismo; em outros, explicou que precisou ganhar dinheiro[35] em vez de continuar os estudos. Muitas das memórias de jovens da época falam de suas ambições de se tornarem enfermeiras e até médicas,[36] mas talvez o ambiente mais tradicional de Jędrzejów ou as necessidades financeiras prementes de Renia tenham feito com que ela decidisse seguir a carreira de secretária. Matriculou-se em um curso de estenografia, na esperança de iniciar uma vida de trabalho em escritório. Mal sabia que o trabalho que em breve assumiria seria de natureza muito diferente.

*

Todos os grupos juvenis organizavam atividades de verão. Em agosto de 1939, jovens trabalhistas sionistas se reuniram em acampamentos e simpósios nos quais dançavam e cantavam, estudavam e liam, praticavam esportes, dormiam ao ar livre e ministravam inúmeros seminários. Discutiam o recente Livro Branco britânico que havia limitado a emigração de judeus para a Palestina e consideravam maneiras de se realocar, ávidos por levar adiante o trabalho de seus ideais coletivos e salvar o mundo. Os programas de verão terminaram e, no dia 1º de setembro, os membros tinham acabado de voltar para casa, vivenciando a transição entre a família escolhida e a de nascimento, o verão e a escola, o verde e o ocre, a brisa quente e o vento frio, o campo e a cidade.

E esse foi também o dia em que Hitler invadiu a Polônia.

2. DO FOGO AO FOGO

RENIA

SETEMBRO DE 1939

Os rumores se espalharam com a velocidade de disparos. Os nazistas estavam queimando, saqueando, arrancando olhos, cortando línguas, assassinando bebês, decepando os seios das mulheres. Renia não sabia o que pensar, mas, como todos na cidade, sabia que os alemães chegariam a Jędrzejów. Sabia que eles estavam indo atrás dos judeus. Uma nuvem de poeira se abateu sobre as famílias, tornados de pânico. Ninguém sabia para onde ir. Casas foram fechadas. Malas foram feitas. Caminhando em massa de cidade em cidade, civis e seus filhos andavam lado a lado com colunas de soldados poloneses em retirada. Não havia trens.

Junto com muitos de seus vizinhos, os Kukiełka decidiram rumar para o leste, para Chmielnik, uma pequena cidade muito parecida com Jędrezejów do outro lado do rio Nida, onde esperavam estar fora do alcance dos alemães e onde acreditavam que o exército polonês ainda se mantinha forte. Os Kukiełka tinham parentes em Chmielnik. Não levaram nada com eles. Juntando-se à multidão de fugitivos, partiram a pé.

Os 33 quilômetros da estrada estavam repletos de cadáveres de pessoas e de gado — todos vítimas dos implacáveis ataques aéreos dos nazistas.[1] Os aviões alemães lançavam explosivos por toda parte. Renia, sufocada pelo cheiro acre, muitas vezes se via atirada no chão, com braços e pernas abertos, tendo como pano de fundo aldeias em chamas. Era mais seguro, ela aprendeu rapidamente, ficar parada enquanto as bombas caíam; a imobilidade era um escudo. Outra explosão, e então um avião em voo rasante crivava o ar com rajadas de metralhadora. A única coisa que ela conseguia ouvir era o sibilar dos projéteis — isso e os bebês. As mães apertavam as crianças junto ao corpo, mas acabavam sendo mortas, caindo inertes, e deixando bebês e crianças sobreviventes berrando "para os céus",[2] descreveu ela mais tarde. Levaram um dia e uma noite infernais para chegar a Chmielnik.

Mas Renia percebeu de imediato que Chmielnik não era um refúgio seguro. A cidade havia sido reduzida a um amontoado de escombros do qual eram arrastadas pessoas queimadas e moribundas. E esses eram os que tiveram sorte. Alguns moradores do local, logo se descobriu, haviam fugido para Jędrzejów na esperança de encontrarem segurança. "Estávamos todos tentando escapar da frigideira nos lançando ao fogo."[3]

Chmielnik fervilhava de violência antecipada. Os boatos que chegavam de sua cidade natal eram aterrorizantes: os nazistas haviam tomado Jędrzejów, atirando em tudo que se movesse, e haviam reunido e assassinado a tiros dez homens judeus na praça da cidade, o lugar movimentado e de cores vibrantes que um dia fora o centro da vida deles. Essa ação deveria servir de aviso aos judeus locais, demonstrando o que aconteceria se alguém lhes desobedecesse. Os habitantes de Chmielnik sabiam que seriam os próximos.

Àquela altura, ainda se acreditava que, assim como nas guerras passadas, apenas os homens estavam em perigo, mas não as mulheres e as crianças. Muitos homens judeus, incluindo o pai de Renia, Moshe, fugiram da cidade em direção ao rio Bug, para onde os soviéticos haviam avançado, na esperança de encontrar proteção escondendo-se no campo. Renia escreveu mais tarde que os gritos das mulheres no momento de se separar dos homens eram insuportáveis. Só podemos imaginar o terror que ela sentiu ao deixar seu amado pai, sem saber por quanto tempo, para onde estavam indo, o que os aguardava.

Renia ficou sabendo que os ricos de Chmielnik tinham alugado cavalos e fugido para a Rússia. As casas estavam vazias.

Não houve qualquer surpresa, mas ainda assim foi horripilante quando sua hora chegou. Certa noite, Renia viu os tanques alemães ao longe. Registrou com orgulho que, de toda a população, apenas um rapaz judeu teve coragem de enfrentá-los. Saiu correndo na direção deles disparando uma arma, mas as balas nazistas o destroçaram. Dez minutos depois, escreveu Renia, os nazistas estavam perambulando pela cidade, invadindo casas e restaurantes, saqueando comida, pegando trapos para lavar os cavalos. Eles pegavam tudo o que queriam.

Renia espiou por uma fresta do sótão onde estava escondida com a família. Viu as ruas no entorno iluminadas por casas em chamas. As pessoas estavam escondidas em sótãos e porões, portas fechadas, janelas cobertas com tábuas. Renia ouvia o barulho ininterrupto de tiros de metralhadora, paredes sendo derrubadas, gemidos, gritos. Esticou o pescoço para tentar enxergar mais adiante: uma parte inteira da cidade estava sendo consumida pelas chamas.

E então, uma batida no portão da casa onde se escondiam. Era um portão de ferro, trancado com hastes de ferro, mas isso não deteve os soldados alemães, que arrombaram as janelas. Renia ouviu os passos quando eles entraram na casa. Em silêncio, sua família se apressou em recolher a escada que dava acesso ao sótão.[4] Renia prendeu a respiração enquanto ouvia os alemães lá embaixo, vasculhando tudo.

Em seguida, silêncio. Os nazistas tinham ido embora.

Diferentemente de muitos de seus vizinhos, cujas casas foram saqueadas e cujos homens e meninos foram levados para o lado de fora e fuzilados em um pátio, os Kukiełka escaparam. Ao contrário dos judeus mais ricos da cidade, trancados na grande sinagoga enquanto os alemães a encharcaram de gasolina para então incendiá-la, ao contrário dos moradores locais que pulavam de prédios em chamas apenas para serem abatidos por tiros em pleno ar, a família de Renia não foi descoberta. Não dessa vez.

Às nove da manhã do dia seguinte, as portas começaram a se abrir. Com cautela, Renia saiu para avaliar os estragos. Um quarto da população de Chmielnik, uma cidade que era 80% judia,[5] havia sido queimado vivo ou fuzilado.

Aquela foi a noite número um.[6]

*

Nos dez dias que se seguiram, enquanto o choque de Renia começava a arrefecer, uma imagem do que seria sua nova vida ganhou forma. Judeus sedentos eram proibidos de sair em busca de água. As ruas fediam com o cheiro dos cadáveres em putrefação. Depois disso, no entanto, os alemães prometeram normalidade, prometeram que não haveria mais mortes, desde que as pessoas lhes obedecessem. A rotina e o trabalho foram retomados, mas a fome já havia entrado na vida deles. O pão — agora uma substância cinzenta, dura e amarga[7] — era racionado e, embora quase todos os padeiros fossem da comunidade judaica, os nazistas forçavam os judeus a ir para o fim das filas. E pensar que Renia costuma detestar essa época do ano por causa de sua solenidade.[8] Amante das festividades alegres da primavera, a Pessach e a Shavuot, ela era avessa à tristeza dos grandes feriados religiosos do outono, as súplicas, as confissões, o jejum. O que não daria agora por uma *challah* do Rosh Hashaná.

Assim que seu pai voltou, felizmente (com outros homens, ele havia chegado a outra cidade apenas para se dar conta de que era tão perigosa quanto Chmielnik), o clã Kukiełka decidiu voltar para Jędrzejów. Durante a caminhada de um dia inteiro de volta para casa, "assim como vimos em nosso caminho o exército polonês batendo em retirada, faminto e maltrapilho, agora nos deparamos com um exército alemão arrogante, cheio de orgulho".

"Não demorou muito para aprendermos a conhecer os alemães", escreveu Renia. Os ocupantes nazistas perseguiam e assassinavam os intelectuais judeus e fuzilavam grupos de homens acusados de possuir armas. Plantavam uma arma em um grande prédio residencial ocupado quase exclusivamente por judeus e então, como punição pela existência dessa pistola, arrancavam um homem de cada apartamento. Ordenavam que todos os judeus da cidade se reunissem para a execução, depois deixavam os corpos dos inocentes pendurados o dia todo, balançando nas árvores ao longo de toda a rua principal, a pacífica artéria da cidade dilacerada para sempre.

3. INAUGURANDO A LUTA FEMININA

ZIVIA E FRUMKA

DEZEMBRO DE 1939

Era véspera de Ano-Novo,[1] e Zivia Lubetkin estava no nordeste da Polônia, nos arredores de Czyżew, uma cidade já devastada pelos combates. O ar frio fustigava suas bochechas. *Um pé na frente do outro.* Na escuridão, avançava com esforço por caminhos sinuosos, com neve até o pescoço, o queixo congelado. Cada virada, cada curva, era um fim potencial. Zivia era a única mulher ali, a única judia. Os estudantes poloneses eram levados para o outro lado da fronteira soviético-saxônica por um mesmo atravessador e torciam para, caso fossem capturados, que fosse pelos alemães, e não pelos bolcheviques russos, que abominavam. Zivia, no entanto, "tremia de medo diante da perspectiva de ser capturada pelos nazistas".[2] Quando a manhã despontou, eles alcançaram o território controlado pelos alemães sem incidentes. Zivia estava de volta à sua velha Polônia.

O sonho da maioria dos judeus era fugir da ocupação nazista; Zivia tinha feito o inverso.

Enquanto Renia começava a vivenciar os horrores da ocupação alemã em Jędrzejów, uma nova comunidade com ideias vanguardistas — uma comunidade que acabaria por transformar sua vida — estava se formando em outras partes da Polônia. Apesar da guerra, os movimentos da juventude judaica continuavam a existir. Quando voltaram de seus retiros de verão, em setembro de 1939, os camaradas não se dispersaram; na verdade, fortaleceram sua união, redirecionando e reformulando constantemente suas missões sob a liderança de jovens líderes fervorosos e corajosos — muitos dos quais poderiam facilmente ter fugido, mas não o fizeram. Eles ficaram, e alguns até mesmo regressaram, e é provável que tenham moldado o que restava da comunidade de judeus poloneses.

*

Um desses líderes era Zivia, uma jovem tímida e séria, nascida em 1914 no seio de uma família religiosa de classe média-baixa na pequena cidade de Byten, cuja única rua pavimentada era iluminada por lampiões a querosene. Os pais de Zivia Lubetkin queriam que ela transitasse com tranquilidade na sociedade polonesa, por isso a enviaram para a escola primária pública polonesa; ela também era a melhor aluna do professor que lhe ensinava hebraico depois do horário escolar e tornou-se fluente no idioma. Zivia era inteligente, tinha excelente memória e, dentre os sete filhos, era aquela em quem seu pai mais confiava. Em vez de frequentar o ensino médio, foi trabalhar na mercearia dele. Mas foi seduzida pelo idealismo do Liberdade, dedicando-se à sua filosofia de igualdade e trabalho físico. Logo estava vestindo roupas largas e uma jaqueta de couro (a indumentária característica de um socialista), e os pais quase não a reconheciam quando ia para casa, nas folgas do kibutz que frequentava contra a vontade deles.

Graças a suas paixões sionistas e socialistas, a seu autocontrole e sua ética de trabalho, Zivia (que significa "gazela", em hebraico) avançou rapidamente no movimento e, apesar da timidez e da falta de jeito, foi promovida a cargos de liderança. (Sua família costumava insistir para que ela se soltasse; quando recebiam visitas, a obrigavam a praticar discursos de pé em cima de uma cadeira da cozinha. Ela corava e mal conseguia pronunciar uma palavra.) Aos 21 anos, foi enviada em uma missão para assumir o comando do fracassado kibutz em Kielce, uma comunidade infestada de "impostores" que queriam ir para Israel, mas não aderiam aos princípios do Liberdade. Seu sucesso foi conquistado a duras penas e ficou evidente para todos; ela também teve sucesso no âmbito romântico e conheceu seu primeiro namorado, Shmuel.

Zivia, rígida com os outros assim como consigo mesma, não tinha medo de ofender, sempre dizendo o que pensava. Suas emoções, incluindo a insegurança, quase nunca transpareciam através de sua aparente dureza. Tornou-se conhecida pela facilidade com que resolvia as disputas alheias e conquistava o respeito mesmo daqueles que se incomodavam com sua sinceridade. Todas as noites, depois de terminar as tarefas administrativas, Zivia se juntava a suas companheiras no trabalho braçal da lavanderia ou do forno de pão, e fazia questão de experimentar também as tarefas destinadas aos homens, como construir ferrovias. Certa vez, repeliu sozinha um grupo de arruaceiros que provocava os camaradas. Com um pedaço de pau na mão, ela os ameaçou até que fossem embora. Zivia era a "Irmã Mais Velha", responsável por toda a família.

Promovida a coordenadora dos programas de treinamento dos Pioneiros de toda a Polônia, Zivia se mudou para Varsóvia, acompanhada de Shmuel. O Livro Branco britânico, que restringiu severamente a imigração judaica para a Palestina, tornou seu trabalho um desafio ainda maior. Os jovens que esperavam emigrar perdiam o ânimo enquanto a preparação nos kibutzim se alongava, mas Zivia conseguiu manter programas educacionais ao mesmo tempo que pressionava por mais vistos. Seu papel de liderança a levou para a Suíça em agosto de 1939, como delegada no 21º Congresso Sionista, uma reunião de delegados sionistas vindos de todo o mundo. Ela adorou Genebra, gostou de passear pelas ruas elegantes, admirando os gramados bem cuidados, as vitrines das lojas, as mulheres elegantemente vestidas. "Se eu, Zivia, um dia decidir escrever um romance", disse ela, "o título vai ser *De Byten a Genebra*."[3] Mas, apesar do deslumbramento com a cidade, aos 24 anos, Zivia estava ansiosa para voltar para junto de seus pupilos, crianças pobres, e ensinar-lhes o caminho para a realização pessoal. Os delegados pressentiam os tempos políticos difíceis que tinham pela frente, e muitos líderes encontraram na Suíça maneiras de fugir da Europa. Zivia recebeu um documento especial que permitia que fosse de imediato para a Palestina, evitando assim a guerra iminente.

Mas não o usou.

A França havia fechado as fronteiras, estradas estavam bloqueadas, trens eram desviados de suas rotas usuais. Não foi fácil para Zivia retornar à Polônia, mas sua chegada a Varsóvia se deu em 30 de agosto, bem a tempo do dia inaugural da campanha de Hitler. Nos primeiros dias do caos da guerra, Zivia viajou para desativar fazendas do movimento e locais de reunião. O plano B dos Pioneiros foi posto em prática, colocando a própria Zivia e outras líderes[4] do movimento no comando da organização.

Com o recuo imediato do exército polonês, no entanto, esse plano, como muitos outros implementados em resposta à realidade política em constante mudança, foi revogado. Em vez disso, Zivia e suas camaradas foram instruídas a seguir para o leste, além do rio Bug, indo para o território soviético, a mesma direção em que a família de Renia tinha fugido. Durante vários meses, os movimentos ficaram baseados em cidades que estavam sob controle soviético, onde os jovens gozavam de relativa liberdade. Durante esse período de turbulências, os grupos se consolidaram em unidades fortes e organizadas. Zivia garantia que o Liberdade permanecesse comprometido com seus ideais enquanto aprendia a lidar com novas situações, como as proibições cada vez mais severas impostas pelos soviéticos à religião e às atividades judaicas. Sua nova habilidade: adotar rapidamente um novo *modus operandi* sempre que as circunstâncias mudavam.

Já em novembro de 1939, havia dezenas de braços do Liberdade ativos em território soviético, continuando a promover seus valores sionistas, socialistas e pioneiros. Entre os quatro líderes principais, havia duas mulheres: Zivia, que era encarregada da comunicação e da inteligência, e Sheindel Schwartz, que coordenava as atividades educacionais. Sheindel estava envolvida romanticamente com um terceiro líder, Yitzhak Zuckerman, que ficou conhecido por seu nome de guerra, Antek.[5]

Zivia, baseada em Kovel, percorria a área, estabelecendo uma conexão entre camaradas. "Nós andávamos por toda parte como loucos, enfrentando um perigo mortal e constante na tentativa de entrar em contato com membros do movimento perdidos ou afastados",[6] escreveu ela mais tarde. Zivia ajudava camaradas do movimento a conseguir sustento e apoio, mas também se concentrava em identificar pontos de fuga que permitissem levar pessoas ilegalmente para a Palestina via Romênia. Embora seus superiores não tenham autorizado que ela iniciasse um movimento clandestino a fim de realizar seus objetivos sionistas socialistas, Zivia persistiu. "Era impossível não estabelecermos um movimento clandestino de jovens pioneiros."[7]

Ela enviou o namorado, Shmuel, para percorrer uma das rotas de fuga que havia organizado, mas ele foi capturado, aprisionado e desapareceu. Devastada, Zivia guardou os sentimentos para si e se dedicou ao trabalho com mais afinco ainda.

Zivia era muito requisitada. A austera Frumka, que já havia retornado a Varsóvia para liderar os jovens de lá, escreveu ao comando do Liberdade pedindo que sua querida amiga Zivia também retornasse, argumentando que ela seria a melhor pessoa para lidar com o novo governo nazista. Todos os líderes mais experientes haviam fugido de Varsóvia, deixando naquela cidade de importância vital apenas comandantes de segundo escalão, mal preparados para estabelecer ligações com as autoridades alemãs ou polonesas.

Devido à crescente ameaça soviética, Zivia deveria se mudar para Vilna, uma cidade recentemente controlada pela Lituânia, o que ela considerou uma tentativa do Liberdade de protegê-la. Ela resistiu a esse zelo, insistindo que tinha de voltar para Varsóvia[8] para ajudar a conduzir o movimento, confortar os jovens cujas vidas haviam sido lançadas no caos e promover a educação pioneira e os objetivos sionistas trabalhistas. Como de costume, tomou suas próprias decisões e mergulhou de cabeça no olho do furacão.

*

Na véspera de Ano-Novo de 1939, o Liberdade realizou uma conferência que durou toda a noite e que foi em parte uma celebração, em parte a primeira reunião clandestina oficial. "Comemos, bebemos e nos divertimos", escreveu Zivia mais tarde, "e entre um drinque e outro discutimos o Movimento e seu curso futuro".[9] No apartamento de um dos membros em Lvov, Zivia se deliciou com chocolate quente, salsichas e pão preto com manteiga, e ouviu os líderes reiterarem a importância de manter viva a chama sionista, de "afirmar a humanidade judaica" no território soviético e na Polônia ocupada pela Alemanha.

Naquela noite, apesar dos apelos de Antek,[10] o colíder alto, loiro e atraente de quem Zivia vinha se tornando cada vez mais próxima, ela partiu na direção da Polônia sob ocupação nazista, com medo do que ia encontrar e com dúvidas sobre sua capacidade de enfrentar a vida no novo regime. Estava triste porque deixaria amigos com quem havia passado meses turbulentos envolvida em trabalhos perigosos; junto daquelas pessoas, tinha encontrado acolhimento ao fim de missões difíceis. Mas estava determinada. "Enquanto ainda estava envolta nesses pensamentos desoladores", testemunhou mais tarde, "o trem chegou trovejando à plataforma e as pessoas abriram caminho para entrar nos vagões."[11] Ela sentiu mãos calorosas, lágrimas quentes, e então também começou a se afastar, deixando seus companheiros para trás aos solavancos.

Zivia voltou clandestinamente ao território ocupado pelos nazistas por meio de um plano organizado por Frumka. Enfrentou uma longa jornada de viagens de trem e a caminhada noite adentro, coberta de neve, junto a um grupo de estudantes poloneses que tentavam voltar para casa. Assim que todos chegaram à cidade fronteiriça, a atitude cortês dos rapazes em relação a ela mudou. Em terras soviéticas, uma companheira judia era um trunfo, mas, em território nazista, Zivia se tornou um ser inferior. Na estação, eles viram um alemão estapear um grupo de judeus e dizer que eles não podiam ficar na mesma sala de espera que poloneses e arianos. Os companheiros de Zivia reclamaram que ela também deveria ser retirada, mas ela não reagiu. "Cerrei os dentes e não me movi um milímetro."[12] Zivia teve que desenvolver um novo tipo de força interior; a habilidade de manter a cabeça erguida em meio à névoa da degradação. O vagão estava quase totalmente às escuras — não havia iluminação — e todos se escondiam dos alemães. Um homem deixou escapar um suspiro, e Zivia viu quando ele foi brutalmente espancado por um grupo de poloneses que o acusou de ter dado "um suspiro judeu". Ele foi atirado para fora do vagão.

Era 1940. Um ano totalmente novo. Uma experiência totalmente nova de ser judia: do orgulho à humilhação. E, pensou ela enquanto o trem adentrava a Estação Central, passando pelos grandes bulevares e pelas praças repletas de pombos, uma Varsóvia totalmente nova.

*

Os judeus haviam chegado relativamente tarde a Varsóvia. Leis antissemitas os haviam banido desde a Idade Média até a conquista pelo imperador francês Napoleão I, no início do século XIX. Os judeus financiaram as guerras napoleônicas, dando início à cultura de atividade bancária judaica da cidade. Em meados do século XIX, a essa altura sob ocupação russa, a população judaica aumentou, e uma pequena classe de judeus assimilados e "progressistas" se desenvolveu nessa metrópole verdejante que se estendia ao longo de ambas as margens do rio Vístula, repleta de vendedores de rua e bondes elétricos, e coroada por um imponente castelo medieval.

Depois de 1860, quando os judeus do Pale — a parte do território russo onde haviam sido autorizados a se estabelecer — tiveram a permissão para acessar a cidade, a população explodiu. Em 1914, os judeus eram uma força dominante na indústria de Varsóvia e foram finalmente autorizados a se estabelecer onde quisessem. A cultura judaica (teatro, educação, jornais, publicações, partidos políticos) proliferou; a população compreendia tanto os pobres urbanos quanto os ricos cosmopolitas. A próspera comunidade era simbolizada por sua Grande Sinagoga,[13] um edifício imponente consagrado em 1878. Aquela era a maior sinagoga do mundo, projetada pelo mais famoso arquiteto de Varsóvia, com elementos do estilo imperial russo. Não era um local de culto tradicional: era frequentada por uma congregação de elite, tinha um órgão, um coro, e os sermões eram realizados em polonês. A grandiosa construção representava um marco da prosperidade e da aculturação dos judeus — e da tolerância na Polônia.

A Varsóvia que Zivia conhecia era o epicentro de toda a vida judaica anterior à guerra. Quando os nazistas invadiram a cidade, 375 mil judeus de todas as origens a chamavam de lar, cerca de um terço da população da capital.[14] (Para efeito de comparação, em 2020, os judeus representavam mais ou menos 13% da população de Nova York.)[15]

Zivia tinha passado apenas quatro meses fora, mas voltou para uma paisagem dramaticamente dividida: a Varsóvia não judaica e a Varsóvia judaica eram agora dois territórios diferentes. Ela reparou de imediato que as ruas estavam lotadas — apenas de poloneses. Uma nova legislação antissemita havia entrado em vigor logo após a ocupação, e novos regulamentos discriminatórios eram instituídos a cada dia. Os judeus não podiam mais trabalhar em fábricas de cristãos nem viajar de trem sem uma permissão especial. Havia apenas alguns poucos judeus visíveis nas avenidas, com as braçadeiras brancas que eram obrigados a usar — seus "distintivos da vergonha" —, andando apressados, sempre olhando ao redor para garantir que não estavam sendo seguidos. Zivia congelou, horrorizada. Como ia se acostumar àquilo? Mas então se perguntou se os judeus não estariam usando a braçadeira de forma desafiadora, com um secreto desprezo por seus opressores. Agarrou-se a esse pensamento e deixou-se encorajar por ele.

As ruas estavam repletas de carros elegantes, carruagens, bondes vermelhos.[16] Mas Zivia preferiu caminhar a tomar um deles. Queria ver de perto a cidade dinâmica que deixara para trás; a cidade da qual se lembrava por seus cafés com varanda, sacadas adornadas com flores e parques exuberantes repletos de mães e babás com seus ornamentados carrinhos de bebê. Tinha ouvido rumores sobre a decadência de Varsóvia, mas naquele momento, ao dar os primeiros passos na cidade, à exceção de alguns prédios bombardeados, as coisas pareciam exatamente como eram antes. Os poloneses enchiam as ruas, como de costume. "Havia uma sensação agradável no ar", lembrou ela, "como se nada tivesse acontecido."[17] A única mudança foi o surgimento de comboios militares alemães pelas ruas, que dispersavam a população aterrorizada.

E então ela chegou ao antigo bairro judeu. Zivia foi direto para o quartel--general do Pioneiros. Encontrou um amontoado de entulho. Ali estava bem evidente que os tempos haviam mudado. Zivia estava entrando novamente em outro mundo, com judeus se escondendo nas sombras, temendo ficar ao ar livre, trancados dentro dos prédios para evitar contato com os alemães e qualquer humilhação que pudesse ser-lhes infligida.

Em busca de judeus de "uma têmpera diferente",[18] Zivia se dirigiu ao quartel--general do Liberdade, no número 34 da rua Dzielna, onde muitos integrantes do movimento viviam antes da guerra. A Dzielna, com quatro edifícios de três andares em torno de um pátio, sempre fora um local animado, mas Zivia ficou impressionada com a multidão, que incluía centenas de camaradas que haviam chegado a Varsóvia vindos de cidades pequenas. Eles, por sua vez, ficaram surpresos e exultantes ao vê-la. O encarregado da comida promoveu uma festa espontânea em sua homenagem, declarando o dia "feriado oficial" e servindo porções extras de pão e geleia. Zivia e Frumka se abraçaram afetuosamente, repassando tudo o que tinha acontecido desde o ataque dos nazistas, o que havia sido feito e, o mais importante, o que tinham de fazer dali em diante.

*

Dá para imaginar a alegria de Frumka ao ver Zivia, sua velha amiga e camarada de confiança, entrando no quartel-general. Havia vários meses que ela era uma das principais líderes do Liberdade em Varsóvia, ajudando a restabelecer a Dzielna como um local de família, afeto, esperança e entusiasmo, apesar de todos os novos horrores.

Nascida perto da cidade oriental de Pinsk, de população majoritariamente judia e intelectual, Frumka Płotnicka tinha a mesma idade que Zivia, 25 anos, o que de repente as colocava como duas das mais velhas do grupo. Frumka, com seus traços pronunciados, testa alta e cabelos lisos, era a irmã do meio, nascida em uma família hassídica pobre que seguia os preceitos do rabino de Karlin, cujos valores incluíam a franqueza e a busca da perfeição. O pai de Frumka havia estudado para ser rabino, mas, seguindo o conselho de seu próprio rabino, acabou se tornando comerciante, para sustentar a família. Seu negócio era o comércio de novilhos. Infelizmente, ele não se revelou um comerciante de novilhos nato. Os pais de Frumka não tinham dinheiro para custear seus estudos, de modo que sua educação formal ficou a cargo da irmã mais velha, Zlatka, uma jovem inteligente que havia se destacado no ginásio (o equivalente ao ensino fundamental). Zlatka era uma comunista que, como o pai, guardava as emoções para si.

Frumka, por outro lado, era como a mãe: trabalhadora, dedicada e humilde. Uma sionista socialista devotada, havia ingressado no Liberdade aos 17 anos, comprometendo-se com o movimento em tempo integral — um sacrifício extra para uma garota pobre cuja família precisava de sua ajuda. Embora fosse uma pensadora profundamente analítica, era pouco hábil socialmente, com um ar sempre sério e melancólico. Tinha dificuldade em se relacionar e manter amizades, e durante algum tempo permanecera nos bastidores do movimento. Por meio das atividades, no entanto, Frumka canalizava seus sentimentos conturbados e sua compaixão inata. Preocupava-se com os camaradas e insistia que integrantes doentes ficassem no campo de treinamento em vez de ir para casa; administrava retiros, organizando tudo, do currículo à alimentação, e disciplinava os jovens, colocando os preguiçosos para trabalhar e recusando doações dos agricultores locais. Destacava-se nas situações de crise, quando seu código moral era inabalável.

"Nos momentos tristes, ela se escondia nas sombras", um membro importante do movimento escreveu a respeito dela, "mas, nos momentos críticos, se mantinha firme. Subitamente, revelava mais mérito e virtude do que qualquer outra pessoa; seu vigor moral e a intensidade de suas análises sempre levavam à ação." Frumka, continuou ele, tinha a habilidade única de "unir sua capacidade de analisar as experiências de vida à gentileza, ao amor e a uma preocupação maternal".[19] Outro amigo explicou: "Seu coração nunca batia no compasso das minúcias. Parecia estar sempre à espera dos grandes momentos, quando podia extravasar todo o amor que havia dentro dela."[20]

Quase sempre, Frumka podia ser encontrada envolta em seu casaco de lã, em um canto escuro da sala, ouvindo o que era dito. Mas escutava de verdade. Ela memorizava cada detalhe. Em outras ocasiões, se dirigia de súbito a todos os presentes com seu "sotaque mágico",[21] um iídiche letrado com traços populares. Uma companheira se lembrou de um discurso espontâneo que ela fez "sobre os temores de uma garota judia que encontrou seu caminho, mas ainda não encontrou a paz em seu coração". Ela capturava a atenção de todos com sua simplicidade e sinceridade: "o rubor em sua face se transformava em fogo". Uma amiga escreveu uma história[22] sobre os momentos que passaram juntas no jardim público de Białystok, observando como Frumka deslizava por entre as flores, encantada com sua beleza.

O queixo arredondado suavizava seus traços austeros, revelando sua vivacidade. Os camaradas admiravam sua compostura e seu entusiasmo, e ela era constantemente procurada para dar conselhos. Como a tímida Zivia, Frumka era introvertida e obediente, e também surpreendeu a família com seu papel de liderança.[23] Se a dedicada e pragmática Zivia era a irmã mais velha do grupo, a compreensiva e gentil Frumka se tornou "Die Mameh" (a mãe, em iídiche).

Depois de ascender lentamente na hierarquia, um cargo por vez, e de viajar pelo país ministrando seminários, Frumka se mudou para Varsóvia para trabalhar com Zivia no quartel-general do Pioneiros. No verão de 1939, as atividades proliferavam, mas os emissários da Palestina começaram a adiar suas visitas, e Frumka passou a assumir responsabilidades maiores. Mudar-se para Eretz Israel, a "terra de pleno sol", era seu sonho. Ela deveria fazer a *aliyah* (emigrar para a Palestina) naquele verão, mas os dirigentes pediram que esperasse até o outono. Ela aceitou, obediente, embora seus anseios a inundassem, e ela temesse nunca conseguir. De fato, não foi um bom outono.

Assim que a guerra foi declarada, Frumka partiu para o leste, conforme havia sido instruída a fazer. Mas fugir de uma crise não era do seu feitio, e ela imediatamente pediu aos líderes do Liberdade que lhe dessem permissão para deixar a área onde sua família vivia e voltar para a Varsóvia ocupada pelos nazistas.[24] Os camaradas ficaram estupefatos. Frumka foi a primeira a voltar.

Agora, Zivia também estava lá.

*

Frumka e Zivia encontraram um canto isolado em uma sala tranquila, e Frumka contou à camarada tudo o que havia conseguido fazer na Dzielna nos três meses anteriores. A comuna oferecia refúgio a jovens que haviam fugido de sua cidade; a maioria dos residentes eram mulheres. Frumka os liderou na implementação de iniciativas de assistência e ficou conhecida por fornecer comida, emprego e conforto naqueles tempos de fome, confusão e famílias dispersas. O éthos do Liberdade havia mudado: não se concentrava mais apenas no movimento e em seus objetivos pioneiros, mas também em ajudar as massas de judeus em sofrimento. Zivia, que sempre havia sido uma defensora da igualdade social, aderiu imediatamente.

Com o apoio do "Joint" — o American Joint Distribution Committee [Comitê Judaico-Americano de Distribuição Conjunta], ou JDC, fundado em 1914 para ajudar judeus ao redor do mundo —, Frumka organizou um refeitório público que alimentava seiscentos judeus. Montava grupos de estudo, coordenava ações conjuntas com outros movimentos e alojava até mesmo pessoas que não eram do movimento em qualquer cômodo que estivesse disponível. Bem em frente à infame e brutal prisão de Pawiak, em uma área infestada de policiais, espiões e tiros letais, aquele vibrante enclave de revolucionários inspirava novas ideias e ações. De acordo com uma conselheira do grupo de jovens do Liberdade, "os Pioneiros almejavam viver, agir, realizar sonhos (...). Ali não se fugia da verdade, mas tampouco se fazia as pazes com ela (...). O trabalho castigava o corpo e devastava o espírito, mas à noite, quando todos se reuniam em nossa casa na Dzielna, não sentíamos raiva."[25] Zivia sentia a calorosa camaradagem e o espírito otimista que animavam aquele espaço, graças a Frumka e às outras jovens mulheres ao seu redor.

Frumka também trabalhava fora da Dzielna, até mesmo fora de Varsóvia, já prevendo a necessidade de estabelecer conexões de longa distância. Ela se vestia como gentia, cobrindo o rosto com um lenço, e viajava para Łódź e Będzin a fim de colher informações. O kibutz do Liberdade em Będzin tinha uma lavanderia e funcionava como um centro de atividades, ajudando refugiados locais. Em Łódź, a comuna era comandada quase inteiramente por mulheres que tinham se recusado a fugir, incluindo a irmã de Frumka, Hanzte, além de Rivka Glanz e Leah Pearlstein. As mulheres costuravam para os alemães, que, em muitas ocasiões, ameaçaram confiscar seus equipamentos. Toda vez que isso acontecia, a aguerrida e responsável Leah enfrentava os nazistas. E sempre vencia.[26]

*

Naquela primeira noite, com outros líderes do Liberdade, Zivia e Frumka decidiram se concentrar em encontrar novas rotas de fuga para a Palestina, de acordo com seus objetivos sionistas, e também em ajudar a comunidade. Para fazer ambas as coisas, precisavam promover os valores do movimento e, ao mesmo tempo, manter a solidez de seus kibutzim regionais.

Decidida a não ficar aquém das atividades de Frumka, Zivia mal teve um momento de descanso na Dzielna antes de partir outra vez. Primeiro, para estabelecer conexões e começar a tentar influenciar o Judenrat.

Desde o início, os nazistas decidiram colocar judeu contra judeu. Eles decretaram que os guetos seriam administrados e mantidos em ordem pelos próprios judeus — não pelos *kahals* eleitos, que haviam governado as comunidades judaicas durante séculos, mas por conselhos controlados pelos nazistas, os Judenrats. Cada Judenrat era responsável pelo registro de todos os cidadãos judeus, emitia certidões de nascimento e alvarás de negócio, cobrava impostos, distribuía cartões de racionamento, organizava a mão de obra e os serviços sociais e supervisionava sua própria polícia ou milícia, formada por judeus. Em Varsóvia, essas milícias — que usavam barretes e botas e empunhavam cassetetes de borracha — eram compostas, sobretudo, de homens de classe média instruídos, muitas vezes jovens advogados ou com outra formação universitária.[27] Para muitos, incluindo Renia, as milícias eram constituídas "apenas pelo pior tipo de gente",[28] que cumpria obedientemente as ordens da Gestapo, fazendo buscas, vigiando e interrogando judeus. Alguns judeus alegaram que foram forçados a fazer parte do Judenrat sob ameaça de serem mortos; alguns tinham a esperança de que, ao se voluntariarem para participar, conseguiriam salvar a família (o que não aconteceu) ou até mesmo ajudar a comunidade como um todo. Os Judenrats, como instituição,[29] eram uma ferramenta para reprimir os judeus, mas a motivação subjetiva de seus muitos membros variava, e seu tom mudava de acordo com o gueto. Eram grupos heterogêneos,[30] com integrantes que iam de ajudantes heroicos a colaboradores dos nazistas.

Ao contrário de outras pessoas que temiam os Judenrats, encarando-os como fantoches da Gestapo,[31] Zivia os atormentava em busca de mais cartões de racionamento alimentar. Cabelos despenteados, um cigarro permanentemente pendendo dos lábios, como se suas "aflições se dissolvessem nos anéis de fumaça que soprava",[32] ela se tornou uma presença constante nos corredores das principais organizações da comunidade judaica. Passava dias inteiros na rua Tłomackie, número 5, endereço da Organização de Ajuda Mútua Judaica, com seus pilares de mármore branco e seus grandes salões. Construído ao lado da Grande Sinagoga na década de 1920, no prédio haviam funcionado a Biblioteca Judaica de Varsóvia e o que foi, na Europa, o primeiro centro judaico de pesquisa a se dedicar tanto a estudos teológicos quanto seculares. Em tempos de guerra, o local tornou-se o centro da ajuda mútua judaica.

Lá, durante tardes inteiras Zivia negociava com os chefes do JDC e de organizações assistenciais, trocava informações com líderes de grupos juvenis, permutava publicações clandestinas e convencia judeus ricos a emprestar-lhe quantias significativas. Ela era a responsável pelo dinheiro enviado a Varsóvia para os grupos de jovens sionistas e por receber a correspondência secreta vinda de unidades estrangeiras. À noite, trabalhava com suas companheiras na lavanderia. Comia pouco (estava emagrecendo tanto que chegava a gerar preocupação entre seu grupo) e passava boa parte de seu tempo dando apoio moral a outros integrantes, ouvindo seus infortúnios e, é claro, chacoalhando-os com sua conversa franca. Os mais jovens adoravam seu jeito despretensioso, sua rapidez na tomada de decisões e seus conselhos sinceros.

Em um clima de fome e humilhação, Zivia se sentia responsável por alimentar e abrigar os jovens, e fazia todo o possível para evitar que fossem detidos e enviados para campos de trabalho forçado. Em Varsóvia, todo judeu com idade entre 12 e 60 anos podia ser submetido a trabalhos forçados, uma situação violenta e abusiva que todos temiam constantemente. Para conseguir trabalhadores, os alemães por vezes isolavam uma rua e detinham todos os judeus que por acaso estivessem lá — incluindo aqueles que voltavam apressados para casa com uma fatia de pão para os filhos. As pessoas eram enfiadas em caminhões e levadas para realizar trabalhos extenuantes enquanto eram espancadas e passavam fome. Zivia interveio em várias ocasiões, libertando camaradas capturados, um fio de fumaça de cigarro acompanhando cada um de seus movimentos.

Um de seus principais projetos era negociar o restabelecimento e a manutenção de fazendas comunais de treinamento, que, até aquele momento, haviam sido poupadas pelos nazistas. Durante a guerra, as fazendas em Grochów e Czerniaków se tornaram importantes locais de trabalho, empregando, fosse nos campos, nos jardins ou na produção de laticínios, jovens que, de outro modo, poderiam ter sido levados. Elas também serviam como centros de educação, onde se cantava e dançava. Zivia costumava viajar muito, em seus esforços para coordenar atividades educacionais nas diversas regiões, mas gostava particularmente de visitar aquelas paisagens frondosas, onde à noite podia expor suas feições judias e se deleitar com a relativa liberdade e onde podia desfrutar de uma fuga da fome, dos piolhos e dos surtos epidêmicos em Varsóvia, sem falar das execuções aleatórias e da tortura diária.

Mais tarde na guerra, Zivia passaria a subornar um policial judeu, escalar o muro do gueto e escapar pelo cemitério. Era assim que se insurgia contra a perda de tempo necessária para sair. Era assim também que levava emigrados para fora do gueto: repassava discretamente o dinheiro no momento certo e, em seguida, cruzava o portão, carregando uma pasta, aparentando ser uma jovem segura caminhando pela rua, pronta para um dia de trabalho.

Àquela altura, no entanto, ainda não havia guetos murados em Varsóvia. Apesar do desespero, da confusão e de ocasionais episódios de violência, não havia nem ao menos o presságio dos aprisionamentos e assassinatos que estavam por vir; o maior temor dos jovens era de que os poloneses organizassem pogroms depois que os nazistas fossem inevitavelmente derrotados e batessem em retirada. Por ora, aqueles jovens judeus eram apenas ativistas sociais atarefados, transmitindo os valores pioneiros por meio do ensino de história e teoria social. Por ora, estavam ocupados em fortalecer unidades que logo passariam a servir a um propósito sagrado, e totalmente diferente.

*

Um dia, na primavera de 1940, Zivia voltou para a Dzielna e encontrou o burburinho usual das atividades. E Antek.

Ele também havia retornado ao território sob ocupação nazista. Alguns suspeitavam de que tivesse ido atrás de Zivia. Reservada em relação a seus sentimentos, Zivia não escrevia nada a respeito de suas relações pessoais; Antek, por outro lado, se entregava a reminiscências sobre suas primeiras interações. Certa vez, em Kovel, quando Zivia estava doente, ele percorreu um longo caminho em meio à lama para levar peixe e bolo para ela. Em vez de recebê-lo com um agradecimento caloroso, ela o repreendeu por estar tão sujo. "Fiquei pasmo com o descaramento dela", disse ele. "Ela falava como uma esposa."[33] Meses depois, ele a viu proferir um discurso inflamado, batendo com o punho para reforçar seu entusiasmo — e se apaixonou por ela.[34]

Antek juntou-se à liderança de Zivia e Frumka, e os três fortaleceram o Liberdade em Varsóvia e nas províncias. Apesar de seu "nariz de judia"[35] e do polonês "trôpego", Frumka mantinha as conexões entre o quartel-general em Varsóvia e as pequenas cidades polonesas, oferecendo apoio e recrutando novos integrantes. Viajava cada vez mais, para conduzir seminários e manter as conexões do movimento pelo país, mas também, achavam alguns, para evitar Antek e Zivia. Ela gostava muito de Antek, mas ficava cada vez mais claro que o interesse romântico dele estava totalmente voltado para sua melhor amiga.[36]

Na Dzielna, Zivia (assim como Frumka, quando estava lá, e Antek) tentava, toda noite, melhorar o clima com a partilha de um relato do dia, uma canção tranquila, uma peça de teatro curta — tudo por trás de janelas tapadas com cortinas. A comunidade buscava coragem nos episódios de bravura da história dos judeus. Seus integrantes liam, aprendiam hebraico e se envolviam em discussões acaloradas. Mantinham a crença na compaixão e na ação social em um mundo de terror e assassinatos, no qual imperava a ordem de "cada um por si". Tinham esperança de formar judeus fortes que sobrevivem à guerra (a maioria, eles ainda pensavam). Estavam se preparando para um futuro no qual ainda acreditavam. Havia uma atmosfera alegre entre os membros — um "espírito de liberdade", como certa vez descreveu o famoso poeta Yitzhak Katzenelson, que viveu e ensinou na Dzielna por vários meses.

"Zivia" se tornou o codinome secreto para todo o movimento na Polônia.[37]

4. VER MAIS UMA MANHÃ
TERROR NO GUETO

RENIA

ABRIL DE 1940

Embora seja verdade que os horrores do Holocausto evoluíram como uma série de pequenos passos, cada um deles uma leve escalada em comparação com o anterior, somando-se até chegar ao genocídio em massa, para Renia, o terror inicial da guerra dividiu sua vida de forma irreparável em um "antes" e um "depois". O emprego que havia conseguido como secretária em um tribunal[1] desapareceu, suas esperanças de futuro se evaporaram. Sua vida foi virada pelo avesso.[2]

Em 1940, uma sucessão de decretos entrou em vigor em comunidades por toda a Polônia, incluindo a pequena cidade de Jędrzejów. Essas novas determinações tinham o objetivo de isolar, humilhar e enfraquecer os judeus. E também de identificá-los. Os alemães não sabiam diferenciar um polonês de um judeu, por isso Renia e todos os judeus com mais de 10 anos de idade foram forçados a usar uma braçadeira branca com uma estrela de Davi azul acima do cotovelo. Se a braçadeira estivesse suja ou tivesse a largura incorreta, eles podiam ser punidos com a morte. Os judeus tinham de tirar o chapéu ao passar pelos nazistas; não podiam andar na calçada. Renia via, nauseada, propriedades de judeus serem confiscadas e entregues a *volksdeutsche*: poloneses de ascendência parcialmente alemã que haviam requerido esse status elevado. De repente, escreveu ela, os poloneses mais pobres se tornaram milionários, e os judeus se tornaram criados em sua própria casa, obrigados a pagar aluguel e ensinar os *volksdeutsche* a administrar suas antigas mansões. Então, as famílias judias foram expulsas por completo, tornando-se pedintes nas ruas. Suas lojas foram tomadas. Seus pertences, sobretudo ouro, peles, joias e objetos de valor que não conseguiram esconder no jardim ou ocultar sob os azulejos soltos da cozinha, foram confiscados. Leah entregou a máquina de costura Singer e candelabros finos a uma vizinha polonesa, para que os guardasse.[3] Renia entreouvia a conversa de poloneses que caminhavam pela cidade e, cobiçosos, fantasiavam sobre o que mais poderia se tornar deles em seguida.

Em abril, um "bairro judeu" compulsório foi estabelecido, iniciativa que muitos judeus esperavam que fosse protegê-los.[4] A família de Renia — exceto Sarah, que já estava em um kibutz do Liberdade, e Zvi, que havia fugido para a Rússia — foi informada de que tinha dois dias para realocar sua vida inteira para uma área a poucos quarteirões da praça principal da cidade: um local miserável, com pequenos prédios baixos e vielas estreitas que antes abrigavam a ralé da cidade. Eles tiveram que deixar para trás móveis, bens — praticamente tudo, exceto uma pequena mala e alguns lençóis. Há relatos de mães[5] que passaram a noite em claro enquanto empacotavam as coisas freneticamente, os filhos correndo de um lado para o outro, reunindo tudo o que podiam carregar nas costas ou em cestas: roupas, comida, panelas, animais de estimação, sabonetes, casacos, calçadeiras, material de costura e outros meios de subsistência. Joias foram transportadas de modo oculto junto ao corpo. Uma pulseira de ouro foi costurada no interior da manga de um casaco.[6] Dinheiro foi assado dentro de biscoitos.[7]

A superlotação era insuportável. Cada apartamento abrigava várias famílias, que dormiam no chão ou em beliches improvisados — Renia dormia sobre um saco de farinha.[8] Cinquenta pessoas podiam ser amontoadas em uma pequena casa.[9] As raras fotos disponíveis de moradias em guetos mostram inúmeras famílias compartilhando o santuário de uma antiga sinagoga, fileiras de irmãos dormindo no bema e sob os bancos. Uma pessoa mal tinha espaço para esticar os braços ou as pernas. O espaço pessoal não existia. Às vezes, os judeus tinham a sorte de conhecer alguém que morava na área do gueto e se abrigavam na casa dessas pessoas; a maioria, no entanto, teve que ir viver com estranhos, muitas vezes com hábitos diferentes. Judeus de aldeias vizinhas e de várias classes foram forçados a viver juntos, o que aumentava a tensão e perturbava a ordem social.[10]

Mesmo que levassem móveis, não haveria espaço para eles. As camas improvisadas eram desmontadas durante o dia para que as pessoas tivessem espaço para se lavar e comer; as roupas eram penduradas em pregos presos às paredes; pequenas cubas eram usadas para lavar partes do corpo e a roupa, que secava nos telhados dos vizinhos.[11] Mesas e cadeiras ficavam empilhadas do lado de fora. Conforme as semanas se arrastavam, a família de Renia começou a usar itens básicos de sua antiga rotina como lenha. Partes essenciais de sua vida consumidas pelas chamas.

Ao todo, os alemães estabeleceram mais de quatrocentos guetos na Polônia,[12] com o objetivo de dizimar a população judaica por meio de doenças e da fome, além de concentrar os judeus de forma que pudessem ser facilmente reunidos e transportados para campos de trabalho e extermínio. Foi uma operação em grande escala, e cada gueto tinha regras e características ligeiramente diferentes, dependendo da cultura judaica local, bem como da organização do domínio nazista em cada região e de suas lideranças internas. Contudo, muitos elementos da política dos guetos seguiam o mesmo padrão em todo o país, de cidades distantes a aldeias ainda mais remotas, incluindo a prisão.

No início, os Kukiełka tinham permissão para deixar o gueto para trabalhar e comprar comida; da mesma forma, os poloneses podiam passar pelo portão levando pão para trocar por objetos de valor. Mas não tardou para que o acesso fosse proibido em todos os guetos. Os judeus só podiam sair com uma autorização emitida pelo Judenrat. De 1941 em diante, toda movimentação através das fronteiras do gueto — para judeus ou poloneses — foi proibida. Uma barreira física isolava parte da área, um rio, outra. Por fim, sair significava nada menos do que a execução sumária.

*

Ainda assim...[13]

Renia vestia camada após camada: uma meia-calça, outra, um vestido por cima do outro, grosso como os que as camponesas polonesas usavam. Esther usava dois casacos e um lenço na cabeça. Tateando no escuro, Bela ajudou as irmãs a vestirem as roupas antes de dobrar várias camisas e enfiá-las debaixo do cós da saia, forjando uma barriga de grávida. As três escondiam pequenos objetos nos bolsos, tecido dentro de tecido; um palimpsesto de mercadorias e disfarce, tudo sobre o corpo. Era assim, Renia lembrou a si mesma, que poderia ajudar a mãe, o irmão mais novo, a família.

Por um segundo, a adolescente foi transportada para uma terra longínqua, que na verdade ficava a apenas alguns quilômetros de distância e alguns meses no passado — antes de sua vida de classe média se desintegrar. Ela se lembrou de como a mãe, uma força da natureza, cuidava de tudo: cozinhava, limpava, administrava o dinheiro. As vizinhas polonesas costumavam abordar Leah, incrédulas. "Como consegue vestir sete filhos com o que ganha e fazê-los parecer tão ricos?" Em iídiche, Leah era uma *balabasta*: uma dona de casa virtuosa que tinha sempre a casa repleta de crianças educadas e bem-comportadas e seus respectivos amigos, e ainda assim a mantinha milagrosamente limpa e organizada. Suas respostas estavam na ponta da língua: "Compre roupas caras porque elas duram. Em seguida, passe-as adiante, de um filho para outro. E compre para cada criança um par de sapatos feitos à mão — um tamanho acima. Espaço para crescer."

O que se vestia, a maneira como se vestia. Agora as garotas usavam as roupas ao mesmo tempo como disfarce e meio de subsistência. Eram quase nove[14] da noite — hora de ir. Elas acenaram um rápido adeus e partiram juntas pela rua, saindo do gueto. Renia nunca revelou como saía daquele gueto, mas é possível que subornasse um guarda, se espremesse pelo vão de uma ripa de madeira ou de uma grade solta, escalasse um muro, atravessasse um porão ou passasse por cima de um telhado. Todas maneiras pelas quais contrabandistas — em sua maioria mulheres — entravam e saíam dos lugares onde os judeus da Polônia estavam confinados.

Como o sequestro de homens judeus era frequente, eles ficavam em casa. As mulheres, desde as pobres até as das classes mais altas, se tornaram as responsáveis por obter víveres,[15] vendendo cigarros, sutiãs, objetos de arte e por vezes o próprio corpo. Também era mais fácil para as crianças sair sorrateiramente do gueto e procurar comida. Os guetos criaram uma cascata de inversão de papéis.[16]

As irmãs Kukiełka chegaram à aldeia e começaram a percorrer as ruas. Com passos rápidos, Renia pensou em como costumava ir com a mãe à padaria toda sexta-feira, escolhendo biscoitos das mais variadas cores e formatos. Agora, cartões de racionamento para o pão: 100 gramas por dia, ou um quarto de um pão pequeno. Vender pão além da quantidade ou do preço permitidos significava execução.

Renia se aproximou de uma casa. Cada passo era um risco. Era impossível saber quem a estaria vendo parada ali. Poloneses? Alemães? Membros da milícia? Quem quer que atendesse a porta poderia denunciá-la. Ou matá-la. Ou fingir que ia fazer a compra, mas simplesmente não pagar e ameaçar entregá-la à Gestapo em troca de uma recompensa. Então o que ela poderia fazer? E pensar que antes trabalhava no tribunal, com advogados, juiz e leis que faziam sentido. Não mais. Noite após noite, mulheres saíam dessa forma, algumas delas mães, tentando alimentar a família.

Outras garotas ajudavam a família realizando trabalhos forçados para administrações municipais ou empresas privadas.[17] Todos os judeus com idade entre 14 e 75 anos eram obrigados a trabalhar, mas às vezes meninas mais novas usavam salto alto para aparentarem ter mais idade[18] e conseguirem comida. Alguns judeus se viram forçados a trabalhar com alfaiataria, costura e carpintaria; outros foram postos para trabalhar demolindo casas, fazendo reparos em estradas, limpando ruas e descarregando bombas de trens (bombas que, por vezes, explodiam e os matavam). Apesar de caminharem quilômetros para trabalhar quebrando pedras, muitas vezes com neve até os joelhos e em um frio congelante, morrendo de fome e com as roupas em farrapos, as mulheres judias eram espancadas sem piedade se pedissem um momento de descanso. As pessoas escondiam seus ferimentos, morrendo mais tarde de infecção. Partes do corpo congelavam. Ossos eram quebrados em espancamentos.

"Ninguém diz uma palavra", relatou uma jovem trabalhadora, descrevendo as marchas para o trabalho às quatro da manhã, cercadas por guardas nazistas.

"Tomo cuidado para não pisar no calcanhar da pessoa à minha frente, tentando, no escuro, estimar seu ritmo e o tamanho de suas passadas. Ando em meio à nuvem de vapor de sua respiração, o fedor das roupas não lavadas e o mau cheiro das casas apinhadas à noite."[19] Depois, havia a volta para casa, já tarde, as pessoas cobertas de hematomas, constrangidas, decepcionadas por não terem conseguido esconder e levar consigo nem sequer uma cenoura para a família, por causa das revistas nos portões do gueto. Apesar do temor de serem espancadas, elas voltavam ao trabalho no dia seguinte, inclusive as que eram mães e tinham que deixar os filhos encarregados de cuidar uns dos outros. O que mais poderiam fazer?

Cuidar de famílias no gueto, manter vivas as crianças judias — nutrir física e espiritualmente a próxima geração — foi a forma de resistência que as mães encontraram. Os homens eram levados à força ou fugiam, mas as mulheres ficavam para cuidar dos filhos e, não raro, dos próprios pais. Como Leah, muitas estavam acostumadas a administrar dinheiro e a fazer a partilha dos alimentos; a diferença era que agora tinham que trabalhar em condições de privação extrema. Os cupons para um dia — que permitiam obter itens como pão de milho amargo feito com grãos, caules e folhas; um pouco de sêmola; uma pitada de sal; um punhado de batatas —[20] não proporcionavam uma nutrição adequada nem mesmo para o café da manhã.

Os pobres eram os que mais sofriam, observou Renia, porque não tinham dinheiro para comprar os produtos vendidos no mercado clandestino.[21] Uma mãe faria qualquer coisa para não ter que ver seus filhos morrerem de fome — "o pior tipo de morte",[22] refletiu a jovem mais tarde. Incapazes de atender às necessidades existenciais básicas, aquelas que eram mães saíam em busca de nutrientes, escondiam os filhos da violência e, mais tarde, das deportações (silenciando-os em esconderijos, por vezes forçadas a sufocar o choro de seus bebês), e tratavam as doenças da melhor maneira que podiam sem medicamentos. As mulheres do gueto, sempre vulneráveis à violência sexual, saíam para trabalhar ou contrabandear, correndo o risco de serem pegas e deixarem os filhos sozinhos no mundo. Outras entregavam os bebês a cuidadoras polonesas, muitas vezes mediante o pagamento de grandes quantias, e por vezes tinham que assistir à distância enquanto eles eram maltratados ou ouviam mentiras a respeito dos pais. No fim, inúmeras mães que poderiam ter sido poupadas por serem força de trabalho acabaram indo para as câmaras de gás com os filhos, recusando-se a deixar que morressem sozinhos, confortando-os e abraçando-os até o último segundo.

Quando os maridos ficavam, os conflitos conjugais[23] irrompiam com frequência. Os homens, que, em tese, tinham menos tolerância à fome, tendiam a comer qualquer alimento que encontrassem. As mulheres tinham que esconder as rações. O sexo em espaços apertados e entre corpos famintos em geral não era uma possibilidade, o que também contribuía para aumentar a tensão. De acordo com os registros do gueto de Łódź, muitos casais pediram o divórcio, apesar de pessoas solteiras serem mais suscetíveis à deportação e à morte. Em muitos casos, aquela tinha sido a primeira geração a desfrutar de casamentos por amor,[24] em vez de uniões arranjadas, mas os vínculos amorosos se desintegraram diante da fome crônica, da tortura e do terror.

As mulheres, que haviam sido ensinadas a fazer as atividades domésticas, também tinham o cuidado de catar piolhos, se manterem limpas e bem arrumadas — habilidades que contribuíam para a sua sobrevivência física e emocional. Havia quem dissesse que elas sofriam mais com a falta de higiene do que com a fome.[25]

Apesar de todos os esforços para lidar com a situação, a comida insuficiente, a superlotação, a falta de água corrente e as péssimas condições sanitárias levaram a uma epidemia de tifo no gueto de Jędrzejów. As casas infectadas eram fechadas com tapumes, e os doentes eram levados para um hospital judeu criado especialmente para cuidar da doença, que se propagava através dos piolhos. A maioria dos pacientes morria por falta de tratamento. Havia casas de banho especiais para desinfetar o corpo e as roupas, que muitas vezes ficavam inutilizáveis. Renia ouviu rumores de que os alemães proibiam que os pacientes com tifo recebessem tratamento e ordenavam que fossem envenenados. (Os nazistas eram notoriamente germofóbicos. Em Cracóvia, judeus não infectados se misturavam aos doentes no hospital para salvar vidas.)[26]

A fome, as infestações, o fedor de corpos imundos, a falta de trabalho e de qualquer rotina diária,[27] e o medo constante de serem despachados para campos de trabalhos forçados e espancados eram a realidade cotidiana. As crianças brincavam de nazistas contra judeus nas ruas. Uma menina gritava com seu gatinho para que não saísse do gueto sem os documentos.[28] Não havia dinheiro para as velas do Hanucá nem para as *challas* do Shabat. Até mesmo os judeus ricos já haviam gasto todo o dinheiro que haviam levado para o gueto e o que haviam conseguido vendendo seus bens. Enquanto seus objetos eram vendidos aos poloneses por quase nada, os preços no mercado paralelo eram exorbitantes. Um pão no gueto de Varsóvia custava a um judeu o equivalente a 60 dólares hoje.[29]

Naquele momento, à porta, estava a chance de Renia; ela precisava desesperadamente de dinheiro. Como tantas outras judias no país, ela não se considerava uma pessoa politizada. Não fazia parte de organização alguma e, no entanto, ali estava ela, arriscando a vida em ação. Estendeu o punho fechado, cada batida um tiro em potencial.

Uma mulher atendeu, pronta para negociar. *Eles compram por prazer*, pensou Renia. *Não têm mais nada com que gastar dinheiro*. A mulher ofereceu uma pequena quantidade de carvão. Renia pediu algumas moedas, muito menos do que valiam as pequenas toalhas de renda, herança de família. "Tudo bem." Então ela se afastou rapidamente, o coração acelerado. Tocou as moedas no bolso.[30] Uma miséria, mas pelo menos tinha conseguido alguma coisa.

*

Certa manhã, a temida batida na porta. A milícia. Uma ordem. A comunidade judaica teria de selecionar 220 homens fortes e saudáveis para serem enviados a um campo de trabalhos forçados fora da cidade. Aaron, irmão mais novo de Renia, estava na lista.

Os Kukiełka imploraram que ele não fosse, mas Aaron temia as consequências em caso de desobediência: que toda a família fosse executada. As entranhas de Renia ardiam enquanto ela observava a figura alta e loira do irmão desaparecer pela porta. Os homens foram reunidos no quartel do corpo de bombeiros, onde foram examinados por médicos e torturados pela Gestapo, forçados a cantar canções judaicas, dançar danças judaicas e bater uns nos outros até sangrarem, enquanto os membros da Gestapo riam. Quando o ônibus chegou para levá-los, os guardas da Gestapo — munidos de cachorros e metralhadoras — golpearam os retardatários com tanta violência que os outros rapazes tiveram que carregá--los para dentro do veículo.

O irmão de Renia disse a ela mais tarde que tinha certeza de que estava sendo levado para a execução, mas que, para sua surpresa, foi deixado em um campo de trabalhos forçados perto de Lvov. É possível que tenha sido o campo de Janowska, um campo de trânsito[31] onde também havia uma fábrica na qual os judeus eram obrigados a executar de graça trabalhos de carpintaria e metalurgia. Os nazistas estabeleceram mais de 40 mil campos[32] para facilitar o extermínio de "raças indesejáveis", incluindo campos de trânsito, campos de concentração, campos de extermínio, campos de trabalhos forçados e combinações deles. A SS arrendava alguns dos campos de trabalho para empresas privadas,[33] que pagavam por escravo. As mulheres custavam menos e, por isso, as empresas costumavam "arrendá-las" e colocá-las para executar árduos trabalhos forçados.[34] Nos campos de trabalho estatais e privados por toda a Polônia, as condições eram atrozes, e as pessoas morriam em decorrência da fome, de espancamentos constantes, de doenças devido aos ambientes insalubres e da exaustão por excesso de trabalho. Nos primeiros anos da guerra, os prisioneiros dos campos de trabalho eram desmoralizados ao serem forçados a realizar tarefas humilhantes e muitas vezes sem sentido, como quebrar pedras; com o tempo, a necessidade de trabalhadores para atender às demandas do exército alemão se intensificou, fazendo com que as tarefas se tornassem mais árduas. A ração diária em um dos campos consistia em uma fatia de pão e uma tigela de sopa escura feita com ervilhaca, uma planta destinada a alimentar animais e que tinha gosto de pimenta cozida.[35] A perspectiva de serem escravizados em um campo de trabalho aterrorizava os jovens judeus.

Não obstante o completo colapso social do país, as redes postais ainda funcionavam, e um dia chegou uma carta. Tremendo, Renia desdobrou as páginas e descobriu que Aaron estava vivo. Mas os horrores de sua vida a chocaram: os rapazes dormiam em estábulos, sobre palha que nunca era trocada; trabalhavam do nascer ao pôr do sol e morriam de fome e frio, alimentando-se de frutas silvestres e ervas daninhas arrancadas do solo. Eram espancados diariamente, carregados para casa nos ombros dos camaradas. À noite, eram forçados a fazer ginástica e, se não conseguissem se manter de pé — morte. Os piolhos devoravam sua pele. Não havia lavatório. Nem latrina. O fedor era insuportável. Então veio a disenteria. Percebendo que seus dias estavam contados, muitos rapazes fugiam; por causa das roupas, suspeitas em meio ao frio do inverno, tinham que evitar cidades e atravessar florestas e campos. A Gestapo perseguia os fugitivos, ao mesmo tempo que torturava os rapazes que haviam ficado.

Renia imediatamente mandou pacotes para o irmão. Incluiu roupas com dinheiro costurado nos bolsos para que ele pudesse comprar uma passagem de volta para casa se conseguisse fugir. Passava os dias atenta aos fugitivos que conseguiam voltar. O aspecto deles era nauseante: pele e ossos, o corpo coberto de úlceras e erupções cutâneas, roupas infestadas de parasitas, membros inchados. Rapazes de repente pareciam velhos debilitados. Onde estaria Aaron?

Muitos judeus foram enviados ao desconhecido. "Pai, irmão, irmã ou mãe", escreveu Renia. "Em todas as famílias havia uma pessoa desaparecida."

Mas tudo pode se tornar relativo. Renia logo descobriria que apenas "uma pessoa desaparecida" era algo bom. Até mesmo "uma pessoa viva" significava que você tinha sorte.

Renia sabia que precisava trabalhar pela própria sorte.

*

Certa noite, quando a escuridão já se abatia sobre os telhados em ruínas do gueto, chegaram notícias. Cada mensagem, cada pequeno bilhete tinha o potencial de mudar a vida de uma pessoa para sempre; de destruir qualquer que fosse o frágil conforto que tivesse conseguido construir para suportar a realidade. Agora os Kukiełka, junto com as outras 399 famílias mais ricas do gueto, eram obrigados a deixar a cidade. Até meia-noite.

Renia tinha visto como os ricos tentavam pagar para escapar dos decretos, subornando o Judenrat para que fossem substituídos ou contratando outros judeus para trabalhar por eles. As pessoas empregavam os métodos que conheciam para lidar com as dificuldades, manipulando o sistema como sempre tinham feito — só que agora o jogo não tinha regras. Os ricos eram respeitados apenas pelos outros judeus; os alemães não davam a mínima. As famílias mais abastadas tentaram também pagar para escapar daquela partida forçada, mas os cofres do Judenrat já estavam cheios graças aos subornos anteriores — na verdade, eles deram a cada família rica 50 złotys para os custos de realocação.

Os Kukiełka[36] acondicionaram às pressas seus pertences em um trenó e partiram noite adentro. Fazia um frio congelante em Wodzisław, onde foram deixados. Isso fazia parte do plano dos alemães, deduziu Renia: obrigar os judeus a se deslocarem de cidade em cidade sem qualquer objetivo além de humilhá-los e deprimi-los. Renia tremia, apertava mais o casaco contra o corpo (tinha sorte de ainda ter um) e observava, impotente, mães histéricas que viam a pele dos filhos ficar azulada por causa do frio. Os judeus de Wodzisław deixaram que as mães e seus bebês semimortos se abrigassem nos currais de ovelhas, o que pelo menos os protegia um pouco dos ventos cortantes.

Por fim, todos os judeus foram conduzidos à sinagoga gelada, de cujas paredes pendiam filetes de gelo, e então alimentados com sopa de uma cozinha comunitária. Outrora as pessoas mais ricas e influentes de sua comunidade, eles agora aceitavam que a única coisa que importava era permanecerem vivos. "O resultado foi que os alemães endureceram o coração dos judeus", escreveu Renia, sentindo o endurecimento em seu próprio âmago. "Agora cada pessoa se preocupava apenas consigo mesma, disposta a tirar comida da boca de seus irmãos."[37] Como um sobrevivente comentou sobre o calejar da alma que se deu ao longo do tempo no gueto de Varsóvia: "Aquele que visse um cadáver na rua pegava os sapatos dele."[38]

*

Assim como havia acontecido em todos os guetos, os decretos foram se tornando cada vez mais bárbaros.

"Um dia, os alemães inventaram uma nova forma de matar judeus", escreveu Renia. Seria possível se sentir ainda mais aterrorizada? De alguma forma, apesar de tudo, o choque ainda não havia desaparecido. A cada inovação sádica, Renia sentia um pavor doentio, uma noção mais profunda da maldade sem limites, das infinitas maneiras pelas quais os assassinos poderiam infligir violência. "À noite, surgia um ônibus cheio de agentes da Gestapo, completamente bêbados." Eles vinham com uma lista de trinta nomes, arrancavam esses homens, mulheres e crianças de casa, e os espancavam antes de matá-los a tiros. Renia ouvia os gritos e tiros e, na manhã seguinte, via os corpos espalhados pelos becos, cobertos de hematomas por causa dos golpes. Os lamentos insuportáveis das famílias destroçavam seu coração. A cada vez, ela imaginava que um dos seus poderia ser o próximo. A comunidade levava dias para se acalmar depois desses incidentes: Quem teria elaborado a seleção de nomes? Com quem era preciso ter cuidado? Na lista de quem você estaria? As pessoas tinham medo até de falar.

Foi assim que os judeus do gueto passaram a se sentir totalmente dominados. Seu território, sua pele, até mesmo seus pensamentos estavam ameaçados. Qualquer coisa que fizessem ou dissessem — o menor movimento ou gesto — poderia resultar em sua execução ou na execução de toda a sua família. Cada elemento de sua existência física e espiritual estava sob vigilância. "Ninguém podia respirar, tossir ou chorar sem ser observado",[39] descreveu uma jovem moradora do gueto. Em quem confiar? Quem estaria ouvindo? Para ter uma conversa inocente com uma velha amiga, era necessário marcar previamente um local de encontro, depois caminhar juntas como se estivessem executando uma tarefa doméstica. Os judeus poloneses temiam até mesmo que seus sonhos os traíssem.

Às vezes, a Gestapo chegava ao gueto à noite e simplesmente executava pessoas a tiros. Uma noite, todos os membros do Judenrat e suas famílias foram executados. Em outra noite impossível de esquecer, vários ônibus de agentes da Gestapo forçaram judeus seminus, descalços e vestindo roupas de dormir a sair de casa e correr em torno do mercado coberto de neve enquanto os agentes os perseguiam munidos de cassetetes de borracha, ou ordenavam que ficassem deitados na neve por trinta minutos, ou forçavam-nos a açoitar outros judeus com chicotes ou faziam-nos deitar no chão para em seguida serem atropelados por um veículo militar. Os nazistas jogavam água sobre indivíduos congelando de frio e os obrigavam a permanecer em posição de sentido. "Ninguém sabia se acordaria vivo no dia seguinte" — era essa a nova realidade de Renia. Por que ela acordava?

Os pesadelos diurnos começaram. Metralhadoras ecoavam na floresta. Os nazistas obrigavam os judeus a cavarem a própria sepultura e, em seguida, cantar e dançar dentro da cova antes de atirar neles. Forçavam outros judeus a enterrar as vítimas — ou, às vezes, a enterrá-las vivas. Judeus idosos também eram obrigados a cantar e dançar, os nazistas arrancando os fios de sua barba um a um e golpeando-os no rosto até que cuspissem os dentes.

O gueto era uma sociedade fechada — rádios não eram permitidos —, mas Renia fazia um trabalho de detetive para obter informações. Centenas de mulheres eram levadas para locais desconhecidos, e nunca mais se tinha notícia delas. Um soldado ingênuo revelou a Renia que essas mulheres haviam sido mandadas para o *front* de guerra, para servirem de prostitutas. Lá, contraíam infecções sexualmente transmissíveis e eram queimadas vivas ou mortas a tiros. Absorta, ouviu quando ele contou que, certa vez, vira centenas de mulheres se rebelarem. Elas atacaram os nazistas, tomaram suas baionetas, com as quais os feriram e arrancaram seus olhos, e em seguida se mataram, gritando que nunca seriam forçadas a ser prostitutas. As garotas que permaneceram vivas acabaram sendo dominadas e estupradas.

O que uma adolescente de 15 anos poderia fazer? Renia mantinha-se vigilante, sabendo instintivamente que precisava reunir informações e encarar a verdade. Ela ouvia rumores vindos de outras cidades. As pessoas morriam de fome em massa, imploravam por cascas de batata, restos de comida. Judeus tiravam a própria vida e matavam os próprios filhos para que não caíssem nas mãos dos alemães. Comboios inteiros — às vezes 10 mil judeus — eram forçados a andar do gueto até a estação de trem, deixando as cidades rumo a destinos desconhecidos. As pessoas eram separadas e supostamente levadas para trabalhar. As comunidades judaicas obtinham notícias por meio de alguns poucos escolhidos que, acreditava-se, eram deixados vivos pelos alemães intencionalmente, a fim de gerar confusão com a transmissão de informações equivocadas. A maioria das pessoas simplesmente desaparecia. "É como se fossem tragadas por um abismo",[40] escreveu Renia. Para onde estariam todos indo?

O método nazista privilegiava o castigo coletivo. A SS decretou que qualquer polonês que ajudasse um judeu seria morto. Os judeus que viviam nos guetos temiam que, caso conseguissem fugir, toda a sua família fosse assassinada em retaliação.[41] Ficar e proteger a comunidade? Ou fugir? *Lutar*, *fugir*.

As matanças eram constantes. Comitês de extermínio compostos de *volksdeutsche*, "selvagens ucranianos",[42] como escreveu Renia, e "alemães jovens e saudáveis para quem a vida humana nada significava" partiam para a ação. "Eles estavam sempre sedentos de sangue", disse Renia sobre os nazistas e seus colaboradores.[43] "Era sua natureza. Como o vício em álcool ou ópio." Aqueles "cães negros" usavam uniformes negros e quepes adornados com caveiras. Quando surgiam com seu rosto endurecido, olhos esbugalhados e dentes grandes — animais selvagens prontos para o ataque —, todos sabiam que metade da população seria executada naquele dia. No segundo em que entravam no gueto, as pessoas corriam para se esconder.

"Para eles", escreveu Renia, "matar uma pessoa era mais fácil do que fumar um cigarro."[44]

5. O GUETO DE VARSÓVIA
EDUCAÇÃO E A PALAVRA

HANTZE E ZIVIA

OUTUBRO DE 1940

No Yom Kippur de 1940, a sala de jantar no número 34 da rua Dzielna estava repleta de camaradas que haviam viajado para Varsóvia, vindos das fazendas, para uma conferência.[1] No entanto, todos estavam no mais completo silêncio, fascinados pela palestra proferida pela irmã mais nova de Frumka, Hantze,[2] que falava com sua voz doce e seu fascínio[3] característicos. O discurso era sobre o orgulho judeu; a importância de permanecerem humanos.

Quatro anos mais jovem, Hanzte era, em muitos aspectos, o oposto de Frumka. Loira, enquanto Frumka tinha cabelos castanhos. Esfuziante, enquanto Frumka era intensa. Gregária, enquanto Frumka era solene. Criativa, enquanto Frumka tinha uma natureza mais analítica. "Nunca tive uma reunião mais empolgante e arrebatadora com nenhuma outra pessoa", a famosa figura da política israelense Rachel Katzenelson escreveu mais tarde sobre Hantze. "Havia algo mágico em sua risada, na maneira como se movia. Havia algo nela que excedia a mera beleza — franqueza, disposição para enfrentar o que quer que a vida lhe apresentasse, e otimismo —, algo que era cativante."[4]

Uma jovem encantadora e exuberante, para quem tudo era fácil — de fazer amigos a aprender idiomas —, Hantze havia crescido liderando as crianças locais, pulando corda e subindo em árvores, sempre no comando, geralmente rindo. Mimada pelo pai, dissipava as tensões familiares quando discutiam política depois do jantar do Shabat: o pai religioso, a comunista Zlatka (também professora de Hantze) e seu irmão sionista, Elyahu. Frumka guardava seus pensamentos para si mesma, mas Hantze fazia piada. As pessoas costumavam se referir às irmãs como "Hantze e Frumka", com o nome de Hantze vindo primeiro. Era sempre assim quando chegavam juntas a algum lugar, a energia da mais nova roubando as atenções.

Quando Hantze tinha apenas 14 anos, Elyahu já a considerava tão incomumente madura que a apresentou ao Liberdade pouco antes de partir para a Palestina. Apesar de sua alegria infantil, a garota demonstrava profundidade intelectual e um desejo de ser desafiada; surpreendeu os camaradas com seu gosto estético refinado e seu amor pela poesia.[5] Tornou-se uma integrante ativa e, com o dinheiro enviado pelo irmão, participava de seminários e eventos, embora nem sempre feliz. Em uma de suas cartas, escrita de um campo de treinamento, Hantze disse se sentir solitária e chateada por causa da forma como as outras garotas falavam dela quando achavam que estava dormindo. ("Ela é louca… mas bonita.") Tinha sentimentos ambivalentes a respeito de ser objeto da atenção dos rapazes e tinha dúvidas quanto ao seu potencial romance com um certo Yitzhak: "Ele prometeu editar meu livro de poemas, e eu estou retalhando os contos dele."[6] O relacionamento das irmãs era repleto de afeto e, ao mesmo tempo, de conflitos. Elas se adoravam, mas Hantze por vezes se sentia sufocada pela preocupação de Frumka em relação a ela. Viver juntas às vezes se mostrava difícil: Frumka amava a solidão; Hantze amava "movimento, pessoas, vida".[7]

Durante as primeiras semanas da guerra, o Liberdade enviou Hantze para o leste, até Lvov, com o objetivo de reforçar as atividades do movimento. Ela inspirou a todos com sua energia, lembrando-lhes da sorte que tinham por estarem do lado soviético e elevando os estados de espírito de maneira geral. Em Pinsk, visitou os pais para lhes dar suas notícias radicais. Uma amiga escreveu: "Nunca vou me esquecer do momento em que Hantze disse aos pais que havia decidido voltar para a parte nazista da Polônia. De repente, a casa ficou em silêncio. Um mundo tinha sido fragmentado e transformado em pedra. Não dava para ver nem ao menos o menor movimento no rosto de seus pais enquanto ela fazia o difícil comunicado. Depois de um momento de silêncio terrível, seu pai aparentemente despertou e disse: '*Nu*, filhota, se acha que deve ir, então vá, com a bênção de Deus.'"[8] É claro que ela tinha que ir. Depois de fracassar em sua primeira tentativa de atravessar a fronteira — Hantze ficou paralisada ao entrar no rio gelado que teria de atravessar a nado —, ela insistiu em tentar novamente.

Agora, no dia mais sagrado do ano judaico, na sala de jantar do Liberdade em Varsóvia, longe de sua cidade natal, Hantze, com suas habituais tranças, um lenço sobre a cabeça e uma blusa floral com mangas curtas bufantes, fazia um discurso sobre dignidade — quando sua irmã irrompeu pela porta.

Frumka então deu a notícia: o bairro judeu seria isolado. Eles perderiam a ligação com o mundo exterior, com o trabalho e com os outros grupos, o acesso à comida, tudo. Os membros já tinham conhecimento dos guetos fechados nas províncias, mas não imaginavam que aquilo fosse acontecer em Varsóvia, uma capital europeia. Zivia e Frumka sabiam que o movimento teria que redistribuir seus recursos, se reorganizar e refazer os treinamentos. Mais uma vez, uma nova reviravolta.

*

Quando os portões do gueto foram trancados, confinando mais de 400 mil judeus[9] em uma pequena área cercada por muros altos e reforçados, com cacos de vidro no topo, o foco do Liberdade na assistência, na educação e nas atividades culturais não diminuiu, e sim aumentou. Era dessa forma, Zivia acreditava, que eles manteriam o ânimo e resistiriam à ocupação alemã.

O Liberdade não estava sozinho. Muitas outras organizações promoviam atividades culturais e de assistência. Milhares de judeus do gueto arriscavam a vida para se apresentar em shows: amadores e profissionais, em iídiche e em polonês, em espetáculos ensaiados e competições. Os judeus encenavam apresentações satíricas em cafés e peças educativas em teatros. Atores participavam de eventos secretos em porões para ganhar algum dinheiro extra. Havia uma "Broadway" no gueto de Varsóvia, composta por trinta locais de apresentação em uma única rua.[10] O Bund também organizava programações musicais.[11] Eles abriram sete refeitórios populares e dois salões de chá, estabeleceram um sistema escolar de grande escala, colônias de férias, organizações esportivas, uma escola de medicina clandestina, eventos literários e a Cruz Vermelha Socialista. Uma vez que as reuniões políticas eram ilegais, as cozinhas comunitárias serviam como local para muitos encontros.[12]

Para o Liberdade, a educação era uma prioridade.[13] A Dzielna abrigou três grandes seminários entre 1940 e1941, apesar da oposição do Judenrat. O primeiro contou com a presença de cinquenta pessoas, vindas de 23 braços do movimento em toda a Polônia, bem como eruditos, incluindo o poeta Yitzhak Katzenelson, o historiador e ativista social Emanuel Ringelblum e os educadores Janusz Korczak e Stefa Wilczyńska, todos eles amigos de Zivia pela convivência nos corredores do Judenrat. Durante seis semanas, os participantes estudaram e discutiram o futuro. O programa cultural contínuo da Dzielna oferecia estudos bíblicos, preleções literárias, palestras sobre ciências e um grupo de teatro.

Com todas as escolas judaicas obrigadas a fechar as portas, Zivia temia que as crianças do gueto ficassem ociosas e mal-educadas. Como resposta, o Liberdade instituiu escolas clandestinas de ensino fundamental e médio que atendiam 120 alunos, incluindo Hantze, que era a mais velha. Treze professores trabalhavam sem material, salas de aula permanentes ou salário garantido, ensinando matérias seculares e judaicas. Eles circulavam de apartamento em apartamento, espremendo-se em cômodos minúsculos onde famílias inteiras eram forçadas a viver. Apesar de famintos e com as pernas inchadas por causa do frio do inverno, os professores ainda assim davam aulas de estudos bíblicos, biologia, matemática, literatura mundial, língua polonesa e psicologia. Ensinavam alunos que tremiam de frio e tinham o ventre distendido por causa da subnutrição, incentivando-os "a pensar". O poeta Katzenelson inspirava seus discípulos a amar suas origens; toda a casa irrompia a cantar. Essas "escolas itinerantes", que inclusive aplicavam provas, existiram durante dois anos. Foram um celeiro de futuros combatentes clandestinos.[14]

As crianças pequenas também eram uma prioridade. A Dzielna oferecia um curso de puericultura; especialistas vindos de berçários e jardins de infância administravam uma creche. Os orfanatos, antes supervisionados pelo governo polonês, foram abandonados, de modo que as jovens do Liberdade reuniam roupas e material escolar, ensinavam brincadeiras, histórias e canções folclóricas às crianças e organizavam comemorações nos feriados. Muitas das crianças do gueto viviam nas ruas, negociando mercadorias ou mendigando comida. Zivia, Antek e integrantes de outros grupos organizaram uma "cozinha comunitária infantil", para alimentar e ensinar meninos e meninas a ler e escrever em hebraico e iídiche.

"Tentávamos com todas as nossas forças devolver-lhes um pouco da doçura da infância, um pouco de riso e brincadeira", escreveu uma camarada. "Quando os inspetores alemães apareciam, eles (...) comiam e não faziam mais nada. Crianças de 11, 12 anos aprenderam a manter segredo como adultos, comportando-se de uma maneira que não condizia com sua idade."[15] O coral infantil e os grupos de teatro do Liberdade atraíam milhares de judeus em busca de alimento para a alma.

O endereço da Dzielna era bem conhecido nas ruas judaicas. A comunidade do Liberdade, em grande parte coordenada por mulheres, contava com mais de mil membros. As camaradas passavam horas cantando com as crianças, levando-as para passear e para brincar em gramados — isto é, em meio à destruição que ainda restava do lado de dentro dos muros. Judeus mais velhos ficavam parados e observavam as crianças se divertindo, uma centelha de esperança.

*

Com todo esse empenho em ensinar, o Liberdade precisava de livros.

Uma parte essencial dos primórdios da resistência foi literária. Os alemães baniram e queimaram volumes em iídiche e hebraico, bem como obras de escritores judeus e oponentes políticos. Desnecessário dizer que as publicações antinazistas foram proibidas, e o simples fato de portar algo assim resultava em prisão ou morte. Manter um diário e "reunir provas" contra os nazistas era igualmente passível de punição.[16] Os judeus, havia muito conhecidos como um povo literato, resistiam escrevendo — para divulgar informações, documentar e se exprimir pessoalmente. Os leitores se rebelavam preservando histórias.

Como não havia livros novos sendo publicados, e a maioria das obras antigas não estava mais acessível, o Liberdade fundou sua própria editora.[17] O primeiro livro lançado, impresso em um mimeógrafo, foi uma antologia histórico-literária repleta de relatos de sofrimento e heroísmo judaico; a ideia era apresentar aos jovens exemplos poderosos da bravura judaica. Várias centenas de exemplares foram contrabandeados para braços do movimento em todo o país. A editora também publicou manuais escolares, bem como a peça bíblica de Katzenelson *Jó*, que o grupo teatral do Liberdade encenou. Enquanto Antek fazia cópias, as crianças do movimento cantavam a plenos pulmões, para encobrir o barulho da máquina.

Diante do blecaute de informações imposto pelo nazismo, a comunicação era crucial. Judeus de todas os grupos imprimiam publicações clandestinas para distribuir pelo país, com informações sobre os guetos e campos. O Liberdade publicava um jornal clandestino em polonês e iídiche que discutia as questões do momento; mais tarde, seus integrantes passaram a distribuir um semanário em iídiche com notícias que ouviam em seu rádio secreto.[18] Segundo o historiador Emanuel Ringelblum, "as publicações políticas brotavam feito cogumelos depois da chuva. Se você publica seu jornal uma vez por mês, vou publicar o meu duas vezes por mês".[19] Ao todo, cerca de 70 periódicos contendo debates políticos, obras literárias e notícias de fora do gueto eram impressos secretamente em polonês, hebraico e iídiche, em copiadoras rotativas Gestetner, usando qualquer papel que se conseguisse obter. As tiragens eram pequenas, mas cada cópia era lida por diversas pessoas.[20]

A leitura era uma forma de fuga e uma fonte de conhecimento crítico; salvar livros era um ato de salvação pessoal e cultural. Bibliotecas tinham sido proibidas, então uma das mulheres explicou a ideia do movimento para criar seu próprio acervo catalogado em Varsóvia: "Se não podemos concentrar os livros em um mesmo lugar, então vamos fazer listas de todos os livros que houver em cada casa e vamos disponibilizá-los para todos os habitantes."[21]

Muitos outros judeus em toda a Polônia criaram bibliotecas domésticas secretas.[22] Henia Reinhartz,[23] uma jovem militante do Bund do gueto de Łódź, explicou que um grupo de integrantes do movimento resgatou pilhas de livros da biblioteca em iídiche da cidade e os levou para o apartamento da família Reinhartz. Junto com a irmã e alguns amigos, ela separou os volumes e, em seguida, construiu prateleiras para eles. "Nossa cozinha se tornou, assim, a biblioteca do gueto", explicou mais tarde. "Tratava-se de uma biblioteca clandestina, o que significa que era mantida em segredo para que nem as autoridades do gueto nem os alemães tomassem conhecimento dela." O amor de Henia pela leitura teve início no gueto. "Ler significava escapar para outro mundo", escreveu ela, "viver a vida dos heróis e heroínas, compartilhando suas alegrias e tristezas, as alegrias e tristezas de uma vida normal em um mundo normal diferente do nosso, tomado pelo medo e pela fome." Ela leu *...E o vento levou* em polonês enquanto se escondia para escapar de uma deportação.

Com muitos indivíduos sem trabalho e fora da escola, confinados em espaços pequenos, famintos e apáticos, isolados e entediados, escrever se tornou um passatempo comum e conveniente. Os judeus escreviam relatos pessoais para manter a humanidade e algum senso de agência sobre a própria vida. A escrita autobiográfica registra transformações íntimas; a introspecção valida a identidade e reforça a individualidade.[24] Como no famoso exemplo de Anne Frank, ou no não tão célebre diário de Rutka Laskier, uma adolescente que vivia em Będzin, as mulheres judias exploravam suas percepções inconstantes e sua sexualidade, seus medos e análises sociais, suas frustrações com os pretendentes e com a mãe. Anne e Rutka, como muitas outras mulheres, eram cultas; acreditavam em um humanismo liberal que havia sido destruído. Escrever lhes dava uma sensação de controle sobre seu destino, uma tentativa de refutar a terrível degradação social e preservar a fé e a ordem. Ao escrever,[25] buscavam significado em meio à brutalidade sem sentido, uma maneira de reparar seu mundo arruinado.

A poucas quadras da Dzielna, todos os sábados Emanuel Ringelblum se reunia com o grupo Oneg Shabat: um coletivo de intelectuais, rabinos e assistentes sociais que, sentindo que tinham uma responsabilidade para com o povo judeu, eram movidos pela necessidade de testemunhar e narrar a guerra de uma perspectiva judaica. Os nazistas documentavam exaustivamente os judeus poloneses por meio de fotografias e filmagens. O Oneg Shabat estava determinado a garantir que a versão tendenciosa dos eventos produzida pelos alemães não fosse a única história a ser perpetuada.[26] Seus membros compilaram um vasto acervo para as gerações futuras, com objetos e escritos sobre a vida no gueto de Varsóvia que, mais tarde, eles enterraram dentro de latas de leite. Entre os itens que sobreviveram, há um esboço de uma criança cochilando, *Menina adormecida*, desenhado em giz de cera por sua mãe, a pintora Gela Seksztajn. A representação íntima de uma menina de cabelos escuros deitada de lado, apoiada sobre o braço, mostra um raro momento de tranquilidade. "Não peço elogios", dizia o depoimento da artista, "apenas que eu e minha filha sejamos lembradas. Esta menininha brilhante se chama Margolit Lichtensztajn."[27]

*

As condições no gueto de Varsóvia se deterioraram rapidamente. "A superlotação, a solidão, as preocupações atormentadas em relação à sobrevivência", escreveu uma camarada. "Os judeus arrastavam tudo isso para as ruas. Eles caminhavam em grupos, confessando o que sentiam."[28] A maioria dos prédios se estendia da rua para dentro dos quarteirões em labirintos de unidades residenciais (as pessoas mais ricas viviam nos apartamentos de frente, com boa iluminação). Os pátios internos serviam como pontos de encontro e por vezes abrigavam organizações comunitárias. Apesar da intensa vibração social, a fome, as doenças e o terror prevaleciam. As enfermidades se alastravam de maneira desenfreada, e os cadáveres se acumulavam pelas ruas. Os negócios dos judeus foram fechados, e era difícil encontrar trabalho. Barrigas inchadas e apelos desesperados por comida eram uma paisagem constante. Zivia vivia atormentada pelo choro das crianças famintas que podia ser ouvido durante toda a noite.[29]

Zivia e Frumka se empenharam ainda mais em fortalecer o espírito dos judeus e continuaram a administrar a cozinha comunitária. Os camaradas dividiam suas escassas porções de sopa com cada novo membro, organizando uma longa fileira de pratos com as sobras do almoço. Depois de um tempo, contudo, a fome que sentiam se tornou aguda demais, e eles puseram fim a essa prática.

Diversas mulheres judias[30] assumiram postos de liderança e se voluntariaram para ajudar seu povo em Varsóvia. Aproximadamente 2 mil comitês locais ofereciam assistência médica e atividades culturais — quase todos eram organizados por voluntárias.[31] Rachel Auerbach,[32] uma renomada jornalista, escritora de ficção e graduada em filosofia que também era integrante do Oneg Shabat, coordenava uma cozinha comunitária. Paula Alster, que, com sua "aparência grega e um porte imponente",[33] já havia sido presa por atividades políticas quando ainda estava no fim do ensino fundamental,[34] comandava uma cozinha que se tornou um centro de atividades clandestinas. Basia Berman, uma educadora apaixonada,[35] fundou uma biblioteca infantil do zero. As militantes do Bund Manya Wasser e a líder clandestina Sonya Novogrodsky administravam uma oficina na qual transformavam peças de vestuário descartadas em roupas para crianças de rua, para as quais também ofereciam comida e atendimento médico.[36] Shayndl Hechtkop,[37] graduada com menção honrosa pela faculdade de direito da Universidade de Varsóvia e integrante ativa do Liberdade, dirigia a biblioteca Peretz, comandava uma cozinha popular e organizava conferências acadêmicas. Quando foi capturada pelos nazistas, o movimento negociou sua libertação, mas ela se recusou a deixar a mãe.

*

Conforme as circunstâncias em Varsóvia foram piorando ao longo do ano, o trabalho do Liberdade continuava fora da cidade. Os movimentos colaboravam uns com os outros e em todo o país estabeleciam programas para jovens que viviam com medo e na inatividade. Zivia deixava Varsóvia com frequência para coordenar grupos de estudantes, encontrando-se com ativistas locais nas estações de trem para economizar tempo.[38] Era importante para ela manter linhas de comunicação que operassem além dos muros do gueto — uma prioridade visionária que logo provaria sua importância.

Para conseguir isso, Zivia enviava camaradas de Varsóvia para as cidades menores; o tipo de trabalho arriscado que Frumka sempre fizera. Essas mensageiras — mulheres jovens, em geral de feições arianas — estabeleciam ligações com moradores locais designados e os instruíam a criar uma "quina":[39] um grupo de cinco pessoas encarregadas de realizar trabalho pioneiro. Chana Gelbard foi uma das primeiras mensageiras.[40] Em sua missão de estreia, Zivia deu a ela documentos poloneses falsos. Ela se passava por caixeira-viajante, quando, na verdade, distribuía folhetos informativos do movimento. Na época, viajar de trem era difícil até mesmo para os poloneses, e Chana se deslocava de carroça, hipervigilante, desconfiada de todos, inclusive de outros judeus. Quando recebia um endereço do comando central, a jovem tomava todos os cuidados possíveis para ter certeza de que estava falando com o real destinatário, para que essa pessoa não a conduzisse a uma armadilha nem pensasse que ela era uma agente infiltrada da Gestapo. Submetia seu interlocutor a um interrogatório antes de entregar qualquer papel.

As visitas das garotas eram bem-vindas, sobretudo quando traziam palavras de esperança sobre as atividades do movimento. Em sua segunda missão fora de Varsóvia, Chana viajou com uma mala cheia de impressos clandestinos: capítulos de livros sobre a história judaica, literatura proletária e feriados nacionais. "Era perigoso viajar com aquelas 'histórias'", recordaria Chana, mas ela estava determinada a divulgar o material. Em uma das viagens, escreveu, duas das "quinas" se reuniram, em vez de apenas uma. Todos se juntaram em uma casa de madeira, onde se sentaram no escuro, e ela contou aos dez camaradas sobre as atividades do Liberdade, enfatizando que nem tudo havia sido destruído e exortando-os a encontrar forças em sua história. Os jovens a ouviram com a respiração contida; mais tarde, se dispersaram, cada um para seu canto e entregue às suas próprias preocupações, mas cheios de entusiasmo e com a coragem renovada. As palavras valiosas de Chana haviam levado conhecimento e algum alívio, ajudando jovens judeus a se sentirem "fortes diante das nuvens naqueles tempos de tempestade".

Essas jovens, conhecidas como "as garotas de Zivia",[41] desempenhavam um papel[42] que logo se tornaria um dos mais importantes, se não o mais importante, da resistência.

6. DO ESPÍRITO AO SANGUE
O SURGIMENTO DA ŻOB

TOSIA, ZIVIA E VLADKA

DEZEMBRO DE 1941

Vilna, 1941. Uma neve de dezembro, leve e fofa, rodopiava com o vento. Seis meses antes, a máquina de guerra nazista havia avançado para o leste, assumindo o controle da região. As pequenas cidades para onde Zivia e outros jovens haviam fugido em 1939 — e onde realizaram atividades sionistas e relacionadas ao Bund —, sob domínio soviético e lituano, não eram mais seguras. Antes de 1941, os judeus ainda tinham empregos, relativa liberdade de deslocamento e educação. (Na verdade, muitas mulheres judias falavam com gratidão sobre a educação de alto nível que haviam recebido sob o regime russo.) Mas tudo isso chegou a um fim abrupto. O confinamento em guetos, as leis antijudaicas e a tortura foram medidas impostas de imediato, mergulhando a vida dos judeus na escuridão, no abismo.

Uma pequena ocupação nazista, entretanto, não seria capaz de deter Tosia Altman.[1] Pelo contrário, aquela missão viria a ser uma das mais importantes que desempenhou.

Aos 23 anos, a líder da Guarda Jovem chegou a Vilna, os volumosos cachos louros retendo flocos de neve e balançando no ritmo de seus passos elásticos. Para ir até o minúsculo gueto, estabelecido na antiga área judaica, ela teve de atravessar o formidável rio Neris e parques cobertos de neve, passando por construções medievais ao longo de ruas de paralelepípedos e por bibliotecas, sinagogas, yeshivás e arquivos judaicos que haviam florescido na cidade, um centenário centro polonês de poesia em iídiche, erudição rabínica e produção intelectual. Tosia também havia fugido para Vilna no início da guerra, de forma que conhecia a cidade. Passara a maior parte dos dois anos anteriores viajando sem parar pela Polônia ocupada pelos nazistas — seu itinerário ganhava a forma de um rabisco frenético, indiscernível devido ao número de viagens. Lidar com os alemães de Vilna era apenas mais um dia de trabalho.

Tosia já era uma líder da Guarda Jovem muito antes da guerra e, assim como Zivia e Frumka, foi uma figura-chave no plano B do grupo. Nascida em uma família rica, culta e amorosa, a exuberante Tosia cresceu em Włocławek, uma pequena cidade na região central da Polônia onde o astrônomo Nicolau Copérnico estudou e onde, séculos mais tarde, o pai dela se tornaria o proprietário de uma joalheria e relojoaria. Sionista, ele era muito envolvido com a comunidade. Tosia também se tornou ativa no movimento e, com sua curiosidade, sua habilidade social e seu desejo de estar no centro da ação, ascendeu rapidamente na hierarquia. Sua própria *aliyah* para a Palestina foi adiada quando ela foi escolhida para liderar o programa de educação da Guarda Jovem em Varsóvia. Invejava os amigos que agora viviam na terra prometida, onde sem dúvida levavam uma vida cheia de ação, e considerava que os colegas poloneses um pouco mais velhos eram demasiado sérios. Com o tempo, entretanto, estabeleceu laços com eles.

Tosia era considerada um tipo de polonesa elegante. Ela era uma "garota charmosa" — uma jovem bem-educada e falante, que usava roupas esportivas — e uma "desajuizada"[2] com muitos namorados. Era obcecada, em particular, pelo inventivo e intelectual Yurek Horn (de cuja altivez o pai dela não gostava). Romântica e ávida leitora, estava constantemente sentada em um canto, de pernas cruzadas, com o nariz enfiado em um livro. Tosia tinha medo de cachorros e do escuro, então se forçou a sair à noite durante um pogrom para superar sua ansiedade. Cantarolava músicas e estava sempre rindo, revelando dentes grandes e perolados. Uma brincalhona que fazia amigos com facilidade, ela evitava escrupulosamente as discussões sociais e ficava perturbada com os mal-entendidos.

Ao passo que Frumka foi a primeira integrante do Liberdade a retornar a Varsóvia para cuidar dos camaradas deixados para trás, Tosia foi escolhida pela Guarda Jovem, e seria uma das primeiras da organização a voltar. Ela não era uma ideóloga com autoridade, mas foi escolhida por seu entusiasmo, sua energia e sua capacidade de se conectar com pessoas de todas as idades; também por seus olhos azuis brilhantes e sua aparência de jovem rica e não judia. Concordou com a missão sem hesitar, aceitando racionalmente que o movimento tinha prioridade sobre a vida individual. Intimamente, no entanto, isso lhe causava grandes conflitos emocionais. Tosia lamentava-se apenas com os amigos mais próximos, triste por ter de deixar Vilna e renunciar à Palestina, que era seu sonho. Apesar de tudo, seguiu em frente com entusiasmo e, embora tenham sido necessárias três tentativas para cruzar a fronteira, ela finalmente conseguiu chegar a Varsóvia. Com seu charme loiro e o polonês fluente, sua "doçura férrea",[3] nas palavras de seu biógrafo hebreu, ela rapidamente se tornou a principal mensageira da Guarda Jovem, em constantes viagens pelo país para conectar capítulos do movimento, levar informações, organizar seminários e incentivar atividades educacionais clandestinas; o sorriso largo e os cabelos esvoaçantes eram um deleite para quem a recebia. Tosia costumava se vestir como camponesa, sobrepondo várias camadas de saias para esconder contrabando na barra do tecido. O trabalho tinha sua cota de contratempos, mas a audácia, a ousadia e os instintos aguçados da jovem geralmente permitiam que saísse relativamente ilesa. Certa vez, ela foi pega em Częstochowa por um guarda de fronteira nazista, mas se desvencilhou dele e correu mais de 20 quilômetros até uma fazenda em Żarki.

Diversas memórias de camaradas narram "o dia em que Tosia chegou" a seu gueto. Sua chegada era como um raio de sol na vida sombria de quem estava ao seu redor — "uma descarga de energia elétrica".[4] As pessoas não percebiam sua ambivalência interior; elas se alegravam, choravam e a abraçavam com força. Ela levava consigo calor, um "otimismo inesgotável",[5] uma sensação de conexão, o alívio por não terem sido esquecidos, a sensação de que as coisas poderiam acabar bem, apesar de tudo. Mesmo em tempos de guerra, Tosia ensinava aos camaradas "a arte de viver"[6] e como não serem tão sérios o tempo todo.

Agora, no inverno de Vilna, a situação era semelhante. A viagem havia sido particularmente brutal: longa, perigosa, repleta de postos de controle. Tosia havia passado noites insones em lugares imundos e congelantes, agarrada a um maço de documentos de identidade falsos. Ao chegar, ela precisou de um momento para descongelar, mas em seguida voltou a exibir sua velha e alegre personalidade. "Quem não estava lá conosco, entre os muros do gueto, simplesmente não consegue compreender o que significava que aquele 'fenômeno' tivesse cruzado as fronteiras do gueto", escreveu Ruzka Korczak, líder da Guarda Jovem em Vilna. "Tosia chegou! Como uma feliz primavera, a informação se espalhava entre as pessoas: Tosia chegou de Varsóvia, como se não houvesse gueto, nem alemães, nem morte ao nosso redor, como se não houvesse perigo em cada esquina (...). Tosia está aqui! Um poço de amor e luz."[7]

Tosia entrou no quartel-general da Guarda Jovem, onde camaradas dormiam sobre mesas e portas tiradas das dobradiças.[8] Tomada de uma inexplicável alegria e de um entusiasmo juvenil, ela lhes contou histórias sobre Varsóvia — sobre o terror e a fome, mas também sobre como os camaradas continuavam a trabalhar. "Ela abriu para nós um mundo novo, quase inacreditável", refletiu Ruzka mais tarde. "Contou-nos como, das trevas da vida no gueto de Varsóvia, surgira uma nova canção cheia de vigor."[9] Mesmo depois de dois anos de ocupação nazista e das condições desumanas, não haviam sido subjugados e ainda acreditavam em um propósito mais elevado.

Como acontecia em todos os guetos que visitava, Tosia levava notícias. Naquela noite, em Vilna, também tinha a missão de confirmar notícias. Havia sido enviada ao mesmo tempo que duas mensageiras do Liberdade. Rumores de execuções em massa tinham chegado a Varsóvia. Mas seriam verdadeiros? E o que ela poderia fazer para ajudar? Estava preparada para ajudar o grupo de Vilna a se transferir para Varsóvia, um lugar que os camaradas presumiam ser mais seguro.

Na noite seguinte, Abba Kovner, o líder da Guarda Jovem local, convocou uma reunião com 150 jovens do gueto, integrantes de vários movimentos. A primeira grande reunião da juventude ocorreu em uma sala úmida, iluminada por velas, no prédio do Judenrat, sob o disfarce de uma festa de Ano-Novo. Depois que todos chegaram, Abba leu um panfleto em iídiche. Em seguida, fez sinal para Tosia e pediu a ela que o traduzisse para o hebraico, para mostrar que uma líder vinda de Varsóvia estava comprometida com suas ideias radicais. Tosia ficou chocada com o que ouviu; com o que teve que retransmitir.

Uma jovem de Vilna chamada Sara[10] havia sido levada para Ponary, que no passado fora uma região de veraneio muito popular. Agora o local era um campo de execução em massa onde, ao longo dos três anos seguintes, 75 mil judeus[11] seriam obrigados a se despir e então seriam fuzilados junto a enormes valas de 6 metros de profundidade onde seus corpos se amontoavam. Alvejada, mas não morta, Sara recuperou os sentidos no meio dos cadáveres gelados, nua, olhando nos olhos da mãe assassinada. Ela esperou escurecer e escalou as paredes da vala, depois passou dois dias escondida na floresta antes de voltar para Vilna, aonde chegou sem roupas e histérica, relatando a chacina que havia testemunhado. O chefe do Judenrat não acreditou nela, ou pelo menos alegou não acreditar, e pediu que não contasse nada a ninguém, para que não espalhasse o pânico.

Sara foi hospitalizada. Foi nessa ocasião que Abba Kovner a conheceu. Kovner acreditou nela; para ele, o plano nazista de exterminar todos os judeus era muito claro. Na reunião do Ano-Novo, Tosia leu as conclusões do camarada: "Não acreditem naqueles que querem enganá-los (...). Hitler planejou exterminar todos os judeus da Europa." Ela terminou com o que se tornaria o famoso mantra que ele criara para a resistência: "Não nos deixemos levar como ovelhas para o abate!"[12] Abba insistia que todos os judeus deveriam ser alertados e reagir. A única resposta: autodefesa.

Tosia, uma mulher de planos, nunca ficava muito tempo em um mesmo lugar. Agora teria de viajar para os guetos, não para levar as palavras de conforto do movimento, mas essa mensagem horrível e urgente. Os nazistas planejavam matar todos os judeus. Todos.

Havia chegado a hora de resistir.

*

Como alguém reage à notícia de que vai ser morto? Tenta permanecer otimista, alimentando ilusões a fim de manter a sanidade mental? Ou encara a escuridão e olha nos olhos da bala?

Quando ouviu as notícias[13] de Tosia e das mensageiras do Liberdade — as mesmas trazidas por judeus religiosos e ativistas poloneses —, Zivia não duvidou nem por um segundo. Vilna era apenas uma confirmação. Outros judeus haviam escapado de campos de extermínio, como Chełmno, e compartilharam suas histórias de terror quando voltaram para os guetos.[14] As ameaças de Hitler, que ela havia descartado — que todos haviam descartado — como "frases vazias de um louco arrogante", de repente soavam agudamente verdadeiras.

Zivia foi invadida por uma torrente de culpa. *É claro* que aquilo estava acontecendo. Por que não tinha enxergado tudo com mais clareza? Como não havia percebido que os nazistas tinham desenvolvido um plano sistemático e doentio para aniquilar o povo judeu? Por que havia se esquivado da liderança na comunidade, concentrando-se apenas nos jovens, presumindo que os mais velhos assumiriam aquela tarefa? Por que não havia se concentrado na autodefesa e na aquisição de armas? Por que não tinha feito alguma coisa mais cedo? Um tempo precioso fora desperdiçado.

Zivia tentava encontrar uma justificativa para explicar seus remorsos. Como alguém poderia saber quais atrocidades estavam sendo planejadas, sobretudo considerando que os nazistas haviam se esforçado para mantê-las em segredo, com o objetivo específico de evitar retaliações e censura global? Como uma minoria sofredora poderia lutar contra um exército que conquistava países inteiros? Como pessoas que estavam doentes e morrendo de fome poderiam elaborar planos táticos para ações militares? Se não tivessem se concentrado intensamente em promover a autoestima, a educação e a camaradagem durante aqueles primeiros anos, talvez não houvesse a vitalidade, a confiança e o éthos que possibilitariam a ação de uma força combatente. Ainda assim, ela foi consumida pelo remorso.

Diversas mensageiras, incluindo Frumka,[15] espalharam a notícia das execuções em massa em Ponary e da compreensão dos movimentos clandestinos a respeito da Solução Final. Sobreviventes que haviam conseguido escapar também testemunharam em grandes reuniões de líderes da comunidade. Mas muitas vezes seus relatos eram desacreditados.[16] Muitas comunidades judaicas relutavam em aceitar histórias que pareciam demasiado monstruosas para digerir. Recusavam--se a acreditar que atrocidades como aquelas poderiam ser cometidas na Europa

Ocidental, onde, apesar das condições de vida torturantes, não havia indícios de execuções em massa. Suas comunidades forneciam ao Reich mão de obra escrava indispensável; em termos econômicos, não fazia sentido para os nazistas liquidar todos eles.

Muitos judeus acalentavam a ilusão de que ainda era possível sobreviver. Queriam acreditar no melhor, queriam desesperadamente viver. Ninguém queria pensar que a mãe, os irmãos, os filhos haviam sido despachados à força para serem executados — ou que sua própria deportação iminente quase com certeza significava a morte. E Varsóvia, além disso, ficava no coração da Europa. Como poderiam deportar uma capital inteira? Os judeus poloneses já haviam vivido em segregação durante séculos — nunca imaginaram que os guetos de Hitler fossem parte de uma máquina assassina. Haviam se preparado psicologicamente para o que conheciam: a Primeira Guerra Mundial. Infelizmente, essa guerra não foi como a anterior.

Em sua última carta para a Palestina, datada de 7 de abril de 1942, Tosia escreveu sobre o tormento de assistir a toda aquela destruição sem poder fazer nada para impedi-la: "Judeus estão morrendo bem diante dos meus olhos, e não posso fazer nada. Já tentou derrubar uma parede com a cabeça?"[17]

Em um relato, uma jovem judia conta sobre o embarque em um trem para Auschwitz. De repente, viu um cartão sendo empurrado pelas tábuas do vagão, por entre as ripas de madeira. Ela leu: "[E]sse trem está levando vocês para os piores campos de extermínio (...). Não entrem nesse trem."[18]

A mulher, contudo, ignorou o aviso. Parecia insano demais para ser verdade.

*

Zivia, no entanto, sabia: "Isto é um assassinato planejado em grande escala."[19] Nos dias que se sucederam ao retorno das mensageiras, ela caminhou pelo gueto superlotado e ansioso, já imaginando todas aquelas pessoas mortas. A única coisa que a impedia de se suicidar era a certeza de que tinha um propósito: talvez não de salvar vidas, mas de salvar a honra, de não morrer sem lutar. Deixando de lado seus sentimentos, Zivia sabia que tinha de agir. Seus companheiros do

Liberdade também sabiam a verdade; o movimento precisava mudar de direção mais uma vez e fazer da defesa seu principal objetivo. Mas criar um grupo de combatentes para resistir por meio da luta contra os exércitos de Hitler era um desafio de proporções cósmicas, por razões relacionadas a recursos e experiência, bem como a conflitos internos — com o Judenrat, com os líderes judeus, entre os movimentos da juventude e também dentro do próprio movimento.

Por ser um grupo de jovens, o Liberdade não tinha nenhum contato com o crescente movimento clandestino polonês, e Zivia receava que eles não estivessem muito interessados em ajudar os judeus — os camaradas precisavam da ajuda dos "adultos". Líderes de vários movimentos juvenis se reuniram e tiveram encontros com os chefes da comunidade, na esperança de que eles reconhecessem a ameaça e assumissem o controle. Mas o rosto dos adultos à frente da liderança empalideceu de medo e fúria. "Eles nos repreenderam por semear de forma irresponsável as sementes do desespero e da confusão entre as pessoas",[20] escreveu Zivia mais tarde. Ela e Antek foram advertidos pelo chefe do JDC a agir de maneira comedida. Embora compreendesse o significado dos assassinatos, explicou ela, ele alertou-os para o fato de que ações precipitadas poderiam resultar em consequências graves, e que a nação judaica jamais os perdoaria. Os supervisores do Judenrat de Varsóvia, por outro lado, ou não acreditavam nos rumores ou se recusavam a agir, temendo que qualquer ação pudesse provocar uma violência maior por parte dos nazistas. Tinham esperança de que, se mantivessem a cabeça baixa e seguissem as regras, poderiam poupar a comunidade judaica — e talvez eles próprios. Homens de meia-idade, com família e filhos, eles não queriam colocar em perigo toda a população por causa da visão idealista de alguns jovens a respeito de uma guerrilha para a qual não tinham nenhum treinamento.

Os membros do Liberdade foram ficando cada vez mais agitados à medida que essas reuniões se arrastavam. Sentindo "frustração e uma raiva impotente",[21] Zivia e seus camaradas sabiam que teriam que agir por conta própria. Antes de mais nada, precisavam do apoio das massas. Eles mesmos teriam de expor aos outros judeus a horrível realidade. "É nosso dever encarar a verdade como ela é",[22] acreditava Zivia. Para ela, "nosso principal inimigo era a falsa esperança".[23]

As pessoas nunca resistiriam, nem mesmo se esconderiam, enquanto não aceitassem o fato de que a morte era iminente.

Os camaradas do Liberdade sabiam como publicar um boletim clandestino para divulgar a mensagem, mas, de modo geral, não faziam a mínima ideia de como formar um exército. Como Zivia observou: "Nenhum de nós sabia o que tinha de ser feito considerando que os alemães eram bem armados e poderosos, e nós tínhamos apenas dois revólveres."[24] Antes da guerra, o Bund e os sionistas revisionistas — a facção de direita que defendia a iniciativa privada e as unidades militares judaicas — haviam estabelecido ligas de autodefesa. Mas os jovens sionistas trabalhistas tinham sido treinados principalmente para debater teoria social. Haviam estudado defesa pessoal, mas não estavam organizados para lutar.[25] O Liberdade precisava de aliados com conexões ou treinamento militar.

Zivia persistiu. Depois de anos aperfeiçoando suas habilidades de negociação e resiliência, ela continuou a tentar convencer os líderes da comunidade, mas esbarrava sempre nas políticas partidárias. Em março de 1942, ajudou a organizar uma reunião de uma variedade de partidos judeus na cozinha do Bund. Antek, representando o Liberdade, rogou aos líderes que compreendessem a urgência de preparar uma reação e propôs um programa para estabelecer um movimento de defesa coletiva dos judeus. A reunião terminou sem resultados práticos. Os sionistas queriam trabalhar com o Bund, que tinha conexões com os partidos poloneses; o Bund, no entanto, não confiava nos grupos de sionistas burgueses obcecados pela Palestina e preferia lutar com a resistência polonesa, que de fato dispunha de algumas armas.[26] Os principais líderes partidários repreenderam os movimentos juvenis, acusando-os de serem alarmistas ingênuos e precipitados, sem absolutamente nenhuma experiência militar. Chegar a um acordo com o bem armado grupo sionista revisionista, Betar, era impossível.

Sentindo-se terrivelmente impotentes, os jovens sionistas tentaram entrar eles mesmos em contato com a resistência polonesa. Em seguida, se integraram ao Bloco Antifascista, iniciado pelos comunistas judeus. Os comunistas queriam colaborar com o Exército Vermelho soviético fora do gueto, mas Zivia, que desempenhava um papel de liderança,[27] argumentou a favor da defesa interna. Antes que pudessem chegar a um acordo sobre o caminho a seguir, os líderes comunistas foram presos, e a aliança se desfez. Agora, os membros do Liberdade não tinham ideia de onde conseguir armas. Até Zivia ficou desnorteada.

E então soube: *Demoramos demais.*

*

Dizer que o tempo urgia é subestimar a situação de forma grotesca. Foi no verão de 1942 que a grande *Aktion*, eufemismo nazista para deportação e execução em massa de judeus, ocorreu no gueto de Varsóvia. Tudo havia começado em abril, no "Shabat Sangrento",[28] quando tropas da SS invadiram o gueto à noite e, seguindo uma lista de nomes, reuniram e executaram a *intelligentsia*. Desse momento em diante, todo o gueto se tornou um campo de morte onde imperava o terror. Em junho, Frumka chegou com notícias sobre Sobibor,[29] mais um campo de extermínio, 240 quilômetros a leste.

Vladka Meed (cujo nome de batismo era Feigele Peltel), uma jovem de 21 anos que ajudava a imprimir o jornal clandestino do Bund e coordenava grupos ilegais de jovens, escreveu mais tarde sobre o julho de 1942 no gueto.[30] Os rumores de morte iminente, as histórias sobre batidas, os fuzilamentos constantes. Um garoto, encarregado de fazer contrabando, disse-lhes que do outro lado do muro o gueto estava cercado de soldados alemães e ucranianos. Medo. Confusão.

E então surgiu o cartaz.

Os judeus lotaram as ruas desertas para lê-lo: qualquer um que não trabalhasse para os alemães seria deportado. Vladka passou dias percorrendo o gueto, como uma louca, desesperada, em busca de documentos de trabalho, "documentos vitais" para ela e sua família. Centenas de judeus angustiados se enfileiravam no calor escaldante, acotovelando-se, esperando diante de fábricas e oficinas, desesperados por qualquer trabalho, qualquer documento. Alguns mais afortunados carregavam a própria máquina de costura, na esperança de serem contratados com mais facilidade. Cambistas falsificavam documentos de trabalho, os subornos se multiplicavam, relíquias de família eram oferecidas em troca de um emprego oficial. As mães vagavam angustiadas, tentando decidir o que fazer com os filhos. Aqueles que tinham emprego — e que haviam garantido temporariamente a sobrevivência — evitavam toda e qualquer conversa, atormentados pela culpa. Carroças cheias de crianças chorosas arrancadas dos pais passavam pelas ruas.

"O medo do que nos esperava", escreveu Vladka mais tarde, "embotava nossa capacidade de pensar em qualquer coisa que não fosse salvar a nós mesmos."[31]

Percebendo a inutilidade de esperar em filas intermináveis, Vladka ficou exultante ao receber uma mensagem de uma amiga da clandestinidade. Devia conseguir fotos de si mesma e da família a fim de receber documentos de trabalho. Correu para o endereço. Lá dentro, um pandemônio envolto em densa fumaça de cigarro. Vladka avistou líderes do Bund e o historiador Ringelblum, e soube que haviam conseguido documentos de trabalho falsos e estavam tentando abrir novas oficinas — tudo para ajudar a salvar os jovens. Mas os líderes continuavam a pensar que se esconder era a melhor opção, embora ser encontrado pelos nazistas significasse morte certa. "O que fazer?", murmuravam.

E então, pânico: o prédio estava cercado. Vladka correu para pegar os documentos de trabalho falsificados e conseguiu se juntar a um grupo que subornou um policial judeu — algo cada vez mais comum à medida que mais e mais judeus eram levados e estavam sempre resistindo, como Vladka percebeu, ainda que sem sucesso. As mulheres lutavam fisicamente com os policiais que as empurravam para dentro dos caminhões; pulavam de trens, quase sempre em vão.[32] Mas por que ela não tinha feito nada para ajudar?

As deportações continuaram, com alemães e ucranianos se juntando à polícia judaica na condução das batidas. Os policiais tinham uma cota de judeus que precisavam capturar por dia — caso contrário, eles e suas famílias seriam levados.[33] Depois dos jovens e dos idosos, daqueles que não tinham trabalho e das listas de nomes, as deportações passaram a ser feitas por rua. As pessoas esperavam, aterrorizadas, que sua rua fosse bloqueada; então, muitos tentavam se esconder, esgueirando-se por telhados ou se trancando em porões e sótãos. Os documentos falsos não tinham mais serventia. Vladka precisava encontrar um esconderijo seguro. Os judeus foram instados a comparecer voluntariamente à *umschlagplatz* — o ponto de partida de onde eram deportados para os campos de extermínio — a fim de receber 3 quilos de pão e 1 quilo de geleia. Mais uma vez, as pessoas tiveram esperança e acreditaram no melhor. Muitos, famintos e desolados, decididos a se manter junto aos membros da família, iam para lá — e eram deportados. "Foi assim que a vida de um judeu passou a valer uma fatia de pão",[34] escreveu uma liderança da resistência.

E então chegou a vez da rua de Vladka. Ela correu para se esconder, mas um dos companheiros de esconderijo decidiu abrir a porta trancada quando os soldados bateram. Resignada com seu destino, procurando em meio à multidão por sua família, que estava escondida algumas casas adiante, Vladka foi conduzida para a "seleção" e entregou o documento de trabalho rabiscado de uma amiga. Por algum motivo, o papel foi aceito. Ela foi mandada para a direita, para viver. Sua família, para a esquerda.

Entorpecida, foi trabalhar em uma das poucas oficinas que continuavam abertas — a exaustão constante, a espera constante, a ansiedade, os espancamentos, o ventre inchado e doente de fome. O trabalho precário estava sob constante ameaça, havia inspeções e batidas, e para qualquer um que fosse pego ocioso ou se escondendo ou que parecesse demasiado velho ou demasiado jovem: morte. As pessoas tombavam sobre as máquinas de costura. Seleção após seleção. Vladka tentou conseguir uma carteira de identidade oficial quando o prédio foi cercado. Ficou escondida em um armário durante horas.

O gueto se esvaziava, definhando a cada dia.

As liquidações e o bloqueio de ruas eram cotidianos. Janusz Korczak e Stefa Wilczyńska se foram, mortos junto com seus órfãos; de uma janela de seu esconderijo, Vladka viu quando eles foram levados, durante uma batida noturna na casa de um líder do Bund. As ruas estavam vazias, exceto por móveis quebrados, velhos utensílios de cozinha, uma "neve" de plumas — as "entranhas evisceradas das roupas de cama dos judeus"...[35] — e judeus mortos. Não era mais possível fazer contrabando. A fome total se instalou. Os gritos de crianças arrancadas das mães que tinham documento de trabalho dilaceravam o silêncio. O coração de Vladka se despedaçava ao ouvir crianças de 8 anos tentando convencer a mãe a ir sem elas, assegurando-lhe que encontrariam uma maneira de se esconder. "Não se preocupe", era o refrão. "Não se preocupe, mamãe."[36]

*

Cinquenta e dois mil judeus foram deportados na primeira *Aktion* no gueto de Varsóvia.

No dia seguinte, integrantes do Liberdade se reuniram com líderes da comunidade para discutir uma resposta. Propuseram atacar a polícia judaica — que não andava armada — com porretes. Também queriam incitar manifestações em massa. Mais uma vez, os líderes os aconselharam a não reagir de forma precipitada nem irritar os alemães, alertando que a responsabilidade pela morte de milhares de judeus recairia sobre os *jovens camaradas*.

Agora, diante das execuções em massa, os movimentos juvenis achavam a cautela excessiva dos adultos revoltante. E daí se eles perturbassem as águas? O navio já havia naufragado e estava afundando depressa.

Em 28 de julho, Zivia e outros líderes de grupos de jovens se reuniram na Dzielna.

Não houve mais discussão.

Sem os adultos e sem a resistência polonesa, criaram sua própria força de combate: a Organização Judaica de Combate. Em iídiche: Yiddishe Kamf Organizatsye. Em hebraico: Eyal.[37] Em polonês: Żydowska Organizacja Bojowa, ou ŻOB. A ŻOB não era propriamente uma potência. Não tinha dinheiro, suas armas se limitavam a duas pistolas e, pelo menos para o contingente do Liberdade, não contava nem mesmo com um esconderijo local. (O grupo escondia 140 membros em uma fazenda.) No entanto, tinham um propósito: protagonizar um protesto judaico. Eram judeus lutando como e por judeus. A operação deles abrangeria todo o país, lançando mão das conexões que Zivia havia estabelecido meticulosamente. A partir deste momento ela enviaria suas jovens mensageiras em missões arriscadas, que podiam lhes custar a vida, não para distribuir material educativo ou levar notícias, mas para organizar os preparativos para a defesa. (Embora tivesse um documento de identidade falso sob o nome de "Celina", Zivia teve que parar de viajar por causa de seus traços inconfundivelmente judeus.) Organizar a força de combate amenizou um pouco a culpa e a ansiedade — Zivia sentia que finalmente estavam avançando na direção certa. Mas a falta de um arsenal e de treinamento militar gerou muitas disputas internas a respeito de como proceder; a tensão aumentava à medida que mais judeus eram levados para serem executados.

Zivia era a única mulher eleita para um cargo de liderança na ŻOB. Ela fazia parte de um grupo de combate. Aprendeu a usar uma arma de fogo. Treinou para ficar de guarda. Além disso, cozinhava, lavava as roupas e era responsável por manter o otimismo e a coragem dos jovens combatentes. Outras líderes — Tosia, Frumka, Leah — foram enviadas para o lado ariano a fim de forjar laços e tentar obter armas.

Enquanto esperava pelas armas, a ŻOB decidiu marcar seu território. Certa noite, do quartel-general bem em frente à prisão de Pawiak, em meio ao silêncio do gueto, integrantes saíram em sua primeira missão, divididos em três grupos. Um grupo ficou encarregado de informar os moradores do gueto sobre a nova força que ia lutar em nome deles. Iam colar cartazes em painéis publicitários e prédios explicando que — como tinham ficado sabendo por intermédio de mensageiros que seguiram os trens — Treblinka significava morte certa; que os judeus deveriam se esconder e que os jovens precisavam se defender. "É melhor morrer com um tiro no gueto do que ser executado em Treblinka!"[38] era a palavra de ordem.

O segundo grupo tinha a missão de atear fogo a casas abandonadas e depósitos de bens apreendidos. Os nazistas mandavam que especialistas avaliassem os bens dos judeus deportados, em seguida, obrigavam os sobreviventes a catalogar e organizar rigorosamente os itens mais valiosos.

O terceiro grupo ia cometer um assassinato. Um de seus agentes duplos, um jovem chamado Israel Kanal, que atuava na resistência ao mesmo tempo que trabalhava infiltrado na milícia, tinha a missão de matar o chefe da polícia judaica. A ŻOB queria vingança, mas também espalhar o medo entre os membros da milícia que faziam cumprir os decretos nazistas.

Zivia fazia parte do segundo grupo. No escuro, seu coração batia acelerado. As palmas das mãos suadas agarravam a escada enquanto ela subia degrau por degrau, os tijolos do prédio roçando seu corpo. Um pouco mais e ela havia escalado o muro, chegando a seu destino.

Ela e os camaradas prepararam o material incendiário. Mas algo deu errado. A casa não pegou fogo. Decidiram então juntar todos os itens que fossem inflamáveis e incendiá-los. "Sucesso!", anotou ela mais tarde. "As chamas subiram em grandes labaredas e crepitaram na noite, dançando e se retorcendo no ar. Nós nos regozijamos ao ver o reflexo da vingança que ardia dentro de nós, o símbolo da resistência armada judaica pela qual havia tanto tempo ansiávamos."[39]

Todos se encontraram no número 34 da rua Dzielna algumas horas mais tarde, todas as três missões devidamente cumpridas; até mesmo a polícia judaica teve medo de enfrentar Kanal depois que ele atirou no chefe, ainda que não tivesse conseguido matá-lo.[40] Naquela mesma noite, os russos bombardearam Varsóvia pela primeira vez. Para Zivia, foi uma noite de puro êxtase.

*

E então, um acontecimento maravilhoso. No fim do verão de 1942, uma das líderes conseguiu desviar cinco armas e oito granadas de mão do lado ariano para o gueto. Tosia usou o dinheiro da ŻOB para comprar várias outras, transportadas em caixas de pregos. Frumka, dizem, foi a primeira a conseguir esses artefatos; ela se misturou a um grupo de trabalhadores que voltava para o gueto carregando um grande saco cheio de batatas, por baixo das quais estavam as armas. Vladka, abordada por um camarada do Bund e convidada a trabalhar no lado ariano, se tornou uma importante fonte de armamentos, chegando a transportar dinamite para o laboratório de armas improvisado no gueto.[41] Os contrabandistas escalavam o muro ou subornavam um guarda polonês para que sussurrasse uma senha a um combatente que estava do lado de dentro, e que então subia no muro e pegava o pacote. Também contrabandeavam armas pelas janelas das casas que ladeavam os limites do gueto. Cada acréscimo ao arsenal era motivo de êxtase. Começaram então os planos para uma emboscada contra os alemães. Combatentes se esconderiam na entrada dos prédios, atacariam os nazistas atirando granadas contra eles e, em seguida, no meio da confusão, roubariam suas armas.

A alegria do sucesso, no entanto, foi interrompida por uma nova série de reveses. Em vez de apoiarem as conquistas da ŻOB, os judeus de Varsóvia ficaram assustados com suas ações. O medo e a paranoia da comunidade estavam de tal maneira enraizados que muitos presumiram que os recentes atos de rebelião não passassem de manobras dos alemães, que os estavam manipulando em uma emboscada para depois puni-los. Os judeus ficaram satisfeitos ao saber que alguém havia tentado assassinar o chefe da polícia judaica, mas atribuíram a tentativa à resistência polonesa, relutando em acreditar que seus companheiros judeus tivessem a força ou a coragem necessárias para empreender a ação. Zivia ficava horrorizada ao ver judeus aflitos rasgando cartazes da ŻOB e agredindo camaradas que tentavam afixar outros.

Muitos combatentes haviam sido enviados para fora do gueto, para se juntar a grupos guerrilheiros na floresta, onde estariam mais bem armados, mas a maioria foi morta no caminho. Então, Josef Kaplan, um líder da Guarda Jovem, foi capturado em um esconderijo de armas e morto. Outro estimado líder tentou resgatá-lo, mas também acabou capturado e foi morto a tiros. Desanimado, o grupo decidiu transferir seu arsenal para a Dzielna. Regina Schneiderman, uma jovem integrante do grupo, colocou as armas em uma cesta e partiu, mas foi detida na rua por soldados alemães, que as encontraram. (Como Antek refletiu mais tarde: "Dá para imaginar o tamanho do nosso 'arsenal' se pensarmos que uma garota podia carregá-lo em uma cesta.")[42] Essa trilogia de tragédias foi "um golpe terrível",[43] disse Zivia. O grupo perdeu o ânimo, comandantes e planos.

A ŻOB continuou a debater: deveriam partir para o combate de imediato ou planejar uma estratégia com cuidado? A discussão era interminável. Enquanto isso, em três *Aktions* realizadas ao longo de três meses, 300 mil judeus foram transportados de Varsóvia para as câmaras de gás no campo de extermínio de Treblinka, e 99% das crianças do gueto foram mortas. Tudo indicava que não ia haver futuro judeu. As 60 mil pessoas[44] que restaram dentro dos muros do gueto não conseguiam olhar nos olhos umas das outras porque tinham vergonha de continuarem vivas, escreveu Zivia mais tarde.

Na última noite da *Aktion*, 13 de setembro, algumas dezenas de camaradas se reuniram no número 63 da rua Miła. Aqueles que estavam exaltados, ávidos por uma resposta violenta, foram mandados para outra sala. Integrantes mais velhos, na casa dos 20 e poucos anos, ficaram para discutir o que fazer em seguida. A conversa foi desanimadora. "Nós nos reunimos e conversamos", escreveu Zivia, "lamentando e sangrando." O consenso foi de que era demais, tarde demais;

estavam muito traumatizados. Havia chegado a hora de uma missão suicida em grupo. Iam pegar gasolina, querosene e as únicas armas que lhes restavam, e ateariam fogo aos depósitos alemães, matariam alguns nazistas e acabariam sendo mortos, mas de maneira honrosa.

Zivia, uma pessimista, foi franca: era tempo de morrer.

Foi Antek quem se pronunciou contra seus colegas, e contra a mulher que amava. Primeiro em um sussurro, depois alto e bom som: "Eu rejeito a proposta (...). A crise é grande e a humilhação é grande. Mas a ação proposta é um ato de desespero. O plano vai morrer sem ter nenhuma repercussão (...). É um ato bom para cada um de nós no âmbito pessoal, porque, nessas circunstâncias, a morte pode parecer a salvação. Mas a força que nos manteve até agora e motivou nossa atividade — será que foi apenas para nos permitir escolher uma bela morte? Tanto em nossa luta quanto em nossa morte, desejamos salvar a honra do povo judeu (...). Temos um legado de incontáveis fracassos, e teremos um legado de derrotas. É preciso começar tudo de novo."[45]

Suas palavras entraram em conflito com o estado de espírito dos combatentes, despertando uma fúria inacreditável — Antek estava refutando a única opção disponível. Mas, no fim das contas, aqueles que exigiam um ato drasticamente heroico não conseguiram refutar os argumentos lógicos dele, e o plano de suicídio em massa foi abandonado. Zivia sabia que os camaradas tinham que se manter firmes, pegar em armas e lutar. O movimento deles acreditava sobretudo na prevalência do coletivo sobre o individual. Dali em diante, a resistência seria sua razão de viver. Mesmo que os levasse à morte.

Zivia começou a trabalhar a fim de unir o movimento outra vez para sua próxima fase: uma milícia.

7. DIAS DE ERRÂNCIA
DE SEM-TETO A GOVERNANTA

RENIA

AGOSTO DE 1942

Em uma manhã quente de agosto de 1942, durante o período de assassinatos em massa no gueto de Varsóvia, o sol brilhava em Wodzisław com uma luz laranja abrasadora, o ar estava fresco. Renia, então com 17 anos, acordou subitamente. Seus pesadelos a haviam despertado: sonhos tumultuados nos quais ela "lutava, mas em seguida caía como uma mosca", e que a deixavam extenuada. A manhã gloriosa, contudo, a acalmou e revigorou. "Minha cabeça salta do lugar e quero devorar a vida (...) meu rosto resplandece. Estou viva. Sou invencível!"[1]

Bastou olhar para os pais, no entanto, para que houvesse uma mudança em seu estado de espírito. Tinham o rosto enterrado nas mãos e pareciam fora de si. Naquela noite, houvera uma deportação em Kielce, uma cidade vizinha. As pessoas que tentaram escapar foram mortas a tiros ou enterradas vivas, independentemente da idade ou do sexo. Os nazistas haviam prometido que não haveria mais deportações, que todos os deportados voltariam para casa depois de a Inglaterra ter exigido que não houvesse perseguição aos judeus.

Tudo mentira.

"Seu pai e eu ainda somos jovens, mas já tivemos muitas alegrias na vida", disse a mãe de Renia, como sempre, indo direto ao ponto. "Mas essas pobres crianças, que mal elas fizeram? Eu morreria de bom grado aqui e agora para poupar a vida das crianças."[2] Leah, com seus 40 e poucos anos, estava desesperada para esconder os filhos mais novos e salvá-los da morte.

Nas últimas semanas, abundavam as histórias de atrocidades. Fugitivos de aldeias vizinhas que haviam escapado de ser mortos a tiros pelos alemães ou de ser denunciados por poloneses chegavam a Wodzisław, onde tinham ouvido dizer que ainda havia judeus. Mal conseguiam ficar de pé, levando consigo nada além de sacolas surradas e histórias terríveis — muitas vezes envolvendo crianças. Um homem contou a história de sua mulher, que havia retirado os dois filhos pequenos da fila de deportação. Um alemão, espumando de raiva, investiu contra ela e matou as crianças a pontapés com botas com bicos de ferro. A mãe foi obrigada a assistir e em seguida cavar as sepulturas. Então, o alemão esmagou o crânio dela com a coronha do rifle. Durante um bom tempo, contou o homem, sua mulher se contorceu em convulsões agonizantes no chão até finalmente morrer.

Em outro dia, Renia avistou um grupo de mulheres ensandecidas, esfarrapadas, pálidas, com os lábios azulados e tremendo feito varas verdes. Em meio a soluços histéricos, aquelas mulheres famintas contaram a ela que o pequeno povoado onde viviam havia sido cercado. Tiros foram disparados em todas as direções. Seus filhos estavam brincando do lado de fora e correram para casa. Mas um nazista os pegou e espancou as crianças até a morte, uma por uma. As mulheres, seminuas, vestindo apenas roupas de dormir, descalças, fugiram para os campos e florestas, implorando comida às bondosas esposas de agricultores, vagando sem rumo.

Outro grupo, de dezessete pessoas, apareceu. Das 180 que tinham fugido juntas, apenas aquelas sobreviveram. Tinham sido atacadas por poloneses, que roubaram todos os seus pertences e ameaçaram denunciá-las aos alemães. Os homens vestiam apenas roupas íntimas ou se cobriam com lenços; as crianças estavam nuas. Com uma sede atroz depois de dias sem comer nem beber, todos pareciam semimortos. No entanto, estavam felizes: haviam escapado da morte. Os outros haviam sucumbido, cortado os próprios pulsos para não cair nas mãos dos alemães ou simplesmente desaparecido. Os cabelos dos jovens ficaram grisalhos da noite para o dia.

Renia, chocada ao vê-los, deu-lhes roupas e comida. Tinha que fazer algo, qualquer coisa, para ajudar.

Uma das experiências mais difíceis que Renia teve de enfrentar foi quando encontrou cinco irmãos pequenos que lhe explicaram que a mãe, tão logo percebeu que os alemães estavam levando judeus, os escondeu dentro de armários, debaixo de camas, no meio de cobertores. Minutos depois, eles ouviram o ressoar de botas alemãs. Ficaram em um silêncio petrificado. Um nazista entrou no quarto com um rifle e começou a procurar. Encontrou todos eles.

Contudo, em vez de matá-los, deu a cada um uma fatia de pão em segredo. "Escondam-se até o anoitecer", instruiu ele. E prometeu que a mãe voltaria para fugir com eles. As crianças explodiram em gratidão e o nazista riu, depois começou a chorar, acariciando-lhes a cabeça e dizendo que era pai e que seu coração não lhe permitia matar crianças. À noite, com a cidade envolta em um silêncio mortal, as crianças saíram de seus esconderijos e encontraram a irmãzinha de dois meses sufocada debaixo do cobertor sob o qual a haviam deixado escondida, o corpo já frio. A filha mais velha, de 11 anos, pegou a pequena Rosa completamente sem vida e a levou para o porão, com medo de ser capturada do lado de fora. Vestiu os irmãos e esperou pela mãe. Será que ela os havia esquecido?

A mãe não voltou. De madrugada, a filha mais velha segurou a mão dos irmãos e os ajudou a sair por uma janela, procurando vizinhos, o tempo todo com a sensação de que a mãe os seguia. Ela levou os irmãos para fora do povoado, onde mendigavam pão a camponeses, dormiam no chão, fugiam de garotos que viviam nas fazendas e atiravam pedras neles. A menina dizia aos camponeses que sua mãe havia morrido, nada mais. Tinham ouvido dizer que ainda havia judeus vivos em Wodzisław, então foram para lá, com os pés descalços cortados pela extensa caminhada, o rosto e o corpo inchados, as roupas rasgadas e sujas. Tinham medo de falar com qualquer pessoa, temendo que fosse um alemão disfarçado. "A nossa mãe com certeza está nos procurando e chorando. O que vai acontecer se não a encontrarmos? As pobres criaturas não paravam de chorar 'Cadê a mamãe? Onde está a mamãe?'"[3] As crianças foram acolhidas por famílias ricas, mas, Renia se perguntou, para onde iriam depois? Todos os que escapavam das garras do carrasco ficavam condenados a essa errância, descalços e nus, enlouquecidos, implorando por uma fatia de pão.

Pânico, puro pânico. Renia sentia que a situação piorava a cada minuto. Cada momento era o mais crucial de suas vidas. Cada dia que sobreviviam era pura sorte. Ninguém dormia à noite, e provavelmente era melhor assim, já que era à noite que os nazistas costumavam aparecer. "Os sábios de repente perderam a sabedoria. Os rabinos não têm conselhos a dar. Rasparam o bigode e a barba, mas continuam parecendo judeus", escreveu Renia mais tarde. "Para onde poderão ir?"[4]

Todos tentavam fugir. Mas para onde? O que era seguro? Como iam se esconder? Durante todo o dia, grupos preambulavam pelas ruas, se questionando obsessivamente. Ainda haveria judeus em alguma cidade? E se caíssem nas mãos dos alemães? Eles não tinham armas, nada. As pessoas trocavam móveis por pão. Apesar da superlotação do gueto, Renia via sua casa estranhamente vazia. Tudo havia sido vendido aos poloneses por uns poucos trocados, e ela temia que o pouco que restava fosse roubado deles em breve.

Certa noite, um grande número de judeus do gueto fugiu, correndo para as florestas e para os campos. Os ricos subornaram os habitantes da cidade para que os escondessem em sótãos, porões e galpões, mas a maioria saiu vagando sem guia nem destino.[5] No fim, quase todos foram mortos.

*

Renia sabia que, se escalar os muros do gueto já era arriscado, sobreviver do lado de fora seria extremamente perigoso. Uma maneira de se manter viva em território ariano era se escondendo. Judeus com feições semíticas muitas vezes pagavam altas quantias a poloneses dispostos a escondê-los e alimentá-los. Alguns agiam por benevolência, arriscando a própria vida para ajudar, mas outros exploravam os judeus financeiramente (e até sexualmente), ameaçando entregá-los à polícia.[6] Os esconderijos eram descobertos com frequência, de modo que a qualquer momento os exilados judeus podiam ser obrigados a fugir noite adentro e encontrar outro lugar onde ficar.

Uma segunda maneira de sobreviver era esconder a própria alma e assumir uma nova identidade. Fingir ser gentios era algo que muitos judeus assimilados haviam ensaiado, minimizando suas diferenças. Agora os judeus tinham que tirar vantagem da falsa construção do que constituía uma "aparência judaica", disfarçando essas características e acentuando seus traços não judaicos da melhor forma que pudessem.

Renia tinha a grande fortuna — na realidade, seu mais valioso tesouro — de parecer polonesa. Os judeus que não pareciam ser judeus tinham a possibilidade de se "disfarçar" e renascer, por assim dizer, como cristãos. Aqueles que tinham dinheiro e conexões compravam documentos de viagem falsos, ou originais caros, se tivessem contatos entre as autoridades polonesas. Eles se mudavam para outras cidades, onde não seriam reconhecidos. Quando tinham sorte, se registravam com um nome diferente, encontravam trabalho e começavam uma nova vida, sem que ninguém desconfiasse de sua verdadeira identidade. Era mais fácil para as moças, que conseguiam trabalho em escritórios, em lojas, como atrizes ou empregadas domésticas. Mulheres instruídas que nunca haviam realizado um dia de trabalho braçal aceitavam com avidez realizar tarefas domésticas. Algumas ingressavam em conventos. Para os homens era mais difícil: quando suspeitavam que um homem era judeu, os alemães ordenavam que baixasse as calças. Uma família inteira poderia ser pega por causa de um menino circuncidado. Cirurgiões plásticos desenvolveram uma cirurgia para reverter a circuncisão[7] — de acordo com Renia, a operação custava 10 mil złotys (mais ou menos o equivalente a 33 mil dólares hoje) e quase nunca era bem-sucedida; outras fontes relatam melhores resultados. Nas crianças, a técnica para restaurar o prepúcio exigia intervenção cirúrgica, massagens especiais e uso de pesos. Alguns homens obtinham atestados médicos falsos com a declaração de que haviam sido circuncidados ao nascer devido a problemas genitais. A pequena Associação de Tártaros Muçulmanos de Varsóvia também forneceu documentos falsos a alguns judeus, justificando a circuncisão.[8]

Mas mesmo para esses "impostores" que conseguiam passar para o lado ariano, a vida não era fácil. Os *schmaltzovniks*, ou chantagistas,[9] abordavam os judeus disfarçados nas ruas, ameaçando denunciá-los se não pagassem. Os poloneses eram melhores do que os alemães em identificar judeus. Quando uma judia deixava o gueto para uma viagem curta, tinha que levar consigo um maço de dinheiro destinado aos *schmaltzovniks* que encontrasse no caminho. Bandos de poloneses extorquiam, roubavam, espancavam e ameaçavam judeus, e lhes enviavam bilhetes anônimos exigindo que pagamentos fossem deixados em locais aleatórios. Às vezes, extorquiam a mesma pessoa por um período, vivendo à custa dela. Ou ficavam com o dinheiro e ainda assim a entregavam à Gestapo, que oferecia pequenas recompensas por cada judeu capturado vivo, como uma pequena quantia em dinheiro, um quilo de açúcar ou uma garrafa de uísque.[10] Alguns trabalhavam diretamente para a Gestapo, dividindo o que extorquiam e roubavam.

Vários judeus fugiam para as florestas em vez de para outras cidades, fingiam ser poloneses e tentavam se juntar a grupos de guerrilheiros ou passavam meses, até mesmo anos, simplesmente vagando. As crianças menores eram colocadas em orfanatos, em geral mediante pagamento de propina. Crianças maiores trabalhavam nas ruas arianas, vendendo jornais, cigarros e graxa de sapato, se escondendo de crianças polonesas que poderiam reconhecê-las, bater nelas e em seguida entregá-las.

Apesar das dificuldades, Renia não tinha escolha. Circulavam rumores de que uma *Aktion* aconteceria em breve. Nenhum nome poderia ser retirado da lista dessa vez. As únicas pessoas que teriam permissão para ficar seriam aquelas selecionadas para desmantelar o gueto e separar os bens dos judeus. Um homem que conseguiu escapar do campo de deportação de Kielce, nas proximidades, levou um alerta: havia testemunhado nazistas torturando jovens judeus e forçando-os a escrever cartas falsas para a família nas quais diziam que estavam bem, que não se tratava de uma deportação para a morte. Os que se recusavam a obedecer eram fuzilados na hora. Aquele homem tinha certeza de que os trens que vira, lotados de pessoas, estavam se encaminhando para a morte certa.

Os Kukiełka precisavam fugir. Pegaram todo o dinheiro que tinham conseguido com a venda de móveis e o dividiram igualmente entre os filhos. Os pais de Renia e o irmão mais novo, Yankel, fugiriam para as florestas. Suas duas irmãs viajariam para Varsóvia disfarçadas de arianas, onde ficariam com parentes, depois tentariam buscar Leah e Moshe. "Não importa o que aconteça", disse Moshe aos filhos, "prometam-me que sempre serão judeus."[11]

Renia partiria sozinha. Aquela seria sua última noite na casa da família.

*

Sábado, 22 de agosto. Graças ao irmão, Renia conseguiu chegar a um campo de trabalhos forçados[12] administrado pelos nazistas nos arredores de Sędziszów.[13] Aaron havia fugido do primeiro campo de trabalho, voltara para a casa da família fingindo ser um polonês vagando pela floresta,[14] depois partira para aquele campo para construir trilhos de trem. Particularmente bem-visto entre os guardas, havia feito alguns arranjos para que Renia se juntasse a ele. A população do campo era composta de quinhentos jovens judeus, rapazes talentosos que pagavam milhares de złotys para trabalhar, acreditando que assim estariam a salvo da deportação. Com eles, havia vinte mulheres judias fazendo trabalhos mais leves, como contar tijolos.

Renia ficou aliviada ao chegar, acompanhada de Yochimovitz, uma amiga do gueto, mas não parava de pensar nos pais e na forma como haviam se separado. Leah e Moshe ficaram fora de si ao se despedir. Renia não conseguia parar de pensar nas lágrimas do pai, no choro da mãe, no momento em que havia se desvencilhado de seus braços, mãos, dedos. E o pequeno Yankeleh, os olhinhos marejados, os bracinhos quentes apertados a suas costas, os dedinhos. Não, não podia permitir que aquela fosse a última vez que os veria, nunca, nunca.

E assim, logo depois de começar o trabalho nas pontes ferroviárias, Renia convenceu o supervisor a aceitar o pai e as irmãs no campo de trabalho.

Mas era tarde demais.

Poucos dias depois, em uma manhã clara e ensolarada, Renia acordou pronta para o trabalho, mas uma mensagem a atingiu como um raio fulminante. Apenas algumas horas antes, às quatro da madrugada, uma *Aktion* tivera início em Wodzisław. Renia não poderia mais se comunicar com a família. Será que haviam conseguido escapar a tempo?

E havia mais.[15] O comandante do campo nazista abordou as moças. Chamou Renia à parte e disse-lhe baixinho que as mulheres não poderiam mais trabalhar naquele campo. A Gestapo tinha pedido que ele acrescentasse os nomes delas à próxima lista de transporte.

— Fuja — aconselhou ele baixinho. — Vá para onde puder.

Fugir? De novo?

Não, não, não, o desespero era grande demais.

Mas ele se esforçou para convencê-la.

— Você ainda é jovem — disse o alemão. — Fuja e talvez consiga escapar com vida.

E quanto a Yochimovitz? Renia se recusava a partir sem ela.

Se dependesse dele, disse o alemão, gostaria que elas ficassem. Se não fosse pelo grande perigo, acolheria todas elas.

— Boa sorte — disse ele, com sinceridade e delicadeza. — Agora vá.

*

27 de agosto de 1942, o primeiro dia da nova fase da vida de Renia: os dias de errância. Ela era agora um daqueles judeus que vagavam sem rumo, sem destino. Aaron e seu amigo Herman as haviam ajudado, arranjando água para que ela e Yochimovitz se lavassem, e um pacote de comida dos alemães. Em seguida, levaram as duas até a floresta, perto de onde trabalhavam, e as deixaram.

A partir daquele momento, Renia e Yochimovitz estavam sozinhas. Para onde deveriam ir?

De repente, ouviram gritos, tiros, latidos em todas as direções.

Em seguida, uma ordem dada a um cachorro, em alemão:

— Pare as malditas judias, Rex! Morda!

As garotas correram, tentando escapar. Em questão de minutos, foram capturadas por dois policiais, que acusaram Yochimovitz de ser judia. Elas foram levadas para uma casinha destinada a maquinistas de trem, onde outros judeus que haviam sido pegos estavam detidos. Do lado de fora, Renia ouviu os gritos vindo do porão.

Naquele momento, decidiu que não entraria naquele porão de jeito nenhum.

— Você tem filhos? — perguntou ela ao policial.

— Sim, quatro.

— Eu também sou filha de uma mãe e de um pai. Também tenho irmãs e irmãos — implorou Renia enquanto os outros policiais o instavam a levar as garotas para o porão. — Realmente acha que sou judia?

— Não — disse ele, os olhos se enchendo de lágrimas. — Você parece polonesa e fala polonês. Você é uma de nós. Vá embora, rápido. Leve sua amiga.

As garotas começaram a se afastar, rápido. Aquilo não era bom. Yochimovitz tinha a aparência errada. Será que a amiga representaria um risco ou um apoio para que se mantivesse viva? Será que Renia teria que deixá-la?

Às vezes, as perguntas respondem a si mesmas.

Renia ouviu tiros. E se virou.

No chão à sua frente.

Yochimovitz estava morta.

*

Em 1942, garotas de 18 anos na cidade de Nova York exploravam a chegada à idade adulta suspirando por Humphrey Bogart ou cantando o hit "White Christmas", de Bing Crosby, enquanto tomavam milkshakes na lanchonete da esquina. Em Londres, contemporâneas de Renia deslizavam sobre o piso encerado da nova grande sensação: os salões de baile. Até mesmo na Varsóvia ariana, jovens buscavam distração da guerra passeando no parque, flertando enquanto andavam em carrosséis musicais. Semanas antes de seu aniversário de 18 anos, entretanto, na floresta, a chegada de Renia à idade adulta foi muito diferente.

"Daquele momento em diante", escreveu ela mais tarde, "eu estava por minha conta."[16]

> *12 de setembro de 1942*
>
> É uma bela noite. A lua brilha em toda a sua glória. Estou deitada em uma plantação, em meio às batatas, tremendo de frio, recontando a mim mesma minhas experiências mais recentes. Por quê? Por que eu deveria me submeter a tanto sofrimento?
>
> Ainda assim, não quero morrer.[17]

Renia acordou com o nascer do sol. Dias e noites no campo, nada além do ocasional latido de um cão, e de repente ela soube que não poderia simplesmente continuar ali, mordiscando os grãos que coletava da terra. Precisava se mexer, encontrar um lugar onde ainda existissem judeus, onde a ideia de si mesma ainda existisse. Com as pernas pesadas como chumbo, ela estava perdida e tomada de tristeza pela amiga. Enfrentar sozinha todas aquelas provações era demais. Depois de horas andando sem rumo, finalmente chegou a uma pequena aldeia.[18]

Tentou desesperadamente melhorar sua aparência — o que, naquele momento, era de suma importância — antes de procurar a estação mais próxima e embarcar em um trem para uma cidade onde conhecia um trabalhador ferroviário: um cliente da loja dos pais. Depois de desembarcar, caminhou apressada, apesar da exaustão. A única coisa em que conseguia pensar naquele momento era no quanto queria tomar um banho e se parecer com as pessoas ao seu redor.

De repente, um milagre. Caída no chão, uma bolsa de mulher. Renia vasculhou o interior e encontrou um pouco de dinheiro. E, muito mais importante que isso: ali estava o passaporte da proprietária. Pegou-o, sabendo que aquela seria sua passagem para viajar, para seguir seu caminho.

Atravessou a pequena cidade, finalmente batendo à porta de seu conhecido,[19] as mãos trêmulas de cansaço e medo. O homem a atendeu revelando uma residência aquecida, limpa e confortável — uma visão de outra vida. Ele e a mulher ficaram exultantes ao vê-la, mas se chocaram com sua coragem e aparência.

— Rivchu, você está com um aspecto horrível — foi como a receberam.

"Meu rosto está emaciado", escreveu Renia, "mas quem se importa?"[20] O casal lhe serviu sopa de tomate com macarrão e deu-lhe roupas limpas. Ficaram os três sentados na cozinha, chorando pela incrível Leah, sua mãe e amiga deles.

Foi então que, pela janela, ouviram o filho pequeno contar ao vizinho que Rivchu, uma garota de quem a família costumava comprar roupas e meias, tinha ido visitá-los.

— É um nome estranho — comentou o vizinho.

— Bem — disse o menino —, é porque ela é judia.

Os anfitriões de Renia saltaram da cadeira e a empurraram para dentro de um armário, cobrindo-a com montes de roupas. Renia ouviu as batidas à porta, as acusações abafadas.

— Não, não, não. — O casal zombou da imaginação do filho. — Recebemos uma visita, mas ela não era judia.

Naquela noite, deram a Renia dinheiro e uma passagem de trem. Depois de uma breve trégua de semissegurança, na qual não se permitira aprofundar muito, ela partiu outra vez. Só que agora tinha roupas novas e um novo nome: Wanda Widuchowska. Talvez fosse o nome no documento de identidade que encontrara na bolsa; em outro relato,[21] Renia diz que os amigos da família pediram ajuda ao padre, que lhes deu os documentos de uma moradora do povoado chamada Wanda Widuchowska, que tinha 20 e poucos anos e havia acabado de falecer. O dono da casa que a recebera usou um marcador para borrar a impressão digital original e colocar a de Renia por cima.

Os documentos falsos[22] para judeus poloneses incluíam carteira de identidade (*Kennkarte*, que todos eram obrigados a portar), certidão de nascimento, autorizações de viagem, trabalho e residência, cadernetas de racionamento e certidão de batismo. A maioria dos judeus tinha um conjunto de toda essa papelada, sobretudo porque em diferentes regiões eram exigidos documentos de identificação diferentes. O melhor tipo de documentos eram os verdadeiros, de uma pessoa já falecida ou até mesmo viva. (A Gestapo às vezes ligava para confirmar se uma pessoa constava dos registros da cidade.) Como Renia, os judeus colocavam sua fotografia e/ou impressão digital por cima das originais; às vezes, era necessário reproduzir o carimbo ou parte dele, quando tinha se sobreposto à foto original. O segundo melhor tipo de documentos eram os verdadeiros com nomes falsos. Para obtê-los, era preciso roubar ou obter formulários em branco, carimbos e selos e, em seguida, enviar um requerimento às entidades municipais. Alguns falsificadores esculpiam carimbos em borrachas ou solicitavam documentos municipais pelo correio — os envelopes para devolução vinham com carimbos que podiam ser preservados e usados.

A maioria dos documentos falsos dos judeus eram falsificações completas. O falsificador recebia uma fotografia e tinha de inventar uma identidade. Era melhor que o primeiro e o último nome estivessem relacionados à classe verdadeira da pessoa em questão (costumavam usar nomes que tivessem significado ou sonoridade semelhantes aos nomes verdadeiros, judeus); que a profissão correspondesse à aparência e, se possível, à profissão verdadeira; e que o local de nascimento fosse um lugar que conhecessem — digamos, para os judeus de Varsóvia, Łódź era uma boa escolha. Se alguém tinha um sotaque polonês pronunciado, o falsificador poderia indicar que essa pessoa era originária da Bielorrússia, no leste. Os documentos inventados eram os menos confiáveis, pois uma falsificação ruim levantava suspeitas de que o portador fosse judeu — o que era bem pior do que não ter documento algum.

A melhor forma de conseguir uma identidade falsa era por intermédio de amigos (as mulheres tendiam a ser melhores em pedir favores) ou no mercado clandestino. Mas, no último caso, a qualidade era menos fidedigna e, apesar do custo, nem sempre era possível confiar na pessoa que produzia o documento; por exemplo, o homem jovem e instruído cujo documento falsificado o identificava como um sapateiro de meia-idade. Como ele poderia representar esse papel? O mercado paralelo também expunha a pessoa a chantagens, já que era necessário revelar sua verdadeira identidade para um estranho. E, como Renia estava aprendendo, isso era algo que devia ser evitado a todo custo.

*

Outro dia, outra pequena aldeia. Um lugar totalmente desconhecido. Renia recebeu uma oferta de emprego como governanta em uma mansão. Considerou a possibilidade por um momento, mas como poderia aceitar? Sentia-se tão cansada, tão fraca. E tinha tanto medo de ser descoberta. Os documentos que conseguira eram válidos apenas para uma pequena área municipal. Registrar sua identidade ali significava a morte.

Outra caminhada longa e difícil, outra estação de trem. Aquela noite pareceu-lhe especialmente escura, a lua escondida, as estrelas tão cansadas quanto ela.

Com seu excelente polonês, Renia comprou uma passagem para a cidade de Kazimierza Wielka, a respeito da qual ouvira rumores de que ainda viviam judeus. Precisava encontrar um pouso, descobrir se sua família ainda estava viva.

O trem começou a se movimentar e de repente o sangue de Renia gelou.[23]

Um homem a encarava. Ela soube imediatamente que ele era de Jędrzejów. E a reconhecera.

Para seu alívio, o homem se afastou, mas, por um tempo, as pessoas continuaram a passar por seu assento.

— Sim, é ela — ouviu alguém murmurar no escuro. — Para ela é fácil. Ela não parece judia.

Renia gelou. Tudo à sua volta ficou embaçado. Tinha certeza de que ia desmaiar. Para onde quer que olhasse, via seus perseguidores. Estava cercada, afundando.

Levantou-se e foi até o fim do trem, onda havia uma pequena plataforma que se projetava para o lado de fora. O ar gelado fustigava seu rosto. As fagulhas da chaminé a atingiam impiedosamente. Respirou fundo. Mas apenas uma vez. A porta do vagão se abriu e o condutor apareceu.

— Boa noite.

Ela soube na mesma hora que ele estava tentando avaliar seu sotaque, para ver se ela era judia.

— Está muito frio e as fagulhas são perigosas — disse ele. — Por que não entra?

— Obrigada pela gentileza — respondeu Renia —, mas os vagões estão muito cheios e abafados. Prefiro tomar um pouco de ar.

Ele examinou a passagem dela, verificou o destino e voltou para dentro. Não havia dúvida. Na próxima estação, ia entregá-la aos gendarmes, a polícia militar alemã, provavelmente em troca de uma recompensa de uns poucos złotys.

O trem diminuiu a velocidade ao começar a subir uma colina. Não havia tempo para pensar, para sentir. Era agora ou nunca.

Renia atirou a pequena mala para fora do trem e pulou logo em seguida.

Por alguns minutos, ficou estendida no chão, inconsciente, mas uma rajada de frio a despertou. Apalpou o corpo, certificando-se de que todos os membros ainda estavam no devido lugar. As pernas doíam, mas não importava. Havia salvado a própria vida, e isso era o mais importante.

Usando toda a sua energia, avançou rumo ao denso e escuro desconhecido. O orvalho das ervas acariciava seus pés, aliviando um pouco a dor.

Uma luz ao longe; uma pequena casa. O cachorro latiu, o proprietário apareceu.

— O que você quer?

— Estou indo visitar uns parentes — mentiu Renia. — Não tenho uma certidão que comprove minha origem ariana e sei que os nazistas estão fazendo buscas. Preciso de um lugar seguro para passar a noite. Se me virem durante o dia, os alemães saberão logo que não sou judia.

O homem inclinou a cabeça com simpatia e fez sinal para que ela entrasse. Renia respirou fundo. Ele deu a ela uma bebida quente e indicou-lhe um monte de feno onde poderia dormir.

— Você precisa ir embora pela manhã — avisou. — Não tenho permissão para receber hóspedes sem registrá-los.

Na manhã seguinte, Renia partiu novamente a pé, mas pelo menos estava descansada, sentia-se revigorada. Ela seguiu adiante, motivada pela esperança de que sua família ainda estivesse viva; de que ainda houvesse algo pelo que viver.

Os judeus de Kazimierza Wielka, sabendo que as aldeias vizinhas já haviam sido "exterminadas", estavam tomados pela tensão. Poucos tinham planos de fuga, poucos tinham dinheiro. Àquela altura, nem mesmo os cristãos mais generosos estavam ajudando os judeus a se esconder, temendo pela própria vida.

Os nazistas decretaram que os judeus da cidade não poderiam receber refugiados judeus, e os judeus obedeciam, na esperança de assim se salvarem da deportação. Renia sabia que isso era uma ilusão, mas o que poderia fazer? Sentia-se completamente nua, sem um teto sobre a cabeça, sem dinheiro. Precisava trabalhar. Mas como? Como alguém conseguia emprego no meio de uma aniquilação?

Ela vagou por aquela cidade de desconhecidos, indefesa, nauseada, consolada apenas ao avistar braçadeiras com estrela de Davi, o que provava que alguns judeus ainda viviam ali. Certa tarde, avistou um membro da milícia judaica[24] e, desesperada, disse a ele que era "de natureza *yiddishe*". Uma filha de judeus.

— Onde posso passar a noite? — perguntou.

Depois de adverti-la para que não ficasse vagando pelas ruas, ele permitiu que ela ficasse no corredor de sua casa até de manhã. Renia acabou conhecendo a família, o único lar judaico onde esteve. E eles, por sua vez, eram as únicas pessoas que sabiam de sua ascendência judia. Que sabiam quem ela era.

*

O charme de Renia entrou em ação. Não demorou muito para que conhecesse uma garota polonesa que simpatizou com ela e, pensando que se tratava de uma compatriota, conseguiu para ela um emprego na casa de uma família meio-alemã.[25] Renia já havia desafiado o regime nazista contrabandeando, se escondendo, tramando e fugindo; agora começava o capítulo do disfarce.

A vida na casa dos Hollander foi uma trégua. Um dia de trabalho, acreditava ela, era o melhor remédio para as feridas e os insultos que lhe foram infligidos ao longo do caminho. É verdade que ainda tinha que manter o disfarce, fingindo o tempo todo ser uma garota simples e despreocupada, abafando os soluços nas noites de insônia, mascarando perpetuamente a inquietação com um sorriso. Mas pelo menos tinha um lar temporário. E podia se concentrar em seu objetivo: encontrar a família.

A patroa de Renia a adorava. De tempos em tempos, chamava a jovem e se derramava em elogios.

— Eu tenho muita sorte — dizia efusivamente a sra. Hollander — por ter encontrado uma jovem tão limpa, trabalhadora, temente a Deus, experiente, instruída e educada.

Ao que Renia, claro, respondia com um sorriso.

— Venho de uma família rica e culta — dizia ela, mentindo apenas em parte. — Mas depois que meus pais morreram, precisei encontrar trabalho em uma casa de família.

Os Hollander lhe davam presentes, nunca tratando-a como uma criada. A sra. Hollander não registrou sua nova governanta na polícia; talvez suspeitasse de que a moça fosse judia. Para não levantar mais suspeitas, Renia adotou uma estratégia agressiva, lamentando não ter roupas adequadas para ir à igreja. Como podia ela, uma católica fervorosa, deixar de rezar e de comparecer à missa? Os Hollander acabaram presenteando-a com roupas elegantes. E então se criou um novo problema: ela teria que ir à igreja.

No primeiro domingo, ela correu para se vestir, tremendo. Embora tivesse crescido cercada de crianças polonesas na escola e no pátio, nunca tinha assistido a uma missa e sabia pouco sobre as tradições católicas, além de, é claro, não conhecer os hinos e as orações. Será que seu comportamento a trairia e revelaria que era uma fraude? Nauseada ao entrar na igreja, teve medo de que todos estivessem olhando para ela, de que percebessem sua encenação. "Aonde quer que eu vá", escreveu, "tenho que representar um papel."[26]

Com o coração batendo acelerado, ela se juntou aos fiéis nos bancos da igreja, perguntando-se o que seus pais diriam se a vissem naquele momento. Não tirava os olhos das pessoas em torno dela, imitando cada um de seus movimentos. Quando faziam o sinal da cruz, ela fazia o sinal da cruz. Quando se ajoelhavam, ela se ajoelhava. Quando dirigiam preces aos céus com grande devoção, ela fazia o mesmo. "Eu não sabia que era tão boa atriz", Renia refletiu mais tarde, "tão capaz de me passar por outra pessoa e fazer imitações."[27]

Por fim, o serviço religioso terminou e todos se dirigiram para a porta. Renia observava mesmo o menor dos gestos. As pessoas beijavam a estátua de Jesus, ela beijou a estátua de Jesus.

Do lado de fora, no ar fresco e limpo, foi tomada pelo alívio. Os Hollander e todos os vizinhos a tinham visto na igreja e haviam testemunhado suas orações sinceras. Tinha sido um excelente desempenho, e ela havia passado no teste.

*

E então, outro milagre. Bem-aventurança, pura bem-aventurança.

Renia havia escrito uma carta para sua irmã Sarah, que, da última vez que tivera notícias, estava em um kibutz do Liberdade em Będzin. Mesmo em meio aos horrores de 1942, um serviço postal razoavelmente confiável, operado pelos Judenrats, ainda funcionava; o membro da milícia havia postado a carta para ela.

Agora, passados alguns dias, recebia uma resposta — de Sarah! — com as notícias mais maravilhosas do universo: os pais, os irmãos e as irmãs de Renia estavam todos vivos. Tinham encontrado refúgio na floresta a oeste de Wodzisław, perto da cidade de Miechów. Aaron, enquanto isso, ainda estava no campo de trabalho.

Quando terminou de ler a carta, as lágrimas de Renia ensopavam a página.

Embora se sentisse muito feliz por seus entes queridos estarem vivos, não suportava imaginá-los vivendo na floresta, no frio do fim do outono. Como poderia desfrutar de uma cama limpa e quente em uma casa parcialmente alemã enquanto eles sofriam com a fome e o frio? Imaginava o pequeno Yankeleh, um garoto tão inteligente, destinado a se tornar um adulto notável, tremendo e faminto. O desejo de estar junto a ele a dominava.

Renia vivia dia após dia, hora após hora, esperando, atormentada. E então chegou uma carta de seus pais.

Mais uma vez, a emoção de receber notícias foi acompanhada de grande dor pelo sofrimento que estavam enfrentando. Moshe e Leah viviam na miséria, sem um teto sobre a cabeça, passando fome. Yankeleh, escreveram eles, tentava animá-los, dar-lhes uma razão para viver. Não tinham nenhuma notícia sobre suas duas irmãs que tinham fugido para Varsóvia. Renia se sentia completamente impotente.

Escreveu de imediato a Sarah e Aaron, pedindo-lhes que ajudassem os pais. Os dois irmãos conseguiram convencer agricultores das proximidades a entregar-lhes alguns suprimentos, o que lhes custou muito dinheiro.

Chegaram mais cartas de Sarah. Leah e Moshe ficaram exultantes ao saber que ela estava viva e com boa saúde. Mas temiam que fosse muito perigoso para ela ficar onde estava sem os documentos adequados — o passaporte que havia encontrado na estação não era válido naquela área. Renia sabia que sua família provavelmente tinha razão: se e quando a sra. Hollander decidisse registrá-la na polícia, ela seria descoberta.

E então, decidiu, era hora de ir ao encontro de Sarah. Ir para Będzin, para o kibutz do Liberdade.

8. TORNAR-SE PEDRA

RENIA

OUTUBRO DE 1942[1]

Sarah havia cuidado de tudo.[2]

Era um belo dia de outono, e Renia estava voltando da igreja, como uma garota católica normal. Ao chegar à casa dos Hollander, encontrou a irmã do membro da milícia que a havia acolhido.

— Uma atravessadora de Będzin está aqui — sussurrou ela.

— Já? — O coração de Renia saltou, pulsando em sua garganta. Tinha chegado a hora.

Sarah havia contratado uma mulher para ajudar a irmã a cruzar a fronteira do Governo-Geral para o território anexado pelo Terceiro Reich. No caminho, passaria por Miechów, cidade onde judeus — incluindo sua família, que fora capturada havia pouco tempo — estavam temporariamente detidos. Seu coração doía com a ânsia de vê-los. Estava determinada a parar lá no caminho. Naquele dia, finalmente, veria os pais e seu lindo e doce Yankeleh.

Renia serviu o jantar aos Hollander em um estado de euforia, os membros leves, as bochechas coradas, o coração batendo forte, cheio de energia. A sra. Hollander notou como Renia parecia feliz, algo tão incomum para ela.

Naquela noite, depois de confirmar a programação com a família do membro da milícia, Renia foi falar com a patroa.

— Minha tia adoeceu — disse. — E me pediram que voltasse imediatamente, para cuidar dela por alguns dias.

A sra. Hollander, é claro, compreendeu. Por que não acreditaria em sua melhor funcionária?

O sol brilhante se transformou em nuvens e chuva, em seguida a escuridão da noite se instalou. Silêncio absoluto. Renia, se passando por "Wanda", de acordo com os documentos que havia encontrado, esperou pelo trem, o coração batendo descompassado. Mesmo depois que ela e os outros passageiros já se deslocavam a toda velocidade, cada momento parecia uma hora. Encenava em sua mente, repetidas vezes, a cena de alegria que a aguardava: como o rosto de seus pais se iluminaria quando eles a vissem.

Por que, então, seu estômago doía tanto?

Chegaram a uma pequena estação.

— Já estamos em Miechów? — perguntou baixinho à atravessadora não judia.

— Ainda não. Logo, logo.

E então "logo" chegou.

— É aqui?

— Não podemos descer em Miechów.

— O quê? Por quê? — preguntou Renia, petrificada.

— Dificultaria muito a sua viagem — sussurrou a atravessadora. Renia estava prestes a protestar quando a mulher acrescentou: — Não tenho tempo para levá-la.

Renia implorou. Uma recusa era uma resposta inaceitável.

— Eu prometo — disse a atravessadora, acalmando-a — que assim que a deixar em Będzin, voltarei a Miechów. Vou buscar seus pais e seu irmão e levá-los até você em Będzin.

— Não. — Renia fincou pé. — Eu tenho que vê-los agora.

— Escute — disse a atravessadora, aproximando-se dela. — Sarah disse que você não pode ir para Miechów de jeito nenhum. Eu não posso levá-la até lá.

Enquanto a locomotiva resfolegava por entre campos e florestas, a mente de Renia dava voltas. Não tinha muito tempo para decidir. Será que deveria se livrar da atravessadora, descer do trem, ficar ali e tentar cruzar a fronteira mais tarde, de alguma forma? Mas Sarah era mais velha, mais sábia e mais competente. E fazia sentido cruzar a fronteira o mais rápido possível; deixar logo para trás a parte mais perigosa da jornada.

Renia passou pela estação de Miechów grudada ao assento, o coração pesado, o cérebro envolto em névoa.

Ficou alguns dias na casa da atravessadora em Częstochowa, comendo pouco, dormindo mal, ansiosa, sendo acordada, aos sobressaltos, por pensamentos frenéticos. Vários anos haviam se passado desde a última vez que vira a irmã — uma vida inteira. Qual seria a aparência de Sarah agora? Será que se reconheceriam? Será que ela conseguiria cruzar a fronteira? Renia se sentia estranhamente confortável naquela parte da Polônia, onde era uma desconhecida. O fato de ser uma estrangeira era uma vantagem: ninguém a reconheceria. Seu judaísmo estava enterrado ainda mais fundo.

*

A travessia da fronteira se deu sem incidentes e, uma vez em Będzin, Renia partiu pelas ruas que se estendiam colina acima até o castelo, passando pelas fachadas coloridas e ornamentadas da cidade, com suas varandas arredondadas em estilo *art déco*, as gárgulas e balaustradas em estilo *beaux-arts*, traços que transmitiam a glória daquela região antes da guerra.[3] Para o kibutz do Liberdade! Sentindo-se otimista, a jovem de 18 anos subiu a escada correndo e, com ímpeto, abriu a porta. Viu um corredor inundado pela luz do sol e uma sala onde estavam rapazes e moças, todos vestidos com roupas limpas, sentados em torno das mesas, lendo. Parecia tudo tão normal.

Mas onde estava Sarah? Por que não estava diante da irmã?

Um jovem se apresentou: Baruch. Ele, assim como todos ali, sabia quem ela era. Renia respirou fundo por um momento. Que delícia… ser ela mesma.

Baruch pareceu-lhe um rapaz simpático, desenvolto e cheio de vida. Ele a conduziu por mais dois lances de escada, até os dormitórios. O quarto estava silencioso, escuro. Ela entrou, hesitante. Então ouviu um gemido abafado.

Era Sarah, deitada na cama. Sarah!

Baruch pegou o braço de Renia e a levou para mais perto.

— Sarah — disse ele baixinho —, gostaria que Renia viesse vê-la?

Sarah saltou da cama.

— Renia! — disse ela, chorando. — Você é tudo que me resta no mundo. Estava morta de preocupação com você.

Os beijos e abraços de Sarah eram quentes contra a pele de Renia. As lágrimas se acumulavam no colchão. Apesar da fraqueza, ela levou a irmã mais nova direto para a cozinha para alimentá-la. À luz da cozinha, Renia pôde ver quão magro o rosto da irmã havia se tornado, todo ossos e ângulos. Tentou não pensar em como, anos antes, Sarah conseguira documentos para imigrar para a Palestina. O dono da sapataria onde ela trabalhava chegara a oferecer ajuda financeira, mas seu pai fora orgulhoso demais para pedir aos parentes o dinheiro adicional de que ela precisaria. Então, ela havia ficado. *Ela parece muito mais velha*, reparou Renia, perturbada. O rosto de Sarah não era o de uma mulher de 27 anos. Mas enquanto observava a irmã preparar uma refeição para ela, cheia de entusiasmo, Renia pensou: *Ela ainda é jovem de espírito.*

*

As irmãs precisavam de um plano para salvar os pais, então passaram dias debatendo ideias, mas não havia nenhuma que fosse boa. A promessa da atravessadora de ir buscá-los, no fim das contas, tinha se revelado uma mentira — uma traição na qual Renia se recusava a pensar muito por medo de que a raiva a consumisse. Ela e Sarah tinham diante de si uma infinidade de problemas. Para começar, no kibutz não havia espaço para os Kukiełka. Além disso, o valor que seria cobrado para fazer com que eles atravessassem a fronteira era exorbitante. Impossível.

Então, chegou uma carta dos pais cujo conteúdo as deixou horrorizadas. Moshe e Leah haviam passado os últimos dias em uma zona pequena e imunda de Sandomierz, uma cidade a leste de Miechów, vivendo como animais. Os judeus se amontoavam em quartos minúsculos e bolorentos, onde dormiam no chão ou sobre um fino colchão de feno. Não tinham comida nem combustível para o aquecimento. Seus dias eram povoados pelo medo: deportação, extermínio, execução, todo o gueto podia ser incendiado. Qualquer uma dessas atrocidades, a qualquer momento.

Yankeleh também escreveu uma carta, implorando a ajuda das irmãs e pedindo que o levassem para Będzin, mesmo que fosse apenas por um tempo. Tudo o que ele queria era estar com as irmãs, as únicas pessoas com quem podia contar. Apesar dos horrores desumanos que havia testemunhado, ele continuava a se agarrar à vida. "Nossos pais podem fazer o impensável e cometer suicídio", escreveu ele. "Mas enquanto estiver com eles, eu manterei seu espírito são." Todos os dias, ele saía clandestinamente do gueto para tentar ganhar algum dinheiro. Cada grosz que conseguia era destinado à soma de 120 złotys que tinham que pagar por noite, para dormir sobre um chão de madeira nua, amontoados como sardinhas em lata. Mãe, pai e filho aqueciam uns aos outros, "enquanto os vermes devoram nossa carne", descreveu Yankeleh. Fazia meses que não trocavam de roupa, incluindo as roupas íntimas. Não havia sabão, nem água corrente.

Enquanto seus olhos galopavam pelas palavras, Renia começou a se sentir nauseada. O que ela poderia fazer? Passava as noites em claro, aterrorizada pela ideia de que o fim estivesse chegando para todos eles.

E então, a última carta, a despedida final:[4] "Se não sobrevivermos", escreveram a mãe e o pai, "então, por favor, lutem pela vida de vocês. Para que possam ser testemunhas. Para que possam contar como seus entes queridos e seu povo foram assassinados por pura maldade. Que Deus as proteja. Vamos morrer sabendo que vocês continuarão vivas. Nossa maior dor é o destino de Yankel, nosso caçula. Mas não as acusamos de nada. Sabemos que vocês fariam qualquer coisa para nos salvar. Este é o nosso destino. Se essa é a vontade de Deus, temos de aceitá-la."

Como se isso não bastasse, a carta também contava sobre o destino das outras irmãs de Renia, Esther e Bela. Elas haviam parado em Wodzisław e, pressentindo uma batida para capturar judeus, se esconderam em um banheiro externo. O filho da dona da casa, um rapaz de 17 anos, saiu para usar as instalações, descobriu-as e alertou a Gestapo.

Elas foram enviadas para Treblinka.

Perdidas. Tudo estava perdido.

Mas Renia não derramou uma lágrima sequer. "Meu coração", escreveu ela mais tarde, "transformou-se em pedra."

Foram dias horríveis para ela. "Sou órfã", repetia para si mesma, a triste realidade sendo assimilada. Sentia-se desorientada, como se tivesse perdido a memória, o senso espacial, a noção de si mesma. Precisava realinhar seu ser, lembrar a si mesma que agora vivia para a irmã, para os camaradas. Aquela era sua nova família. Sem eles para apoiá-la, para lhe fornecer um senso de realidade e identidade, teria enlouquecido.

Então as garotas perderam contato com Aaron. Rumores davam conta de que ele havia sido transferido para a fábrica de armas em Skarżysko-Kamienna, onde os judeus eram forçados a realizar trabalhos brutais, descalços, com as roupas esfarrapadas, em troca de uma mera fatia de pão e água fria. Mais de 25 mil judeus,[5] homens e mulheres, foram levados para aquele campo; pouquíssimos sobreviveram às condições insalubres e à exposição a produtos tóxicos que deixavam o cabelo verde e a pele avermelhada. Aaron, Renia ficou sabendo, contraiu tifo. Seus superiores gostavam dele, o que o salvou da execução imediata, mas sua saúde era frágil. Por ser "improdutivo", praticamente não lhe davam comida.

E ainda assim.

Renia e Sarah estavam vivas. Eram sombras de si mesmas, espectros vazios, mas ainda assim estavam vivas. E, como aconteceu com muitos jovens judeus que perderam os pais, a recém-descoberta liberdade era acompanhada de tristeza e culpa, mas também de energia.[6] Os laços que as ligavam a uma vida normal haviam sido rompidos; não eram responsáveis por mais ninguém. Para viver, conservar alguma noção de espírito humano, elas precisavam permanecer ativas, dissipar sua dor intensa e avassaladora, mergulhando em um trabalho que demandasse muito e lhes restringisse a introspecção.

"Se estou destinada a morrer", dizia Renia, repetindo o mantra de resistência de Abba Kovner, "não vou morrer na ignorância, como uma ovelha mandada para o matadouro."

Seu fervor alimentou um fogo intenso que já ardia entre os jovens de Będzin.

9. OS CORVOS NEGROS

CHAJKA E RENIA

OUTUBRO DE 1942

Chajka Klinger corria pelas ruas e pelos becos de Będzin. Era sua primeira missão. Na bolsa, panfletos clandestinos. Os cabelos castanhos, curtos e encaracolados[1] estavam presos atrás das orelhas, os olhos vigiavam, o coração batia acelerado. Cada passo representava absoluto perigo, mas também continha uma cautelosa alegria. Estava saindo para distribuir notícias sobre as ações da guerrilha, deportações em massa e política. A verdade. Com as mãos trêmulas, afixou um dos comunicados a uma porta e em seguida entregou outro a um pedestre. Chegou a se aventurar fora da área judaica.[2]

Finalmente, estava *fazendo* alguma coisa!

Na Będzin à qual Renia tinha chegado já fervilhava o espírito da resistência. Uma de suas ativistas mais eloquentes: a jovem Chajka Klinger, de 25 anos.

Nascida em 1917, no seio de uma família hassídica pobre de Będzin, Chajka era inteligente e impetuosa, perspicaz e apaixonada. A família mal se sustentava com o pouco que obtinham da mercearia da mãe; o pai estudava a Torá e o Talmude o dia todo. Chajka ganhara uma rara bolsa de estudos para estudar no Liceu Judaico de Furstenberg, uma instituição de ensino secular e uma conceituada escola preparatória para o ensino médio, onde a jovem se tornou fluente em vários idiomas e sonhou se tornar uma intelectual. Będzin, com sua considerável população judaica de classe média, foi um dos primeiros lugares a abrigar uma variedade de movimentos sionistas.[3] Relativamente livre de antissemitismo na década de 1930, a cidade servia como um centro efervescente que abrigou doze grupos de jovens. A escola de Chajka, uma referência para a comunidade próspera e liberal de Będzin, apoiava o sionismo socialista, e, fora de seus muros, Chajka foi completamente arrebatada pelo rigor intelectual e pelas filosofias da Guarda Jovem — uma rara escolha entre seus contemporâneos devido à rigidez do grupo.

A Guarda Jovem, que inventou o modelo do "grupo íntimo", combinava a luta por uma pátria judaica com o marxismo, um intenso romantismo e a crença no estado superior da juventude e da vida em meio à natureza para ter corpo são e mente sã. Liam uma profusão de revolucionários europeus, promoviam uma cultura de conversas e autoatualização e almejavam criar um novo tipo de judeu. Comprometido com a verdade, o grupo tinha seus próprios dez mandamentos, incluindo leis de pureza: não era permitido fumar, beber nem ter relações sexuais. O estudo psicanalítico da sexualidade era encorajado, mas o ato era considerado uma distração da causa coletiva.

Chajka, com suas camisas de colarinho e seus óculos de aro metálico, adotava essas visões radicais com fervor, vendo a Guarda Jovem como um movimento de vanguarda que no fim das contas levaria a nação judaica a uma revolução social e nacional completa. Rebelando-se contra sua própria formação, ela se sentia totalmente sintonizada com o mantra do grupo, favorável a um conflito intergeracional. Além disso, seu primeiro namorado era um integrante dedicado. Chajka era extrovertida, sensível e estava sempre se apaixonando.

Dedicada, era crítica em relação aos outros, mas sobretudo em relação a si mesma quando sentia que não estava à altura dos altos padrões da Guarda Jovem. Logo se tornou conselheira, em seguida editora e, por fim, líder regional do movimento.

Seu namorado havia sido convocado pelo Exército polonês. Enquanto ele estava servindo, ela notou o alto e magro David Kozlowski, um camarada que tinha os bolsos sempre cheios de jornais e que sofria de uma gagueira terrível.

Eles se conheceram na biblioteca, quando a bibliotecária se recusou a entregar um livro a Chajka porque David também o queria, e ele era o leitor mais assíduo. David sorriu para ela, que, irritada, fingiu não o conhecer. (Ele nunca a perdoou.) Em seguida, ele enviou um poema para o jornal que Chajka editava, e ela ficou impressionada com seu lirismo e seu desejo ardente. De repente, reparou em como seus olhos fundos eram de um castanho-aveludado, em quanta dor havia neles, "os olhos de um sonhador".[4]

No fim da década de 1930, o casal foi para um kibutz a fim de se preparar para a *aliyah*; decisão significativa para David, cujos pais, membros da elite, o haviam proibido de fazer essa escolha, e para Chajka, que sabia que abriria mão de suas ambições intelectuais por uma vida de austero trabalho da terra. O sensível e desleixado David, um esquerdista fervoroso na teoria, enfrentou uma proletarização difícil: ele podia poetizar sobre a China de Chen, a União Soviética e a Revolução Espanhola, mas não suportava a monotonia de ficar sentado atrás de uma máquina de costura. Chajka, uma romântica incurável, sentia que era seu dever ajudar aquele "delicado salvador", aquela "jovem árvore"[5] em floração, e o apoiou até que se tornasse um líder espiritual do grupo. A data marcada para eles se mudarem para a Palestina era 5 de setembro de 1939.

Quatro dias antes, quando os nazistas atacaram a Polônia, Chajka tentou fugir do país, não com a família, mas com David. Eles seguiram por estradas lotadas, pularam de um trem atingido em um bombardeio aéreo e desviaram de balas, bombas e árvores caídas. Mas não conseguiram sair. Estavam se preparando para fugir para o leste quando chegou uma mensagem do quartel-general da Guarda Jovem instruindo-os a voltar a Będzin e reavivar o movimento. Se a comunidade judaica ia permanecer na Polônia, a Guarda Jovem faria o mesmo, "viver, crescer e morrer com ela".[6] Como líderes locais, Chajka e David obedeceram à ordem. Mas ficaram chocados com a brutalidade dos nazistas; para Chajka, a Alemanha tinha uma cultura esclarecida, e ela havia chegado a antever um governo progressista.

Como a região de Zaglembie tinha sido anexada pelo Terceiro Reich em vez de fazer parte do Governo-Geral, o ambiente era mais propício à aprendizagem. Os judeus daquela área eram forçados a trabalhar em fábricas alemãs. Zaglembie, que significa "das profundezas", em uma referência às reservas minerais, era uma rica região industrial, e dezenas de fábricas têxteis dedicadas à produção de roupas, uniformes e calçados foram instaladas lá. O trabalho nessas "oficinas" não era fácil. "Enquanto do lado de fora das janelas florescem macieiras e lilases", escreveu uma adolescente sobre seus dias, "as pessoas são obrigadas a ficar nesse ambiente sufocante e malcheiroso e costurar."[7] Os judeus trabalhavam por salários miseráveis e restos de comida, mas as condições eram muito melhores do que nos campos de trabalho, e vários proprietários protegiam sua mão de obra barata da deportação.

Um exemplo notável foi Alfred Rossner,[8] empresário alemão que nunca se filiou ao Partido Nazista. Depois da ocupação, ele se mudou para Będzin a fim de assumir o controle de uma das fábricas que antes foram propriedades judaicas e empregou milhares de judeus. A fábrica de Rossner, que produzia uniformes nazistas, era considerada indispensável. Cada trabalhador ou trabalhadora tinha um passe *Zonder* amarelo que o deixava, ou a deixava, a salvo das deportações, junto a dois familiares. Semelhante ao agora famoso Oskar Schindler, Rossner era protetor e gentil com seus trabalhadores judeus; mais tarde, perto do fim da guerra, ele os alertava sobre deportações, e chegou a regatá-los diretamente dos trens.

Chajka reinstituiu e passou a liderar a Guarda Jovem local, junto com o namorado David e várias outras mulheres — entre elas, duas irmãs, Leah e Idzia Pejsachson, cujo pai, membro do Bund, havia participado da Revolução Russa. O grupo de diletos amigos se reunia clandestinamente em residências particulares. Já que a *aliyah* era impossível, seu principal objetivo passara a ser a educação dos mais jovens, com o ensino de idiomas, leitura e escrita, cultura, ética e história. Apesar da decepção pessoal, Chajka se lançou imediatamente ao trabalho, concentrando-se em creches, orfanatos e crianças com idade entre 10 e 16 anos, que, temia ela, estavam sofrendo com o abandono e a pobreza, sem ter quem cuidasse delas. Sujas e sem supervisão, as crianças contrabandeavam pretzels, pãezinhos, doces, cadarços e corpetes, e os vendiam nas ruas. Chajka não tinha um plano (algo em relação ao que era tipicamente autocrítica), mas tinha muito zelo, e começou pelas crianças mais pobres, arrumando-lhes sapatos e roupas, limpando-as e servindo-lhes almoço. Propôs ao Judenrat que abrissem creches para ajudar os pais que trabalhavam. A Guarda Jovem fez todo o planejamento, mas o Judenrat assumiu o controle. Apesar disso, ela ficou feliz porque as crianças recebiam cuidados. Um dia, esperava ela, aqueles jovens órfãos e refugiados colocariam em prática os ideais do movimento do qual faziam parte.

No primeiro inverno depois da ocupação, a Guarda Jovem de Będzin organizou uma festa do Purim. Tradicionalmente, o Purim era um feriado alegre durante o qual os judeus se fantasiavam, encenavam esquetes satíricos (os *shpiels* de Purim), liam o pergaminho de Ester e giravam pequenas matracas, conhecidas como *graggers*, para abafar qualquer menção a Haman, o maléfico ministro persa que havia planejado exterminar todos os judeus da terra. Os judeus celebravam sua salvadora, a rainha Ester, uma judia que se disfarçou de rainha gentia e, usando sua inteligência e astúcia, convenceu o rei Assuero a cancelar os planos de Haman.

O orfanato judaico de Będzin estava lotado, dezenas de crianças vestindo suas melhores roupas e rindo. Chajka ficou no fundo da sala, e o êxtase se alternava com uma vigilância como a de um guarda prisional. Seus olhos escuros brilharam de orgulho quando Irka, a terceira e mais nova das irmãs Pejsachson, conduziu o grupo em uma cerimônia da festa religiosa. As crianças entraram cantando alto. Escreveram e encenaram suas próprias peças sobre Israel e sobre a dura vida nas ruas, de onde haviam sido resgatadas, um milagre do Purim. Em seguida, o espaço foi rapidamente transformado, e teve início uma reunião com 120 membros da Guarda Jovem, todos vestindo camisa cinza ou branca. Os camaradas cantaram seu mantra em uníssono: "Não devemos nos deixar guiar cegamente pelo destino. Devemos seguir nosso próprio caminho."[9] Chajka não conseguia acreditar na quantidade de pessoas que havia comparecido, em especial no meio de uma guerra.

O kibutz do Liberdade em Będzin, que antes da guerra abrigava sessenta integrantes, tornou-se um centro social para todos os movimentos. O Liberdade organizava um coro, aulas de hebraico e uma biblioteca, bem como programas para as crianças. Sarah, irmã de Renia, era uma trabalhadora dedicada nessa frente, dando vazão ao sentimento de paixão pela família herdado da mãe. Ela se importava profundamente com as crianças e ajudava a administrar o orfanato do kibutz, chamado Atid, a palavra em hebraico para "futuro". As fronteiras relativamente permeáveis da cidade de Będzin — não havia gueto fechado e o serviço postal chegava à Suíça e a outros países — tornavam-na um centro de educação e treinamento. Frumka percorria com frequência os pouco mais de 300 quilômetros de Varsóvia até lá, para organizar seminários; os líderes da Guarda Jovem, também.

Em seu auge, essas atividades clandestinas chegaram a envolver 2 mil jovens judeus e muitas aconteciam em uma fazenda próxima. O Judenrat dera aos sionistas trinta campos e jardins, bem como cavalos e cabras, para que arassem, semeassem e cultivassem a terra. Fotografias mostram jovens[10] de vários grupos usando boinas e lenços — sem estrelas de Davi —, sorrindo enquanto faziam a colheita ou dançavam a hora. Imagens de Sarah Kukiełka[11] mostram-na em uma celebração ao ar livre entre dezenas de camaradas sentados em torno de longas mesas cobertas com toalhas brancas, comemorando o aniversário do falecido poeta hebreu Chaim Nachman Bialik.

Os jovens organizavam saraus memoriais, durante os quais se sentavam no campo, cantavam sobre a liberdade, compartilhavam recordações e discursavam contra o fascismo. "Centenas se juntavam a nós para o Shabat", escreveu Chajka, "em busca de um espaço para respirar, um pedaço de grama verde."[12] A fazenda, onde "os vasos na parede reluziam como se fosse uma festa",[13] era seu local de rejuvenescimento, reflexão e renovação.

No outono de 1941, a Guarda Jovem de Będzin estava em seu apogeu, e Chajka era a mãe.

*

Então, uma noite, uma batida.[14] As noites anteriores tinham sido aterrorizantes. Ninguém dormira, incluindo Chajka. Todos esperavam ouvir o som das botas e dos apitos dos soldados que viriam para detê-los e levá-los para campos de trabalho onde as condições eram tenebrosas, extenuantes e onde proliferavam doenças. Naquela noite, de fato aconteceu. Chajka tinha esperança de que eles ignorassem o prédio, mas não. Esmurravam o portão, prontos para fazer picadinho do superintendente por demorar tanto a abrir. Ela teve esperança de que eles pulassem seu apartamento, mas logo estavam lá dentro, vasculhando cada canto.

— Vista-se — ordenaram a Chajka. A mãe dela chorava, implorando aos nazistas que a deixassem em paz.

— Fique quieta! — gritou Chajka. — Não se atreva a implorar ou se humilhar diante deles! Eu vou. Fique bem.

Do lado de fora estava escuro como breu, e era difícil para Chajka distinguir os caminhões e as outras garotas. Ela ouvia apenas os portões se abrindo. Os alemães organizaram as garotas em filas, em seguida as levaram para o enorme prédio da escola municipal. Muitas garotas: 2 mil.

Chajka começou imediatamente a procurar as amigas. Leah, Nacia, Dora, Hela — as camaradas estavam todas lá. Como estavam no segundo andar, ela pensou em pular pela janela, mas deu uma olhada do lado de fora e viu guardas por todo o pátio.

Pela manhã, haveria uma seleção e uma deportação. Naquele momento, Chajka e suas camaradas queriam lidar com o caos instaurado. Havia muito barulho, como em uma praça de mercado. As garotas de Będzin estavam imprensadas umas contra as outras, os rostos quase se tocando. Um mar de cabeças, choro, gritos, risos histéricos, um sufocamento assustador.

Leah Pejsachson entrou em ação. A forte e formosa colíder da Guarda Jovem ao lado de Chajka era sempre a primeira a acordar, às cinco da manhã, pronta para peneirar, arar e dirigir o trator, cutucando os outros: "Acordem, preguiçosos!" Agora Leah corria de sala em sala. Procurava por pessoas que conhecesse e, no caminho, abria as janelas para que as mulheres não sufocassem. Ela ouvia crianças chorando desesperadas. Com a ajuda de Nacia, reuniu todas elas em um canto,[15] penteou-lhes os cabelos e distribuiu pão.

— Não chorem — disse Leah, tranquilizando as meninas. — Eles não valem as nossas lágrimas. Isso é uma forma de nos humilhar! Eles não vão mandá-las embora; vocês são muito jovens.

Nacia se certificou de que os nazistas verificassem a idade de todas elas e as liberassem.

Pela manhã, começou a seleção. Uma a uma, as mulheres entregavam ao comissário alemão seu certificado de trabalho. As que trabalhavam para a fábrica de armas foram liberadas.

Embora tenha sido uma das primeiras a ser libertada, Leah não foi embora. Em vez disso, esperou nas proximidades por outras garotas que saíam e recolheu seus documentos de trabalho. Em seguida, mandou-os de volta para o prédio, para serem usados pelas que não tinham documentos válidos. Ela ficou do lado de fora durante todo o tempo, "andando atarefada de um lado para o outro", descreveu Chajka, e possibilitou que muitas garotas escapassem.

Ao terminar a seleção, os alemães não conseguiram cumprir sua cota e começaram a percorrer as ruas próximas, capturando qualquer mulher que tivesse permanecido na área. Leah estava entre elas. Naquele momento os documentos de trabalho não tinham utilidade. Ela foi direto para um caminhão!

Leah foi deportada para um campo de trabalho, a primeira do grupo. "Sentimos muito a falta dela", escreveu Chajka. "Tínhamos estabelecido uma conexão muito forte com ela."

Leah escrevia cartas do campo, contando sobre a fome e os espancamentos, até mesmo de mulheres. "Tenho saudades de vocês, mas estou bem aqui", garantiu ela. Trabalhava metade do dia na cozinha, a outra metade, na enfermaria. Mesmo sob os olhares vigilantes dos nazistas, conseguia roubar pão para os prisioneiros que tinham o rosto descorado e moribundo. Sabia que aqueles com ombros largos e corpo forte poderiam suportar as pequenas porções, mas os homens pálidos que chegavam direto de uma *yeshiva* e se recusavam a comer carne que não fosse *kosher* precisavam de ajuda. *Onde conseguiria comida?*, se perguntava Chajka. *Como dividiria tudo sem que os alemães vissem?* "Nem mesmo os campos e os ventos sabiam", escreveu Chajka. Trabalhar como enfermeira era difícil, mas Leah sabia que tinha que ficar, pois era útil para muitos, mesmo imaginando que acabaria na prisão.

Na cozinha as coisas não eram muito melhores. As cozinheiras aceitavam subornos e presentes, roubavam e davam as melhores rações às amigas. Leah tentava apelar à sua consciência, aconselhando-as e dando-lhes lições de moral: "Não podem continuar assim."

"Leah", escreveu Chajka para ela, "você não está sozinha na sua luta. Rachel está travando a mesma batalha em Guten-Bricke; Sarah, em Markstädt; e Guteh, em Klatandorf."[16] As judias de Będzin estavam por toda parte, contrabandeando, roubando, salvando.

*

Apesar de seu status especial, a situação em Zaglembie deteriorou-se significativamente. O trabalho não era mais a salvação suprema.[17] Depois de uma *Aktion* de deportação menor em maio de 1942, os nazistas chegaram em massa em agosto, ao mesmo tempo que aconteciam as grandes *Aktions* em Varsóvia. No dia seguinte, os judeus de Będzin foram convocados a comparecer ao estádio de futebol para uma verificação de documentos. Os movimentos da juventude ficaram desconfiados e aconselharam os judeus a não atender ao chamado; sabendo disso, os nazistas simularam uma verificação de documentos em uma cidade vizinha para convencer a todos de que não havia perigo. Depois disso, a ŻOB debateu se seria seguro ou não comparecer. No fim das contas, seus integrantes decidiram ir. Chajka também.[18]

Milhares se dirigiram ao estádio, iniciando a caminhada às cinco e meia da manhã. Sentaram-se nas arquibancadas, bem-humorados, vestidos como se estivessem indo para uma festa — como o Judenrat os havia encorajado a fazer —, até perceberem que estavam cercados de soldados armados com metralhadoras. Pessoas desmaiaram, crianças começaram a chorar. Não houve uma gota de água para aplacar a sede extrema das pessoas até que uma chuva pesada caiu, deixando todos ensopados. Às três da tarde, a seleção começou: voltar para casa; ir para um campo de trabalho forçado; mais inspeções; ou deportação e morte.[19] Para não irritar os nazistas, os membros do Judenrat haviam mentido para seus companheiros judeus.

Quando as pessoas começaram a se dar conta do que as três filas significavam, e famílias começaram a ser separadas, o caos irrompeu. Muitos tentaram mudar de fila. Os alemães então começaram a "se divertir", escreveu Chajka, separando cruelmente pais e filhos — uns para viver, outros para morrer —, golpeando as pessoas com a coronha do rifle, arrastando pelos cabelos mães desesperadas.

Vinte mil judeus tinham sido reunidos. De 8 mil a 10 mil deles estavam agora trancados na cozinha pública, no orfanato e em um outro prédio do Judenrat, aguardando a deportação sabe-se lá para onde. Os guardas da SS impediam que qualquer alimento ou suprimento médico chegasse até eles. As pessoas começaram a se suicidar.

Mas, como sempre, os líderes da juventude de Będzin se recusaram a simplesmente aceitar seu destino. Sabiam que milhares de judeus superavam em número a polícia judaica e os guardas da SS. Naquela noite, os movimentos decidiram agir. Sem um plano, improvisaram. Integrantes do Liberdade reuniram as crianças que haviam sido selecionadas para deportação e, ao seu sinal, elas correram em disparada. Outros pegaram quepes da polícia judaica e se infiltraram no meio da multidão e, empurrando e chutando, transferiram as pessoas para as filas "seguras". Quando o Judenrat convenceu a SS a permitir a entrada de comida, os camaradas, usando quepes da polícia improvisados, adentraram um dos prédios e começaram a transportar as pessoas de lá, colocando-as dentro dos contêineres destinados à entrega de pão ou de enormes panelões de sopa. Outros ainda tentaram cavar túneis de fuga.

As mulheres da Guarda Jovem sabiam que precisavam a qualquer custo entrar nos edifícios trancados. Rapidamente, convenceram o Judenrat da necessidade de instalar uma enfermaria dentro do orfanato. Garotas judias vestindo avental branco entraram e se espalharam por todos os cantos. Aquelas "enfermeiras" confortavam e cuidavam dos enfermos, mas sua verdadeira missão era ajudar o maior número possível de mulheres a escapar. As garotas despiam os uniformes brancos e os entregavam às prisioneiras, com as instruções: "Vista-se depressa, pegue o certificado e, sem demonstrar medo, saia pela entrada principal. Ninguém vai impedi-la. Em seguida, mande o uniforme de volta."

Cada vez que uma "enfermeira" saía do prédio, tinha que ter cuidado com o gendarme que estava vigiando o portão. As garotas tinham prometido um relógio de ouro a um deles. Mas, se fosse o tenente, seria necessário abrir um lindo sorriso e fazer cara de inocente.[20]

Enquanto tudo isso acontecia, Irka Pejsachson descobriu uma passagem pelo sótão, atravessando uma fileira de casas de civis não vigiadas, até o lado de fora.

As garotas colocaram uma pessoa de vigia na porta do sótão e abriram um buraco na parede. Embora tremendo de medo, conseguiram ajudar judeus a sair, um por um. De acordo com um relato, 2 mil pessoas foram libertadas.[21]

De repente, soldados alemães irromperam no edifício, exigindo documentos. Uma das mulheres não tinha conseguido recuperar o uniforme, outra estava sem documentos. As duas foram levadas. Como Chajka sabia, "sempre havia sacrifícios".

*

Os movimentos da juventude de Będzin, incluindo a Guarda Jovem e o Liberdade, começaram a trabalhar juntos, impulsionados por essas deportações brutais; por histórias de execuções em massa em Vilna e em Chełmno; pelas visitas estimulantes de Tosia,[22] que instava as meninas do movimento a sair em missões e agir, assim como pelos relatos inspiradores das atividades da resistência em Varsóvia e das ações dos guerrilheiros. Elas haviam constatado, por experiência própria, que, com um pouco de organização, poderiam salvar vidas.

No verão de 1942, Chajka recebeu Mordechai Anilevitz, um dos líderes da Guarda Jovem que viera de Varsóvia. Chajka tinha Anilevitz em alta conta, chamando-o de "orgulho do movimento" com sua "rara e incomum habilidade" de ser ao mesmo tempo um teórico e um líder pragmático. "Mordechai era corajoso", acrescentou. "Não porque quisesse ser corajoso, mas porque de fato era."[23]

No fim do verão, enquanto o gueto de Varsóvia era liquidado, líderes de vários grupos sionistas se reuniram na cozinha da fazenda da juventude de Będzin para ouvir uma palestra de duas horas proferida por Anilevitz, intitulada "Um adeus à vida". Ele ficou de pé, a camisa de botão com a gola aberta, e contou às demais pessoas o que sabia. Chajka compareceu com o namorado David e as irmãs Pejsachson; sentiu arrepios ao ouvir sobre as câmaras de gás e as mortes em massa por asfixia em Treblinka. Mas ele também contou sobre os esforços de resistência em Vilna, Białystok e Varsóvia. Anilevitz clamava por ação, por uma morte honrosa, uma visão romântica que atraía Chajka.

A ŻOB de Zaglembie foi oficialmente constituída, um satélite da célula de resistência em Varsóvia, composta por duzentos camaradas de vários movimentos.[24] Będzin havia estabelecido uma forte conexão com Varsóvia, e mensageiros e mensageiras foram enviados para coletar informações, planos e armas. Będzin também estava conectada por correio a Genebra, onde ficava baseado o comitê de coordenação dos Pioneiros. Cartões-postais escritos em código eram enviados de Będzin para a Suíça, contando sobre as atividades da ŻOB em Varsóvia.

Cartões-postais que não se perderam, escritos por Frumka, Tosia e Zivia para judeus fora da Polônia, estão repletos de códigos secretos.[25] Elas costumavam transformar acontecimentos em pessoas. Por exemplo, para indicar que realizariam um seminário, Tosia escreveu que "Seminarsky veio nos visitar (...) e vai ficar conosco por um mês." Frumka escreveu: "Estou esperando visitas: Machanot e Avodah devem chegar em breve." *Machanot* e *Avodah* são as palavras em hebraico para *campos* e *trabalho*, respectivamente; ela estava se referindo aos campos de trabalho nazistas. "E.C. está no hospital em Lemberga" significava que ele havia sido preso. "Pruetnitsky e Schitah viveram comigo" — termos em hebraico para *pogroms* e *destruição*. Em cartas desoladoras, Zivia implorava aos judeus americanos que enviassem dinheiro "para pagar médicos que possam ajudar na doença de V.K." — isto é, para comprar armas a fim de salvar o povo judeu.

O chamado de Anilevitz à autodefesa transformou Chajka. Ela se tornou mais radical do que ele, e uma das defensoras mais ferrenhas da ŻOB. "Nenhum movimento revolucionário, muito menos [um de] jovens, jamais enfrentou problemas semelhantes aos nossos — o fato único e evidente da aniquilação, da morte. Fomos confrontados com isso e encontramos uma resposta. Encontramos um caminho (...) *hagana* [defesa]."[26] A Guarda Jovem não podia continuar a propor uma filosofia de otimismo radical, pensava ela, mas sim de violência. A defesa armada — lutar como judeus, lado a lado com judeus, deixando um legado judaico — era o único caminho a seguir. Ela rejeitava todos os planos de fuga ou resgate. "A vanguarda", escreveu mais tarde, "deve morrer onde seu povo está morrendo."[27]

Como Zivia, Chajka se sentia compelida a partilhar a verdade, e ficava furiosa com os líderes que tentavam escondê-la. "Tínhamos que abrir os olhos [da nação], evitar que sedasse a si mesma com ópio e mostrar-lhe a realidade nua e crua", insistia ela. "Porque queríamos provocar uma reação." Em seu diário, escreveu: "Só nós, os corvos negros, dizemos que, se houver uma campanha, eles vão deixar de nos tratar com luvas de pelica. Vão acabar conosco de uma vez por todas."

Mas, assim como em Varsóvia, não era fácil formar um corpo militar. Będzin também carecia de armas, treinamento, contato com grupos de resistência poloneses e apoio do Judenrat e da comunidade. A juventude dispunha de pouco dinheiro e sentia um ressentimento profundo dos judeus estrangeiros que não ajudavam. Quando os líderes da Guarda Jovem foram mortos em Varsóvia e as armas se perderam, Anilevitz teve que voltar para lá, deixando o braço da ŻOB em Będzin no limbo, sem uma liderança que pudesse se encarregar dos assuntos de alto escalão, à espera de dinheiro e instruções. Os camaradas ansiavam por uma palavra de Varsóvia ou da resistência polonesa e se sentiam ociosos, inquietos. Muitos sonhavam em se juntar aos guerrilheiros, preferindo morrer na floresta a ser assassinados nos campos. Por fim, nos últimos dias de setembro, Zvi Brandes, um líder que Chajka conhecia bem da *hachshara* e que respeitava por seus "braços grossos e musculosos",[28] sua constituição física vigorosa e seus passos confiantes, chegou para ajudar a conduzir a resistência — e colher batatas, quando a mão de obra era necessária.

Zvi tirou o foco do fracasso nas tentativas de contatar guerrilheiros, dedicando maior atenção para a defesa e a propaganda. A ação começou imediatamente. Formaram-se grupos de cinco:[29] como no modelo de educação havia muito adotado, tratava-se de unidades de combate secretas com cinco integrantes, cada uma com seu próprio comandante. Os combatentes planejavam maneiras de desafiar e atacar o Judenrat. Publicavam boletins clandestinos, cartas e um jornal diário. Camaradas que trabalhavam em fábricas de uniformes imprimiam panfletos em alemão implorando aos soldados que depusessem as armas; eles os enfiavam nas botas que eram enviadas para a frente de batalha.

Foi então que Chajka saiu em suas primeiras missões, correndo por ruas e becos, distribuindo panfletos clandestinos, contando a verdade às pessoas, dizendo-lhes que se rebelassem.

*

Com que rapidez uma pessoa se acostuma com um novo normal. Apesar do trabalho forçado e das deportações para execução, a vida em Będzin era "o paraíso" para Renia.[30] A residência comunal parecia tão tranquila. Eles faziam sopa com sobras de legumes e assavam pão. Havia 37 camaradas trabalhando. Muitos tinham os passes *Zonder*, que permitiam que circulassem pela cidade, protegidos do trabalho forçado e da execução. Devido à escassez de mão de obra, os camaradas saíam todos os dias para trabalhar, depois se dedicavam à lavanderia do kibutz ou ao trabalho na terra. Assim que chegou, Renia, a mais jovem de todos, foi designada para trabalhar na lavanderia, que passou a ser propriedade do Judenrat; ao que parece, os camaradas recebiam uma pequena quantia para lavar os uniformes nazistas.[31] O tormento que Renia havia testemunhado na região da Polônia que fazia parte do Governo-Geral ainda não era sentido em Zaglembie.

"Às vezes, olho para os camaradas que vivem aqui comigo e não consigo acreditar no que vejo", escreveu ela mais tarde. "Será possível que realmente haja judeus aqui, vivendo como humanos, visionários que conseguem enxergar um futuro?" Ela ficava admirada com o foco deles em Eretz Israel, falando e cantando como se estivessem em um sonho, como se não tivessem consciência das atrocidades indescritíveis que aconteciam à sua volta.

E então Hantze Płotnicka chegou,[32] trazendo com ela um espírito ainda mais positivo. Hantze estivera em Grochów, nos arredores de Varsóvia. A fazenda havia se tornado um centro da resistência e uma estação de passagem para mensageiros e mensageiras: um lugar onde podiam passar a noite antes de entrar no gueto no dia seguinte e onde podiam esconder materiais clandestinos. Quando a fazenda foi fechada, Hantze foi enviada para Będzin. Sua jornada havia sido repleta de perigos, mas assim que ela chegou, Renia sentiu que todo o grupo começou uma nova vida. Renia ficava impressionada com a maneira como Hantze elevava o ânimo de todos. Ela conhecia todos os membros do kibutz e identificava os pontos fortes de cada um. Recusou-se a interromper as atividades culturais. Depois de um árduo dia de trabalho, reunia integrantes para um *siche* ou conversa filosófica, e, quando falava sobre os kibutzim na Palestina, seu rosto se iluminava. Ela ajudava os camaradas nos preparativos para a resistência. Mantinha conexões com membros nas áreas próximas e em Varsóvia, em particular com sua irmã, Frumka.

Hantze gostava de contar sobre as terríveis condições em Grochów, a fome e a perseguição, as refeições que consistiam em gordura cozida, folhas de repolho podres e cascas de batata. Rindo, lembrava-se de como costumava enganar os alemães, percorrendo o longo caminho até Varsóvia disfarçada de gentia. Quando os camaradas de Będzin reclamavam das dificuldades, escreveu Renia, Hantze os provocava. "Em Grochów, as condições eram muito piores", dizia ela com um sorriso, "e mesmo assim *eles* continuaram vivos..."[33]

*

Um dia, relatou Renia, os camaradas conheceram um condutor de trem polonês que lhes contou o que sabia, acrescentando detalhes precisos aos relatos vagos que tinham ouvido. Ele estivera em um trem que ia para o vilarejo de Treblinka, a nordeste de Varsóvia, aonde chegavam trens vindos de toda a Europa. Algumas estações antes de Treblinka, fora repentinamente instruído a desembarcar e substituído por um condutor alemão — tudo com o objetivo de manter em segredo o local das execuções em massa. Em Treblinka, os nazistas espancavam os judeus e os obrigavam a fazer tudo depressa, para que não reparassem em nada no entorno. Os doentes eram levados diretamente para uma tenda e fuzilados.

Os outros recém-chegados presumiam que seriam colocados para trabalhar. Homens e mulheres eram separados. As crianças recebiam pão e leite. Todos tinham que se despir; as roupas acrescentadas a uma enorme pilha. Os alemães distribuíram sabão e toalhas e ordenavam que se apressassem antes que a água ficasse fria. Os nazistas iam atrás deles — usando máscaras de gás. Então as pessoas começavam a chorar e rezar. Os gendarmes pressionavam o botão do gás. Os judeus fechavam os olhos, os músculos tensos como cordas retesadas, e sufocavam, agarrados uns aos outros em um enorme bloco petrificado. O aglomerado era então dividido em partes menores, disse o maquinista, que depois eram removidas por guindastes, colocadas em vagões de trem e descarregadas em valas.

"A terra engole tudo", escreveu Renia mais tarde, enquanto sua determinação se fortalecia, "exceto o segredo do que aconteceu."[34] As histórias, ela sabia, iam encontrar uma forma de voltar à tona.

*

Mais histórias chegaram com Frumka. Assim como a irmã, ela havia sido enviada de Varsóvia para Będzin, originalmente para procurar uma rota para a Palestina via Eslováquia, na fronteira sul da Polônia; sua missão era escapar para lá e servir como mensageira da nação. Disfarçada de cristã, Frumka havia "atravessado o inferno" nos meses anteriores, enquanto viajava entre Białystok, Vilna, Lvov e Varsóvia. Ela chegou a Będzin cansada e abatida — embora Renia tenha registrado o dia como um dos mais felizes na vida das duas irmãs: "Eu me lembro de como ficaram sentadas por uma hora inteira falando sobre tudo o que haviam passado."[35] Irmãs significavam tudo.

Frumka passava as noites contando aos membros do kibutz sobre as atrocidades cometidas por todo o país, dos comitês de extermínio formados por centenas de ucranianos e homens da Gestapo — e com a assistência da milícia judaica, cujos membros eram também executados mais tarde. Poças de sangue manchavam as ruas do bairro judeu de Vilna. Os assassinos se pavoneavam com uma alegria demoníaca. Ruas, becos e prédios de apartamentos estavam repletos de cadáveres. Por toda parte, pessoas gritavam e gemiam como animais selvagens. "Não há ajuda vindo de lugar nenhum!", anunciou Frumka. "O mundo nos abandonou."[36] Os relatos eram tão horrendos e vívidos que Renia passou dias sem conseguir tirá-los da cabeça. Ela compareceu a cada uma das frequentes assembleias, durante as quais Frumka pedia apenas uma coisa a todos os membros: defesa!

Contagiada pela dedicação de Frumka, Renia via "a mãe" carregar nos ombros o peso do kibutz, ao mesmo tempo que embarcava em missões comunitárias de maior envergadura. Assim como em Varsóvia, todos em Będzin conheciam e estimavam Frumka. Ela amenizava o sofrimento dos demais com palavras de conforto e conselhos sinceros. Não dava descanso ao Judenrat. Conseguiu que vários decretos fossem revogados e salvou mais de uma pessoa das "garras da morte". Frumka falava pouco sobre suas atividades, mas todos sabiam que ajudava os presos e tentava contatar judeus em outros países. Toda vez que alcançava um objetivo, ficava eufórica; seu entusiasmo comovia a todos.

*

Os relatos de Frumka, o vigor de Hantze, a história do maquinista e tudo o que tinham ouvido de Anilevitz estimularam a incipiente ŻOB de Zaglembie. Chajka viu, com orgulho, os membros começarem a surgir com relógios, roupas e pacotes de comida que haviam recebido de fora do país — qualquer coisa de valor que pudessem vender a fim de comprar suprimentos que os tornassem atraentes para os guerrilheiros, até mesmo sapatos. Eles sonhavam em conseguir armas. Pediam contribuições a judeus ricos, embora Chajka se mantivesse firme na decisão de não aceitarem um groshen além do necessário, mesmo quando o doador tinha milhões. Acabaram coletando cerca de 2.500 reichsmarks, o suficiente para mais de dez pessoas "se candidatarem" a um destacamento de guerrilheiros.[37] Os camaradas estabeleceram sua primeira oficina, onde fabricavam facas e faziam experiências com explosivos caseiros, na esperança de produzir granadas e bombas.

Chajka Klinger mal podia esperar para detonar uma.

*

De fato, havia um espírito de rebelião no ar. Naquele outono de 1942, a cidade vizinha de Lubliniec foi palco de uma revolta improvisada. Uma tarde, os nazistas ordenaram que todos os judeus se reunissem na praça do mercado e se despissem. Homens, mulheres, idosos e crianças foram forçados a tirar as roupas, até mesmo as roupas íntimas, sob o pretexto de que as peças eram necessárias para o exército alemão. Os nazistas os supervisionavam, brandindo chicotes e cassetetes, arrancando as roupas dos corpos das mulheres.

De repente, uma dúzia de mulheres judias nuas atacaram os oficiais, arranhando-os com as unhas. Incentivadas por espectadores gentios, elas os morderam, pegaram pedras e as atiraram contra eles com as mãos trêmulas.

Os nazistas ficaram estupefatos. Em pânico, bateram em retirada, deixando para trás as roupas confiscadas.

"Resistência judaica na Polônia: mulheres afugentam soldados nazistas" foi a manchete do relato desse incidente escrito pela Agência Telegráfica Judaica,[38] enviado da Rússia e publicado na cidade de Nova York.

Depois disso, muitos judeus de Lubliniec, incluindo as mulheres, decidiram se juntar aos guerrilheiros. Foi nessa época que surgiu a primeira resistência armada judaica — justamente na capital do Governo-Geral.

10. TRÊS LINHAS NA HISTÓRIA
UMA SURPRESA DE NATAL CRACOVIANA

GUSTA

O JURAMENTO AKIVA[1]

Prometo me dedicar à resistência ativa dentro da estrutura da Organização Judaica de Combate do Movimento Jovem Chalutz.

Juro, por tudo que me é mais caro, e acima de tudo pela memória e pela honra dos judeus poloneses mortos, que lutarei com todas as armas disponíveis até o último momento da minha vida na resistência aos alemães, aos nacional-socialistas e àqueles que estão aliados a eles, os grandes inimigos do povo judeu e de toda a humanidade.

Juro vingar a morte de milhões de inocentes, filhos, mães, pais e idosos judeus, defender o espírito judaico e empunhar com orgulho a bandeira da liberdade. Prometo derramar meu sangue na luta por um futuro promissor e independente para a nação judaica.

Juro lutar pela justiça, pela liberdade e pelo direito de todos os seres humanos de viver com dignidade. Lutarei lado a lado com aqueles que compartilharem do meu desejo por uma ordem social livre e igualitária, servindo fielmente à humanidade e dedicando-me sem hesitação a assegurar direitos humanos para todos, abrindo mão de meus desejos e de minhas ambições pessoais em nome dessa nobre causa.

Juro aceitar como irmãos aqueles que estiverem dispostos a se juntar a mim nessa luta contra o inimigo. Juro pôr o selo da morte em todos aqueles que traírem nossos ideais compartilhados. Juro resistir até o fim, sem recuar diante de adversidades esmagadoras ou mesmo da morte.

OUTUBRO DE 1942[2]

Gusta Davidson chegou exausta a Cracóvia,[3] a capital do Governo-Geral. Fazia dias que estava em deslocamento, acordando ao amanhecer, caminhando por quilômetros sob uma tensão nervosa permanente, um perigo constante. Primeiro, ajudara seus parentes, que ficaram encurralados em uma cidade cercada pela polícia. Em seguida, a viagem insone de volta a Cracóvia se deu em um infindável atoleiro de recursos logísticos: conexões, cavalo e charrete, carroça, motocicleta e horas de espera em estações de trem.

Agora, as pernas inchadas de Gusta a arrastavam para dentro de sua cidade, para o bairro judeu, uma pequena área de prédios baixos na margem sul do rio, longe do imponente castelo de telhados vermelhos e do sinuoso e colorido centro medieval. Antes da guerra, 60 mil judeus viviam em Cracóvia, o que representava um quarto da população;[4] a antiga área de Kazimierz abrigava nada menos do que sete sinagogas históricas, com uma arquitetura magnífica que remontava a 1407.

Gusta se aproximou do gueto — seus lábios, que normalmente eram brilhantes, e as maçãs do rosto salientes estavam estranhamente pálidos, e ela tinha grandes olheiras escuras e persistentes sob os olhos. Estava devastada pela exaustão. Mas ao se aproximar do arame farpado e ouvir o burburinho das ruas movimentadas, das multidões "soprando o zumbido e o falatório de sua existência, espalhando-os por entre os edifícios circundantes",[5] ao reconhecer alguns dos rostos e reparar naqueles que não conhecia, sentiu-se renovada, pronta para abraçar todos eles. O gueto fora estabelecido havia mais de um ano, mas mudava constantemente. Judeus fugiam, em seguida vinham os refugiados, como se aquele fosse um abrigo seguro. Assim como Gusta, todos estavam em fuga, de uma cidade sitiada para outra, correndo em círculos até o esgotamento do dinheiro ou das forças, ou até que uma *Aktion* os pegasse de surpresa. Gusta se sentia segura, tinha até uma certa sensação de pertencimento, em sua própria falta de raízes. Ficava tentada a perguntar a cada judeu com quem cruzava: "De onde você fugiu?"

Muitos deles, ela sentiu naquela tarde amena de domingo, haviam perdido a vontade de viver, sabendo que o fim estava próximo. Ainda assim, esperavam que a morte os pegasse de surpresa; recusavam-se a se entregar. *Eles vão ter que nos pegar*. Gusta também compreendia como "aos mais velhos faltava o espírito de luta" — como anos de degradação e tormentos tinham afetado essas "almas feridas e desesperançosas".[6] Os jovens, por outro lado, demonstravam uma tal ânsia de viver que, ironicamente, se lançavam à resistência e à morte certa.

No portão estreito, uma das aberturas nos muros do gueto cuja forma era propositalmente semelhante à de uma lápide, Gusta foi recebida por vários camaradas, que a ajudaram a continuar caminhando. As vozes e os rostos, a preocupação com seu retorno tão demorado, tudo se fundia em um borrão quente. Uma das poucas comunidades judaicas que restavam, Cracóvia era agora um centro do movimento de resistência, apesar de ser uma cidade infestada de nazistas de alta patente. Gusta, que havia crescido em uma família muito religiosa, era uma importante integrante do Akiva, um grupo sionista local. Uma amiga a havia apresentado ao movimento, e ela se deixara cativar pelo idealismo e pelo autossacrifício. Serviu no comitê central, como redatora e editora de publicações e como a responsável pela conservação dos registros de toda a organização. Ao contrário dos grupos sionistas seculares de esquerda, o Akiva enfatizava as tradições judaicas, celebrando o Oneg Shabat, uma cerimônia do Shabat, toda sexta-feira.

Até o verão anterior, o grupo estivera baseado em uma fazenda no povoado vizinho de Kopaliny, um oásis de paz em meio à brutalidade e à violência. "A quietude que os densos bosques exalavam descia flutuando do céu para ser absorvida pela terra", descreveu Gusta. "Nem mesmo uma folha se movia."[7] Eles viviam em comunidade entre pereiras, pomares, serranias e ravinas, sob um sol que "percorria lentamente o céu azul".[8] Mas o marido de Gusta, Shimshon, um dos líderes do Akiva, sabia que o movimento ia morrer — que a maioria deles morreria. Ele convocou uma reunião. A guerra não era um tremor passageiro: a selvageria ia ser pior do que eles imaginavam; os diabólicos assassinatos em massa triunfariam. Gusta e seus camaradas acreditavam em Shimshon, mas também se sentiam comprometidos com os ideais do Akiva: "levar os jovens para a vanguarda (...), neutralizar o desânimo que se disseminava", manter a decência e a humanidade e "agarrar-se à vida".[9]

No início da guerra, Shimshon fora preso por causa de seus escritos antifascistas. O casal, que se casara em 1940, tinha feito um pacto segundo o qual, se um dos dois fosse capturado, o outro se entregaria. Assim, Gusta também foi para a prisão. Eles conseguiram sair por meio do pagamento de um vultoso suborno, e continuaram a trabalhar. "Não se pode tentar preservar os combatentes escondendo-os em um abrigo",[10] acreditavam. Durante o verão de 1942, no entanto, assim como seus camaradas em Varsóvia e em Będzin, eles compreenderam que o movimento tinha que mudar.

"Queremos sobreviver como uma geração de vingadores", declarou Shimshon em uma reunião. "Se sobrevivermos, terá de ser como um grupo, e com armas nas mãos." Eles debateram: a retaliação dos nazistas seria muito violenta? Deveriam salvar apenas a si mesmos? Não, tinham de lutar. Até Gusta — a violência algo totalmente estranho à sua natureza — sentia um desejo profundo de vingança; matar o inimigo que havia matado seu pai e sua irmã. "As mãos, agora cobertas de terra fértil", escreveu ela, "logo estarão encharcadas de sangue."[11] A criação do Akiva seria a destruição. Em agosto, eles haviam se fundido com a Guarda Jovem, o Liberdade e outros grupos para formar o Pioneiros Combatentes de Cracóvia.

Agora, logo depois de cruzar os portões, ela ouviu os camaradas queixando-se do mau humor de Shimshon; de quão preocupado ele ficara com o atraso dela. Ela corou e riu alto para disfarçar o constrangimento por ser protagonista de fofocas. O marido chegou a deixar o trabalho para recebê-la. Gusta sentiu nas costas a pressão da palma rígida e estreita e olhou em seus olhos azul-acinzentados quando ficaram cara a cara. E naquele momento compreendeu: ele agora era um combatente em tempo integral, a luta era sua *femme fatale*.[12] Caberia a ela, sozinha, cuidar de todo o resto. Shimshon não a enxergava mais — com seus olhos penetrantes e escuros, o penteado de estrela de cinema —, enxergava apenas o futuro.

"Eu só tenho um momento",[13] sussurrou ele, e ela soube que era para sempre. Ele tinha que ir a uma reunião. Gusta havia participado de muitos dos encontros mais importantes da liderança, mas para aquele não fora convidada. Ela se deu conta: eles estavam planejando sua própria ação.

*

Cracóvia era uma localização estratégica para os nazistas, de modo que a declararam uma cidade saxônica, com raízes prussianas. Com essa reivindicação, ela se tornou a capital do Governo-Geral no lugar de Varsóvia e, consequentemente, tinha a sua área fortemente protegida.[14] Os judeus que lá viviam o faziam, portanto, em estreita proximidade com muitos oficiais de alta patente da SS. A resistência jovem operava nesse ambiente particularmente tenso.

Por isso, semanas mais tarde, quando Shimshon passou vários dias sem voltar para casa, Gusta ficou fora de si. Uma catástrofe podia se abater sobre eles em questão de segundos; se alguém simplesmente pensasse ter reconhecido Shimshon, ele estaria perdido. Mas seu marido era experiente, dizia ela a si mesma para se consolar, e ponderava que se a resistência tivesse dedicado tanto esforço a lutar de fato contra o inimigo quanto dedicara a proclamar sua prontidão para o combate, já teria conseguido muitas vitórias! Quando Shimshon finalmente voltou, foi apenas por um momento antes de partir outra vez. Gusta foi tomada pela tristeza. Era melhor estarem separados fisicamente e sonhar com o reencontro, ou tê-lo próximo, mas emocionalmente distante?

Com o retorno de Shimshon, todos souberam que uma batalha importante estava sendo planejada, dentro do gueto e na floresta. E todos queriam participar, apesar do intenso frio do outono. De acordo com o plano clandestino, o grupo de Cracóvia se dividiu em subgrupos de cinco pessoas, cada unidade autossuficiente com comandante, especialista em comunicações, administrador ou administradora e alguém encarregado de suprimentos. Cada grupo tinha suas próprias armas, provisões e área operacional, além de um plano de ação independente. Apenas integrantes de um grupo sabiam quem estava em seu grupo e quais eram seus planos, e mesmo dentro de um grupo, não se conhecia o paradeiro de cada componente.

Todo esse sigilo militar era um anátema à cultura de franqueza e não violência do grupo jovem. Mas a devoção entre os integrantes, que tinham todos perdido casa e família, era enorme. "O grupo havia se tornado o último refúgio em sua jornada mortal", explicou Gusta, "o último abrigo para seus sentimentos mais íntimos."[15] Embora não devessem se reunir — suas risadas e sua camaradagem chamavam muita atenção —, eles não conseguiam resistir. "As explosões de exuberância funcionavam como uma válvula de escape desesperado para suas psiques prematuramente traumatizadas", intuiu Gusta. "Se alguém perguntasse se eles não seriam imaturos demais para serem combatentes efetivos do movimento, que resposta caberia dar, uma vez que nunca tiveram a chance de vivenciar a juventude e nunca teriam?"[16] As lideranças esqueciam as diferenças ideológicas entre movimentos e se reuniam no coração do gueto, embora essas reuniões os expusessem e fossem arriscadas.

Shimshon, um tipógrafo amador com experiência em água-forte e gravura, era o encarregado do "gabinete técnico". Era uma época de "papéis, desorganização, carimbos, passes, certificados", observou Gusta, e Shimshon falsificava documentos para garantir a liberdade de movimento de integrantes da resistência. No início, carregava todo o escritório "nos bolsos do casaco", obrigado a procurar freneticamente por uma sala sempre que precisava produzir um documento, espalhando seus equipamentos sobre uma mesa. Mas precisava de mais espaço e começou a carregar uma maleta com a qual trabalhava; perambulava pelo gueto, de cômodo vazio em cômodo vazio, com seu "escritório móvel".[17] Até que uma maleta deixou de ser suficiente, e ele passou a precisar de duas. Em seguida, mais. Um grupo de assistentes o seguia para onde fosse, carregando sua coleção de valises, caixas, uma máquina de escrever, pacotes, o que se tornou um sério problema de segurança para toda a equipe. O gabinete precisava de um lar permanente.

Em Rabka, uma pequena cidade perto de Cracóvia, Gusta montou um espaço em uma bela casa de campo. Além de uma grande sala com duas janelas, a casa tinha cozinha e uma varanda e era "mobiliada de maneira modesta, mas com bom gosto, irradiando tranquilidade doméstica". Ela pôs flores sobre a mesa, pendurou cortinas nas janelas e fotografias nas paredes — tudo para dar ao espaço a aparência de um lar, como um "ninho aconchegante", escreveu.

Ali, Gusta tinha que "desempenhar o papel de uma esposa enferma, passando o outono dourado" em uma região propícia ao descanso. Witek, seu sobrinho de 6 anos, estava com ela; durante o dia, brincavam no jardim, faziam passeios a pé ou alugavam um barco para remar pelo rio tranquilo. Shimshon pegava o ônibus para Cracóvia todas as manhãs, fazendo amizade com os demais passageiros. Ele era misterioso, tinha uma expressão firme e "era uma figura intimidante",[18] escreveu Gusta. As pessoas achavam que tinha um cargo no governo, de modo que se levantavam para ceder o lugar a ele. Todos presumiam que a família era rica e que ele levava trabalho para casa em sua maleta a fim de passar mais tempo com a jovem esposa e o filho. Ninguém suspeitava que sua casa de campo abrigava a fábrica de falsificações da resistência judaica.

Em um canto longe da janela, Gusta montou um escritório completo: escrivaninha, máquina de escrever, equipamentos. Se passava os dias deleitando-se com a tranquilidade da vida doméstica, as noites, após a chegada tardia de Shimshon, eram dedicadas ao trabalho. Quando as luzes se apagavam na aldeia, ela cobria as janelas e trancava a porta. Até as três da manhã, forjava documentos, redigia e imprimia o jornal clandestino do movimento. Distribuído toda sexta-feira, o *Pioneiro Combatente* consistia em dez páginas datilografadas, que incluíam uma lista de colaboracionistas judeus. Gusta e Shimshon imprimiam 250 cópias, que eram distribuídas por camaradas combatentes em toda a região da Cracóvia.[19] Em seguida, dormiam algumas horas antes de Shimshon pegar o ônibus das sete de volta para a cidade — no qual ele tinha que parecer revigorado.

Hanka Blas, uma camarada do Akiva e mensageira de Shimshon, morava a vinte minutos de distância. Ela e Gusta compartilhavam um "amor fraternal",[20] segundo Gusta, e embora fosse mais seguro que cortassem todo o contato, não conseguiam ficar longe uma da outra, confortadas na companhia de amigas que conheciam sua verdadeira identidade e entendiam seu desespero. Os vizinhos achavam que Hanka era babá de Witek. Hanka contrabandeava boletins clandestinos e, em algumas manhãs, enchia sua cesta com ovos, cogumelos, maçãs e o material produzido na noite anterior, colocava um lenço na cabeça e tomava o ônibus como se estivesse indo ao mercado. Às vezes, se sentava ao lado de Shimshon, fingindo não o conhecer.

*

Um belo dia, relatou Gusta, Hela Schüpper[21] chegou ao gueto de Cracóvia, voltando de Varsóvia. De uma "beleza voluptuosa",[22] a pele clara e as bochechas cheias e rosadas, Hela usou seu charme, sua eloquência e seus profundos conhecimentos práticos para se tornar a principal mensageira do Akiva. Ela fora criada em uma família hassídica e frequentara uma escola pública polonesa. Quando as dirigentes de uma organização nacionalista feminina foram recrutar estudantes e ninguém se voluntariou, Hela aderiu ao grupo, envergonhada com a falta de patriotismo de suas colegas judias. As atividades da organização permitiram a Hela entrar em contato com cultura, esportes e prática de tiro com rifle e pistola, mas ela acabou deixando o movimento, repelida pelo que considerou ser uma proposta antissemita feita por uma das dirigentes. Shimshon a convenceu a se juntar ao Akiva, garantindo que não se tratava de um grupo ateu. Os Schüpper ficaram mais contrariados com isso do que com a participação dela na organização polonesa. Hela se afastou da família — o movimento passou a ser seu lar.

Confiante e com um autocontrole impecável, bem como um diploma em Comércio, ela havia representado o Akiva na reunião realizada em Varsóvia no verão anterior, quando os grupos de jovens decidiram formar uma força de combate, e vinha levando informações e documentos entre as duas cidades. Mas naquela manhã, no outono de 1942, Hela chegou com algo mais: um carregamento de armas. Dois rifles Browning pendurados dentro de seu casaco largo, três pistolas e vários pentes de munição dentro de sua elegante bolsa.

"Ninguém jamais tinha sido recebido com a efusão de afeto dispensada a Hela", escreveu Gusta mais tarde. "É impossível descrever o êxtase inspirado por aquelas armas."[23] As pessoas paravam no quarto onde ela estava descansando apenas para ver a bolsa pendurada na parede, e Shimshon, lembrou ela, ficou "feliz como uma criança".[24] Líderes começaram a fantasiar: com aquelas armas poderiam angariar um número exponencialmente maior. Era o início de uma nova era.

No entanto, aquele grupo não tinha qualquer treinamento militar, nem mesmo o mais tênue éthos militar. Suas lideranças não se sentiam confortáveis com a ideia de conduzir os outros membros para a morte, para dizer o mínimo. Sabiam que tinham que colaborar com o PPR, o clandestino Partido Comunista Polonês. O principal elo entre eles e o PPR era Gola Mire,[25] uma aguerrida poeta judia que havia sido expulsa da Guarda Jovem anos antes por causa de suas opiniões radicais de extrema esquerda. Militante comunista, ela havia sido condenada a doze anos de prisão por organizar greves. (Sua defesa no julgamento foi tão comovente que o promotor responsável pela acusação lhe ofereceu rosas.) No caos da invasão nazista, Gola liderou uma fuga da prisão feminina e percorreu o país em busca do namorado. Eles se casaram em território soviético, e ele se alistou no Exército Vermelho. Por fim, para fugir à perseguição nazista, ela passou à clandestinidade e, sozinha, deu à luz seu primeiro filho, cortando ela mesma o cordão umbilical.

Passados alguns meses, no entanto, Gola precisou de ajuda e voltou para o gueto, onde o bebê morreu em seus braços. Na fábrica alemã em que trabalhou por um tempo, furava secretamente as latas de comida que seriam enviadas aos soldados, até que a sabotagem se tornou perigosa demais. Mantinha contato com integrantes do Partido Comunista Polonês e, embora eles relutassem em colaborar com os judeus, Gola os convenceu a ajudá-los a encontrar esconderijos e guias na floresta. Os membros do Akiva a viam como "uma combatente aguerrida com um coração genuinamente feminino".[26] Contudo, nem sempre era possível contar com o Partido Comunista. Certa vez, membros do partido tinham que guiar um grupo de cinco judeus até um grupo de rebeldes na floresta; em vez disso, eles os traíram e os deixaram perdidos. Em outras ocasiões, prometeram armas e dinheiro que nunca chegaram.

O partido judeu decidiu se tornar uma força independente. Os jovens comiam casca de pão seco, usavam botas furadas e dormiam em porões, mas se orgulhavam disso. Juntavam dinheiro para comprar armas. O "gabinete técnico" vendia documentos falsos e havia outras fontes de dinheiro, provavelmente até mesmo por meio de roubo. Um grupo de combatentes era encarregado de obter złotys, outro vasculhava as florestas em busca de bases potenciais. Hela e duas outras mulheres procuravam por abrigos seguros nas proximidades. Outras mulheres eram enviadas para cidades próximas para alertar sobre *Aktions* iminentes. Gusta encontrou esconderijos, e acompanhava grupos até a floresta, falava com líderes e conectava comunidades. Mantinha contato com Kielce, onde os camaradas debatiam se deviam se concentrar no resgate de jovens artistas judeus ou de suas próprias famílias. O grupo havia elaborado várias propostas e conseguido dinheiro, mas Gusta achava que eles estavam se iludindo. Ela não era a pessoa certa para promover suas ideias junto à liderança.

Gusta se sentia frustrada porque as mulheres não só eram impedidas de comparecer às reuniões do primeiro escalão da resistência, mas também eram advertidas por incomodar os homens. Aparentemente, estavam em uma situação de equidade — havia muitas mulheres atuando na liderança do grupo[27] —, mas, na realidade, ficavam de fora do círculo seleto dos principais tomadores de decisão. Ela se preocupava com a possibilidade de os quatro líderes do sexo masculino serem impetuosos e irascíveis, mas se consolava desejando que pelo menos um deles se lembrasse: todas as vidas contavam.

*

Era um dia ameno de outubro, os raios de sol outonais ainda fortes, nenhum indício de qualquer coisa fora do normal. Mas aquela foi a manhã de uma grande *Aktion* nazista em Cracóvia. Desencadeada um dia antes do que o movimento previra, pegou todos de surpresa. Gusta e seus camaradas não puderam salvar os pais, e mal conseguiram sair do gueto com vida. Esconderam-se em um armazém, em seguida passaram de porão em porão. A pior parte, para Gusta, era o silêncio absoluto. Ao passo que em outras cidades as *Aktions* eram acontecimentos grotescos e sangrentos, com famílias inteiras sendo metralhadas, ali tratava-se de um evento "de uma capital": silencioso e ordeiro. A maioria dos judeus já estava debilitada demais pela fome até mesmo para gritar. O silêncio, a perda da família, o horror — tudo isso motivou os jovens. Em busca de escape e vingança, eles se lançaram à ação.

Foi um outono excepcionalmente bonito. "As folhas mantiveram o frescor verde durante boa parte da estação", escreveu Gusta. "O sol transformava a terra em ouro, aquecendo-a com seus raios benevolentes."[28] Mas o movimento sabia que cada dia era uma dádiva. Quando o outono frio e úmido chegasse, seria muito difícil se locomover pela floresta. Então, eles mudaram de tática. Os combatentes decidiram realizar suas ações ali mesmo na cidade, visando nazistas de alta patente para que "até mesmo um pequeno ataque atingisse o coração da autoridade e danificasse uma importante engrenagem da máquina",[29] escreveu Gusta, ansiosa por causar estragos e despertar ansiedade entre as autoridades. "Vozes racionais" disseram aos jovens para esperar e não enfurecer os nazistas com pequenos atos, mas os combatentes simplesmente estavam convencidos de que não permaneceriam vivos por muito mais tempo.

Foi um período incrivelmente ativo, com os camaradas trabalhando do amanhecer até o pôr do sol. Em pouco tempo, estabeleceram bases dentro e fora do gueto, bem como pontos de contato e apartamentos seguros nas cidades vizinhas. Camaradas saíam em grupos de dois ou três para fazer investigações, trabalhar como mensageiros, espionar a polícia secreta, continuar o trabalho técnico, distribuir folhetos em ruas movimentadas e confrontar o inimigo. Combatentes saltavam de um beco escuro, desferiam um golpe, confiscavam uma arma e desapareciam. Priorizavam matar colaboracionistas e traidores. A aparência judaica de muitos deles dificultava que trabalhassem no lado ariano sem lançar mão de disfarces; um líder começou a usar um uniforme da polícia polonesa[30] e, em seguida, "se promoveu"[31] a nazista.

Novos e profundos laços se formaram entre o grupo, e integrantes criaram um novo tipo de vida familiar para ajudar a amenizar a perda da que havia sido destruída. Para camaradas em todo o país, o movimento era o seu mundo, e as decisões que tomavam podiam significar a vida ou a morte; a confiança mútua era fundamental. Eram jovens em idade universitária, uma época da vida em que as parcerias e as amizades são essenciais para o desenvolvimento do conceito de si mesmo e da identidade. Alguns se tornavam amantes, seu desenvolvimento acelerado, redirecionado. As relações sexuais eram frequentemente apaixonadas, urgentes, uma afirmação da vida.[32] Outros se tornavam pais, irmãos e primos substitutos uns dos outros.

Em Cracóvia, a base do gueto, no número 13 da rua Jozefinska, um apartamento de dois quartos no primeiro andar, acessível por um corredor longo e estreito, tornou-se a casa dos integrantes — a que todos sabiam que provavelmente seria a última. Como os jovens eram, em sua maioria, os únicos sobreviventes de sua família, eles levavam suas "heranças" (roupas, sapatos) para o esconderijo e "organizavam liquidações totais",[33] redistribuindo os pertences para quem precisava. Ou os vendiam, juntando o dinheiro em um fundo comum. Desejavam profundamente amar e ser amados, e criaram uma comuna na qual compartilhavam tudo, dos recursos guardados no caixa à cozinha. Elsa, uma camarada intensa, mas sempre bem-humorada, assumiu o fogão e "dedicou a vida e a alma ao gerenciamento da cozinha".[34] O cômodo era minúsculo, com panelas e frigideiras empilhadas no chão. Era preciso tirá-las do caminho para abrir a porta. O apartamento servia como base operacional, onde integrantes se apresentavam e depois eram despachados para suas respectivas missões. Um minuto antes do toque de recolher, todos voltavam correndo, com relatos de sucesso ou fracasso, contando como haviam escapado de balas perdidas — literalmente.

Na Jozefinska, o grupo se unia para fazer as refeições. Todas as noites eram extraordinárias, com conversas e risos. Anka, tão forte que, quando foi presa, parecia que era ela quem conduzia os policiais;[35] Mirka, encantadora e radiante; Tosca, Marta, Giza, Tova. Sete pessoas dormiam em uma mesma cama, outras, em cadeiras ou no chão. O local não era sofisticado nem particularmente limpo, mas era sua morada querida e o último lugar onde poderiam viver suas verdadeiras identidades.

Durante todo esse tempo o grupo celebrou o Oneg Shabat, mantendo a tradição do Akiva. Na sexta-feira, 20 de novembro, eles se reuniram para as festividades do anoitecer ao amanhecer. Passaram dois dias preparando a refeição e se juntaram, vestindo blusas e camisas brancas, em torno de uma mesa posta com uma toalha branca. Depois de um momento de silêncio, cantaram as mesmas canções que vinham entoando havia anos em um dilúvio de harmonias. Naquela noite, no entanto, recebiam a noiva do Shabat juntos pela última vez. Alguém gritou: "Esta é a última ceia!"[36] *Sim, é verdade*, todos eles sabiam. À cabeceira da mesa, um dos líderes falou longamente sobre como a morte estava próxima. Havia chegado a hora de "lutar por três linhas na história".[37]

A atividade se acelerou. O grupo teve que deixar o gueto por causa da deterioração das condições. Uma noite, os líderes se esconderam em um parque e mataram um sargento nazista que passava. Saíram do meio dos arbustos, misturaram-se à multidão assustada e ziguezaguearam de volta para a Jozefinska; ninguém os seguiu. Mas essa ousadia era mais do que as autoridades estavam dispostas a tolerar. Os nazistas, determinados a esmagar aquela rebelião humilhante, mentiram ao público sobre o que havia acontecido, reforçaram a segurança, anteciparam o toque de recolher, fizeram reféns, elaboraram uma lista. Eles estavam atrás dos líderes, que, por sua vez, planejavam o clímax: um combate ao ar livre.

Depois de ter sucesso em mais alguns assassinatos de nazistas na cidade, o movimento decidiu intensificar a atividade e, para isso, combinou forças com membros judeus do PPR. Em 22 de dezembro de 1942, quando muitos nazistas estavam na cidade comprando presentes de Natal e participando de festas, quarenta combatentes judeus, homens e mulheres, se dirigiram para as ruas de Cracóvia. As mulheres distribuíram panfletos antinazistas por toda a cidade, enquanto os homens empunhavam bandeiras dos guerrilheiros poloneses e deixavam uma coroa de flores junto à estátua de um poeta polonês — tudo para que os judeus não fossem culpados pelo que estava prestes a acontecer. Em seguida, os combatentes atacaram garagens militares e dispararam alarmes de incêndio por toda a cidade, provocando uma enorme confusão. Às sete da noite, atacaram três cafés onde os alemães costumavam se reunir, e lançaram bombas em uma festa de Natal nazista. Combatentes jogaram granadas no interior do Cyganeria, um café que, localizado na magnífica cidade velha, era ponto de encontro exclusivo de eminentes soldados alemães. Essa ação matou pelo menos sete nazistas e feriu muitos mais.[38]

Apesar de muitas lideranças da resistência terem sido presas e mortas na sequência, os judeus continuaram a atirar bombas em alvos fora da cidade, incluindo a principal estação de trem de Cracóvia, cafés em Kielce e um cinema em Radom — tudo com a ajuda de Gola Mire.

*

Algumas semanas depois dos ataques de dezembro, Hela estava em um trem,[39] preocupada, sem saber onde ia dormir e comer, quando entabulou uma conversa com um jovem acadêmico polonês.

— A guerra logo vai terminar — disse ele, tentando tranquilizá-la.

— Como você sabe? — perguntou ela.

Ele explicou que as forças polonesas tinham começado a se movimentar. Estava tão orgulhoso da resistência polonesa — eles tinham explodido o café!

Hela não conseguiu se controlar. E se ela fosse a última judia? Precisava que aquele homem soubesse a verdade. Não havia mais ninguém que ela pudesse trair.

— Pois saiba, gentil senhor — disse ela —, que os ataques aos cafés de Cracóvia a que se referiu foram obra de jovens combatentes judeus. Caso viva para ver o fim da guerra, por favor, conte ao mundo sobre isso. E, a propósito, eu também sou judia.

O homem ficou pasmo. O trem se aproximou de Cracóvia.

— Venha comigo — disse ele com firmeza quando chegaram.

Seria o fim de Hela? Teria isso alguma importância?

Então ele a levou para um apartamento confortável, onde ela passou a noite em segurança.

11. 1943, UM NOVO ANO
A MINIRREBELIÃO EM VARSÓVIA

ZIVIA E RENIA

JANEIRO DE 1943

Às seis da manhã, algumas semanas depois do inspirador levante em Cracóvia,[1] Zivia foi acordada com a notícia: os nazistas haviam entrado no gueto de Varsóvia. Uma *Aktion* surpresa.

A ŻOB presumira que os nazistas estivessem concentrados em uma perseguição em grande escala no lado ariano, onde vinham prendendo milhares de poloneses. Na verdade, a organização havia pedido a todos os seus mensageiros que voltassem *para* o gueto, que parecia ser um local mais seguro. Até mesmo integrantes da resistência polonesa haviam se escondido lá.

Mas Himmler[2] tinha novas cotas.

A noite tinha sido longa, cheia de planejamento e reuniões, mas Zivia correu para se vestir e desceu para examinar o cenário. As ruas estavam cercadas. Havia uma sentinela alemã postada na frente de cada casa. Não havia como sair nem como se comunicar com outros prédios. Todo o planejamento da noite anterior tinha se tornado inútil; seus planos de combate não seriam postos em prática. Será que os alemães destruiriam o gueto por completo?

Zivia entrou em pânico. Como podiam estar tão despreparados?

*

Ao longo dos meses antecedentes, apesar do grande número de mortes causadas pelas *Aktions* realizadas durante o verão, o progresso da ŻOB havia despertado alguma esperança. Como em Cracóvia, os grupos de jovens eram compostos por pessoas que já confiavam umas nas outras e estavam prontas para formar unidades de combate secretas. A ŻOB recrutara novos integrantes para se juntarem às centenas de camaradas ainda vivos no gueto e dera início a uma caçada aos informantes. Também tentara novamente estabelecer alianças com outros movimentos. Mais uma vez, não foi possível chegar a um acordo com o grupo revisionista Betar,[3] que estava mais bem armado e tinha sua própria milícia, a ŻZW (União Militar Judaica). O Bund, em contrapartida, finalmente concordou com a colaboração. Junto com os partidos sionistas "adultos", seus membros se juntaram à ŻOB e formaram uma nova aliança.[4]

Com essa nova credibilidade, a ŻOB finalmente conseguiu contactar a resistência polonesa,[5] formada por duas facções rivais. O Exército Nacional (conhecido na Polônia como Armia Krajowa ou AK) era alinhado ao governo predominantemente de direita que estava exilado em Londres. O Exército Nacional tinha uma liderança antissemita, ainda que, individualmente, muitos de seus integrantes fossem liberais que ajudavam os judeus. (Jan Żabiński, o agora famoso diretor do zoológico de Varsóvia, era membro do AK.) O Exército do Povo, por outro lado, era filiado ao grupo comunista (PPR) e, na época, era a mais fraca das duas facções. A liderança do Exército do Povo (Armia Ludowa, ou AL) cooperava com os soviéticos e estava mais disposta a colaborar com os judeus do gueto e os guerrilheiros da floresta — na verdade, com qualquer um que quisesse derrubar os nazistas. Mas não tinha muitos recursos.

O Exército Nacional relutava em ajudar a ŻOB por diversos motivos. Seus líderes achavam que os judeus não revidavam; além disso, temiam que um levante no gueto se alastrasse, e não tinham armas suficientes para sustentar uma rebelião em toda a cidade. Temiam que uma revolta prematura fosse prejudicial e preferiam esperar que alemães e russos sangrassem uns aos outros antes de entrarem em ação. O Exército Nacional recusara-se a estabelecer uma discussão séria com míseros grupos de jovens; no entanto, *estava de fato* disposto a se reunir com a nova aliança.

A reunião foi um sucesso. O Exército Nacional enviou dez espingardas, quase todas funcionais, além de instruções sobre como fabricar explosivos. Uma judia descobriu uma fórmula para produzir bombas incendiárias: recolher lâmpadas elétricas retiradas de casas abandonadas e enchê-las com ácido sulfúrico.[6]

Cheia de ímpeto, a ŻOB começou a agir em escala mais ampla. Assim como Frumka havia sido enviada para Będzin, outros integrantes se espalharam por toda a Polônia a fim de liderar unidades de resistência e manter conexões com o exterior. (Mais tarde, Zivia zombaria de si mesma por ter sido tão ingênua a ponto de acreditar que eles não estavam recebendo ajuda externa porque o mundo não sabia de nada.) Rivka Glanz foi para Częstochowa. Leah Pearlstein e Tosia Altman partiram em busca de armas na Varsóvia ariana.

Os membros do Bund fortaleceram suas unidades de combate.[7] Vladka Meed foi abordada pelo líder do Bund, Abrasha Blum, e chamada para comparecer a uma reunião da resistência. Por causa de seu cabelo liso e castanho-claro, do nariz pequeno e dos olhos verde-acinzentados, ela foi convidada a se mudar para o lado ariano. A ideia de deixar o gueto, onde a maioria dos judeus enfrentava condições terríveis como mão de obra escrava,[8] deixou-a eufórica.

Uma noite, no início de dezembro de 1942, Vladka recebeu a notícia de que deveria sair com uma das brigadas de trabalho na manhã seguinte e trazer de volta o último boletim clandestino do Bund, no qual havia um mapa pormenorizado de Treblinka. Ela escondeu as páginas no sapato, em seguida, encontrou um líder de brigada que aceitou seu suborno de 500 złotys e a incluiu no grupo que aguardava a inspeção junto ao muro do gueto, no frio congelante. Tudo estava indo bem até que o nazista responsável por inspecionar Vladka decidiu que não havia gostado da cara dela. Ou, talvez, tivesse gostado demais. Ela foi retirada da formação e levada a uma pequena sala com paredes manchadas de respingos de sangue e cheia de fotografias de mulheres seminuas. O guarda a revistou e ordenou que se despisse. Ela só precisava ficar de sapato...

— Tire os sapatos! — ordenou ele.

Mas nesse exato momento um nazista entrou esbaforido para informar seu algoz de que um judeu havia escapado, e os dois desapareceram. Vladka se vestiu rapidamente e saiu, dizendo ao guarda na porta que havia passado na inspeção. Foi ao encontro de camaradas do lado ariano e começou seu trabalho estabelecendo contato com gentios, encontrando lugares para judeus fugitivos morarem e se esconderem, e adquirindo armas.

Mais importante ainda, a ŻOB estava determinada a eliminar os colaboracionistas, sentindo que essas eram pessoas que facilitavam muito o trabalho dos nazistas. Integrantes da ŻOB afixaram cartazes por todo o gueto declarando que a organização vingaria qualquer crime cometido contra judeus — ameaça prontamente cumprida com o assassinato de dois líderes da milícia e do conselho judaicos. Para a surpresa de Zivia, as execuções tiveram impacto sobre os judeus do gueto, que passaram a respeitar o poder da ŻOB.

Uma nova autoridade passou a governar o gueto.

O grupo de combate estava a algumas semanas de iniciar um levante em grande escala. De acordo com um dos líderes do Bund, Marek Edelman, eles haviam definido o grande dia: 22 de janeiro.[9]

*

Quando a *Aktion* nazista começou, em 18 de janeiro, Zivia ficou em choque. Os camaradas não tiveram tempo de se reunir e decidir sobre uma resposta. Vários membros não tinham certeza de onde deveriam se posicionar. A maioria das unidades não tinha acesso a outras armas além de paus, facas e barras de ferro. Cada grupo estava por conta própria, sem a possibilidade de se comunicar.

Mas não havia tempo a perder. Com algum improviso, dois grupos entraram em ação. No fim das contas, a falta de tempo para discussões do comitê os forçou a se mobilizar.[10]

Zivia não sabia disso na época, mas Mordechai Anilevitz rapidamente ordenou a um grupo de quarenta combatentes da Guarda Jovem, homens e mulheres, que fossem para as ruas, se deixassem ser capturados e, em seguida, se misturassem às filas de judeus conduzidas à *umschlagplatz*. Ao se aproximar da esquina das ruas Niska e Zamenhofa, Anilevitz deu o comando. Os combatentes sacaram as armas escondidas e abriram fogo contra os alemães que os escoltavam. Lançaram granadas sobre eles enquanto gritavam para que os companheiros judeus fugissem. Alguns poucos o fizeram. De acordo com o relato de Vladka Meed, "a maioria dos judeus na fila dos deportados se lançou sobre os soldados alemães com unhas e dentes, usando mãos, pés, dentes e cotovelos".[11]

Os alemães ficaram estupefatos.

— Os judeus estão atirando em nós!

Na confusão, a juventude judaica seguiu atirando.

Mas os nazistas não demoraram a se recompor e retaliaram rapidamente. Desnecessário dizer que o punhado de pistolas dos rebeldes não era páreo para o poder de fogo superior dos alemães. Os soldados do Reich perseguiram os poucos combatentes da ŻOB que conseguiram fugir. Quando ficou sem balas, Anilevitz arrancou a arma de um alemão, recuou para dentro de um prédio e continuou a atirar. Um judeu em um bunker próximo o puxou para dentro. Apenas Anilevitz e uma combatente judia sobreviveram. Os resultados foram trágicos, mas a influência dessas ações foi enorme: judeus haviam matado alemães.

O segundo grupo era o de Zivia. Comandada por Antek e dois outros homens, essa unidade adotou uma tática diferente. A maioria dos judeus remanescentes estava escondida, o que significava que os alemães precisavam entrar nos prédios para capturá-los. Em vez de provocar uma batalha ao ar livre, que tinham certeza de que perderiam, eles decidiram esperar que os nazistas se aproximassem, para então atirar do interior. Zivia achava que emboscar os alemães causaria o maior número de baixas.

Ela ficou em alerta em uma das bases do Liberdade, dentro de um prédio de apartamentos nos números 56-58 da rua Zamenhofa. Quarenta homens e mulheres assumiram suas posições. Eles tinham, ao todo, quatro granadas de mão e quatro espingardas. A maioria estava armada com nada além de barras de ferro, paus e bombas incendiárias improvisadas com lâmpadas cheias de ácido.

Zivia e seus camaradas sabiam que lutariam até a morte, mas esperavam avidamente pela chegada dos nazistas; ansiavam por causar danos e serem abatidos de maneira honrosa. Havia seis meses que os alemães vinham matando sistematicamente os judeus de Varsóvia, e nem um único tiro havia sido disparado contra eles.

Silêncio absoluto, exceto por um ou outro grito de pessoas sendo forçadas a ir para a *umschlagplatz*. Enquanto esperava pelo confronto, segurando com força sua arma, Zivia se sentia inundada de adrenalina — e, ao mesmo tempo, de uma profunda tristeza. Mais tarde, refletindo sobre aquele momento, ela descreveu seu conflito interno como "uma espécie de inventário emocional nos momentos finais da minha vida".[12] Os amigos que nunca mais veria. A *aliyah* que nunca faria.

Yitzhak Katzenelson, o poeta, quebrou o silêncio com um breve discurso: "Nossa luta armada será uma inspiração para as futuras gerações (...). Nossos feitos serão lembrados para sempre (...)."[13]

E então: botas pesadas nos degraus. A porta da frente se abriu com violência. Um grupo de soldados alemães invadiu o local.

Um camarada fingia ler um livro de Sholem Aleichem. Os alemães passaram direto por ele e entraram no cômodo onde Zivia estava à espera com outros combatentes. Eles pareciam ser apenas judeus miseráveis, aguardando sua execução. Nesse momento, o jovem que fingia ler se levantou de um salto e atirou em dois dos alemães pelas costas. Os outros nazistas recuaram para a escada. Em seguida, todos os demais combatentes saíram de armários e esconderijos e começaram a lutar usando as armas de que dispunham. Alguns se concentraram em pegar rifles, pistolas e granadas dos soldados mortos.

Os alemães que sobreviveram bateram em retirada.

Judeus com um mínimo arsenal haviam matado nazistas!

E agora também tinham mais armas.

Depois de alguns momentos de euforia, veio o choque. Eles estavam confusos, completamente desnorteados. Zivia não conseguia acreditar que haviam abatido alemães e *sobrevivido*. Tomados pela emoção, os combatentes sabiam que precisavam se manter focados. Os nazistas iam voltar. O que fazer a seguir? "Estávamos totalmente despreparados", escreveu Zivia mais tarde. "Não esperávamos continuar vivos."[14]

Precisavam fugir. Ajudaram o único camarada ferido, o esconderam e em seguida saíram pelas claraboias do prédio, rastejando em uma única fila ao longo dos telhados inclinados cobertos de neve e gelo, a cinco andares de altura, até finalmente chegarem ao sótão de um prédio desconhecido, abalados, esperando ter tempo de descansar, de se reorganizar.

Mas os alemães também entraram naquele prédio, as botas pisando duro escada acima. Os camaradas do Liberdade abriram fogo. Dois deles jogaram um alemão pelo vão da escada. Outro lançou uma granada na entrada, bloqueando a fuga dos nazistas. Os alemães recuaram, arrastando seus mortos e feridos, e não voltaram naquela noite.

No dia seguinte, os nazistas atacaram os apartamentos vazios e aquela nova "base". Mais uma vez, os camaradas escaparam com vida. Apenas um ferido. Nenhuma baixa.

Assim que escureceu, a tropa de Zivia se dirigiu ao posto do Liberdade, no número 34 da rua Miła, para se reunir com camaradas que deveriam ter chegado da fazenda, mas encontraram apenas "o silêncio da morte impregnando o ar".[15] Móveis quebrados. Penas de travesseiro cobrindo o chão. Mais tarde, Zivia descobriu que eles tinham sido levados para Treblinka. Alguns, incluindo várias mulheres corajosas, haviam pulado do trem.

O grupo se instalou nos apartamentos mais estratégicos do prédio. Cada unidade recebeu instruções e assumiu sua posição. Sentinelas foram postadas para alertar sobre qualquer ataque-surpresa. Pela primeira vez, traçaram um plano de fuga e combinaram um ponto de encontro alternativo. Por fim, dormiram.

Ao amanhecer, o gueto estava silencioso. Zivia concluiu que os nazistas estavam agora entrando nos edifícios sorrateiramente. Enviavam a polícia judaica à frente, para avaliar a segurança da área. As buscas nas casas se tornaram menos minuciosas. Os nazistas estavam com medo "de uma bala judia".

Zivia se sentia revigorada, com uma nova razão para viver.

"Ao mesmo tempo que milhares de judeus se encolhiam em seus esconderijos, tremendo ao cair de uma folha", escreveu ela, "nós, que tínhamos sido batizados no fogo e no sangue da batalha, nos mantínhamos confiantes, e quase todos os vestígios de nosso antigo medo tinham desaparecido."[16] Um camarada foi até o pátio, à procura de fósforo e gravetos para acender o fogão. Voltou trazendo até mesmo vodca. Eles se sentaram perto do fogo e beberam. Relembraram suas batalhas, brincaram e caçoaram de um combatente que ficara tão deprimido que estivera prestes a matar todos eles com uma granada quando seu comandante o deteve.

Ainda estavam rindo quando a sentinela entrou.

— Há um grande contingente de homens da SS no pátio — alertou.

Zivia olhou pela janela e os viu gritando para os judeus saírem do prédio. Ninguém se moveu.

Mais uma vez, os alemães entraram e foram momentaneamente enganados por um combatente que fingiu se render. Então os outros começaram a atirar, e "uma chuva de balas vindas de todos os lados se abateu sobre eles".[17] Os nazistas recuaram, mas foram emboscados por camaradas que esperavam do lado de fora. Zivia viu vários alemães feridos e mortos caídos na escada.

Mais uma vez, achava surpreendente que ela e seus companheiros ainda estivessem vivos. Sem nenhuma baixa. Os combatentes recolheram as armas dos soldados mortos e saíram pelos sótãos, onde encontraram um esconderijo camuflado. Os judeus escondidos lá os acolheram, e um rabino louvou seu trabalho.

— Se ainda tivermos vocês — disse ele —, jovens judeus lutando e se vingando, de agora em diante, será mais fácil para nós morrer.

Zivia tentou conter as lágrimas.

Os alemães voltaram ao prédio original. Mas não havia mais judeus para eles matarem.

*

A *Aktion* de janeiro durou apenas quatro dias. Por fim, a ŻOB ficou sem munição, os nazistas encontraram seus esconderijos e muitos camaradas foram mortos. Milhares de judeus foram arrancados das ruas. Até mesmo Tosia foi capturada e levada para a *umshlagplatz*, mas um membro da milícia que era na verdade um agente duplo trabalhando para a Guarda Jovem a resgatou.

No geral, porém, os planos tiveram um grande êxito. A intenção dos nazistas de limpar o gueto foi frustrada pela ação do grupo de Zivia e de outros grupos de combate. Um membro do Bund atirou em um comandante da SS durante uma busca na oficina de Schultz, matando-o. Combatentes da ŻOB mascarados jogaram ácido em um nazista na loja de móveis Hallman;[18] amarraram os guardas sob a mira de uma arma e destruíram seus registros.[19] Um camarada saltou sobre um nazista, enfiou um saco sobre sua cabeça e o atirou pela janela. Outro despejou líquido fervente na cabeça de alemães que estavam abaixo.[20] O que deveria ter sido uma operação de duas horas custou vários dias aos nazistas,[21] e eles apreenderam apenas metade de sua cota. Os judeus praticamente não tinham comida, mas tinham uma nova esperança. Esse pequeno levante ajudou a promover a unidade, o respeito, algum ânimo — e também lhes deu status. Tanto judeus quanto poloneses consideraram a retirada alemã uma vitória da ŻOB.

Os combatentes ficaram exultantes com o sucesso, mas também cheios de remorso. Por que haviam demorado tanto para agir se nem havia sido *tão* difícil? Fosse como fosse, eles não tinham escolha a não ser continuar lutando por uma morte honrosa. As massas, por outro lado, agora acreditavam que se esconder poderia mantê-los vivos. O gueto estava se tornando um posto de combate unido. Foi a "era de ouro" do gueto de Varsóvia.

*

Apesar da empolgação e da esperança crescente em Varsóvia e da reverberação desse ânimo em outras cidades, Będzin havia se tornado "um verdadeiro inferno", escreveu Renia. Depois da impressão inicial de que estava no paraíso, o inverno foi, para ela, uma "tortura" física, existencial e emocional. "A fome era uma hóspede constante em nossa casa. As doenças se multiplicavam, não havia medicamentos, e a morte cavava suas sepulturas."[22] Todos os dias, comboios de judeus com mais de 40 anos, aparentemente velhos demais para trabalhar, eram mandados para longe. Qualquer infração, por menor que fosse, era motivo de execução: atravessar a rua na diagonal, andar do lado errado da calçada, descumprir o toque de recolher, fumar um cigarro, vender qualquer coisa, até mesmo possuir ovos, cebola, alho, carne, laticínios, assados ou banha. A polícia entrava nas casas de judeus para inspecionar o que estavam cozinhando. O Judenrat e a milícia os ajudavam, seguindo à risca todas as ordens dos alemães. Com seus chapéus brancos, eles eram implacáveis, escreveu Renia, e quando descobriam que um judeu estava escondendo algo, exigiam suborno para se manter em silêncio. Multavam as pessoas pela menor das infrações e embolsavam o dinheiro.

Hantze ficou doente. Pesadelos a torturavam dia e noite. Assombrada pelo horror que havia testemunhado em Grochów e no caminho de Varsóvia para Będzin, ela ardia em febre. Ainda assim, não tinha escolha a não ser se manter de pé, com as pernas trêmulas, e trabalhar na lavanderia. O kibutz mal tinha provisões. Renia também começou a sentir os efeitos da fome: fadiga, confusão, uma obsessão constante com comida.

No meio de tudo isso, as perseguições continuavam, e Renia era um dos alvos. Ela precisava ser duplamente cuidadosa, pois era uma "não *kosher*". À noite, os gendarmes e a milícia judaica saíam atrás dela e de outros refugiados do Governo-Geral. O simples fato de abrigar uma pessoa "não *kosher*" levaria à deportação imediata de seus camaradas. Renia, Hantze, Frumka, Zvi e outro rapaz passavam as noites em esconderijos, torturados por terrores noturnos. Sem dormir, pela manhã, o grupo ia trabalhar na lavanderia, para que os membros *kosher* pudessem se encarregar das tarefas mais públicas. "Mas aceitávamos tudo com amor", escreveu Renia mais tarde. "Nosso desejo de viver era mais forte do que toda a tortura."

Então, uma manhã, Renia estava sentada na sala principal quando ouviu integrantes do grupo falarem sobre como precisavam de uma pequena peça de metal para o forno. Pinchas, um rapaz de 17 anos, decidiu procurar no trabalho. Avistou uma, pegou-a e a examinou. Foi o suficiente. Seu empregador alemão percebeu. Ele foi deportado. Morto.

Mais do que qualquer outra coisa, esse assassinato abalou a determinação dos camaradas, e seu senso de propósito começou a esmorecer. Por que ler, aprender, trabalhar? Viver? Por que continuar?

*

A situação piorou. Rumores começaram a circular. Os judeus seriam "realocados" para um gueto fechado, no bairro de Kamionka,[23] do outro lado da estação ferroviária. Cerca de 25 mil judeus seriam instalados em alojamentos onde cabiam apenas 10 mil. Aqueles como Renia, que já haviam vivido em um gueto, sabiam muito bem qual era o pesadelo que os esperava. Mesmo aqueles que não conheciam a vida no gueto ficaram consternados. "No verão, será insuportável", escreveu uma adolescente de Będzin em seu diário ao ouvir a notícia, "ficar trancada em uma gaiola cinza, sem poder ver os campos e as flores."[24] Frumka e Hershel Springer, seu colíder no Liberdade, andavam de um lado para o outro como se tivessem sido envenenados, pálidos e doentes. O que fazer? Mudar-se para o gueto ou fugir? *Lutar ou fugir.*

Seguiu-se uma discussão acalorada. No fim das contas, ficou decidido que lutar seria inútil, e poderia até mesmo levar a consequências indesejáveis. A hora de lutar ainda não havia chegado.

Em vez disso, Frumka e Hershel passavam dias inteiros no Judenrat, tentando arranjar alojamento para os membros do kibutz do Liberdade e também para o grupo do orfanato Atid, agora formado por dezenove adolescentes que viviam com eles. O escritório do Judenrat estava sempre lotado. Berros e gritaria. Os ricos, escreveu Renia, tinham mais facilidade, porque podiam oferecer subornos. "Sem dinheiro, você é como um soldado sem arma."

Os judeus foram empurrados para o gueto. Embora hoje Kamionka seja um subúrbio arborizado e rodeado de colinas, durante a guerra parecia um campo de refugiados superlotado: pobre, abandonado, insalubre.[25] Havia pequenos fogões por toda parte, lançando no ar uma fumaça nociva. As pessoas se sentavam no chão, comendo o que conseguiam. Havia móveis e caixotes amontoados diante de todas as casas. Junto às pilhas, bebês. Aqueles que não podiam pagar por um apartamento construíam barracas na praça, como galinheiros, para se protegerem da chuva. Estábulos, sótãos e banheiros externos, tudo se tornou habitação. Dez pessoas viviam em um estábulo adaptado, e tinham sorte. Muitos dormiam sem um teto sobre a cabeça. Não havia espaço para mobília dentro das residências, exceto as mesas e camas que fossem indispensáveis. Todos os dias, Renia via judeus arrastando colchões para o lado de fora para que mais pessoas coubessem do lado de dentro, evocando as horríveis lembranças da vida no gueto com sua família. Os judeus se moviam como sombras, escreveu Renia, como mortos-vivos andrajosos. Ao mesmo tempo, ela sentia que muitos poloneses estavam satisfeitos, pilhando as casas dos judeus e fazendo comentários cruéis: "É uma pena que Hitler não tenha vindo antes." Alguns judeus queimavam seus pertences e transformaram móveis em lenha apenas para evitar que os poloneses os tomassem.

Os membros do Liberdade partiram para o gueto, colocando seus bens de primeira necessidade em um carro. Frumka e Hershel tinham conseguido uma casa inteira de dois andares, metade para eles, metade para os órfãos do Atid. Embora fosse muito melhor do que a maioria das instalações ("um palácio", era como Renia chamava aquela residência, feliz por encontrá-la limpa), era pequena. Não havia espaço para circular entre as camas. Os armários e mesas foram colocados no quintal, para servirem de lenha.

O gueto foi fechado, guardado pela milícia.[26] A polícia escoltava os judeus na ida e na volta do trabalho que realizavam como alfaiates, sapateiros e metalúrgicos em oficinas alemãs. Então, os judeus pararam de se apresentar ao trabalho, dizendo que precisavam de creches. (Renia percebeu com orgulho o espírito de rebelião dos judeus.) O Judenrat criou creches comunitárias onde as crianças eram cuidadas e alimentadas enquanto seus pais trabalhavam. Mais tarde, construíram barracões em frente às oficinas, para que os bebês pudessem dormir à noite. Cada oficina tinha seu próprio barracão; pessoas desesperadas se mudavam para esses espaços antes mesmo de eles estarem prontos. Como Renia recordou, Kamionka era um "local miserável".[27]

Qualquer infração levava à morte. À noite, o silêncio imperava, e era perigoso andar na rua depois das oito. O blecaute total era obrigatório. Em cada esquina ficava um miliciano, observando o cumprimento do toque de recolher, a luz da lanterna tremeluzindo no ar viciado. De repente, um tiro. Pela manhã, um funeral. Um homem havia tentado caminhar de um prédio a outro.

Todas as semanas, Renia via grupos serem enviados a Auschwitz para serem mortos: idosos, pais que haviam escondido os filhos, bebês arrancados do seio da mãe, jovens acusados de serem militantes políticos, pessoas que deixavam de comparecer ao trabalho por mais de um dia. Eram levados para a estação, espancados e jogados em vagões de gado. Um homem que pegasse qualquer coisa por engano era açoitado, estrangulado, pisoteado e, se necessário, morto a tiros. Mas nunca era necessário — ele já estava morto.

De repente, um grito lancinante. Um alemão arrancou um bebê dos braços da mãe, segurou-o pelos pés e golpeou sua cabeça contra uma parede de tijolos, partindo-lhe o crânio ao meio. O sangue se espalhou por toda a parede, pela calçada. O cadáver do bebê ficou jogado no chão. Essa visão assombraria Renia pelo resto da vida.[28]

Ela assistia a essa desumanidade com um horror abjeto. Crianças testemunhavam as atrocidades e choravam incontrolavelmente. O gueto ia ficando menos lotado à medida que residentes eram levados, dia após dia, uma pessoa de cada casa. "Todos os corações estão despedaçados", escreveu ela. "É inacreditável que as pessoas consigam manter a sanidade mental."

*

Foi nesse contexto que todas as atividades culturais no kibutz cessaram. Foi nesse momento que os passaportes falsos chegaram e que o Liberdade promoveu sua reunião, com Hershel em uma cabeceira da mesa e Frumka na outra. Foi nesse momento que os grupos de jovens tiveram que decidir: lutar ou fugir. Foi então que Frumka disse que não, não iria embora. Foi então que todos decidiram se juntar à luta armada que havia começado em Cracóvia e Varsóvia. Foi então que se decidiram pela defesa, pela vingança, pelo amor-próprio.

Foi então que Renia se levantou da cadeira, pronta para a ação.

Parte 2

Demônios ou deusas

Não eram humanas, talvez demônios ou deusas. Frias. Ágeis como artistas de circo. Muitas vezes, atiravam simultaneamente com pistolas em ambas as mãos. Ferozes no combate, até o fim. Abordá-las era perigoso. Uma *Haluzzenmädel* capturada parecia tímida. Completamente resignada. E então, de repente, quando um grupo de nossos homens se aproximou, ela tirou uma granada de mão de baixo da saia ou da calça e matou os soldados da SS, enquanto os amaldiçoava até a décima geração — foi de deixar os cabelos em pé! Sofremos baixas em situações parecidas com essa, por isso dei ordem a meus homens para que não tentassem capturar essas garotas, para não chegarem muito perto e, em vez disso, acabarem com elas a distância, com rajadas de submetralhadora.

Jürgen Stroop, comandante nazista[1]

12. PREPARAÇÃO

RENIA E CHAJKA

FEVEREIRO DE 1943

Będzin estava fervilhando.[1] Do raiar do dia até o toque de recolher, às oito da noite, o kibutz e seu pátio ficavam cheios de camaradas. Os vizinhos notavam. "Ganhamos a reputação de sermos pessoas de ação", escreveu Renia, orgulhosa do recém-conquistado respeito, "pessoas que assumiram o controle de seu futuro e que saberão o que fazer quando chegar a hora".[2]

Zvi Brandes e Baruch Gaftek, o único camarada com experiência militar, instruíam os líderes dos grupos de cinco, reunindo-se com eles e planejando cada dia. Todos aprenderam a usar armas de fogo, bem como machados, martelos, foices, facões, granadas e líquidos inflamáveis — e também a usar apenas os punhos. Eles foram treinados para lutar até o fim, para nunca se deixarem ser capturados vivos. Renia e sua equipe reuniam ferramentas afiadas, lanternas, facas — qualquer coisa que pudesse ser usada na batalha.

Quando as primeiras armas chegaram de Varsóvia, eles as trataram como se fossem algo quase sagrado. Chajka pegou com cuidado uma pistola, eletrizada, mas hesitante. Como a maioria dos jovens, para quem armas de fogo eram algo estranho à sua criação, ela temia que estivesse quente ou disparasse por acidente. Com o tempo, no entanto, foi adquirindo confiança. Munida de sua pistola, ela se via como uma verdadeira revolucionária, cumprindo uma missão humana, parte de um grande acontecimento histórico.

O PPR contrabandeava armas para o gueto e trabalhava para abrigar judeus fora de Kamionka, a fim de que pudessem combater a partir do outro lado. A ŻOB treinava seus membros para que levassem contrabandos recolhidos no lado ariano; algumas pessoas saíam três vezes por semana. Foram montadas oficinas, onde os camaradas produziam soqueiras e punhais, estudavam química e fabricavam bombas, granadas e garrafas cheias de material explosivo. Eles usavam tubos de ferro, pó de carvão e açúcar. Conforme foram aperfeiçoando suas habilidades, as bombas caseiras tornaram-se melhores do que as que adquiriam.

Depois de passar o dia todo realizando trabalhos forçados, os camaradas dedicavam as noites à construção de bunkers. O Judenrat não fazia ideia: aqueles judeus jovens e famintos não recebiam ajuda externa e estavam exaustos. "É horrível ver os rostos cada vez mais magros e exauridos", lamentou Renia, observando que eles também construíam bunkers para judeus em apartamentos particulares, sem cobrar nada. Integrantes da Guarda Jovem, incluindo David Kozlowski, traçavam os planos, debatendo-os durante dias, "cheios de conhecimento, como engenheiros diplomados".[3] Onde seria o melhor lugar para construí-los? Como camuflar as entradas e saídas?

As plantas baixas das construções chegavam por meio de mensageiros vindos de Varsóvia, onde os bunkers eram verdadeiras proezas de engenharia: corredores subterrâneos com vários quilômetros de extensão, que percorriam todo o gueto e terminavam no lado ariano. Os túneis principais se dividiam em túneis secundários onde havia iluminação, água, rádios, comida, estoques de munição e explosivos; cada um sabia qual era a senha do bunker de seu respectivo grupo. "Tanta engenhosidade", registrou Renia. Em Będzin, entradas para os túneis eram abertas em fornos, paredes, armários, sofás, chaminés e sótãos. Paredes eram erguidas em toda a volta de cômodos para camuflá-las. Os camaradas cavavam túneis com as mãos.[4] Havia esconderijos embaixo de escadas, estábulos, depósitos de lenha. Os judeus pensavam em formas de dispor as coisas em um ambiente de modo que parecesse que os habitantes haviam saído às pressas.[5] Luz elétrica, água, rádios, bancos, pequenos fogões, torradas para aqueles que sofriam de dores de estômago — tudo fora planejado.

Quando chegasse a hora, a única coisa que teriam de fazer seria se refugiar em seus bunkers bem abastecidos. Estavam prontos.

*

Todo esse zelo levou a um episódio de resistência — dentro da comunidade judaica.[6] Em fevereiro de 1943, a milícia judia estava precisando de mais homens. Renia sabia que isso significava que a deportação era iminente. Os integrantes da milícia seriam os responsáveis por conduzir seus companheiros judeus até os trens, e queriam que seis camaradas membros do Liberdade se juntassem a suas forças. O trabalho de lavanderia, que os camaradas haviam continuado a fazer em Kamionka, estava agora suspenso. O Judenrat enviou ao kibutz uma intimação dizendo que os homens deveriam se apresentar e pegar o quepe branco. Do contrário, seus passes *Zonder* seriam confiscados, e eles seriam deportados para um campo na Alemanha.

O Judenrat já havia enviado alguns rapazes do gueto para a Alemanha; nenhum deles havia retornado. Fosse como fosse, os camaradas se recusavam terminantemente a fazer parte do que chamavam de a Gestapo judaica. Estavam dispostos a perder seus documentos de trabalho; jamais ajudariam nazistas a levar judeus para campos de extermínio. Quando eles não apareceram no horário determinado, um miliciano chegou ao kibutz com uma ordem do presidente do Judenrat para confiscar seus passes *Zonder*. E os rapazes os entregaram sem protestar, ainda que ser pego na rua sem documentos significasse ser enviado para campos de trabalhos forçados ou para a morte. Apesar do confisco, no dia seguinte a polícia judaica cercou o kibutz armada com cassetetes e com uma ordem para deportar para a Alemanha aqueles que haviam recebido a convocação. Os policiais bloquearam o portão e começaram a verificar os documentos de identidade.

Foi então que dois rapazes do Liberdade pularam por uma janela. Os milicianos correram atrás deles; os rapazes desferiram socos e continuaram a fugir. Os integrantes restantes gritavam: "Morte à milícia!" Não deixariam que a polícia sequestrasse seus camaradas! O subcomandante ordenou que os milicianos espancassem todos eles e mantivessem os rapazes restantes como reféns até que os fugitivos se entregassem. Renia observou o confronto, atordoada.[7]

Frumka temia que alguém acabasse morrendo na luta, ou pior, que os alemães chegassem e matassem todo mundo.

— Ninguém vai ser feito refém — declarou ela. E ordenou que aqueles cujo nome constava da lista se apresentassem ao gabinete. Os jovens obedeceram, e todo o kibutz os seguiu ao longo da rua lotada até o ônibus. Então, um dos rapazes, "forte como um touro", escapou das garras da polícia e começou a correr. Teve início uma briga de cassetetes e socos entre os membros da milícia e os integrantes do kibutz, durante a qual uma integrante, Tzipora Bozian, feriu gravemente vários milicianos. Derrotado, o comandante ordenou a seus homens que embarcassem no ônibus. "Vamos para o gabinete dos gendarmes", ordenou. "Eles vão acabar com a raça dessa gente." Os residentes do gueto assistiam a tudo e, ao perceber que nem todos os judeus tinham medo da polícia, a multidão irrompeu em aplausos. Renia corou de orgulho.

Frumka, no entanto, temia que os gendarmes alemães soubessem do que havia acontecido — se isso ocorresse, estariam todos liquidados. Ela começou a acalmar o comandante da milícia e sua tropa, negociando para que se mantivessem em silêncio. Eles a respeitavam e, portanto, concordaram, mas com a condição de tomarem reféns em troca dos fugitivos. Os homens convocados embarcaram no ônibus com três reféns: Hershel Springer, seu irmão Yoel, e Frumka. Ela havia se voluntariado. Renia observou, impressionada e assustada, enquanto o veículo se afastava.

O alto-comando ficou sabendo dessa escaramuça e, naquela noite, ordenou que o kibutz fosse trancado e seus integrantes, confinados no pátio. Frumka e Hershel voltaram, felizmente, mas foram informados de que, por terem humilhado a milícia e seu comandante, todos os homens seriam enviados para a Alemanha. Naquela noite, Renia e seus camaradas ficaram sentados do lado de fora, sob as estrelas. Vizinhos se solidarizaram e foram convidá-los para ficar em suas casas, mas Frumka proibiu que fossem. Ela queria mostrar à milícia que eles aguentavam passar uma noite ao relento, apesar do perigo de ficarem fora de casa após o toque de recolher, apesar dos guardas nazistas fazendo a ronda. Durante a noite, a milícia apareceu, mas apenas para verificar se os lacres nas portas permaneciam intocados.

O grupo não foi capturado e permaneceu do lado de fora durante todo o dia seguinte, enfrentando a fome e o frio. Frumka e Hershel voltaram ao Judenrat para suplicar pelos homens. Naquela noite, Renia e seus camaradas comeram um parco jantar no orfanato Atid. Então a milícia apareceu e retirou os lacres das portas. O castigo havia chegado ao fim. Mas onde estavam Frumka e Hershel? Renia tinha medo até mesmo de pensar sobre isso.

Tarde da noite, todos voltaram. Ninguém foi mandado embora, convocado para a polícia ou submetido a trabalhos forçados. Por todo o gueto, se espalharam relatos sobre a bravura do Liberdade.

Como vinham aprendendo, era possível dizer não.

*

As notícias chegaram de Varsóvia a conta-gotas:[8] a *Aktion* ali era iminente. Zivia e Antek informaram aos habitantes de Będzin que estavam se preparando para a defesa; que os judeus não se importavam mais com políticas partidárias ou diferenças ideológicas e estavam prontos para lutar. Camaradas se recusaram a fugir para o lado ariano, mesmo quando tiveram a oportunidade, tão ansiosos estavam por morrer enfrentando seus inimigos.

Em fevereiro, Zivia escreveu ao movimento clandestino de Będzin, mais uma vez exigindo que Frumka viajasse para o exterior. Ela precisava permanecer viva para contar ao mundo sobre a "bárbara carnificina dos judeus". Seguiu-se outra carta, em março: Hantze precisava ir para Varsóvia, para em seguida ser enviada clandestinamente para fora do país. "Sem desculpas, sem discussões." Era uma ordem do comando do movimento.

Assim como Frumka, Hantze se recusou a obedecer-lhes. Não queria saber de salvar a própria vida. Como poderia deixar a irmã por algo tão incerto? "Aquelas duas irmãs iriam até o inferno e voltariam uma pela outra", escreveu

Renia. Frumka tampouco conseguia imaginar uma separação, mas implorou a Hantze que fosse. Hantze não conseguiu recusar o pedido da irmã; não queria que ela se preocupasse.

Um atravessador foi convocado a se apresentar o mais rápido possível.

Deprimida, Hantze se preparou para a viagem, arrumando uma mala de roupas elegantes, de aparência ariana. Será que um dia veria os camaradas novamente? Implorou a Frumka que a acompanhasse, mas a irmã se recusou. "Hantze, com suas feições semíticas, ficava ridícula vestida como uma camponesa gentia", escreveu Renia, temendo que ela não conseguisse completar a viagem.

Dois dias mais tarde, chegou um telegrama de Częstochowa. Tremendo, Renia o leu: Hantze havia cruzado a fronteira, estava na área do Governo-Geral e logo seguiria viagem. Então, outro telegrama. Ela havia chegado a Varsóvia! Dentro de poucos dias, viajaria para fora da Polônia. Tudo estava arranjado. Renia respirou aliviada.

Ela notou que uma polonesa, uma mulher que havia arriscado a vida inúmeras vezes para ajudar a ŻOB, era mencionada em quase todas as correspondências. Para proteger sua identidade, referia-se a ela como A.I.R., mas estava falando de Irena Adamowicz,[9] àquela altura uma grande amiga de Zivia, Frumka e Tosia. Ex-escoteira e católica devota nascida em uma família aristocrática, aos 30 e poucos anos Irena era um dos principais contatos da ŻOB com o movimento de resistência polonês. Depois de se formar em pedagogia na Universidade de Varsóvia, Irena, simpatizante da causa nacionalista judaica, havia trabalhado com a Guarda Jovem, visitando seus kibutzim. Durante a guerra, tornara-se próxima de integrantes do Liberdade e da Guarda Jovem — chegou até mesmo a aprender iídiche.

Irena trabalhava para a prefeitura de Varsóvia inspecionando lares para crianças, e tinha um passe que lhe permitia visitar o gueto para tratar de "assuntos oficiais". Em 1942, ela viajou até Vilna para contar aos líderes da Guarda Jovem sobre a liquidação do gueto de Varsóvia; disfarçada de freira alemã, visitou vários guetos, repassando informações e oferecendo encorajamento. Abordou amigos que estavam na liderança do Exército Nacional, pedindo que ajudassem os judeus de Varsóvia. Distribuía cartas e publicações entre os movimentos clandestinos judaico e polonês. Abrigava judeus em seu apartamento e ajudava grupos a cruzar a fronteira. Embora escondesse suas atividades até mesmo das pessoas com quem morava, Irena era uma lenda entre a juventude judaica, mesmo em Będzin. "Ficávamos todos fascinados por sua personalidade", escreveu Renia, "embora não fizéssemos ideia de como ela era."

As cartas de Varsóvia, por outro lado, também continham histórias de fracassos trágicos, mencionando mensageiras que acabaram na prisão de Pawiak ou em Auschwitz. Em seus diários, Chajka também registrou histórias de mensageiras de Będzin que foram capturadas e assassinadas. Sua colíder, Idzia Pejsachson,[10] era o epítome de pessoa forte, seca e inflexível, do tipo que Chajka seguiria cegamente. "Você não pode se ocupar com sentimentos de amor agora", dizia Idzia. "Já foi o tempo em que o sentimentalismo era a preocupação mais importante."

Idzia insistia para que o grupo de Będzin se unisse como o de Varsóvia havia feito. Ela queria viajar para a antiga capital polonesa — a qualquer custo. "Tenho de ver o trabalho deles com meus próprios olhos", disse. "Então voltarei e plantarei aqui as sementes da revolta. Também vou trazer um presente: o primeiro carregamento de armas."[11] Os camaradas tentaram convencê-la a não ir: ela não tinha a aparência certa e era míope, o que, Chajka acreditava, a deixava cronicamente nervosa. Mas eles não conseguiram dissuadi-la. Idzia queria encorajar outras moças a seguirem seus passos. Em fevereiro de 1943, ela partiu — e nunca mais voltou. Conseguiu contar aos camaradas de Varsóvia sobre os judeus de Będzin e seu desejo de lutar, e obteve três pistolas e algumas granadas, mas acabou caindo nas mãos dos nazistas em Częstochowa.

Houve várias hipóteses a respeito de sua morte.[12] De acordo com um dos rumores, Idzia chamou a atenção de um agente secreto, que a seguiu. Ela sentiu sua presença e se esgueirou, rua atrás de rua, para despistá-lo, mas, como não estava familiarizada com o lado ariano, acabou indo parar no gueto. Ao ver isso, o agente acirrou a perseguição. Ela correu, e um revólver caiu do pão que ela carregava. Foi morta ali mesmo. De acordo com outra versão, quando percebeu que o agente secreto a estava seguindo, ela decidiu flertar. Ele a convidou para ir a sua casa — ela não teve escolha a não ser aceitar. Seu contato em Częstochowa viu com quem ela estava e deixou o local do encontro. O agente secreto tentou atacá-la. Ela sacou o revólver e disparou, mas ele fugiu e voltou com a polícia. Quaisquer que tenham sido as circunstâncias da morte de Idzia, todo o grupo sentiu profunda tristeza e remorso por sua perda; não deveriam ter enviado a melhor dentre eles.

Astrid assumiu o lugar de Idzia.[13] Também conhecida como A., Estherit, Astrit e Zosia Miller, ela não era uma "agente de inteligência típica", mas tinha muitos contatos e conhecia todos os trens, todas as estradas e vias secundárias que conectavam Varsóvia à província. A cada vez que saía, assumia uma nova identidade — um rapaz camponês, por exemplo, ou uma professora da cidade, usando um grande chapéu. Transportava armas, dinheiro, cartas, informações, documentos falsos e planos de defesa detalhados costurados no forro das roupas. Escondia pistolas em um grande urso de pelúcia (e parecia muito doce segurando seu bichinho), em uma lata de marmelada com um compartimento secreto, em pães ou simplesmente no bolso do casaco; reclamava de se sentir vazia depois de entregá-las. Apesar disso, sempre que Astrid chegava a Będzin, havia festa com vodca, já que, afinal, "os costumes de Varsóvia tinham de ser adotados".[14] Ela também contrabandeava pessoas.

Chajka descreveu Astrid como uma moça atraente, com um corpo torneado, mas também aérea e vaidosa, louca por roupas; comprava novas peças para cada viagem porque, aparentemente, era importante parecer bem-vestida e na moda no lado ariano. Ela tinha, ao mesmo tempo, uma bela aparência ariana e uma coragem extraordinária. Uma "audaciosa" autêntica, de acordo com Chajka, olhava nos olhos dos agentes secretos com ousadia e com um sorriso travesso, e perguntava se eles queriam verificar seus documentos. Teve muita sorte por um longo tempo, mas, como a maioria das mensageiras, Astrid acabou indo parar na prisão. Tortura. Tragédia. Morte.

*

Então, uma enxurrada de comunicados. Uma carta a respeito de Hantze: sua saída do país fora adiada e, por enquanto, ela permaneceria em Varsóvia. Outra carta. A situação era terrível. A deportação geral poderia acontecer a qualquer momento. "Se não tiverem mais notícias nossas, isso quer dizer que a *Aktion* começou", escreveu um membro da ŻOB de Varsóvia. "Mas dessa vez vai ser muito mais difícil. Os alemães não estão preparados para o que temos reservado para eles." Uma mensageira[15] chegou a Będzin relatando que havia um clima de muito medo no gueto, mas que os camaradas estavam prontos. Em seguida, voltou às pressas para Varsóvia, para se certificar de que conseguiria entrar em contato com o gueto enquanto estivesse em sua base no lado ariano.

Algumas semanas depois, a mensageira voltou. Houvera um massacre terrível em Varsóvia, era tudo que sabia. A batalha continuava, mas muitos haviam morrido. Chegou um telegrama da zona ariana: "Zivia e Tosia estão mortas."

Depois disso, silêncio total da parte de Varsóvia. Nada. Nem telegramas, nem cartas, nem mensageiros. Nenhuma informação. Nenhuma notícia. Será que estavam todos mortos? Será que todos tinham sido assassinados?

Alguém tinha que ir a Varsóvia, com dinheiro, para obter informações. Mas muitas mulheres já haviam sido mortas no caminho. O grupo precisava de uma mensageira que não parecesse judia e que fosse capaz de levar a cabo uma missão de averiguação naqueles tempos particularmente sombrios. Frumka e todos os outros líderes decidiram: Renia.

A pequena Renia, uma adolescente de Jędrzejów.

Ela não pensou nas jovens que haviam desaparecido, nos sumiços, nas mortes sem fim. Àquela altura, era uma mulher de ação, com objetivos claros, decidida. Sentia fúria, ódio, sede de justiça.

— Claro — disse Renia. — Eu irei.

13. AS MENSAGEIRAS

RENIA

MAIO 1943

O novo mundo de Renia, o mundo das mensageiras, era um mundo de disfarces, onde o valor humano era calculado em função da aparência física.[1] Para um judeu ou para uma judia, viver do lado ariano era uma performance constante; um trabalho de atuação que envolvia vida ou morte e que exigia cálculos sofisticados e reavaliações constantes, além de um instinto animal para o perigo, uma intuição basal para saber em quem confiar. Como Renia bem sabia, era difícil escalar o muro de um gueto; mas era muito mais difícil *estar* do outro lado, trabalhar e conviver — isso sem falarmos sobre contrabandear e conspirar em plena luz do sol.

*

Naquele mesmo dia,[2] os líderes da ŻOB de Będzin contataram o atravessador de Częstochowa, que àquela altura já havia descoberto a melhor maneira de escapar furtivamente do gueto. Horas depois, ele chegou ao kibutz e foi direto procurar Renia, pronto para levá-la em sua primeira missão formal.

Renia partiu, como em qualquer dia normal de trabalho no gueto — exceto pelo dinheiro. Ela havia costurado várias centenas de złotys na cinta-liga; o grupo achava que o dinheiro poderia ser útil para os combatentes de Varsóvia. E fez todo o trajeto de trem até Strzebiń usando o mesmo documento de identidade que havia encontrado milagrosamente na rua meses antes. Os dois desembarcaram uma estação antes da fronteira do Governo-Geral.

Diante deles, uma caminhada de 12 quilômetros por campos e florestas até chegarem a um pequeno posto de fronteira, onde o atravessador conhecia o guarda. Teriam de atravessar a pé, e depressa, tentando evitar a polícia. O coração de Renia parou quando foram confrontados de imediato por um soldado. O atravessador entregou a ele uma garrafa de uísque. "Ele nos deixou passar, sem dizer uma palavra", escreveu Renia mais tarde. "Até nos mostrou a direção."

Ela recordou: "Em silêncio e com cuidado, seguimos caminho por entre árvores e elevações do terreno." O menor ruído a assustava: as folhas, o leve balançar dos galhos.

De repente, um farfalhar. Algo, alguém, uma silhueta — e estava perto. Renia e o atravessador se jogaram no chão e rastejaram sob as pequenas árvores próximas, escondendo-se sob um arbusto. Passos cautelosos se aproximaram deles. Com o coração acelerado e suando, ela olhou para fora do esconderijo.

Uma pessoa, tremendo de medo, se aproximou deles. Era um homem. Estava vindo do outro lado da fronteira e tinha se convencido de que Renia e seu atravessador eram policiais à espreita, prontos para atacá-lo.

Havia um mundo paralelo nas florestas polonesas.

— Daqui em diante é tranquilo — disse o desconhecido a Renia, tranquilizando-a enquanto também voltava a respirar.

Minutos depois, ela havia saído do bosque, adentrando o que agora era outro país.

*

Varsóvia. Renia caminhava com determinação — mas não determinação demais. O trem a deixara bem no centro da cidade, e ela parou por um momento para contemplar o novo cenário, os prédios cinza e bege, a curvatura das cúpulas, os telhados inclinados. Não tinha sido dessa forma que imaginara sua primeira viagem à cidade grande, pois Varsóvia estava tão disfarçada quanto ela — ou até mais. O sol do início da primavera, os prédios baixos se estendendo por quilômetros, as grandes praças e os vendedores ambulantes barulhentos estavam agora obscurecidos por um miasma de fumaça e cinzas. O tráfego diário quase não era audível em meio às explosões e gritos que, escreveu ela, soavam "como uivos de chacais". As avenidas estavam repletas de morte, o ar pesado com o cheiro de prédios em chamas e cabelo queimado. Alemães bêbados dirigiram como loucos pela cidade. Havia postos de controle da polícia em quase todos os cruzamentos, onde cada pacote era inspecionado.

Renia mal conseguia dar um passo sem que um guarda vasculhasse sua bolsa. Havia memorizado todos os detalhes da nova identificação que recebera um dia antes do atravessador, ensaiando mentalmente mais uma identidade, tentando, como sempre, se tornar a pessoa no documento; incorporar o retrato desfocado. A identidade que ela portava naquele momento não era um daqueles documentos feitos por encomenda, com uma versão em polonês de seu nome em iídiche e um local de nascimento que combinava com seu sotaque. Era fruto do acaso: pertencia à irmã do atravessador. Aqueles documentos eram mais adequados do que a identidade que Renia havia encontrado na rua, mas ainda assim, não tinham foto nem impressões digitais.

Ao olhar para a rua e ver mais postos de controle nazistas, Renia teve medo de que, embora pudesse ter funcionado no campo, aquele documento falso não fosse bom o suficiente para a cidade. A lateral da mão roçou a cintura, e ela sentiu o volume das notas de dinheiro. Ainda estavam lá.

— Documentos! — rosnou outro policial.

Renia entregou a identidade e o olhou nos olhos. Ele revistou a bolsa dela e, em seguida, deixou que prosseguisse e embarcasse no bonde.

Ao chegar à sua parada, Renia desceu e caminhou mais um pouco. A polícia detinha cada transeunte; até mesmo as menores ruas estavam apinhadas de gendarmes e agentes secretos à paisana à procura de fugitivos judeus que houvessem escapado do gueto. Atiravam em qualquer suspeito à vista. "Minha cabeça começou a rodar", escreveu Renia mais tarde, "ao ver aquela imagem assustadora."

Ela se recompôs e se dirigiu depressa a seu destino.

Por fim, chegou ao endereço.

— Vim falar com Zosia — disse Renia à rotunda senhoria que a olhava pela fresta aberta da porta. Esse era o codinome da católica Irena Adamowicz.

— Ela não está.

— Vou esperar.

— Você tem que ir embora. Visitantes não são permitidos. Podemos ser mortos por deixarmos uma desconhecida entrar.

O coração de Renia parou. Para onde iria? Ela não conhecia absolutamente ninguém em Varsóvia.

Podia ter passado por todos os postos de controle até aquele momento, mas isso não significava que não seria pega na próxima vez.

— Além disso — sibilou a mulher —, acho que Zosia talvez seja judia. — Ela fez uma pausa e sussurrou: — Os vizinhos estão desconfiados.

— Ah, não, acho que não — disse Renia. Sua voz era calma, infantil, mas ela estava suando. — Eu a conheci em uma viagem de trem, e ela me disse para dar uma passada aqui se viesse à cidade. Ela parece católica, não judia.

Será que aquela mulher seria capaz de enxergar através das camadas de sua saia, ver os segredos costurados no tecido? Renia fora enviada naquela missão de averiguação por causa de sua aparência polonesa, mas seria o suficiente? Não estava usando quase nenhum disfarce; definitivamente nada sofisticado.

— Se ela fosse judia — continuou Renia, na ofensiva, sem saber ao certo que jogo estavam jogando —, nós sentiríamos na mesma hora.

A mulher olhou para Renia, satisfeita com a resposta. Então tossiu alto e se retirou para dentro. Renia se virou.

Lá estava Zosia.

*

Foi então que Renia se deu conta. Não era apenas uma judia disfarçada, mas uma agente da resistência, conhecedora de segredos e códigos, testes e contratestes. Naquela guerra, fazia parte de uma linhagem de mensageiras, ou, em hebraico, *kashariyot* — um termo com mais acepções que descrevia melhor o trabalho:

conectora.[3] As *kashariyot* em geral eram mulheres solteiras, com idade entre 15 e 20 e poucos anos, que haviam sido líderes ou tinham se dedicado intensamente a seus respectivos movimentos. Elas eram enérgicas, habilidosas e corajosas, dispostas a arriscar a vida repetidas vezes.

Essas conectoras tinham muitos papéis, e eles mudavam à medida que a guerra avançava; Renia se juntou ao grupo em uma fase mais tardia. O uso de mensageiras tivera início no começo da guerra, com Frumka, Tosia e Chana Gelbard, que viajavam entre guetos, conectando-se com camaradas nas províncias a fim de conduzir seminários, repassar publicações, educar líderes locais e incentivar o crescimento espiritual. Essas mulheres criavam redes, que depois eram usadas para contrabandear alimentos e suprimentos médicos. Para impedir que os judeus obtivessem informações e ajuda, os alemães se certificavam de que os guetos ficassem totalmente isolados do mundo, tornando-se "reinos destacados",[4] como descrevia Zivia. Rádios e jornais eram proibidos, e a correspondência muitas vezes era confiscada. Viajar não era fácil: os trens não tinham horários, as mulheres precisavam passar horas esperando nas estações, e era suspeito parecer perdida em uma nova cidade. "Ninguém pedia ajuda para chegar a um gueto",[5] escreveu Chasia Bielicka, mensageira de Białystok. Quando uma *kasharit* chegava com notícias sobre parentes e política, era um sinal de que eles não haviam sido esquecidos, de que a vida continuava fora dos confins de sua tortura, de que nem todos estavam deprimidos. Aquelas mulheres eram tábuas de salvação, "rádios humanos",[6] contatos de confiança, fornecedoras de suprimentos e fontes de inspiração. Graças a elas, as notícias "disparavam como meteoros"[7] por todo o país. Como Tosia, eram frequentemente recebidas com abraços e beijos.

Com o tempo, entretanto, junto com a esperança, as *kashariyot* também tiveram que passar adiante as dolorosas notícias dos assassinatos em massa e da Solução Final. Testemunhavam deportações e assassinatos e tinham de retransmitir cuidadosamente suas histórias, bem como relatos de outras pessoas, a fim de persuadir os judeus sobre a verdade e convencê-los a resistir.

À medida que os assassinatos se intensificavam e os movimentos juvenis evoluíam para se tornar milícias, os caminhos e as técnicas das mensageiras, o conhecimento que haviam adquirido até aquele momento (como as rotinas dos guardas, os locais por onde era mais fácil escapar, os trajes e as histórias que serviriam de pretextos mais eficazes) e sua confiança em sua capacidade de conseguir enganar os nazistas foram se adaptando para se adequar às suas novas funções. Agora elas haviam começado a contrabandear identidades falsas, dinheiro, informações, publicações clandestinas e até mesmo judeus para dentro e para fora dos guetos. Encontravam lugares seguros para reuniões; trabalhavam como facilitadoras para os líderes da resistência que passavam à clandestinidade, usando seu conhecimento das ruas para navegar pelas cidades, ajudando-os a planejar suas missões e a obter documentos de trabalho. Faziam-se de "acompanhantes" oficiais dos homens, caminhando ao lado deles para dar a impressão de que eram apenas um belo casal passeando, e até mesmo passavam a noite toda fingindo namorar em estações de trem[8] enquanto esperavam o amanhecer para entrar no gueto. Como em geral falava polonês melhor do que seus camaradas do sexo masculino, a *kasharit* comprava as passagens de trem e alugava apartamentos para eles. Uma mensageira tinha de estar constantemente a par do paradeiro de seu camarada, para o caso de ele ser capturado. A calma e a compostura necessárias para esse tipo de trabalho eram sobre-humanas. Será que Renia tinha essa habilidade?

A maioria dos facilitadores era do sexo feminino.[9] As mulheres judias não tinham o marcador corporal óbvio que os homens circuncidados tinham, nem perdiam a confiança com medo do "teste de baixar a calça". O deslocamento de mulheres durante o dia também era menos suspeito. Enquanto se esperava que os homens poloneses estivessem trabalhando, as mulheres podiam circular — a caminho de um almoço ou indo fazer compras, talvez — sem serem imediatamente paradas ou sequestradas para campos de trabalho forçado. A cultura nazista era classicamente sexista, e não se esperava que as mulheres se encarregassem de atividades ilícitas; por que aquela jovem e simpática camponesa teria boletins costurados na saia ou uma pistola dentro do ursinho de pelúcia? Além disso, um sorriso sedutor nunca fazia mal. Muitas vezes, as mensageiras enganavam os nazistas com suas exibições de elegância feminina ou seu ar de "garotinha" e de falsa ingenuidade, pedindo-lhes até mesmo ajuda para carregar as malas — as mesmas malas que estavam cheias de contrabando. Era normal que as mulheres andassem na rua com bolsas, carteiras e cestos; esses acessórios elegantes se tornavam esconderijos de armas. Na época, as mulheres polonesas também atuavam como contrabandistas e mascates, as bolsas carregadas de todo tipo de produto importado ilegalmente. Algumas mensageiras, como Tosia e Vladka, entravam nos guetos e campos fingindo ser contrabandistas não judias. Certa vez, Tosia chegou a um gueto vestida com roupas esportivas, como se fosse uma polonesa que estivesse ali para comprar produtos baratos dos judeus.[10]

Em geral, apenas as mulheres que não possuíam feições semíticas eram selecionadas para sair em missões. Como Renia, essas mulheres tinham cabelos claros e olhos azuis, verdes ou cinza;[11] tinham uma aparência "boa". Bochechas rosadas eram importantes, pois eram sinal de saúde. Aquelas que tentavam "se passar" por polonesas tingiam os cabelos ou os enrolavam em pedaços de papel para imitar penteados poloneses.[12] Mulheres (e homens) se esforçaram para se vestir com roupas polonesas, em especial as mais elegantes, de classe média e classe alta. (A piada na época era que, quando alguém via um cavalheiro polonês muito bem-vestido, podia apostar que era judeu.)[13] Tanto Frumka quanto Hantze usavam lenços na cabeça para ocultar parcialmente o rosto e, embora tivesse de ser convencida a reservar tempo para os cosméticos, Frumka usava maquiagem para parecer mais ariana.

As moças também tinham que parecer polonesas nos gestos e no comportamento. Algo tão simples como usar um regalo de pele ajudava a atenuar o hábito tipicamente judeu de falar e gesticular ao mesmo tempo.[14] Renia tinha não só a aparência, como também a postura de polonesa, sendo capaz de andar com confiança e reagir sem hesitar — e falava polonês perfeitamente. As mulheres judias tinham maior probabilidade de ser proficientes na língua polonesa. Por motivos financeiros, os filhos costumavam estudar em escolas judaicas, e as filhas, em escolas públicas. Garotas como Zivia e Renia aprendiam a falar como nativas, sem o sotaque judeu característico. Estudavam literatura polonesa; passavam os dias rodeadas de poloneses, absorvendo seus maneirismos e suas idiossincrasias.

Por incrível que pareça, as judias polonesas estavam em vantagem por causa de sua pobreza. Antes da guerra, tinham que trabalhar e, por meio do emprego, conheceram não judeus, socializando com eles e fazendo amizades. As mulheres judias conheciam suas vizinhas polonesas, tinham sentido o cheiro da comida que elas faziam em casa, tinham visto como criavam os filhos e conheciam os costumes poloneses, tanto religiosos quanto mundanos. Por exemplo, sabiam que, ao passo que os judeus escovavam os dentes todos os dias e muitos usavam óculos, a maioria dos poloneses não fazia nem uma coisa nem outra.[15]

Havia profissionais em Varsóvia, como o salão Institut de Beauté,[16] que ajudavam os judeus a se disfarçar. Esses especialistas realizavam cirurgias de nariz (e de pênis), consultorias de maquiagem, descoloração e cortes de cabelo. Franjas, cachos e frizz despertavam suspeita, portanto era necessário se certificar de que os cabelos estivessem cuidadosamente escovados e arrumados em penteados arianos. Mas também ofereciam aulas de boas maneiras, ensinando mulheres judias a cozinhar carne de porco e pedir doses de *moonshine*, a gesticular menos e a rezar mais o Pai-Nosso. Quando visitou Będzin,[17] Tosia encorajou as companheiras a aprenderem a recitar orações católicas, para o caso de serem detidas e testadas.

Os judeus tinham aulas de catecismo e aprendiam a celebrar os dias do santo padroeiro deles mesmos e de seus amigos.[18] Expressões judaicas (por exemplo, "De que rua você é?") tinham de ser substituídas por suas equivalentes polonesas ("De que bairro você é?"). As nuances eram infinitas.

Talvez porque se sentissem mais confortáveis do que os homens no meio polonês, ou porque aprendiam desde cedo a ser empáticas, adaptáveis e sintonizadas com as dicas não verbais das pessoas, aquelas judias tendiam a ter uma forte intuição.[19] Suas habilidades femininas, aliadas à boa memória, as ajudavam a compreender as motivações dos outros. *Ele é um contato genuíno ou um colaboracionista nazista? Será que esse polonês vai me denunciar? Haverá uma revista em breve? Esse guarda precisará ser subornado? Ela está olhando para mim de forma um pouco intensa demais?*

Graças ao treinamento do movimento jovem, as mulheres tinham a expertise necessária para esse trabalho. Haviam assimilado mensagens sobre autoconsciência, independência, consciência coletiva e transcender tentações.[20] Sabiam como permanecer na linha e não ceder aos impulsos que eram normais para alguém no fim da adolescência ou com 20 e poucos anos. Certa vez, disfarçada de camponesa em um trem,[21] Tosia notou um homem atraente e, de repente, desejou a atenção dele. Ela flertou, e ele a convidou para ir a sua casa, uma mansão. Tosia ficou muito tentada a arriscar tudo por um dia de normalidade e prazer; precisou reunir todas as suas forças para recusar.

As *kashariyot* tinham identidades falsas, passados falsos, finalidades falsas, cabelo falso e nome falso. E, igualmente importante, sorrisos falsos. Uma pessoa não podia andar por aí com olhos tristes — algo que a denunciaria instantaneamente. As mensageiras eram treinadas para rir, rir alto, rir muito. Tinham que erguer a cabeça, beber cada gota do mundo, fingir que não tinham nada com que se preocupar, que seus pais e irmãos não tinham sido torturados e assassinados, que não estavam morrendo de fome e que não carregavam um saco de balas em seu vidro de geleia. Nos trens, tinham até mesmo de participar alegremente de discussões antissemitas com os outros passageiros. Não era fácil, como disse Gusta Davidson, "fingir despreocupação enquanto estava mergulhada em pensamentos tão tristes (...) [isso] a levava ao limite de sua resistência".[22] Chasia Bielicka descreveu a repressão constante: "Não podíamos chorar de verdade, sofrer de verdade nem nos conectar com nossos sentimentos de verdade. Éramos atrizes em uma peça que não tinha intervalos, nem mesmo por um momento, uma encenação teatral sem palco. Atrizes em tempo integral."[23]

E porque entravam e saíam dos guetos, as *kashariyot* também eram os principais alvos dos *schmaltzovniks*. Carregavam sempre consigo dinheiro destinado especificamente aos chantagistas. Em uma ocasião, quando Chaika Grossman foi seguida por um deles depois de deixar o gueto de Varsóvia levando documentos e dinheiro escondidos, ela gritou, praguejou e ameaçou denunciá-lo à Gestapo. Vladka Meed também usava uma estratégia ofensiva:[24] pedia aos chantagistas que a seguissem (para evitar uma cena), ameaçava denunciá-los e caminhava calmamente em direção a um guarda nazista até que eles ficavam assustados e fugiam.

Para Gusta, cada momento fora do gueto era um instante de terror, "cada passo fora do arame farpado era como caminhar em meio a uma saraivada de balas (...) cada rua era uma selva densa na qual era preciso abrir caminho com um facão".[25]

E, no entanto, mensageiras tinham saído por aquele portão antes dela.

E Renia também o fez.

14. DENTRO DA GESTAPO

BELA

MAIO 1943

Renia sabia que uma das mensageiras mais bem-sucedidas e ousadas era a camarada do Liberdade Bela Hazan,[1] que trabalhava principalmente no Leste. Bela e suas "colegas" sagazes e lindamente arianas eram lendas, designadas para as missões mais perigosas.

Como seu próprio nome sugeria, Bela era uma beldade. E, em concordância com o sobrenome, o pai dela era um *hazzan* (cantor) em uma pequena cidade quase exclusivamente judaica no sudeste da Polônia; a família vivia no porão escuro abaixo da sinagoga. Quando Bela completou 6 anos, seu pai faleceu. Sua mãe, então, criou sozinha os seis filhos, ensinando-os a não aceitar esmolas nem pena, mas a serem orgulhosos e autossuficientes. Figura respeitada na comunidade, a mãe de Bela era uma mulher sem instrução, mas inteligente e com muita experiência de vida. Insistiu em dar aos filhos a educação que nunca teve e mandou-os para a escola hebraica, recusando toda e qualquer ajuda financeira e comparecendo a todos os eventos da escola, mesmo que isso a obrigasse a fechar a loja. Lavava as roupas dos filhos todas as noites, para que estivessem sempre tão asseados quanto as crianças ricas. Quando Bela se formou, sua mãe a enviou para ser professora particular de hebraico e a ajudava com pacotes de comida e cartas repletas de "afeto e amor maternal".

A mãe de Bela era uma sionista religiosa que permitia que ela participasse das atividades do movimento — contanto que não no Shabat. Em 1939, Bela foi selecionada pela liderança local para cursar aulas especiais de defesa pessoal, como preparação para a vida na Palestina. Aprendeu a usar armas, além de paus e pedras; assistia a palestras e ficava especialmente comovida com as falas de Frumka e Zivia. Depois de se destacar nos exames, ela foi escolhida para ser instrutora de defesa no kibutz do Liberdade em Będzin. Foi direto para Zaglembie, pois temia que, se passasse em casa primeiro, a mãe não a deixaria ir. De fato, sua mãe ficou contrariada e não respondeu às cartas da filha por três meses, antes de finalmente pedir perdão à filha. A essa altura, no fim do verão, ela estava tentando conseguir documentos para que toda a família fizesse a *aliyah*.

Bela estava em um treinamento de defesa quando ocorreu a invasão de Hitler. Os camaradas se sentaram na cozinha e ficaram ouvindo o rádio, cientes de que os nazistas chegariam à cidade fronteiriça em questão de minutos. A liderança decidiu realocar os membros para um local ainda mais interiorano da Polônia — isto é, exceto por alguns dos homens e Bela, que ficariam para cuidar do kibutz de Będzin. O bombardeio alemão, no entanto, foi tão violento que Bela e seus camaradas tiveram de fugir para se salvar. As estradas estavam cheias de pessoas que, em pânico, empurravam umas às outras; igualmente lotadas estavam as plataformas dos trens de carga. Bombas explodiam por toda parte. Depois de dias insanos em fuga, Bela voltou para Będzin, onde pelo menos tinha um teto. A sensação de pertencimento a fez chorar — *aquela* era sua casa.

Logo depois, entretanto, foi convocada pelo Liberdade a ir para Vilna, a partir de onde a *aliyah* talvez ainda fosse possível. Sua jornada caótica incluiu a travessia noturna de barco por um rio, além de três semanas em uma prisão russa, onde foi forçada a ficar de pé o tempo todo. Após dias de súplica, ela foi até a casa do chefe da guarda prisional, onde chorou e insistiu — com sucesso — para que seus companheiros fossem libertados. No caminho de volta a Vilna, foi visitar a mãe, que achava que ela estava morta. O alegre reencontro durou apenas duas horas: Bela teve que partir, de carro e a pé, seguindo para o leste em sua tentativa de chegar à Palestina. Ela prometeu à família que daria um jeito de levá-los para lá. Foi a última vez que os viu.

Em Vilna, participou da cena do florescente — ainda que faminto — movimento jovem, onde o trabalho agrícola e cultural continuava, mesmo sob ocupação russa (apenas de maneira mais discreta). A invasão alemã, em 1941, trouxe consigo o terror. Uma imagem dos primeiros dias de ocupação que nunca mais saiu de sua mente foi encontrar um homem judeu pendurado em uma árvore e com o pênis decepado. Não tardou muito para que todas as leis antijudaicas usuais fossem postas em prática. Estrelas de Davi, execuções, guetização.

Mas Bela nunca esmoreceu. Desde o início, junto com um grupo de trabalho, saía do gueto através de pequenas passagens ou por meio de casas próximas aos muros; em seguida, arrancava a braçadeira com a estrela de Davi (que prendia com alfinetes em vez de costurar — um crime que podia significar a execução imediata), dirigia-se ao mercado e comprava comida e remédios para seus amigos. Ela era uma desconhecida em Vilna — e ainda por cima uma desconhecida com feições arianas. Não precisava se preocupar em ser identificada como judia ao primeiro olhar, mas seu sotaque polonês era muito judeu, motivo pelo qual falava o mínimo possível. No gueto, morava em um apartamento de três quartos com treze famílias — eles sempre acolhiam refugiados judeus. Dormia em cima de uma mesa de pingue-pongue. Apesar de não ter formação médica, Bela conseguiu emprego em um hospital como "enfermeira", trabalhando no centro cirúrgico. Com um rodo, limpava o sangue no chão, e certa vez ficou encarregada de entregar os instrumentos ao cirurgião, que operava à luz de velas.

Depois de ouvir notícias sobre o massacre de Ponary, na floresta nos arredores de Vilna, os camaradas começaram a organizar a resistência. Abba Kovner, da Guarda Jovem, criou um grupo rebelde. Lideranças do Liberdade procuravam garotas que não parecessem judias para trabalhar como mensageiras entre os guetos. Bela tinha experiência em se passar por ariana e se voluntariou. Ainda assim, precisava de documentos para poder se deslocar livremente. No hospital, falou sobre o assunto com uma conhecida não judia que era apenas alguns anos mais velha que ela, alegando que queria ver a família. A colega não fez perguntas e entregou a Bela seu passaporte, embora com o alerta de nunca aparecer em sua casa, porque seu marido odiava judeus. E assim, aos 19 anos, Bela Hazan se tornou Bronisława Limanowska, ou Bronia, para abreviar. Líderes do Liberdade substituíram a foto e o carimbo; embora fosse uma clara falsificação, o passaporte serviu a ela durante anos.

O trabalho de Bela era conectar Vilna, Grodno e Białystok, contrabandeando boletins, dinheiro e armas. Ela foi instruída a encontrar uma casa segura para mensageiros em Grodno, a fim de estabelecerem uma base. Assim, deixou o gueto pela manhã com um grupo de trabalho e, por dez moedas de ouro, comprou um crucifixo para usar pendurado no pescoço e um livro de orações cristãs. Com o vento cortante soprando em seus ouvidos, viajou em um veículo militar, uma carroça e uma caleche, dormindo em casas demolidas, até chegar à colorida e medieval Grodno, com seus telhados inclinados e suas ruas de paralelepípedos. Bateu à porta da casa de uma polonesa de mais idade e, enquanto a mulher lavava roupa sob a luz de uma lamparina a óleo na cozinha, Bela contou que sua casa fora bombardeada, sua família havia morrido, e que ela precisava de abrigo — o tempo todo apavorada que uma palavra em hebraico ou iídiche escapasse acidentalmente de sua boca, ou de dizer "Deus" em vez de "Jesus, Maria, José". A mulher a consolou e deixou que ela ficasse. Mas Bela não conseguiu dormir naquela noite, com medo de gritar em hebraico durante o sono.

Precisando encontrar um trabalho em Grodno, ela foi à agência de empregos.

— Fala alemão? — perguntou o atendente.

— Sim — afinal, o iídiche era muito parecido.

O atendente a testou. Ao pronunciar a palavra *was* (o quê), ela transformou o som de seus *vus* em *vas*.

— Você fala muito bem — elogiou. Seu iídiche ruim havia resultado em um alemão decente. — Tenho um trabalho para você — ofereceu ele. — Como tradutora... no escritório da Gestapo.

Um trabalho na Gestapo? Um risco insano, Bela bem o sabia, mas também uma posição que poderia ajudá-la de maneiras extraordinárias.

No dia seguinte, ela começou a trabalhar no escritório da Gestapo em Grodno, que era, sobretudo, uma repartição administrativa. O chefe gostou dela de imediato, assim como a maioria dos funcionários, quase todos alemães. Bela ficou encarregada de fazer traduções do polonês, do russo e do ucraniano para o alemão. "De repente", lembraria ela, "eu era poliglota!" Também fazia a limpeza e servia o chá.

Ao procurar apartamento, Bela evitou o bairro intelectual, onde seu sotaque seria reconhecido. Alugou um quarto na periferia da cidade, de uma viúva bielorrussa que, esperava, não notaria seus erros linguísticos. Tentou se instalar da maneira mais confortável possível no espaço minúsculo, cujas paredes estavam cobertas de imagens de Jesus. Mas quando voltava para casa depois da jornada de dez horas de trabalho, aquelas imagens a enchiam de medo, assim como os domingos na igreja — mais do que os dias que passava cercada de nazistas. Bela tomava sempre o cuidado de ir à igreja com uma colega e ficar atrás dela, para poder imitar todos os gestos e movimentos.

Depois de uma semana de trabalho, ela pediu ao chefe documentos oficiais que atestassem que trabalhava para a Gestapo. Ele os assinou na mesma hora. Munida dessa documentação, Bela foi até a prefeitura de Grodno, explicou que todos os seus documentos haviam sido destruídos e pediu um novo conjunto completo. O atendente ficou com tanto medo de desagradar uma funcionária da Gestapo que a transferiu para o início da fila. Eles emitiram uma identidade com detalhes falsos. Bela havia ganho na loteria: livre circulação.

Com seus novos documentos, ela podia ficar na rua após o toque de recolher, mesmo perto do gueto, aonde ia para ajudar. Teve que se reportar a Vilna e emprestar aos camaradas seus novos documentos, para que fossem usados como modelos para falsificações. Mas era quase impossível obter autorizações para viajar de trem — elas eram reservadas aos militares. Então, certa manhã, Bela chegou ao trabalho aos prantos. Explicou que seu irmão morrera em Vilna e que ela precisava enterrá-lo; de acordo com a tradição polonesa, o enterro teria que ser realizado em três dias. Em seguida, precisaria cuidar de diversos assuntos, o que levaria uma semana. Seu chefe na Gestapo a consolou e a acompanhou pessoalmente a fim de obter os passes de trem.

Radiante, Bela chegou a Vilna e, vestida como uma mulher cristã, planejou o momento certo de entrar no gueto e prender sua estrela, que havia escondido no fundo da carteira. Perto do portão do gueto, uma mulher com longas tranças loiras se aproximou dela.

— Não nos conhecemos?

O coração de Bela disparou. Quem seria?

— Qual é o seu nome?

— Christina Kosovska.

A mulher pegou uma fotografia que estava dentro da carteira. Era um grupo de camaradas. Bela estava entre elas!

— Meu nome verdadeiro — sussurrou a mulher — é Lonka Kozibrodska.

Lonka. Bela tinha ouvido falar muito sobre ela. Uma mensageira experiente com um polonês impecável e uma bela aparência cristã, Lonka tinha a sabedoria e o encanto de "um sumo sacerdote, com as longas tranças loiras dispostas como um halo em volta da cabeça".[2] Os camaradas muitas vezes se perguntavam se ela não teria sido enviada pela Gestapo como agente infiltrada. Com quase 30 anos e oriunda de uma família culta dos arredores de Varsóvia, a alta e esguia Lonka havia frequentado a universidade, e era fluente em oito idiomas. Enquanto Bela, quase uma década mais jovem, era uma garota esperta da classe trabalhadora, corpulenta e acelerada, Lonka tinha a confiança de uma mulher educada e conhecedora do mundo. Não usava sua aparência imponente para intimidar os camaradas, mas sim para impressionar nazistas. "Mais de uma vez", escreveu uma camarada, "um *Gestaponik* a ajudou a carregar sua valise cheia de materiais ilícitos por pensar que ela era uma garota cristã." Lonka, que ascendera depressa na hierarquia do Liberdade com sua atitude alegre, mas diligente, viajava pelo país transportando armas, documentos e, uma vez, um arquivo. Agora, estava ali em uma missão, enviada de Varsóvia. Juntas, elas se misturaram a um grupo de trabalhadores e entraram no gueto — a primeira de muitas colaborações.

Bela teve um reencontro alegre com os camaradas (que estavam preocupados com seu emprego de alto risco) e entregou seus documentos, que eles passaram a noite inteira copiando em seu "escritório de falsificações". Depois de alguns dias, Bela voltou a Grodno com instruções para informar o Judenrat a respeito de Ponary e pedir ajuda financeira para retirarem judeus de Vilna. Ela também se encontraria com integrantes do Liberdade e compartilharia com eles planos de uma revolta clandestina.

Pouco antes de deixar Vilna, Bela substituiu a braçadeira judaica por uma faixa preta de luto. No trem, começou a chorar, clamando pela destruição de todos os judeus. Passageiros a consolaram pela perda do irmão. Isto é, quando não estavam culpando os judeus por todos os problemas do país. De volta ao apartamento, a senhoria e a vizinha ajudaram-na a se acalmar. Quando voltou ao trabalho, encontrou um cartão de condolências dos colegas de escritório nazistas dizendo como estavam tristes pela perda de seu irmão. Isso, por fim, a fez rir.

Ela pediu uma autorização especial para entrar no gueto. Explicou que precisava ser atendida por um excelente dentista judeu — e conseguiu um passe de duas semanas. No Judenrat, apresentou suas informações e seus pedidos. Será que poderiam destinar algum dinheiro aos mais pobres de Vilna? Aceitariam refugiados? Mas os homens do conselho não acreditaram nela. Além disso, disseram, onde colocariam mais pessoas? E não podiam simplesmente distribuir dinheiro. No corredor, Bela soluçou. Um dos membros do Judenrat se aproximou dela e se ofereceu discretamente para ajudar os refugiados, entregando-lhe dinheiro e identidades falsas. Na biblioteca do porão, ela se encontrou com o grupo do Liberdade. Havia oitenta integrantes — muitos deles conhecidos —, que se reuniam para palestras e aulas de hebraico. Ela contou a eles sobre Ponary e falou sobre a necessidade de os jovens se rebelarem.

Pouco antes do Natal de 1941, Bela decorou sua primeira árvore e disse à senhoria que uma amiga iria visitá-la no feriado. Tema Schneiderman[3] chegou a Grodno usando seu tipo favorito de roupas: elegantes, porém casuais, incluindo botas de inverno pretas que estavam na moda. Ela era conhecida por sempre levar um presente — mesmo ao entrar no gueto —, como flores silvestres que colhia no caminho, limões contrabandeados ou uma peça de sua roupa.

Nascida em Varsóvia, Tema (também conhecida como Wanda Majewska) era uma mensageira alta e reservada, de aparência cristã, cujo rosto sorridente era coroado por duas tranças castanho-avermelhadas. Tinha perdido a mãe ainda muito jovem e era independente e prática; falava polonês em casa e frequentara a escola pública antes de se tornar enfermeira. Ingressou no Liberdade por intermédio do noivo, Mordechai Tenenbaum, e aprendeu iídiche. No início da guerra, os dois falsificavam documentos de emigração e enviavam camaradas para a Palestina.

Mordechai usou o sobrenome dela em sua identidade falsa; ele a adorava e a enviava nas missões mais arriscadas. Os relatórios de Tema eram publicados em boletins da clandestinidade, e ela escreveu um ensaio para um jornal clandestino polonês destinado aos alemães no qual contava sobre os horrores da guerra. Trabalhava na área de Varsóvia como mensageira e atravessadora de pessoas.

Bela levou-a a seu escritório — o cartão de condolências ainda estava afixado no quadro de avisos. Tema também deu uma boa risada.

Um nazista que estava apaixonado por Bela a convidou para a festa de Natal do escritório. Ela não podia recusar. Naquela noite, Tema e Lonka ficaram em seu apartamento, e então ela as levou junto. As três se arrumaram e participaram da comemoração natalina promovida pela Gestapo, posando para uma fotografia[4] que dali em diante se tornou uma imagem icônica das mensageiras. Cada uma delas recebeu uma cópia.

Pouco depois, o movimento clandestino convocou Bela a Vilna. Ela disse ao chefe que precisava passar duas semanas no hospital e tomou um trem para lá. O vagão de passageiros estava lotado de soldados nazistas, com quem ela conversou — com dinheiro escondido no sutiã, a estrela de Davi no bolso do casaco. Entrou no gueto de Vilna com um grupo de trabalhadoras, oferecendo-se para ajudar a carregar seus sacos de batatas. Alguns quarteirões pareceram quilômetros.

Pouco depois, estava no gueto de Białystok. Lá, ela e Lonka trabalharam juntas para fazer entrar no gueto um pacote dentro do qual havia um bebê nascido em Grodno. Bela estava tão feliz por estar entre amigos, e por poder se comportar livremente como judia, que decidiu ficar. Frumka chegou a Białystok para liderar um seminário de três semanas, com o objetivo de fazer com que os camaradas continuassem a aprender e a pensar. Lonka e Bela passavam dias percorrendo a região, em busca de judeus que pudessem ir ao seminário, disfarçados, de carro, de trem e a pé. O seminário lhes dava a sensação de que estavam levando uma vida normal.

Vilna, Białystok, Volhynia, Kovel — Bela passou os meses seguintes viajando sem parar, escapou de liquidações — uma vez se escondendo em manilhas de cimento — e por fim chegou à sua cidade, onde encontrou a casa da família ocupada por ucranianos, a sala de estar da mãe decorada com imagens de Jesus. Ela fez alguns comentários antissemitas e perguntou o que tinha acontecido com os judeus que moravam ali.

— Se foram.

Bela correu, tentando se afastar o bastante para não ser ouvida antes de irromper em soluços. Foi então que ela soube que, se quisesse continuar vivendo, viver para se vingar era sua única opção.

Na primavera, Lonka foi enviada em uma missão a Varsóvia, carregando quatro revólveres.

Ela desapareceu.

Os líderes em Białystok decidiram que alguém precisava procurá-la. Bela se voluntariou.

— Veja se volta inteira — disseram a ela, todos nervosos.

O namorado de Bela, Hanoch, a acompanhou até a estação. Forte, musculoso, um homem que havia roubado armas de nazistas, ele lhe inspirava coragem. Planejavam se casar depois da guerra e se mudar para a Palestina.

Ele entregou a ela duas armas, que Bela guardou em seus enormes bolsos. Escondeu, no meio de suas tranças, um boletim clandestino escrito em hebraico e impresso em papel fino. Sentia-se confiante a caminho de Varsóvia e passou em todas as inspeções com seus documentos falsos.

Até que chegou à aldeia de Małkinia Górna. Um oficial entrou no vagão e se aproximou dela.

— Sim?

— Venha comigo — disse ele. — Estamos esperando por você há muito tempo.

Sem dizer uma palavra, Bela se levantou e o seguiu para fora do vagão.

O trem partiu.

O policial a levou para uma pequena sala na estação de trem, revistou seu corpo e sua mala, encontrou as armas. Não havia nada que ela pudesse fazer. Bela olhou para os alemães, viu que empunhavam as armas que ela transportava e soube: seria executada. A adolescente decidiu agir como se nada de incomum estivesse acontecendo. Homens vieram para escoltá-la até a floresta, gritando para que corresse, esmurrando suas costas. Bela não queria que atirassem nela por trás. Começou a cantarolar uma melodia para se acalmar.

Chegaram a uma pequena prisão no meio do nada. Bela entrou em pânico: e se descobrissem o material em hebraico em suas tranças? Os alemães sabiam que ela contrabandeava armas, mas não podiam — não deviam — descobrir que era judia. Ela pediu para ir ao banheiro. Eles a levaram para uma cabana aberta com um buraco no chão. De alguma forma, ela conseguiu tirar o boletim de papel das tranças e jogá-lo no buraco.

Em uma pequena sala, tiraram-lhe tudo. Era o fim. Ninguém jamais saberia o que tinha acontecido com ela. Bela começou a chorar.

— Pare de chorar ou mato você! — gritou o oficial.

O interrogatório começou. Ela mentiu sem parar, falando apenas em polonês, tentando desesperadamente encobrir seu sotaque.

— Sim, meu pai era primo de primeiro grau do famoso político polonês Limanowski.

— Comprei os documentos de viagem de um homem no trem, por 20 marcos.

— As armas são minhas.

Eles a espancaram sem piedade. Em seguida, perguntaram sobre os oficiais poloneses, e Bela se deu conta de que eles pensavam que ela fazia parte do Exército Nacional.

De repente, um deles perguntou:

— Conhece Christina Kosovaska?

Lonka.

— Não.

— Diga a verdade ou eu mato você.

O homem pegou uma fotografia e a enfiou na cara dela: a foto de Lonka, Tema e Bela da festa de Natal da Gestapo. Lonka estava tão confiante que a carregava com ela em suas missões. Eles a haviam encontrado.

— Não se reconhece?

Ela disse que tinha conhecido Lonka na festa. Eles não acreditaram e voltaram a espancá-la, quebrando-lhe um dente.

Depois de seis horas de interrogatório, Bela estava exausta e jogada no chão de terra batida. Durante toda a noite, os guardas tentaram entrar na cela. Ela os afugentou berrando bem alto. Às cinco da manhã, foi algemada e colocada em um trem com uma escolta. Os transeuntes lhe lançavam olhares de pena, mas Bela manteve a cabeça erguida.

Ela foi levada para a sede da Gestapo de Varsóvia, na rua Szucha. O "Szucha" — como esse quartel-general nazista passaria a ser conhecido — ficava em um imponente prédio do governo polonês, que havia sido tomado pelos nazistas. Situada em um bairro elegante, com grandes avenidas e luxuosos apartamentos *art déco* — incluindo o primeiro domicílio polonês a ter um elevador —, é possível que ninguém imaginasse que aquela edificação de colunas brancas abrigava uma masmorra com câmara de tortura em seu porão. Os detidos esperavam para ser interrogados, sentados em celas escuras onde os assentos eram dispostos em fila, como em um bonde, muito próximos e todos voltados para a mesma direção. Um rádio era mantido ligado a todo volume para encobrir os sons das chicotadas e dos gritos, dos golpes de porrete e cassetete e dos choros. Nas paredes de concreto, havia mensagens desesperadas riscadas por todo lado.[5]

Bela foi colocada em outra sala minúscula e reparou nas palavras de ordem alemãs na parede: "Olhe sempre em frente, nunca para trás." Durante três horas, ouviu gritos e gemidos abafados. Então foi levada para o terceiro andar. Outro interrogatório, feito por um oficial com olhos astutos; mais respostas falsas.

— Se não nos disser imediatamente onde conseguiu as armas, faremos você dizer.

Ela foi empurrada de volta para o porão, brutalmente espancada ao longo de todo o caminho. O oficial da Gestapo a obrigou a tirar a roupa e se deitar em uma prancha de madeira no meio do chão. Pegou um porrete e golpeou todas as partes do corpo de Bela, uma de cada vez. Tapou-lhe a boca com as mãos até ela desmaiar. Ela acordou coberta de sangue. Sem conseguir se mover, com o corpo cheio de hematomas e inchado, ficou ali por três dias. Então o oficial voltou, disse a ela que se vestisse, e os homens a levaram para Pawiak, a prisão política que ficava dentro do gueto, bem em frente à rua Dzielna. Um carro especial transportava prisioneiros entre os dois locais de tortura várias vezes ao dia; as pessoas observavam apavoradas.

Pawiak era conhecida como o inferno, mas Bela na verdade ficou feliz.

Descobriu que Lonka estava lá.

*

— Lonka atirou um bilhete de uma janela de Pawiak quando foi presa[6] — explicou Irena Adamowicz a Renia enquanto caminhavam a passos decididos pelas ruas de Varsóvia. — Os camaradas encontraram o papel e souberam de seu paradeiro.

Apesar dos perigos a cada passo, Irena e Renia tinham ido até a cidade. Ligada às combatentes por laços de lealdade, Irena acolheu Renia de braços abertos. Irena era alta e magra, com traços delicados. Seus cabelos louros, salpicados de cinza, eram cortados na altura do pescoço. Ela usava uma saia longa e escura, blusa branca e sapatos pesados.[7] Enquanto caminhavam, Renia implorou a ela que ajudasse a responder a todas as perguntas desesperadas que tinham em Będzin.

— É verdade que Zivia foi assassinada?

Irena, segura e discreta, passara anos trocando de endereço, mantendo conexões e organizando ações da juventude por toda a Varsóvia ariana, mas os tempos eram particularmente difíceis. Fazia vários dias que ela não tinha qualquer contato com o gueto. No entanto, explicou, até onde sabia, Będzin recebera notícias falsas.

— Zivia está viva — disse ela. — Neste exato momento, está combatendo no gueto.

Renia soltou um profundo suspiro. Isso, decidiu, ela precisava ver por si mesma.

15. O LEVANTE DO GUETO DE VARSÓVIA

ZIVIA

ABRIL DE 1943

Algumas semanas antes, na véspera da Páscoa, 18 de abril de 1943, Zivia estava com seus camaradas,[1] divertindo-se em um *kumsitz* (palavra em iídiche para "venham, sentem-se" e que designa uma reunião informal de um movimento). Já eram duas da manhã, mas eles estavam debatendo seus planos para o futuro. Foi quando um camarada entrou, sério.

— Recebemos um telefonema[2] do lado ariano — anunciou. Todos congelaram. — O gueto está cercado. Os alemães vão iniciar o ataque às seis.[3]

Eles não sabiam que 20 de abril era o aniversário de Hitler, e, como presente, Himmler queria oferecer a ele a destruição do gueto.[4]

Zivia sentiu um frêmito de alegria, seguido de um estremecimento de terror. Vinham se preparando havia meses, rezando por aquele momento, mas ainda assim era difícil enfrentar o começo do fim. Então, ela reprimiu as emoções e pegou sua arma. Estava na hora.

Desde a "mini-insurreição" de janeiro, o gueto de Varsóvia vinha planejando sua grande revolta. Os judeus haviam constatado que podiam matar alemães, deter uma *Aktion* e sair vivos, e Zivia sentia que a psicologia do gueto havia mudado.[5] Não havia mais ilusões sobre a segurança do trabalho; todos sabiam que a deportação e a morte eram iminentes. Judeus que tinham dinheiro compravam documentos arianos e tentavam fugir. Outros encontravam material de construção no meio do entulho e erigiam esconderijos sofisticados e bem camuflados, com estoques de comida. Preparavam kits de primeiros socorros, garantiam o acesso à eletricidade, criavam sistemas de ventilação, faziam conexões com o sistema de esgoto da cidade e cavavam túneis até o lado ariano.[6] Vladka também notou essa mudança de estado de espírito: durante uma visita ao gueto, na primavera, viu cartazes da ŻOB exortando os judeus a não obedecer às ordens dos alemães e resistir; os judeus os liam com atenção. Um conhecido perguntou a ela onde conseguir uma arma. Os judeus compravam suas próprias armas.[7] A revolta da ŻOB não era mais vista como fantasia de um bando de crianças com bombas caseiras, mas como uma respeitada luta nacional.[8]

O Exército Nacional, também impressionado com o levante de janeiro, finalmente decidiu fornecer uma ajuda mais significativa. Eles enviaram cinquenta pistolas, cinquenta granadas de mão e vários quilos de explosivos para o gueto.[9] Antek vestiu um terno que era apenas um pouco pequeno demais para ele[10] e se disfarçou de polonês; em seguida, mudou-se para o lado ariano a fim de comandar as atividades e fazer contatos. A ŻOB comprou armas de poloneses, judeus do gueto e soldados alemães e as roubou das polícias polonesa e alemã. O novo arsenal vinha de fontes tão diversas, no entanto, que as munições de diferentes calibres fabricadas em vários campos de trabalho nem sempre eram compatíveis com os armamentos.

O quartel-general da resistência se expandiu e foram criadas oficinas e um laboratório. Vladka descreveu a escura "fábrica de munições",[11] com sua longa mesa e cadeiras, seu cheiro pungente, como um espaço de silenciosa santidade. Era silencioso por um motivo: um erro de cálculo e eles explodiriam o prédio. A ŻOB fabricava bombas primitivas com canos de água maiores retirados de casas abandonadas. Serravam pedaços de 30 centímetros, soldavam uma das extremidades e inseriam um tubo de metal mais fino carregado com explosivos, além de metal e pregos. O vento, pavios curtos demais — havia muitos riscos operacionais.

Um engenheiro do Bund aprendeu com amigos do PPR a preparar coquetéis molotov. O movimento jovem recolhia garrafas de vidro fino. (O vidro mais espesso não funcionava.) Conseguiam gasolina e querosene de um judeu cuja família fora proprietária de um depósito de combustível, bem como de um grande caminhão que abastecia o Judenrat todos os dias — providenciavam para que o motorista enchesse o tanque antes de entrar e os deixasse sifonar uma parte depois. O cianeto de potássio e o açúcar eram contrabandeados do lado ariano. Os coquetéis eram embrulhados em papel pardo grosso e acesos no momento de serem lançados. Os jovens aprenderam a mirar em tanques e nos capacetes de soldados. Também fabricavam minas com espoletas elétricas, e as enterravam em pontos de entrada do gueto, usando cimento reforçado e vigas.[12]

A ŻOB assumiu o controle oficial do gueto no lugar do Judenrat e, como escreveu Zivia, passou a ser, efetivamente, "o governo". Em seus relatos, a jovem brincava sobre uma vez terem recebido o pedido de um judeu que queria abrir um cassino no gueto.[13] Padeiros ajudavam.[14] Sapateiros se ofereciam para fazer coldres para substituir as cordas que os combatentes usavam para prender suas armas.[15] A organização livrou o gueto de colaboracionistas e informantes e arrecadou dinheiro. Como Zivia observou, eram necessários milhões de złotys para armar centenas de combatentes. Apesar dos avisos anteriores para que agissem com prudência, o American Joint Distribution Committee contribuiu com fundos significativos.[16] Além de ficar encarregada de encontrar novos recrutas, Zivia foi nomeada codirigente do Comitê de Finanças,[17] criado para angariar doações. Quando isso se mostrou inadequado, eles passaram a exigir contribuições, primeiro ao Judenrat, depois ao banco do gueto, que era guardado pela polícia polonesa. "Um belo dia", escreveu ela, "entramos com pistolas e pegamos todo o dinheiro que havia no cofre."[18] A ŻOB taxava os judeus ricos, principalmente aqueles que mantinham laços com os alemães. A organização mandava bilhetes exigindo pagamento, negociava, sequestrava membros da família e enviava combatentes armados (disfarçados de poloneses, que eram considerados mais ameaçadores do que outros judeus) para revistarem as casas,[19] mas nada foi tão eficaz quanto a criação de suas próprias prisões. Nelas, detinham judeus ricos cujo dinheiro vinha de fontes corruptas até que eles (ou a família, o que era mais comum) concordassem em pagar.

No entanto, a ŻOB nunca matava outros judeus por dinheiro. Era importante para Zivia manter um código moral elevado em meio à "desmoralização desenfreada" e à ganância que os rodeavam. Acumulavam milhões,[20] mas os combatentes comiam apenas porções modestas de pão seco. Zivia enfatizava que jamais deveriam gastar o dinheiro com eles próprios.

Zivia fazia parte do comando central da ŻOB, junto com Miriam Heinsdorf,[21] enérgica líder da Guarda Jovem varsoviana que tivera um envolvimento romântico com Josef Kaplan, o líder que fora capturado no depósito de armas. Ao que parece, no entanto, as duas mulheres eram oficialmente rebaixadas na esfera mais ampla da organização, um guarda-chuva que incluía o Bund e os partidos adultos.[22] Nessa organização, nenhuma mulher tinha um cargo de primeiro escalão, mas Zivia ainda participava de todas as reuniões diárias da ŻOB, e sua opinião contava.[23] Tosia também participava das discussões mais importantes.

De acordo com as reflexões de Zivia,[24] eles usavam seu tempo com sabedoria para ajudar aqueles que haviam sido educadores e não tinham qualquer experiência militar, desenvolvendo estratégias e métodos para o embate frente a frente, ataques noturnos no estilo guerrilha e combates nos bunkers. A ŻOB havia estudado as ruas labirínticas do gueto, analisara os resultados da batalha de janeiro e estava alerta para surpresas. Seus membros mantiveram as táticas de luta menos dramáticas e mais metódicas adotadas pelo grupo liderado por Zivia em janeiro: atacar a partir de locais escondidos de onde poderiam se retirar através de sótãos e telhados. Surpreender os nazistas era sua melhor chance.[25] Postos estratégicos de onde era possível ver os cruzamentos das ruas foram selecionados meticulosamente. Vinte e dois grupos de combate, totalizando quinhentos combatentes (com idade entre 20 e 25 anos),[26] foram organizados de acordo com o respectivo movimento juvenil.[27] Um terço eram mulheres.[28] Cada grupo tinha um comandante e um posto de combate específico; seus integrantes conheciam a própria área e tinham planos para o caso de perderem o contato com o comando central. Os combatentes tiveram aulas preparatórias de primeiros socorros.[29] Todas as noites, até tarde, treinavam em becos patrulhados, sem usar balas e fixando a mira em alvos de papelão.[30] Aprenderam a montar e desmontar suas armas em segundos.[31]

Certa de que os combatentes do gueto de Varsóvia não sobreviveriam, Zivia se concentrou em encontrar pessoas que pudessem contar ao mundo como os judeus tinham resistido. Não cogitava deixar a Polônia, mas selecionou Frumka e Hantze como emissárias e escreveu para elas em Będzin, insistindo para que partissem. Ninguém se envolvia em planos de resgate, ninguém preparava rotas de fuga nem bunkers. A ŻOB organizou apenas um "bunker médico", para cuidar dos que se ferissem no combate — que eles sabiam que era iminente.

*

Mesmo assim, o momento em que suas fantasias se materializavam era sempre uma surpresa.

De arma na mão, Zivia sabia que aquela "manhã marcava o início do fim".[32] Os mensageiros da ŻOB percorreram o gueto espalhando a notícia; as pessoas pegaram em armas ou se esconderam. Pânico. De sua posição no último andar, Zivia observou uma mãe com um bebê aos prantos no colo, carregando uma sacola de pertences e correndo de um bunker para outro, tentando encontrar um espaço. Sabendo que ficariam algum tempo sem ver a luz do dia, outros tentaram secar o pão às pressas — uma verdadeira história da Páscoa. Dentro dos bunkers, as pessoas se amontoavam em beliches de madeira improvisados, acalmando as crianças que choravam alto demais. Então, Zivia viu o gueto ficar fantasmagoricamente vazio, silencioso, exceto pela sombra distante de uma mulher que, corajosamente, correu para pegar algo que havia esquecido e parou para dirigir um olhar amoroso aos combatentes em posição.

Zivia estava entre os trinta combatentes postados nos andares mais altos de um edifício no cruzamento das ruas Nalewski e Gęsia — a primeira unidade a enfrentar os alemães. A ansiedade, a excitação eram quase insuportáveis. Embora não fossem um exército, estavam muito mais organizados do que em janeiro, centenas deles em locais estratégicos, armados com pistolas, rifles, armas automáticas, granadas, bombas e milhares de coquetéis molotov, ou, como os alemães viriam a chamá-los, "a arma secreta dos judeus". Muitas mulheres estavam munidas de bombas e explosivos. Cada combatente tinha seu kit pessoal (montado pelas camaradas) contendo uma muda de roupa íntima, comida, um curativo e uma arma.[33]

Quando o sol nasceu, Zivia viu as tropas alemãs avançarem em direção ao gueto, como se fosse uma verdadeira frente de batalha. Dois mil nazistas, tanques, metralhadoras. Soldados elegantes e descontraídos entraram marchando, cantando melodias, prontos para um fácil golpe de misericórdia.

Os combatentes da ŻOB deixaram que eles passassem pela entrada principal. Então acionaram o gatilho.

Um grande estrondo. As minas que haviam plantado sob a rua principal explodiram. Braços e pernas arrancados voaram pelos ares.

Um novo grupo de nazistas entrou marchando. Dessa vez, Zivia e seus camaradas lançaram granadas de mão e bombas, uma chuva de explosivos. Os alemães se dispersaram; os combatentes judeus os perseguiram, disparando armas de fogo. Poças de sangue alemão cobriam as ruas junto com uma "massa pulverizada e sangrenta de corpos desmembrados".[34] Uma combatente, Tamar, ficou tão emocionada que se juntou ao coro de alegria e gritou: "Desta vez, eles vão pagar!"[35] em uma voz que não reconhecia.

A unidade de Zivia lutou contra os alemães durante horas, seu comandante correndo de um lado para o outro, encorajando, incitando. De repente, um ponto fraco, e os nazistas entraram no prédio. Mais coquetéis molotov. Alemães "rolando no próprio sangue".[36]

Nenhum combatente judeu ficou ferido.

A alegria inebriante da vingança. Os judeus estavam atordoados, sem fôlego, chocados por estarem vivos. Os combatentes se abraçaram e se beijaram.

Saíram em busca de pão e de um lugar para descansar, mas ouviram um apito e, em seguida, o ruído de motores. Correram de volta para suas posições, atiraram coquetéis e granadas nos tanques nazistas. Acertaram em cheio! Haviam conseguido bloquear o avanço. "Dessa vez, ficamos perplexos", refletiu Zivia mais tarde. "Nós não conseguíamos entender como aquilo tinha acontecido."[37]

Naquela noite,[38] *seders* foram improvisados para celebrar a Páscoa nos bunkers do gueto livre dos alemães. Os judeus cantaram sobre libertação e salvação, perguntaram por que aquela noite era diferente de todas as outras e entoaram a canção "*Dayenu*". Apenas isso já teria sido o suficiente. As lojas de alimentos do Judenrat foram abertas, e as pessoas fizeram seus estoques.

Os dias de combate que se seguiram, no entanto, foram difíceis. A maioria dos bunkers ficou sem ligação com a rede elétrica, sem água e sem gás — quase todas as unidades da milícia foram isoladas umas das outras. A artilharia alemã, estacionada no lado ariano, bombardeou o gueto sem parar. Era difícil se deslocar. Zivia manteve sua autoridade e, como sempre, agiu por iniciativa própria, conduzindo missões de reconhecimento[39] e rondas noturnas pelos postos e bunkers onde estavam os combatentes; encorajava seus camaradas, elaborava planos, tentava calcular a posição dos alemães. Essas expedições noturnas eram extremamente perigosas. Uma vez, um soldado alemão a viu e abriu fogo. Em várias ocasiões, ia para o topo de um prédio em ruínas para apreciar a calma noturna. "Durante horas", lembrou ela, "eu ficava ali deitada, em um silêncio preocupado, os céus galopando lá no alto em um início de primavera, e às vezes era tão bom ficar assim deitada, sentindo na mão o toque agradável da minha arma."[40]

Uma noite, ela e dois camaradas saíram para fazer contato com os principais grupos de combatentes do Liberdade na Miła, a principal rua do gueto, "manobrando furtivamente em meio aos escombros", atravessando ruas e becos, avançando sempre colados às casas. Seu coração batia acelerado quando ela se aproximou do endereço — não havia sinal de vida. Devastada, mal conseguiu pronunciar o código secreto.

E então, a porta camuflada se abriu. De repente, camaradas, velhos amigos, estavam abraçando-a, beijando-a. Em sua unidade, que havia atacado pela retaguarda os alemães que entraram no gueto, apenas uma vida havia sido perdida. Naquele bunker havia um rádio que tocava música alegre. Então a música parou. "Os judeus do gueto", anunciou o locutor de uma rádio clandestina polonesa, "estão lutando com uma coragem incomparável."

Zivia estava exausta e ainda precisava visitar outras unidades. Mas os camaradas não a deixaram ir. Aquele bunker havia sido preparado como unidade hospitalar, com médico, enfermeiras, equipamentos, primeiros socorros, remédios e água quente. Eles insistiram para que ela tomasse um banho; assaram um frango e abriram uma garrafa de vinho em sua homenagem. Não conseguiam parar de falar, os sentimentos e as emoções transbordando, conscientes do que tinham feito. Um deles havia lançado um coquetel molotov que atingira um nazista na cabeça, transformando-o em uma tocha humana; outro atingira um tanque, deixando uma coluna de fumaça; outros tinham tirado armas de cadáveres alemães.

Outras unidades relatavam histórias de sucesso semelhantes: minas colocadas em entradas, horas de batalha, combatentes encurralados em passagens do sótão, mas detonando bombas para abrir caminho. Um destacamento de trezentos alemães foi "destroçado" por uma mina elétrica e "pedaços de uniforme e carne humana voaram em todas as direções".[41] Como outro combatente descreveu após a detonação da bomba de sua unidade: "Corpos esmagados, membros arremessados pelos ares, paralelepípedos e muros desmoronando, caos completo."[42] Na batalha de um dos grupos, os soldados nazistas entraram novamente no prédio agitando uma bandeira branca, mas a ŻOB não se deixou enganar. Zippora Lerer[43] se debruçou na janela e jogou garrafas de ácido nos alemães lá embaixo. Ouviu-os gritar, incrédulos: "*Eine frau kampft!*" "Uma mulher está lutando!" Eles começaram a atirar de volta, mas ela não recuou.

Masha Futermilch,[44] integrante do Bund, subiu no telhado de um edifício. Tremia tanto de excitação que precisou de um tempo para riscar o fósforo e acender o pavio de seu explosivo. Por fim, seu parceiro lançou a granada nos alemães. Uma explosão estrondosa, nazistas tombando, e então ela ouviu um grito: "Olhem, uma mulher! Uma mulher combatente!" Masha ficou exultante. Uma sensação de alívio a invadiu: ela havia feito sua parte.[45]

Pegou uma pistola e atirou até a última bala.

*

Hantze se preparou para deixar Varsóvia, conforme havia sido planejado.[46] Mas a mulher planeja, e Deus ri. Dias antes de sua partida: o levante do gueto de Varsóvia. Ficou então decidido que Hantze não iria para o exterior, mas voltaria a Będzin para ajudar na defesa em Zaglembie. Se estava destinada a morrer em combate, queria morrer ao lado da irmã e dos camaradas de lá. No segundo dia do levante, durante uma pausa no combate, Hantze se esgueirou pelas pequenas e sinuosas ruas do gueto em direção à estação de trem, acompanhada por dois camaradas armados. Cada segundo era precioso. Chegaram a um espaço aberto entre o gueto e o lado ariano. Atrás de Hantze estava o campo de batalha rebelde, a dificuldade às suas costas. Mais um passo.

De repente, uma voz selvagem:

— Pare!

Os camaradas armados sacaram seus revólveres e dispararam. Um enxame de policiais surgiu. Hantze correu o mais rápido que pôde. Mas os nazistas a perseguiram até o pátio "e pegaram nossa garota", escreveu Renia mais tarde sobre sua querida e luminosa amiga. "Eles a arrastaram pelos cabelos até um muro e apontaram as metralhadoras. Ela ficou imóvel, olhando a morte nos olhos. A bala atravessou seu coração."

*

Ao fim dos primeiros cinco dias de combate, escaramuças de rua e ataques a partir de sótãos, a ŻOB se viu diante de um resultado chocante: quase todos estavam vivos. Obviamente, eram boas notícias, mas também representavam um desafio. Como haviam se preparado para morrer, não haviam planejado nenhuma rota de fuga nem tinham feito planos de sobrevivência de curto prazo, não tinham esconderijo e quase nenhuma comida. Foram ficando cansados, famintos, fracos. Zivia se viu envolvida em uma discussão nova e totalmente inesperada: como iam *continuar*?

*

Renia se hospedou em um hotel no lado ariano. Na manhã seguinte, "uma amiga",[47] como Renia a descreveu, provavelmente um contato de Irena, a levou para ver de perto a batalha do gueto. Todas as ruas[48] que davam acesso ao local estavam cheias de soldados alemães, tanques, ônibus e motocicletas. Os nazistas usavam capacetes blindados e empunhavam armas, prontos para atacar. As nuvens tinham ficado vermelhas, refletindo as chamas das casas incendiadas. Mesmo à distância, o ar estava cheio de gritos sufocantes. Quanto mais Renia se aproximava do bairro judeu, mais chocantes lhe pareciam os berros. Havia soldados e gendarmes nazistas protegidos sob barricadas. Tropas especiais da SS, em plena formação e com todo o aparato de combate, estavam estacionadas diante do muro do gueto. Canos de metralhadoras se projetavam das sacadas, janelas e telhados das casas arianas adjacentes. O gueto estava completamente cercado, com tanques blindados bombardeando-o de todas as direções.

Mas Renia viu por si mesma: tanques nazistas estavam sendo destruídos — por judeus. Por seu povo, combatentes da resistência fisicamente debilitados, esfarrapados e famintos, lançando granadas de mão, apontando metralhadoras.

Lá no alto, aviões alemães, brilhando ao sol, davam rasantes e voavam em círculos acima do gueto, atirando bombas incendiárias que ateavam fogo às ruas. Prédios desmoronavam transformando-se em escombros, pisos desabavam lançando no ar colunas de pó. O confronto foi tão tremendo que parecia uma guerra civil. "Não parecia que eram apenas alguns judeus lutando contra os alemães", escreveu Renia, "mas que havia dois países inteiros se enfrentando em uma batalha."[49]

Renia observava tudo de perto, parada junto ao muro. Era sua missão, sua responsabilidade, testemunhar e relatar. Enquanto via o gueto queimar, ela se deslocou ao longo de seu perímetro, tentando enxergar a batalha de todos os pontos de vista possíveis. Observou jovens mães jogando os filhos dos andares superiores de edifícios em chamas. Homens lançavam a família, ou se atiravam, saltando para a morte na esperança de amenizar a queda da esposa e de pais idosos.

Mas nem todos conseguiam cometer suicídio. Renia viu residentes do gueto presos nos andares mais altos de um prédio enquanto as chamas subiam cada vez mais. De repente, uma explosão de fogo fez uma das paredes ceder. Todos caíram, deslizando pelos destroços. De baixo dos escombros emergiu um grito terrível.

Com filhos nos braços, algumas mães que haviam sobrevivido milagrosamente às chamas gritavam por ajuda, implorando pela vida de seus bebês.

Um soldado nazista arrancou as crianças dos braços das mães. Começou a atirar esses bebês no chão, pisoteando seus minúsculos corpos com as botas e usando baionetas para perfurá-los. Renia assistiu, paralisada, enquanto ele jogava os corpos fraturados e ainda se contorcendo no fogo. O mesmo soldado espancou uma das mães com o cassetete. Um tanque se aproximou e passou por cima do corpo moribundo. Renia viu homens adultos com olhos esbugalhados convulsionarem de angústia, implorando aos alemães que atirassem neles. Os nazistas simplesmente riam e deixavam as chamas fazerem o trabalho.

Mesmo no meio dessa depravação, desse caos nauseante, Renia se forçou a enxergar a batalha pela esperança que ela oferecia, a promessa que poderia representar para os combatentes em Będzin. Em meio à fumaça, ela conseguia distinguir vagamente a silhueta de jovens judeus com metralhadoras nos telhados das casas que não estavam em chamas. Garotas judias — garotas judias! — disparavam pistolas e lançavam garrafas cheias de explosivos. Crianças judias, meninos e meninas, emboscavam alemães com pedras e barras de ferro. Ao ver o combate se acirrar, judeus que não faziam parte de qualquer organização, que não sabiam nada sobre os movimentos de resistência, pegavam tudo que conseguiam encontrar e se juntavam aos combatentes. Porque, do contrário, só restava uma saída: a morte. O gueto estava cheio de mortos. A maioria judeus, mas, como Renia viu, alemães também.[50]

Ela se manteve perto dos muros do gueto e testemunhou o desenrolar da luta ao longo do dia, cercada por não judeus que também assistiam aos eventos. Uma fotografia mostra[51] um grande grupo de poloneses, adultos e crianças, de pé, conversando, usando bonés e casacos, as mãos nos bolsos, enquanto olham as espirais de fumaça negra que surgem à sua frente. Vladka, que também estava no lado ariano, viu milhares de poloneses de toda a Varsóvia se reunirem para assistir ao que ocorria. Renia reparou em como os espectadores dessas cenas horrendas reagiam, muitas vezes de maneiras marcadamente diferentes. Alguns alemães cuspiam no chão ao ver aquelas cenas e se afastavam, incapazes de continuar a testemunhar aquele horror. Na janela de um prédio de apartamentos próximo, Renia viu uma polonesa rasgar a roupa do peito e gritar: "Não existe Deus neste mundo se ele consegue assistir a essas cenas lá de cima e ficar em silêncio."[52]

Renia tinha a sensação de que seus pés estavam cedendo sob seu peso. As coisas que tinha visto, as imagens, tudo parecia estar puxando-a para o chão. Mas, ao mesmo tempo, sentia uma leveza no coração, "uma espécie de felicidade por ainda haver judeus ali, pessoas vivas, que lutavam contra os alemães".[53]

Abalada, mas ainda se comportando como se fosse uma garota polonesa, Renia por fim voltou para o hotel enquanto a batalha continuava. Tentou descansar, mas era torturada por visões, pelas informações que havia acabado de obter. "Eu não conseguia acreditar que tinha visto aquilo com meus próprios olhos. Será que meus sentidos tinham me enganado?", perguntava-se. Será que aqueles judeus atormentados, alquebrados e dizimados pela fome tinham sido realmente capazes de travar uma batalha tão heroica? Mas, sim, sim, ela tinha visto: "Os judeus se levantaram, dispostos a morrer como pessoas."[54]

Durante o resto do dia, as notícias do gueto se espalharam pela cidade: o número de alemães mortos, o número de armas que os judeus tomaram deles, o número de tanques destruídos. Os judeus lutariam até o último suspiro, era o que as pessoas diziam. Ao longo de toda a noite, enquanto Renia tentava dormir, a cama estremecia com a explosão das bombas.

Ela partiu para a estação de trem logo no início da manhã, caminhando pela cidade com mais calma do que no dia anterior. Renia, uma jovem judia de uma pequena cidade nos arredores de Kielce, estava se tornando uma especialista em evitar as armadilhas mortais das ruas de Varsóvia, selvagens e devastadas pela guerra. Ela passou o dia inteiro circulando em vagões de trem com gentios que não paravam de falar com admiração sobre o heroísmo e a coragem dos judeus.

Assim como a longa linhagem de mensageiras anteriores a ela, Renia se beneficiava do fato de ser subestimada e menosprezada, de forma que podia circular por Varsóvia sem que ninguém suspeitasse de que era uma agente da resistência. Aparentando ser uma jovem polonesa inofensiva que por acaso estava dando um passeio pela cidade ou tomando o trem para o campo, Renia teve a oportunidade de assistir, de um lugar privilegiado, à maior rebelião da guerra e até mesmo às francas discussões sobre seus desdobramentos. "Os poloneses devem estar lutando ao lado dos judeus", ouviu muitos dizerem. "É impossível que os judeus sejam capazes de travar uma batalha tão heroica."[55] Na verdade, esse era o maior dos elogios.

O trem seguiu em frente, aproximando-se da fronteira. Renia mal conseguia conter as boas notícias. Era hora de ocorrerem levantes por toda parte. Em seguida, Będzin!

16. BANDIDAS DE TRANÇAS

ZIVIA

MAIO DE 1943

Zivia foi cegada pelo clarão.[1] A madrugada parecia o meio do dia. Chamas rugiam em todas as direções.

Depois do combate inicial, os nazistas mudaram de estratégia. Em vez de marcharem até entrar nos pátios — de onde os judeus não saíam mais —, eles se esgueiravam furtivamente pelo gueto em pequenos grupos, indo em direção aos lugares onde suspeitavam que eles estivessem se escondendo. A ŻOB os atacava após entrarem. Então, diante da perspectiva de escaramuças prolongadas, os alemães mudaram de tática mais uma vez. No início de maio, o alto-comando ordenou a destruição sistemática dos edifícios do gueto, a maioria com estrutura de madeira — e isso seria feito por meio do fogo.

Em poucas horas, escreveu Zivia, todo o gueto estava tomado pelas chamas. Os nazistas destruíam um prédio por vez, matando a tiros qualquer judeu que fugisse do esconderijo tomado pela fumaça. Até mesmo nos bunkers de metal, as pessoas morriam por causa da alta temperatura e da inalação de fumaça. Famílias, grupos, crianças corriam freneticamente pelas ruas em ruínas, em busca de um abrigo que não fosse inflamável. Zivia assistia a tudo horrorizada. "O gueto de Varsóvia foi queimado na fogueira", descreveu. "Colunas de chamas se erguiam e fagulhas crepitavam no ar. O céu brilhava com um terrível clarão vermelho. (...) Os pobres restos da maior comunidade judaica da Europa se agitavam convulsivamente nos estertores da morte."[2] Esse terror, escreveu ela, aconteceu ao mesmo tempo que, do lado de fora do gueto, poloneses andavam de carrossel, aproveitando o dia de primavera.

Os combatentes da ŻOB não conseguiam mais lutar de dentro dos edifícios, tampouco podiam se deslocar pelos telhados. Todos os sótãos e passagens tinham sido destruídos. Colocaram panos molhados sobre o rosto e trapos molhados nos pés para aplacar o calor, e voltaram à guerra de bunkers, usando os bunkers de civis, uma vez que não haviam preparado nenhum dos seus. A maioria dos judeus compartilhava os espaços de bom grado e obedecia às ordens da ŻOB para não sair de casa e, assim, acabar alertando os alemães. Mas, no fim das contas, o fogo venceu a obstinada rebelião. Fumaça, calor, ruas inteiras engolidas pelo fogo. Zivia continuou patrulhando o gueto todas as noites, com "as chamas rugindo, a confusão de casas desmoronando, o barulho de vidros se estilhaçando, as colunas de fumaça que subiam pelo céu". "Estávamos sendo queimados vivos", escreveu ela.[3]

Grupos de pessoas fugiam do fogo para o gueto aberto, as labaredas chamuscando o rosto e os olhos. Centenas de combatentes e milhares de civis se reuniram em um pátio remanescente na rua Miła, implorando à ŻOB por orientação: "*Tayerinke, wohin?*" "Minha cara, para onde devemos ir?" Zivia se sentia responsável, mas não tinha respostas — e agora? Os planos da ŻOB tinham sido destruídos; o confronto final com o qual sonhavam tinha se tornado impossível. Eles tinham se preparado para esperar pacientemente, para derramar sangue nazista, uma pequena emboscada por vez. Só não haviam imaginado que seriam destruídos daquela forma, com seus assassinos a uma distância segura. Como Zivia enfatizou mais tarde, "não era contra os alemães que tínhamos de lutar, mas contra o fogo".[4]

Zivia se mudou para o número 18 da rua Miła. Algumas semanas antes, Mordechai Anilevitz transferira o quartel-general da ŻOB para o enorme bunker subterrâneo que fora construído pelos ladrões mais notórios do submundo judaico. Escavado sob três prédios desabados, o bunker tinha um longo corredor com quartos, uma cozinha, uma sala de estar — até um "salão", com uma cadeira de barbeiro no meio e um cabeleireiro que ajudava as pessoas a se prepararem para ir para o lado ariano.[5] Eles deram a cada cômodo o nome de um campo de concentração. (No Museu Yad Mordechai, em Israel, cujo nome é uma homenagem a Anilevitz, os visitantes podem explorar uma réplica do bunker. O espaço com paredes de tijolos é repleto de beliches de madeira, roupas estendidas em longas cordas, panelas e frigideiras básicas, um rádio, mesas, cadeiras, cobertores de lã, um telefone, um banheiro e bacias.)

No início, o bunker tinha um poço e água canalizada, pão fresco e vodca contrabandeados pelos comparsas dos ladrões. O corpulento líder do bando, que respeitava Anilevitz, era o encarregado de todos os arranjos e das rações — e era justo. Ele mandou que seus homens ajudassem os combatentes da ŻOB, mostrando-lhes posições alemãs, becos e ruas secundárias, mesmo quando a maior parte da área estava destruída. "Nossas mãos têm uma destreza especial com fechaduras",[6] disse ele a Zivia. O comando central do grupo vivia lá, assim como 120 combatentes que tinham sido forçados a deixar seus abrigos em meio ao incêndio, além de alguns civis. Destinado a algumas dezenas de criminosos, quando Zivia chegou o número 18 da rua Miła abrigava mais de trezentas pessoas, amontoadas em todos os cantos. Agora, os clandestinos realmente começavam a sofrer os efeitos da superlotação, do oxigênio insuficiente e dos suprimentos de comida cada vez mais escassos. Em uma carta a Antek, Anilevitz relatou que era impossível acender uma vela devido à falta de ar.[7]

Durante o dia, o endereço ficava lotado, e os combatentes se contorciam, inquietos, famintos. (Não era permitido cozinhar antes de cair a noite, pois a fumaça seria visível.) Zivia ficava deitada ao lado de Hela Schüpper, fumando tabaco enrolado. À noite, porém, quando os nazistas deixavam seus postos: vitalidade. Mensageiros faziam contato com outros bunkers; missões de reconhecimento eram realizadas a fim de encontrar armas, contatos e qualquer telefone que ainda funcionasse. (Antes do incêndio, Tosia falava com camaradas de fora do gueto todas as noites; durante meses, os combatentes usaram os telefones das oficinas para atualizar camaradas do lado ariano.) Outros vasculhavam bunkers abandonados em busca de qualquer coisa que fosse útil, até mesmo pontas de cigarro. Mais de cem combatentes estavam desesperados por armas e sabiam que os alemães conheciam sua localização, mas, ainda assim, passavam as noites falando de seu sonho de ir para a Palestina. Aventuraram-se do lado de fora, alongavam os músculos doloridos, caminhavam livremente, respiravam fundo, "mesmo que fosse o ar do gueto, onde o crepitar e o sussurro das brasas ainda atravessavam a escuridão",[8] escreveu Zivia. Judeus do gueto que passavam os dias no esgoto também saíam depois de escurecer. À noite, o gueto ganhava vida, "mesmo em meio a uma desolação que ardia".[9]

"Então, com o nascer do sol", continuou Zivia, "os guardas alemães vinham farejando como cães famintos atrás de uma presa. Onde estão esses malditos judeus, *esses últimos judeus*?"[10] As tréguas eram curtas, para dizer o mínimo.

*

Aproximadamente dez dias após o início do combate, a ŻOB decidiu partir para o lado ariano por meio de um pequeno número de túneis e galerias de esgoto. Vários combatentes já haviam tentado isso, sem sucesso: foram mortos a tiros ou se perderam no subterrâneo e morreram de sede e desespero. Mas agora não havia alternativa. O gueto estava praticamente reduzido a escombros, as ruas bloqueadas por grandes pedaços de concreto, e era quase impossível respirar por causa da fumaça, sem falar no fedor de corpos queimados. Zivia tinha medo de tropeçar nos cadáveres de famílias inteiras quando saía em missão.

Os nazistas saíam à caça, encontrando bunker após bunker, escondiam-se e tentavam entreouvir as conversas dos judeus, levavam judeus atormentados e famintos como reféns. A cada noite, menos pessoas saíam para tomar ar. Integrantes da ŻOB debatiam se deveriam resgatar civis ou a si próprios. Enviaram mensageiros, incluindo um garoto de 17 anos chamado Kazik,[11] pelos túneis da ŻZW, para ver se havia algum esconderijo preparado para eles no lado ariano. (A ŻZW havia travado uma grande batalha no gueto, agitara sua bandeira e usara as rotas de fuga estabelecidas com antecedência para chegar ao lado ariano, onde seus combatentes planejavam se juntar aos guerrilheiros. A maioria foi morta.)[12] Apesar dos muitos encontros secretos de Antek no lado ariano, os esforços não estavam progredindo bem — os combatentes não tinham abrigos para onde fugir.

Dentro do gueto, Anilevitz havia experimentado seu sonho de vingança, mas, mesmo assim, ficara deprimido. E agora? Para avaliar a situação, ele se encontrou com Zivia, Tosia, com a namorada dele, Mira Fuchrer (outra corajosa líder que deveria ter escapado com Hantze) e outros comandantes. A ajuda de fora não viria, e as ligações com o PPR eram frágeis. A campanha deles havia chegado ao fim. "Não resta quase nada com o que lutar nem ninguém contra quem travar uma guerra", escreveu Zivia.[13] Eles sentiam a paz do dever cumprido, mas estavam famintos, à espera de uma morte lenta. Ninguém imaginara que ainda estariam vivos, empunhando armas, esperando por sabia-se lá o quê. Os camaradas se voltavam para Zivia em busca de encorajamento, conforto e instruções. Apesar de todo o seu pessimismo, ela era capaz de mudar rapidamente de estado de espírito e entrar em ação. O extenso sistema de esgoto de Varsóvia era sua única resposta.[14]

Zivia acompanhou o primeiro grupo — combatentes com aparência ariana, incluindo Hela — que saiu em uma missão de fuga pelos esgotos, partindo do bunker "coletor de lixo", conectado ao sistema subterrâneo. Ela ia convencer o líder do bunker e um guia a seguirem com o plano e escoltarem os judeus até a saída.

Primeiro, cruzar o gueto. O grupo aparentava estar calmo, brincando, mas os camaradas seguraram com força as pistolas e disseram adeus, talvez pela última vez. Esgueiraram-se para sair do número 18 da rua Miła, rastejando como cobras, ansiando por uma gota de luz do dia na escuridão absoluta — será que voltariam a ver o sol? Respiravam o ar cheio de fuligem e fumaça, enquanto ouviam os guardas que os desviavam dos lugares onde ainda havia tiros, os pés enrolados em trapos para abafar o som, caminhando por ruas secundárias, dedo no gatilho, rodeados pelos "esqueletos queimados das casas"[15] e pelo silêncio absoluto, a não ser por uma janela batendo com o vento. Pisaram em cacos de vidro e em cadáveres carbonizados, afundaram no asfalto derretido pelo calor. Zivia conseguiu fazer com que chegassem ao bunker, onde negociou com sucesso com o líder e o guia, que, aparentemente, conheciam quatorze rotas pelos túneis.

O grupo recebeu algumas sobras de comida, um pouco de açúcar e instruções. E partiu naquela mesma noite. Zivia precisou de toda a sua força para conter as emoções; ouviu o barulho de água respingando conforme cada um deles pulava no buraco, depois passos que se afastavam. Duas horas depois, o guia voltou para relatar que o grupo havia conseguido chegar ao lado ariano e sair por um bueiro no meio da rua. Conforme as instruções, tinham se escondido nos escombros próximos enquanto Hela e outra camarada de aparência "boa" foram procurar uma mensageira. (Só mais tarde Zivia descobriu que foram atacadas por alemães. O guia os levara para a saída errada; Hela, que havia se lavado, trocado as meias e jogado água no rosto, fugira. Foi a única sobrevivente.)[16]

Já era quase manhã quando Zivia, exausta, estava pronta para partir para o número 18 da rua Miła a fim de transmitir as boas novas a Anilevitz. Os camaradas, no entanto, em particular o combatente que Anilevitz havia encarregado da segurança da jovem, se recusaram a deixá-la sair à luz do dia. Zivia, sempre ativa, não queria ser vista como uma covarde, mas depois de uma longa discussão com o comandante do Bund, Marek Edelman, ela acabou cedendo.

Naquela noite, Zivia, seu guarda-costas e Marek partiram para a rua Miła. Marek desobedeceu às ordens e acendeu uma vela, que se apagou de imediato. Eles esbarraram em escombros e cadáveres. De repente, Zivia caiu em um buraco que se abrira entre dois edifícios por causa de um telhado desabado. Não podia gritar por ajuda, não podia emitir um som. Verificou de imediato a arma, para se certificar de que não a havia perdido. Mas e agora? De alguma forma, os homens a encontraram e a puxaram para fora. "Mancando e machucada, continuei a andar",[17] lembrou ela. Foi em frente com seu plano de fuga, animada com a perspectiva de ver seus companheiros na Miła 18. Pensou até mesmo em maneiras engraçadas de provocá-los. Então, quando se aproximou do prédio e viu que as entradas camufladas estavam abertas e não havia guardas à vista. Pensou que estivessem no endereço errado. Nesse momento, ocorreu-lhe que aquilo devia fazer parte de um plano para aumentar a camuflagem. Verificou todas as seis entradas. Disse a senha. Coração na boca.

Nada.

Então.

*

— Tosia e Zivia, chefes do movimento clandestino Pioneiro na Polônia, morreram em Varsóvia defendendo a dignidade do povo judeu — leu Davar.[18]

As notícias chegaram ao lado ariano. Frumka recebeu um telegrama em Będzin. Em seguida, enviou uma mensagem em código para a Palestina. "Zivia está sempre perto de Mavetsky [a morte]. Tosia está com Zivia."[19] A morte delas virou manchete na imprensa hebraica.

Os movimentos jovens em todo o país lamentaram. Zivia e Tosia haviam se tornado símbolos míticos da combatente judia — "Joanas d'Arc da resistência".[20] As camaradas eram chamadas de "amigas de Tosia". As instrutoras dos movimentos eram chamadas de "Zivia A" e "Zivia B". O nome Zivia era conhecido pelos judeus na Polônia, na Palestina, no Reino Unido e no Iraque.[21] "Zivia" era toda a Polônia, e um país inteiro colapsou com sua morte. "Seus nomes", diziam os obituários, "vão moldar toda uma nova geração. (...) A luta e camaradagem que surgiu das chamas do sacrifício têm o poder de esmagar pedras e mover montanhas."

*

Os obituários, no entanto, estavam completamente errados.

Naquela noite, depois do nada, Zivia notou vários camaradas reunidos em um pátio próximo. Correu até eles, aliviada, imaginando que fosse a patrulha noturna regular. Não era. Ela recuou ao ver combatentes cobertos de sangue e detritos, contorcendo-se de dor, tremendo, desmaiando, tentando respirar — os "restos humanos" do que tinha sido um massacre no bunker. Tosia estava lá, a cabeça e uma das pernas gravemente feridas.

Tomada pelo horror, Zivia ouviu a história. Quando os nazistas chegaram ao quartel-general na Miła, os combatentes não conseguiram decidir se fugiam por uma saída pelos fundos para, então, atacar, ou se permaneciam onde estavam, presumindo que os alemães teriam receio demais para entrar. Eles sabiam que os alemães usavam gás, mas tinham sido informados que bastava segurar panos úmidos sobre a boca e o nariz. Não bastou. Os nazistas introduziram o gás lentamente, sufocando-os pouco a pouco. Um combatente escolhera o suicídio, vários o seguiram. Outros sufocaram. Ao todo, 120 combatentes morreram; poucos conseguiram escapar por uma saída escondida.

Zivia estava atordoada, destruída. "Corremos como loucos", relembrou ela, "e tentamos usar nossas próprias mãos e unhas para alcançar os corpos de nossos camaradas e recuperar suas armas."[22]

Mas não havia tempo para a loucura, não havia tempo para lamentar a perda de seus amigos mais próximos, de tudo que tinham. O que restava da ŻOB tinha que cuidar dos feridos, encontrar abrigo e decidir o que fazer em seguida. Zivia, Tosia e Marek assumiram o comando. Caminhando, em "uma procissão de corpos sem vida em meio às sombras, como fantasmas",[23] eles se dirigiram a um bunker onde acreditavam que ainda havia atividade, e Zivia anunciou que o endereço do quartel-general havia mudado. Ela estava sempre fazendo alguma coisa, sempre avançando, sem se deixar cair na passividade, o que significaria sucumbir ao desespero. "A responsabilidade por outras pessoas faz você se levantar", escreveu, "apesar de tudo."[24]

Eles chegaram ao novo quartel-general carregando os combatentes feridos, mas descobriram que os alemães também sabiam daquela localização. Apesar do perigo, Zivia decidiu ficar — os feridos estavam debilitados demais para se mover. Todos os combatentes, doentes e exaustos, estavam prontos para desabar e morrer juntos. Mas Zivia insistiu para que continuassem. Enviou outro grupo em uma missão de fuga pelo esgoto. Manteve os outros ocupados cuidando dos feridos para impedir que entrassem em um colapso histérico — o mesmo tormento que sentia durante toda a noite, mas guardava para si mesma. *Eu deveria estar lá...* Escondida no gueto em chamas, sua própria vida por um fio, ela já estava consumida pela culpa do sobrevivente.

Mas, novamente, não teve muito tempo para se preocupar. O grupo de combatentes que havia partido pelos canais para encontrar uma saída voltou para relatar que, milagrosamente, haviam encontrado Kazik com um guia polonês nos túneis.

Kazik, que havia sido enviado para fora do gueto pelos túneis da ŻZW, chegara ao lado ariano e tentara encontrar ajuda. O Exército Nacional se recusou a fornecer à ŻOB um mapa dos canais de esgoto ou um guia, mas o grupo conseguiu a ajuda do PPR, bem como de um líder dos *schmaltzovnik* — claro, por uma taxa exorbitante — e de vários outros aliados. Kazik, então, voltou para os túneis com um guia, sob o pretexto de resgatar poloneses e ouro. Mas o guia parava o tempo todo; Kazik teve que persuadi-lo, oferecer-lhe álcool e, por fim, ameaçá-lo com uma arma. Finalmente, depois de rastejar pelas passagens mais estreitas, fedendo como gambás, chegaram ao gueto às duas da manhã. Mas Kazik ficou horrorizado ao não encontrar nada no número 18 da rua Miła, exceto cadáveres e os lamentos dos moribundos. À beira da insanidade, deu meia-volta para deixar o gueto de mãos vazias. Nos esgotos, gritava a senha da ŻOB — "Yan"[25] —, um último apelo desesperado.

De repente, ouviu uma voz feminina responder.

— Yan!

— Quem está aí?

Armas engatilhadas.

— Somos judeus.

Surgindo de uma curva: os combatentes que haviam sobrevivido. Eles se abraçaram e se beijaram. Kazik disse-lhes que havia mais ajuda no exterior do que eles imaginavam, e os seguiu de volta até onde estavam Zivia e os outros.

No dia 9 de maio, um grupo de sessenta combatentes e civis se reuniu no bunker que era o novo quartel-general, na iminência da fuga. Zivia ainda estava arrasada pelos 120 companheiros que haviam sido mortos e não estavam entre eles. Ela temia que ainda houvesse combatentes no gueto que não poderiam ser contatados durante o dia. Alguns camaradas estavam gravemente feridos e não podiam ser transportados, enquanto outros mal conseguiam respirar devido à inalação de gás e fumaça. As pessoas se recusavam a sair, estavam confusas.

No fim das contas, "a irmã mais velha" teve que tomar uma rápida decisão para salvar quem pudesse. Pulou para dentro do esgoto. "Senti então todo o significado daquele salto", escreveu Zivia mais tarde. "Era como pular na escuridão das profundezas, com a água imunda espirrando e nos salpicando. Fomos tomados por uma terrível sensação de náusea. As pernas encharcadas com o lodo frio e fedorento do esgoto. Mas fomos em frente!"[26]

Nos esgotos, Kazik e o guia foram à frente, e Zivia ficou na retaguarda de dezenas de combatentes que, em fila única, curvando-se, avançavam em meio ao lodo, sem conseguir ver o rosto uns dos outros. Em uma das mãos, ela segurava uma vela (que não parava de se apagar) e, na outra, sua preciosa arma. Os canais eram escuros, e Zivia andava com a cabeça abaixada. Em algumas passagens, a água e os excrementos chegavam à altura do pescoço, e eles tinham que segurar as armas acima da cabeça. Algumas partes eram tão estreitas que até mesmo uma pessoa tinha dificuldade de passar. Eles estavam famintos e carregavam os camaradas feridos; horas sem água potável, uma eternidade. Durante todo o tempo em que o corpo de Zivia esteve imerso no esgoto, seu cérebro estava imerso em pensamentos sobre os companheiros que havia deixado para trás. Tosia, por sua vez, se sentia desmoralizada. Estava ferida e, de tempos em tempos, implorava para ser deixada para trás, mas acabou conseguindo.[27]

Milagrosamente, todo o grupo chegou antes do amanhecer ao esgoto sob a rua Prosta, no lado ariano, em pleno centro de Varsóvia. Kazik explicou que o caminhão que deveria transportá-los para fora da cidade não estava lá; que não era seguro sair. Ele subiu para procurar ajuda. Zivia, no fim da fila, não sabia o que estava acontecendo. Ela não sabia dos detalhes daquele plano de resgate e não conseguia se comunicar com o exterior, o que a deixava ansiosa. Mas seu futuro precário não era o que a angustiava; a preocupação com os camaradas que ainda estavam no gueto era o que "corroía cruelmente meu coração".[28]

Por um dia inteiro, o grupo ficou sentado embaixo da tampa do bueiro da rua Prosta, ouvindo os sons acima — carroças, bondes, crianças polonesas brincando. Por fim, Zivia não aguentou mais. Ela e Marek, que também estava na retaguarda, abriram caminho até a área lotada na frente. Ninguém tinha informações. De repente, no meio da tarde, a tampa do bueiro foi aberta e um bilhete foi jogado lá dentro. Dizia que o resgate[29] aconteceria naquela noite. A maioria suspirou, em desespero, mas Zivia exclamou, cheia de vigor: "Vamos voltar e buscar os outros!"[30]

Dois combatentes se ofereceram para retornar e trazer o restante dos membros da ŻOB para a entrada do canal. Então, todos esperaram.

À meia-noite, a tampa do bueiro voltou a ser levantada; sopa e pão foram mandados para os combatentes, ou pelo menos para aqueles que conseguiram um pouco, embora Zivia afirmasse que estavam todos com tanta sede que mal conseguiam engolir. Eles foram informados de que as ruas no entorno eram patrulhadas por alemães e que teriam que continuar esperando. Um grupo de combatentes partiu para um local secundário,[31] a meia hora de distância, para aliviar a superlotação na água cheia de fezes. O gás metano estava se acumulando perigosamente no ar ao redor deles. Um membro desmaiou e, em desespero, bebeu água do esgoto.

Zivia esperou, preocupada com os dois voluntários que tinham ido resgatar os outros. Ela se posicionou perto do bueiro para se certificar de que ninguém faria qualquer movimento precipitado. Via um único raio de luz do sol penetrando pela abertura, uma lembrança do ar fresco. Os sons da vida caíam em cascata à sua volta, mas estavam a um mundo de distância.

Dia 10 de maio, de manhã bem cedo. Os mensageiros que tinham ido até o gueto voltaram em segurança. Mas estavam sozinhos. Relataram que os alemães haviam fechado todas as aberturas do canal e elevado o nível da água em todo o sistema de esgoto; tiveram que voltar. Vendo frustrada a sua esperança de salvar mais camaradas, Zivia ficou profundamente deprimida. (Ela não sabia sobre o drama que se desenrolava na superfície, onde todas as tentativas de encontrar um caminhão para recolher os combatentes tinham sido infrutíferas.) Então, vozes alemãs.

Seria o fim? Zivia estava tão abatida que, em segredo, desejou que fosse.

Às dez da manhã, a tampa do bueiro foi levantada. O sol entrou com força e as pessoas recuaram, em pânico por causa da luz — teriam sido descobertas?

— Depressa! Depressa!

Não, era Kazik, mandando que saíssem imediatamente. Tiveram que escalar o poço de metal, sendo puxados de cima e empurrados de baixo. Com membros rígidos e roupas úmidas e imundas, não foram rápidos. A saída pareceu demorar uma eternidade — segundo um relato, mais de meia hora[32] —, durante a qual quarenta pessoas emergiram do solo e entraram em um caminhão. Quase não havia segurança, talvez dois ajudantes armados. Poloneses assistiam à cena das calçadas próximas.

No caminhão, Zivia finalmente viu qual era o aspecto deles: "Estávamos imundos, cobertos de trapos sujos e ensanguentados, o rosto emaciado e desesperado, nossos joelhos cedendo de fraqueza. (...) Havíamos perdido quase todos os vestígios de humanidade. Nossos olhos ardentes eram a única evidência de que estávamos vivos."[33] Eles se alongaram, agarrados às armas. O motorista do caminhão havia sido informado de que transportaria sapatos, não judeus. Ele foi instruído, sob a mira de uma arma, a obedecer às ordens.

De repente, veio a notícia de que havia alemães por perto. Os vinte combatentes que haviam ido para um local secundário e aquele que fora buscá-los ainda não haviam retornado ao bueiro. Foi nesse momento que aconteceu a "famosa briga" entre Zivia e Kazik, embora Zivia nunca tenha escrito a respeito.[34] De acordo com Kazik, Zivia insistiu que o caminhão esperasse os combatentes chegarem. Kazik insistiu que instruíra todos a ficarem perto do bueiro, que corriam um grande risco e tinham de partir imediatamente. Ele prometeu enviar outro caminhão e ordenou que o motorista dirigisse. Furiosa, Zivia ameaçou atirar nele. (Muitos anos depois, o tradutor das memórias de Kazik o questionou: "Eu entendo que você tenha lutado contra os nazistas... mas contra Zivia?!")[35]

No minuto seguinte, eles tinham se misturado ao tráfego matinal. Como disse Zivia, "o caminhão, carregado com quarenta combatentes judeus armados, seguiu caminho pelo coração da Varsóvia ocupada pelo nazismo."[36]

Era um novo dia.

*

A segunda tentativa de resgate — dos vinte combatentes restantes — fracassou. Os alemães souberam da operação matinal muito pública, bem no meio da rua, e esperaram os combatentes emergirem. Os integrantes da ŻOB simplesmente não podiam esperar mais em meio aos excrementos. Sem saber que a área estava infestada de alemães, eles saíram — e foram emboscados. Lutaram corpo a corpo contra os nazistas, chocando os poloneses que assistiam à cena. Quando Kazik voltou ao bueiro, encontrou a rua coberta com os corpos alvejados.

Vários judeus correram de volta para o gueto. Mais tarde, Zivia soube que eles lutaram por mais uma semana.

Tanto Zivia quanto Kazik foram assombrados a vida inteira pela consciência de que haviam abandonado os camaradas. Ela havia prometido que esperaria por eles, mas não o fizera. Essa culpa a atormentou até a morte.

*

No total, mais de cem judias[37] combateram em unidades de seus respectivos movimentos no levante do gueto de Varsóvia. Em uma reunião do círculo interno nazista, foi relatado que a batalha fora surpreendentemente difícil, e que, em especial, garotas judias diabólicas e armadas haviam lutado até o fim.[38] Várias mulheres cometeram suicídio no número 18 da rua Miła e em outros locais; muitas morreram "com armas nas mãos".[39] Lea Koren, do movimento jovem Gordonia, escapou pelos túneis do esgoto, mas foi morta depois de voltar ao gueto para cuidar dos combatentes da ŻOB que estavam feridos. Regina (Lilith) Fuden, que conectou as unidades durante a revolta, voltou várias vezes pelos esgotos para salvar combatentes. "Com água até o pescoço", dizia seu obituário, "ela não desistiu e arrastou companheiros pelos canais."[40] Foi morta em uma dessas tentativas, aos 21 anos. A mensageira Frania Beatus manteve-se em seu posto no levante, depois cometeu suicídio no lado ariano, aos 17 anos.[41] Dvora Baran, uma menina que "sonhava com as florestas e o perfume das flores",[42] combateu na área central do gueto. Quando seu bunker foi descoberto, o comandante ordenou que ela saísse primeiro, e ela conseguiu distrair os nazistas com sua incrível beleza, fazendo com que parassem de súbito. Em seguida, lançou granadas de mão, "espalhando-as ao vento", enquanto colegas de combate assumiam novas posições. Foi assassinada no dia seguinte, aos 23 anos. Rivka Passamonic, do Akiva, atirou na testa de uma de suas amigas e depois se matou. Rachel Kirshnboym lutou com um grupo do Liberdade e se juntou aos guerrilheiros; foi morta aos 22 anos. A integrante do Bund Masha

Futermilch, que havia arremessado explosivos com dedos trêmulos, escapou pelos canais.

Niuta Teitelbaum,[43] do grupo comunista Spartacus, era famosa no gueto de Varsóvia. Com 20 e poucos anos, usava os cabelos loiros em tranças, parecendo uma menina ingênua de 16 anos — um disfarce inocente que escondia seu papel de assassina. Certa vez, ela entrou no escritório de um oficial do alto escalão da Gestapo, encontrou-o sentado diante de sua escrivaninha e atirou nele a sangue frio. Puxou o gatilho outra vez na casa de outro oficial, enquanto ele estava na própria cama. Em mais uma operação, matou dois agentes da Gestapo e feriu um terceiro, que foi levado para o hospital. Niuta, disfarçada de médica, entrou em seu quarto e executou tanto ele quanto seu segurança.

Outra vez, ela entrou em um posto de comando alemão vestida como uma garota do campo polonesa, com um lenço na cabeça. Um soldado da SS foi seduzido por seus olhos azuis brilhantes e seus cabelos loiros, perguntando se havia outras ninfas entre os judeus. A pequena Niuta sorriu e sacou a pistola. Em outra ocasião, caminhou até os guardas diante da Szucha, fingiu estar envergonhada e sussurrou que precisava falar com certo oficial sobre um "assunto pessoal". Supondo que a "camponesa" estivesse grávida, os guardas indicaram o caminho. No "gabinete do namorado", ela sacou uma pistola com silenciador e atirou na cabeça dele. Na saída, sorriu com doçura para os guardas que a haviam deixado entrar.

Essa "autodenominada assassina", conforme descrito por um colega combatente, havia estudado história na Universidade de Varsóvia e agora trabalhava para a ŻOB e para o Exército do Povo, contrabandeando explosivos e pessoas. Niuta organizou uma unidade feminina no gueto de Varsóvia, ensinando-as a usar armas. Durante o levante, ajudou a atacar um ninho de metralhadoras nazistas localizado no topo do muro do gueto.

"A pequena Wanda de tranças", seu apelido na Gestapo, estava em todas as listas de mais procurados. Ela sobreviveu ao levante, mas acabou sendo caçada, torturada e executada alguns meses depois, aos 25 anos.

*

O *grand finale* dos nazistas foi explodir a Grande Sinagoga na rua Tłomackie, edifício construído no ponto alto do Iluminismo judaico em Varsóvia; um símbolo da proeminência e do pertencimento dos judeus poloneses. Toda a gigantesca estrutura irrompeu em chamas, como se assinalasse o fim do povo judeu.

As marcas deixadas pelo fogo ainda são visíveis no chão do prédio vizinho, que abrigava a Organização de Ajuda Mútua Judaica onde Vladka e Zivia haviam passado seu tempo. Essa construção menor, de tijolos brancos, se tornou o primeiro museu do Holocausto, e agora abriga o Instituto Histórico Judaico Emanuel Ringelblum. Um dos edifícios judaicos mais históricos do mundo, continua a prosperar e crescer, apesar das cicatrizes.

*

A viagem de caminhão para fora de Varsóvia não foi fácil. Zivia ficou deitada no chão superlotado da caçamba, silenciosa, em choque, exausta, imunda e horrorizada por ter deixado camaradas para trás. Todos a bordo fediam. As armas estavam molhadas e eram inúteis. E ela não fazia ideia de para onde estava sendo levada. Durante uma hora, ninguém disse uma palavra. Então, estavam fora da cidade, na floresta Łomianki, uma área esparsamente arborizada com pinheiros baixos e grossos, perto de muitas aldeias e unidades militares alemãs, servindo apenas como abrigo temporário. Os camaradas que haviam escapado do gueto antes os receberam, espantados por eles ainda estarem vivos, chocados com os "rostos pálidos e famintos. Os cabelos estavam grudados por causa da água com excrementos do esgoto, as roupas sujas (...). [As] batalhas que travaram, seguidas, finalmente, por dois dias torturantes nos canais de esgoto, haviam mudado sua aparência de maneira irreversível."[44]

Os camaradas já instalados ofereceram leite quente ao novo grupo, e Zivia bebeu, com a cabeça girando, o "coração transbordando". Era um agradável dia de maio, a paisagem arborizada ao redor, fragrante e floral, em uma cena pastoril. Fazia muito tempo que Zivia não sentia o cheiro da primavera. De repente, pela primeira vez em anos, ela começou a chorar. Antes era proibido, vergonhoso chorar. Mas naquele momento, ela se permitiu.

Os combatentes, ainda em choque depois de tudo que haviam passado, sentaram-se sob as árvores. Tiraram as roupas imundas e rasparam a sujeira do rosto até sangrarem. Comeram e beberam e, depois de muitas horas de silêncio, reuniram-se ao redor de uma fogueira, certos de que eram os últimos judeus na face da terra. Zivia não conseguia dormir, a cabeça girando, pensando. "Haveria mais alguma coisa a fazer que não fizemos?"[45]

Na floresta, onde oitenta combatentes haviam se reunido, um comando temporário foi estabelecido. Zivia, Tosia e outros líderes improvisaram uma "sucá", uma cabana feita de galhos, e deliberaram sobre como agir em seguida. Fizeram um registro de todas as armas, todo o dinheiro e todas as joias que um dos combatentes havia levado do gueto. Em seguida, dividiram-se em grupos e coletaram gravetos para construir abrigos. Com o passar das horas, perceberam que nenhum outro sobrevivente do gueto se juntaria a eles. Dois dias mais tarde, Antek chegou, tendo ouvido dizer que Zivia havia sobrevivido e estava lá.[46]

Apesar de suas reuniões intermináveis,[47] Antek não fora capaz de encontrar um abrigo seguro na Varsóvia ariana; o Exército Nacional não fornecera a ajuda prometida. As tentativas de Vladka também se mostraram infrutíferas.[48] A ŻOB aceitou a oferta do Exército Nacional de transferir a maioria deles para campos de guerrilheiros na floresta de Wyszków, enquanto alguns feridos e doentes foram levados para se esconder em Varsóvia. Antek transferiu os líderes para seu apartamento, que tinha um esconderijo atrás de uma parede dupla. Também levou Zivia, embora ela não fosse uma comandante oficial. "Se alguém me culpar por cuidar da minha mulher, que seja",[49] disse ele mais tarde. Queria todos por perto.

Antek pagara uma grande quantia ao proprietário de uma fábrica de celuloide em Varsóvia para que interrompesse a produção; vários camaradas que tinham escapado dos esgotos foram instalados lá, em um sótão acessado por uma escada que era removida quando não estava em uso. O sótão era iluminado por pequenas claraboias, e os combatentes dormiam em cima de grandes sacos cheios de celuloide. Um vigia polonês fazia guarda no local e levava comida para os camaradas. A fábrica era um bom lugar para reuniões; uma plenária de líderes foi marcada para ocorrer lá no dia 24 de maio, duas semanas depois de eles terem saído do esgoto.

*

Em 24 de maio, Tosia, que agora vivia em um esconderijo, estava no sótão esperando a reunião. Um dos camaradas riscou um fósforo para acender um cigarro, e as pilhas de celuloide pegaram fogo, provocando um grande incêndio. De acordo com outra versão: Tosia vivia no sótão, ferida e imóvel, e estava aquecendo um unguento para tratar suas feridas quando o fogo começou.[50]

As chamas se espalharam rapidamente e, como a escada fora guardada e as claraboias eram muito altas, era quase impossível escapar. Alguns poucos combatentes conseguiram sair pelo teto em chamas, pularam e sobreviveram. Tosia, cujas roupas estavam pegando fogo, conseguiu sair, mas estava gravemente queimada e caiu do telhado. Os poloneses a encontraram e a entregaram aos nazistas, que a torturaram até a morte. Em outra versão: ela pulou para se matar, determinada a não ser capturada viva.

17. ARMAS, ARMAS, ARMAS

Armas — para aqueles que nunca antes haviam pensado nessas ferramentas de destruição.
Armas — para aqueles que foram treinados para uma vida de trabalho e comércio pacífico.
Armas — para todos aqueles que viam nelas, acima de tudo, algo odioso. (...)
Para essas mesmas pessoas, as armas se tornaram artefatos sagrados. (...)
Usávamos armas em uma luta sagrada, a fim de nos tornarmos pessoas livres.[1]

Ruzka Korczak

RENIA
MAIO DE 1943

— Não é sua culpa, Frumka — repetiu Renia pela enésima vez,[2] ao ver a amiga, sua líder, gritar e andar em círculos. Renia havia retornado de sua missão a salvo e com notícias, mas nem todas eram boas. — Por favor, Frumka, acalme-se.

O íntimo atormentado de Frumka, suas paixões e sua autoanálise estavam saindo do controle. Ao descobrir que Zivia ainda estava viva, ela havia corado de empolgação, invadida por uma nova onda de motivação. Mas tudo desmoronara quando ficou sabendo da morte de Hantze no gueto de Varsóvia.

— Eu sou a responsável! — gritou Frumka. E bateu com o punho no peito com tanta ferocidade que Renia deu um salto. — Fui eu quem a mandou para Varsóvia.

Frumka estava hiperventilando. Renia não sabia se a abraçava ou fugia. Os camaradas tinham ocultado a notícia da morte da irmã por tanto tempo quanto fora possível, temendo justamente aquele tipo de colapso emocional. Em seus diários, Chajka apontou Frumka como uma líder que ainda não estava verdadeiramente pronta para suportar a dura realidade dos tempos de guerra.[3]

Outros camaradas engrossaram o coro.

— Não é culpa sua.

— Eu sou a responsável! — Frumka gritava sem parar. — A responsável pela morte da minha própria irmã!

Então ela chorou, torrentes de lágrimas e dor.

"Mas o ser humano é feito de ferro", escreveu Renia mais tarde, "resistente ao sofrimento. Frumka voltou a si, mesmo depois desse golpe terrível." Acima de tudo, um pensamento perpassava a mente de Frumka com um foco e uma fúria ainda maiores: vingança!

Renia viu o sofrimento de Frumka se expressar por meio de ação, fúria e apelos apaixonados por missões de resgate e suicídio. Ela havia sentido o mesmo ao saber da morte dos pais. Tinha sido combustível atirado ao fogo. Frumka ficou obcecada: qualquer um que fosse capaz de lutar não deveria esperar para ser salvo! A autodefesa é o único meio de redenção! Morrer uma morte heroica!

Mas Frumka não era a única: o fervor por *hagana* crescia também dentro de Renia — na verdade, dentro de todo o grupo de Będzin. A batalha de seis semanas em Varsóvia tinha sido o primeiro levante urbano contra os nazistas realizado por qualquer movimento clandestino, onde quer que fosse. Combatentes de todos os guetos queriam seguir o exemplo da capital polonesa. Chajka queria que o esforço de Zaglembie não apenas espelhasse, mas também superasse o de Varsóvia. O grupo de Będzin elaborou planos para incendiar todo o gueto e ofereceu aulas sobre como usar as armas que chegavam a conta-gotas. Depois da misteriosa captura de Idzia Pejsachson em Częstochowa, a política dos movimentos clandestinos mudou: todas as mensageiras que transportavam armas teriam que viajar em dupla.

Renia ia se tornar uma dessas *kashariyot*.[4]

Ela passou a fazer dupla com Ina Gelbart,[5] uma combatente de 22 anos, integrante da Guarda Jovem, que Renia descrevia como "uma garota animada. Alta, ágil, doce. Uma típica filha da Silésia. Nem por um momento temeu a morte".

Renia e Ina tinham documentos falsos que lhes permitiam cruzar a fronteira e entrar no Governo-Geral. Obtidos de um especialista em falsificações de Varsóvia, os documentos haviam custado uma fortuna, mas, como Renia refletiria mais tarde, não era hora de negociar preço. Quando chegaram à fronteira, cheias de confiança, as garotas entregaram a documentação obrigatória: uma autorização de trânsito livre, com foto, emitida pelo governo, e uma carteira de identidade, também com fotografia. Naquela época, o caminho para Varsóvia era mais relaxado, então, se passassem por aquele controle com tranquilidade, elas sabiam que a viagem provavelmente seria bem-sucedida.

O guarda acenou com a cabeça.

Àquela altura, Renia se sentia mais confiante para atuar em Varsóvia; ela se sentia experiente, como se conhecesse a cidade. As duas garotas precisavam encontrar seu contato, Tarłów,[6] um judeu que vivia no bairro ariano e era ligado a falsificadores e traficantes de armas. "Ele cuidou de nós", escreveu Renia, "e foi muito bem pago por isso."[7]

Os revólveres e as granadas que Renia contrabandeava vinham principalmente dos depósitos de armas dos alemães. "Um dos soldados os roubava e os vendia", explicou Renia, "depois outra pessoa os revendia; nós os recebíamos talvez de quinta mão." Os relatos de outras mulheres[8] falam de armas vindas de bases do exército alemão, oficinas de reparo de armamentos e fábricas onde judeus eram usados como mão de obra forçada. Eram oriundas, também, de agricultores, do mercado clandestino, de guardas que cochilavam em serviço, da resistência polonesa e até de alemães que vendiam armas roubadas dos russos. Depois da derrota em Stalingrado, em 1943, a disposição das tropas alemãs afundou, e os soldados começaram a vender as próprias armas. Embora os rifles fossem os mais fáceis de conseguir, eram difíceis de transportar e esconder; as pistolas eram mais eficientes e mais caras.[9]

Às vezes, explicou Renia mais tarde, uma arma era contrabandeada e levada até o gueto apenas para eles descobrirem que estava enferrujada demais para disparar ou que não vinha com munição compatível. Não podiam testar antes de comprar. "Em Varsóvia, não havia tempo nem lugar para testar as armas. Tínhamos que embrulhar rapidamente, em um canto escondido, a arma que estivesse com defeito e voltar para o trem rumo a Varsóvia a fim de trocá-la por uma boa. Mais uma vez, as pessoas arriscavam a vida."

As garotas não tiveram dificuldade para encontrar Tarłów, que conduziu Renia e Ina até um cemitério.[10] Era ali que elas comprariam as mercadorias que desejavam: explosivos, granadas e armas, armas, armas.

*

Para Renia, cada arma contrabandeada era "um tesouro".

Em todos os principais guetos, a resistência judaica fora estabelecida praticamente sem armas.[11] No início, o movimento clandestino de Białystok tinha um rifle, que precisava ser transportado entre as unidades de combatentes para que cada uma pudesse treinar com uma arma de verdade; em Vilna, os combatentes compartilhavam um revólver e disparavam contra uma parede de barro no porão, de modo que pudessem reaproveitar as balas.[12] Cracóvia começou sem uma única arma. Varsóvia tivera aquelas duas pistolas para começar.

A resistência polonesa prometia armas, mas as remessas eram canceladas com frequência, roubadas no caminho ou atrasadas indefinidamente. As *kashariyot* eram enviadas para encontrar e contrabandear armas e munições para guetos e campos, muitas vezes com pouca orientação, e sempre correndo um risco enorme.

As habilidades psicológicas das mensageiras eram especialmente importantes nessa perigosa tarefa. As conexões que mantinham e a experiência em se esconder, subornar e desviar suspeitas eram essenciais. Frumka foi a primeira mensageira a contrabandear armas para o gueto de Varsóvia: ela as colocou no fundo de um saco de batatas. Adina Blady Szwajger fez o mesmo com munição e, certa vez, quando uma patrulha ordenou que ela mostrasse o interior da bolsa, seu sorriso e a maneira sedutora com que a abriu a salvaram. Bronka Klibanski, uma mensageira do Liberdade em Białystok, estava contrabandeando um revólver e duas granadas de mão dentro de um pão artesanal em sua mala. Na estação de trem, um policial alemão perguntou o que ela carregava. Ao "confessar" que contrabandeava comida, conseguiu evitar ter de abrir a mala. Sua "confissão honesta" despertou uma resposta protetora do policial, que instruiu o maquinista a cuidar dela e não deixar que ninguém a incomodasse nem mexesse em sua bagagem.

Renia sabia que não era a primeira mensageira a levar armas para uma rebelião: *kashariyot* já haviam obtido e transportado armas para os levantes nos guetos de Cracóvia e Varsóvia. Quando foi mandada a Varsóvia para comprar armas, Hela Schüpper,[13] a principal mensageira do Akiva em Cracóvia, sabia que passaria vinte horas disfarçada dentro de trens. Lavou o rosto com um sabonete especial para esconder as marcas da sarna, tingiu o cabelo de loiro claro (usando uma potente cápsula azul de alvejante), cobriu a cabeça com um lenço como se fosse um turbante, pegou emprestado um traje elegante da mãe de uma amiga não judia e comprou uma bolsa de juta caríssima, com estampa floral, muito na moda à época da guerra. Parecia estar a caminho de uma tarde no teatro. Em vez disso, encontrou-se com um contato do Exército Nacional, um tal sr. X, na porta de uma clínica. Disseram a ela que ele estaria lendo um jornal. Seguindo as instruções, Hela perguntou as horas e pediu para ver o jornal. Ele se afastou, e ela o seguiu de longe, embarcando em um vagão de trem diferente e indo parar no apartamento de um sapateiro.

Hela esperou vários dias pela mercadoria: cinco armas, 2 quilos de explosivos e pentes de cartuchos. Prendeu as armas junto ao corpo e escondeu a munição em sua elegante bolsa. Ela não foi ao teatro; ela *era* o teatro. Uma fotografia dela[14] na Varsóvia ariana a mostra sorrindo, contente, vestindo um *tailleur* feito sob medida que terminava logo acima do joelho, sapatos baixos, cabelos presos e um broche na lapela; ela segura uma bolsa pequena e elegante. Como Gusta a descreveu: "Qualquer pessoa que observasse a maneira como ela flertava descaradamente no trem (...) exibindo seu sorriso provocante, pensaria que ela estava indo visitar o noivo ou em uma viagem de férias."[15] (Até Hela era pega de vez em quando. Certa vez, escapou pela janela do banheiro da cadeia e fugiu. Nunca usava casacos longos nas missões, de forma a manter as pernas sempre desimpedidas.)

Em Varsóvia, integrantes da ŻOB no lado ariano passavam meses tentando obter armas. Fingindo ser poloneses, usavam porões ou pequenos restaurantes para reuniões discretas, mudando de assunto sempre que a garçonete se aproximava. Vladka Meed começou[16] contrabandeando limas de metal para o gueto — judeus as levavam consigo para que, caso fossem forçados a embarcar em um trem rumo a Treblinka, pudessem cortar as barras da janela e escapar. Vestida como uma camponesa, Vladka dirigia-se a uma área onde os gentios faziam contrabando e então pulava o muro. Algumas mensageiras pagavam aos guardas poloneses para que sussurrassem uma senha junto ao muro; um membro da ŻOB que esperava do lado de dentro escalava e pegava o pacote.[17] Vladka comprou sua primeira arma do sobrinho de seu senhorio, por 2 mil złotys. Pagou 75 złotys ao senhorio para que passasse a caixa por um buraco, ou *meta*, no muro, em uma área onde os guardas eram facilmente subornados. Pessoas com "presentes" também iam e vinham do lado ariano, juntando-se a grupos de trabalhadores ou pulando dos trens que passavam pelo gueto. Itens eram contrabandeados em caminhões de lixo e ambulâncias e enviados por canos de escoamento. Em Varsóvia, muitas mensageiras usavam o prédio do tribunal, que tinha entradas tanto no lado judeu quanto no lado ariano.[18]

Certa vez, Vladka teve que reembalar três caixas de dinamite em pacotes menores e passá-los pela grade da janela de uma fábrica instalada no porão de um prédio que fazia fronteira com o gueto. Enquanto ela e o vigia gentio, que havia sido subornado com 300 złotys e uma garrafa de vodca, trabalhavam freneticamente no escuro, "o homem tremia como uma folha", recordou ela. "Nunca mais vou me arriscar assim", murmurou ele ao fim da operação, encharcado de suor. Quando Vladka saiu, ele perguntou a ela o que havia nos pacotes. "Tinta em pó", respondeu ela, enquanto recolhia com cuidado um pouco de dinamite que havia caído no chão.

Havka Folman[19] e Tema Schneiderman contrabandeavam para o gueto de Varsóvia granadas escondidas em absorventes higiênicos e na roupa íntima.[20] Enquanto atravessavam a cidade em um bonde lotado, um assento ficou disponível e um polonês insistiu para que Tema o ocupasse. Se ela se sentasse, no entanto, todos eles poderiam ir pelos ares. As meninas foram hábeis em contornar a situação, as gargalhadas disfarçando o medo.

Em Białystok, a mensageira Chasia Bielicka não trabalhava sozinha.[21] Dezoito garotas judias colaboravam para armar a resistência local, enquanto alugavam quartos de camponeses poloneses e trabalhavam durante o dia em casas, hotéis e restaurantes pertencentes a nazistas. Chasia era empregada de um oficial da SS que tinha um armário cheio de revólveres para caçar pássaros. De tempos em tempos, Chasia pegava algumas balas e as colocava no bolso do casaco. Um dia, ele a chamou ao armário, furioso; ela teve certeza de que tinha sido pega, mas ele só estava irritado porque as armas não estavam organizadas de maneira adequada. As atravessadoras guardavam munição sob o assoalho dos quartos que alugavam e passavam balas de metralhadora para o gueto através da janela de um banheiro externo construído junto ao muro.

Depois da liquidação do gueto de Białystok e do levante da juventude, a rede de mensageiras continuou a fornecer inteligência e armas para todos os tipos de guerrilheiro, o que possibilitou o assalto a um arsenal da Gestapo. Para carregar uma arma de maior porte para a floresta, elas percorriam o trajeto várias vezes, a fim de transportar cada uma das partes separadamente. Em plena luz do dia, Chasia carregava um rifle comprido dentro de um tubo de metal que parecia uma chaminé. De repente, dois gendarmes apareceram diante dela. Chasia sabia que, se não tomasse uma iniciativa, eles a abordariam. Então perguntou as horas.

— O quê? Já é tão tarde? — exclamou ela. — Obrigada, devem estar preocupados conosco lá em casa.

Como Chasia dizia, "fingir uma segurança extrema" era seu estilo de disfarce. Nas repartições, ela reclamava com a Gestapo se tivesse que esperar muito por sua identidade (falsa). Em determinada ocasião, um nazista a viu tentando entrar no gueto e, sem pensar, ela abaixou as calças e começou a urinar, deixando-o desconcertado. Da mesma forma, quando uma mulher polonesa suspeitava de um judeu, ele deveria se oferecer de imediato para baixar as calças e provar que não era circuncidado — isso costumava ser o suficiente para deixá-la perplexa e fazer com que se afastasse.

Chasia conseguiu um novo emprego; seu chefe era um civil alemão que trabalhava para o exército nazista como diretor de construções. Ela sabia que o patrão ajudava a alimentar os empregados judeus, e uma noite revelou que também era judia. Sua colega de quarto, Chaika Grossman,[22] que havia liderado o levante de Białystok e escapado da deportação, também trabalhava para um alemão antinazista. As cinco mensageiras que ainda estavam vivas fundaram uma célula de alemães rebeldes. Quando os soviéticos chegaram à região, foram elas que lhes apresentaram o Comitê Antifascista de Białystok, que comandavam, composto por todas as organizações de resistência locais. As garotas passavam armas dos alemães para os soviéticos, forneceram toda a inteligência para a ocupação de Białystok pelo Exército Vermelho e recolheram as armas dos soldados do Eixo que haviam batido em retirada.

Também em Varsóvia, depois do levante do gueto, as combatentes precisavam de armas para se defender, bem como para revoltas em outros campos e guetos, como era o caso de Renia. Leah Hammerstein[23] trabalhava no lado ariano, como ajudante de cozinha em um hospital de reabilitação. Certa vez, um de seus camaradas da Guarda Jovem a surpreendeu ao perguntar se ela estaria disposta a roubar uma arma. Ele nunca mais tocou no assunto, mas Leah ficou obcecada pela ideia. Um dia, passou pelo quarto de um dos soldados alemães e viu que não havia ninguém. Sem pensar, foi até o armário e deparou com a pistola esperando por ela, bem à sua frente. Leah enfiou-a por baixo do vestido, foi até o banheiro e trancou a porta. E agora? Ficou de pé em cima do vaso e notou uma pequena janela que dava para o telhado. Embrulhou a arma na calcinha e a deslizou para fora. Mais tarde, quando chegou a sua vez de descartar as cascas de batata, subiu no telhado, pegou a arma e jogou-a no jardim do hospital. Seguiu-se uma busca minuciosa em todo o hospital, mas Leah não estava preocupada — ninguém suspeitaria dela. Ao fim de seu turno, pegou a arma embrulhada, retirando-a do meio das plantas, enfiou-a na bolsa e foi para casa.

*

No cemitério de Varsóvia, Renia[24] pegou o dinheiro que havia escondido no sapato. Ela e Ina compraram as armas, prendendo-as ao corpo minúsculo com tiras de tecido resistente. O restante do contrabando — granadas e coquetéis molotov —, ela colocou no compartimento secreto de uma bolsa com fundo falso.

A viagem de volta de Varsóvia para Będzin, no entanto, foi mais difícil do que o caminho de ida. No trem para o sul, enquanto passavam zunindo por árvore após árvore, elas se depararam com revistas-surpresa, mais frequentes e completas. Renia tentou desesperadamente não tremer enquanto um oficial vasculhava cada uma das pequenas malas. Outro policial confiscou todos os pacotes de comida. Um terceiro procurava por armas. "Custou um oceano de dinheiro, força e nervos — tanto para as mensageiras quanto para aqueles que as esperavam", lembrou Renia. "Se uma mensageira não voltasse na hora marcada, os camaradas enlouqueciam. Quem saberia o que poderia ter acontecido durante o atraso?"[25]

Quando chegou sua vez de ser revistada, ela usou a mesma tática de Bronia e fingiu que estava contrabandeando comida.

— São apenas algumas batatas, senhor.

Ele pegou algumas e a deixou ir.[26]

Durante toda a viagem, Renia e Ina estavam prontas para que qualquer coisa acontecesse a qualquer momento. Prontas para ser fuziladas e, se necessário, para pular do trem em movimento. Tinham que saber exatamente o que fazer durante uma revista. Tinham que saber o que fazer caso fossem capturadas. Tinham que saber como nunca serem pegas como judias; nunca parecerem infelizes nem responderem a um olhar nazista com qualquer coisa diferente de um sorriso. Elas tinham que saber que, mesmo sob tortura, não podiam dizer nada, não podiam revelar um fragmento sequer de informação. Algumas mensageiras carregavam consigo pó de cianeto, para o caso de serem levadas para interrogatório. Se puxassem um fio, o pó, embrulhado em um saco de papel e parcialmente costurado em um bolso no forro do casaco, estaria em suas mãos.[27]

Renia, no entanto, não contava com esse último recurso. "Era preciso ter um comportamento resoluto, firme", explicou. "Tínhamos de ter uma determinação inabalável."[28] Era isso que repetia para si mesma, no trem, cortando florestas a toda velocidade, passando por inspeções, com armas presas ao torso, um sorriso fixo nos lábios. Uma lição que passou a conhecer bem.

Não era exatamente a vida de estenógrafa que havia imaginado.

18. CARRASCOS

RENIA

JUNHO DE 1943[1]

De volta a Będzin.[2] Nas primeiras horas da manhã, Renia ouviu tiros ao longe. Olhou pela janela e viu o céu claro como se fosse dia. Holofotes iluminavam o tumulto. Soldados e policiais e agentes da Gestapo cercavam o gueto. As pessoas corriam pelas ruas vestindo apenas roupas de baixo ou totalmente nuas, "como abelhas que tivessem sido expulsas de sua colmeia".

Renia saltou da cama: a deportação! Poucos dias depois de seu retorno de Varsóvia, do entusiasmo dos camaradas com o carregamento de armas que trouxera consigo, depois de Sarah ter quase desmaiado de alívio por ela ter voltado em segurança. E agora aquilo.

Mas, pelo menos, eles estavam preparados.

Eram quatro da madrugada. Frumka e Hershel ordenaram que todos descessem para o bunker. Quase todos. Para afastar suspeitas, alguns deveriam permanecer nos quartos — aqueles que tinham passes *Zonder*. Se encontrassem o prédio vazio, os nazistas fariam uma revista. Se descobrissem os bunkers, estariam todos mortos. Era melhor dar a impressão de que tudo corria como de costume.

Não havia tempo para pensar. Nem para implementar planos ambiciosos.[3] Nove pessoas ficaram em seus respectivos quartos. O restante, incluindo Renia, se enfiou pelo buraco na tampa do fogão, que fora levantada. Um por um, eles entraram em no refúgio que haviam preparado. Um dos camaradas que ficara de fora colocou a tampa de volta.

Renia se sentou.

*

Uma hora depois, o ressoar de botas. Então, vozes alemãs, xingamentos, armários sendo abertos, móveis sendo arrastados. Cômodos sendo revirados. Estavam procurando — por eles.

Renia e seus camaradas não se moviam, nem um milímetro, mal respiravam.

Silêncio.

Por fim, os nazistas foram embora.

Mas os moradores permaneceram onde estavam, imóveis, por muito mais horas. Havia quase trinta pessoas amontoadas dentro do minúsculo bunker. O ar entrava por uma pequena fresta na parede. Silêncio absoluto, exceto pelo zumbido de uma mosca. O calor era insuportável. Em seguida, o fedor. As pessoas agitavam as mãos, abanando umas às outras, tentando evitar que os amigos perdessem os sentidos. De repente, Tziporah Marder desmaiou. Felizmente, havia um pouco de água e sais aromáticos que o grupo armazenara e que podiam ser utilizados para tentar reanimá-la, mas a jovem continuou encharcada de suor e imóvel. O que deveriam fazer? Eles próprios mal conseguiam respirar. Então a beliscaram até que, por fim, ela se moveu, fraca. A falta de oxigênio era nauseante. "Nossa boca tinha sede, muita sede", lembrou Renia.

Onze da manhã. Ninguém havia retornado. Sete horas no bunker; quanto mais poderiam suportar? Continuaram por mais trinta minutos. Então, de longe, uma única voz. Um som que parecia emergir de um túmulo. Um coro de uivos e gritos horríveis. Renia podia ouvir corpos se debatendo e contorcendo acima deles.

O grupo esperava que um camarada levantasse a tampa do fogão.

— Quem sabe se eles ainda estão lá? — perguntou Frumka, sua esperança se desvanecendo. Ninguém apareceu.

Por fim, passos. A porta foi aberta.

Os camaradas Max Fischer, que cuidava dos órfãos do Atid,[4] e a jovem Ilza Hansdorf[5] estavam de volta. Graças a um acaso, tinham sido os únicos a não serem deportados. Um grito escapou da garganta de Renia: sete de seus melhores combatentes. Levados.

Renia precisou fazer um grande esforço para ouvir o que os camaradas estavam relatando. Todos haviam sido levados para um terreno baldio isolado por uma corda, que membros da milícia judaica seguravam. Os judeus foram posicionados em uma longa fila. Os alemães não verificavam os certificados de trabalho, não faziam distinção entre jovens e velhos. Um agente da Gestapo andava ao longo da fila com um pedaço de pau, dividindo as pessoas: alguns, para a direita, outros, para a esquerda. Qual grupo seria levado para a morte e qual ficaria e viveria? Por fim, os que estavam na fila da direita foram levados para a estação de trem de onde seriam deportados; os outros foram mandados para casa. Com um breve gesto de um pequeno bastão, para a esquerda ou para a direita, um judeu era poupado ou condenado à morte.

Muitos saíram em disparada e foram baleados enquanto tentavam fugir.

Renia e seus camaradas saíram e ficaram parados diante da pequena casa. Tudo tinha sido em vão. Era impossível retirar indivíduos do grupo destinado aos trens. Ao redor deles, as pessoas corriam, entrando e saindo da repartição da polícia, aos prantos. Um dava falta da mãe; outro, do pai, do marido, de um filho, uma filha, um irmão, uma irmã. Para cada um dos que tinham ficado, "eles haviam levado alguém". Pessoas desmaiavam nas ruas. Uma mãe enlouquecida quis se juntar ao grupo que seria deportado — os nazistas haviam selecionado seus dois filhos adultos. Cinco crianças voltaram chorando: seu pai e sua mãe tinham sido levados. Não sabiam para onde ir. A mais velha tinha 15 anos. A filha do vice-presidente do Judenrat se atirou no chão, rasgou as roupas. Eles haviam deportado seu pai, sua mãe e seu irmão; estava sozinha. Por que haveria de viver? Choro, desespero. Era tudo inútil. Aqueles que haviam sido levados nunca voltariam.

Incluindo Hershel Springer. Hershel, que passara dias e noites ajudando e salvando pessoas, amado por todos os judeus, respeitado pela comunidade. As pessoas choraram por ele como fariam por seu próprio pai, e Renia fazia parte desse grupo.

A rua estava repleta de pessoas inconscientes, que se contorciam em agonia, o corpo desfigurado por balas dum-dum envenenadas. Os parentes os haviam levado para fora e, sem conseguir aliviar sua agonia, tinham-nos deixado lá, estrebuchando. Os transeuntes tropeçavam nos corpos. Ninguém tentava reanimá-los. Não havia ajuda. Cada pessoa tinha seus tormentos, julgava que a própria dor fosse maior do que qualquer outra. Cadáveres destroçados por projéteis eram colocados em carroças. Os grãos no campo eram pisoteados por aqueles que tinham se escondido entre os pés de trigo; havia cadáveres em putrefação espalhados por toda parte. Em toda a sua volta, Renia ouvia a respiração agonizante dos moribundos.

Era difícil demais para ela, para qualquer pessoa, testemunhar aquelas cenas. O grupo voltou para a casa. As camas tinham sido viradas; em cada canto, havia uma pessoa deitada no chão, chorando. As crianças do Atid estavam inconsoláveis. Renia não conseguia acalmar seus soluços.

Frumka começou a arrancar os cabelos e em seguida a bater com a cabeça na parede.

— A culpa é minha! — gritava ela. — Por que eu disse a eles para ficarem nos quartos? Eu os matei, eu os mandei para a morte.

Mais uma vez, Renia tentou acalmá-la.

Minutos depois, os camaradas a encontraram na sala ao lado, com uma faca[6] apontada para o peito. Eles a arrancaram de sua mão à força enquanto ela gritava:

— Eu os assassinei!

Os tiros não paravam. O grupo a ser deportado estava na estação, vigiado por soldados armados. Alguns tentaram correr e pular a barreira de metal que os separava da estrada. Do outro lado da barreira, poloneses e alemães assistiam, parecendo contentes. "É uma pena que ainda restem alguns, mas o fim deles está próximo", Renia ouviu um deles dizer. "Não dava para enviar todos de uma vez." Outros responderam: "Os que Hitler não matar agora, nós mataremos depois da guerra."

O trem chegou. Os nazistas obrigaram as pessoas a entrar em vagões destinados ao transporte de gado. Não havia espaço suficiente. Os judeus que sobraram foram levados para um grande prédio que um dia havia abrigado um orfanato e um lar para idosos.

Renia observou enquanto os vagões partiam para Auschwitz.

No fim do dia, todos a bordo estariam mortos.

Os judeus restantes espiavam pelas janelas do quarto andar, procurando loucamente por um salvador. O edifício estava cercado por agentes da Gestapo. Integrantes da milícia andavam de um lado para o outro, pensando, angustiados, se poderiam ajudar um membro da família ou um amigo. No fim das contas, a força de trabalho especializada de Rossner foi libertada. Enquanto vivesse, disse Rossner, não permitiria que seus trabalhadores fossem levados. Mas a Gestapo sabia que não fazia diferença. Mais cedo ou mais tarde, todos os judeus seriam mortos.

Os remanescentes foram deportados na manhã seguinte. Os nazistas precisavam de mais algumas centenas de pessoas para perfazer mil — o contingente de um transporte. "Não conseguíamos entender o que havia de tão especial naquele número redondo", escreveu Renia mais tarde. "Costumávamos brincar que esse era o número mínimo de pessoas que eles conseguiam matar." Mesmo em meio à barbárie, as piadas mórbidas ajudavam os judeus a aliviar o medo, a negar a importância da morte e sentir que tinham algum controle sobre a própria vida.[7]

Poucas horas depois, a Gestapo invadiu uma das oficinas e deteve o número que faltava. E assim, em dois dias, os nazistas deportaram 8 mil pessoas[8] de Będzin para serem assassinadas, sem contar aquelas que foram mortas a tiros ou sucumbiram à tristeza e ao medo.

*

Sem Hershel, Frumka não era mais capaz de dirigir o kibutz. Não conseguia suportar todas as preocupações nem fazer planos para o futuro. O Liberdade começou a desmoronar. Ninguém tinha vontade de sair. "Que sentido havia em trabalhar quando uma deportação pairava sobre nossas cabeças?", ponderou Renia. Os camaradas sabiam que era apenas uma questão de tempo — pouco tempo — até que todos fossem mortos. Começaram a pensar em deixar o gueto e se dispersar, cada um fugindo para o seu destino.

Os líderes do Judenrat dirigiram-se à comunidade com um "discurso positivo": o trabalho, e apenas o trabalho, salvaria a vida do restante dos judeus. Algumas pessoas buscaram a normalidade e voltaram ao trabalho. Um sentimento de peso a cada passo.

Então, vários dias depois da deportação de Będzin: um pequeno milagre. Um membro da milícia entregou um bilhete. Renia não conseguia acreditar no que via. A caligrafia de Hershel. Seria real?

Renia, Aliza Zitenfeld e Max Fischer seguiram o homem até a oficina, um trajeto infestado de agentes da Gestapo parando cada transeunte. Passaram por um membro da milícia que sangrava muito, a orelha arrancada e a face dilacerada. O terno branco estava vermelho, o rosto, pálido. Um guarda da Gestapo tinha atirado nele apenas por diversão.

O integrante da milícia os escoltou até o último andar, onde havia uma pequena sala atulhada. Ele afastou pilhas de mercadorias. No meio, como em um ninho, estava Hershel.

Renia correu para ele. Havia sido brutalmente espancado, estava quase irreconhecível. O rosto arranhado, os pés feridos. Mas ele riu e os abraçou como um pai, as lágrimas escorrendo pelo rosto encovado. Tranquilizou-os, dizendo que nada de muito grave havia acontecido. Suas pernas podiam ter sido esmagadas, mas "o mais importante é que ainda estou vivo e que pude ver todos vocês. Nada foi perdido". Mostrou a eles o conteúdo dos bolsos e em seguida contou sua história:

— Eles nos empurraram para dentro de um vagão. (...) Fomos todos espancados. (...) Procurei uma maneira de escapar. Eu tinha um canivete e um cinzel. Não foi fácil, mas consegui abrir a janela. O vagão estava abarrotado, então ninguém percebeu, mas quando eu estava prestes a pular, as pessoas seguraram meus braços e minhas pernas, gritando: "O que você está fazendo? Por sua causa, eles vão nos matar como se fôssemos gado!"

"O trem continuou a se mover. Yoel e Gutek pegaram lâminas de barbear para se matar. Eu não deixei. Disse a eles para esperarem até que todos estivessem distraídos, e então pularíamos. De repente, surgiu a oportunidade. Não pensei duas vezes e saltei. Outra pessoa saltou atrás de mim. (...) Preferia morrer assim a acabar minha vida em Auschwitz. Ouvi tiros atrás de mim, disparados pelos alemães que vigiavam a estrada. Eu me atirei em um buraco. O trem seguiu em frente. A distância, vi pessoas caídas na estrada, provavelmente outras que haviam saltado e foram abatidas. Não muito longe de mim, uma polonesa trabalhava no campo. Ela me arrastou para o campo, para longe dos trilhos.

"Meus pés estavam machucados. Eu não conseguia andar. Ela me disse que Auschwitz ficava perto, que eu fizera bem em pular, que todos os judeus estavam sendo levados para a morte. Ela me trouxe comida de sua casa, tirou meu paletó e o usou para enfaixar meu pé. Então me disse para ir embora, porque, se os camponeses da aldeia me vissem, me entregariam aos alemães. A essa altura, já era noite. Fiquei de quatro e engatinhei na direção que ela me indicou. Durante dias, dormi nos campos e me alimentei de cenouras, beterrabas, plantas. Depois de uma semana rastejando, cheguei aqui."

Naquela noite, com a ajuda de um integrante da milícia que era bondoso (alguns eram, Renia reconheceu), Renia levou Hershel para o kibutz. Ele teria que se mudar para o bunker permanentemente, para evitar a Gestapo. As pessoas ficaram incrédulas. O pai havia retornado dos mortos. De alguma forma, tudo ficaria bem.

Eles sabiam, no entanto, que a alegria era apenas temporária. O Judenrat começara a notar as atividades do kibutz e ficara desconfiado. O gueto de Kamionka estava agora repleto de apartamentos que tinham pertencido àqueles que foram assassinados e haviam ficado vazios, de modo que o grupo do Liberdade se dividiu em três. Cada unidade composta de dez membros fixou residência em uma parte diferente do gueto. No entanto, continuaram a manter a vida comunal. "Somos uma família" — o mantra que os guiava, sempre.

19. LIBERDADE NAS FLORESTAS
OS GUERRILHEIROS

RENIA, FAYE, VITKA, RUZKA E ZELDA

JUNHO DE 1943

Era fim da primavera de 1943 quando Marek Folman,[1] de cabelos loiros e olhos azuis, voltou para Będzin vindo de Varsóvia, animado com um recente levante e com o êxito de suas próprias ações. Poucos meses antes, disfarçados de poloneses, Marek e o irmão haviam se juntado a um grupo de guerrilheiros na Polônia central. Atacaram quartéis alemães, plantaram minas sob trens militares e incendiaram prédios do governo. Tragicamente, o irmão de Marek fora morto em uma escaramuça; mas morrera como um combatente. Renia ouvia suas histórias, cada palavra um milagre.

Agora, Marek tinha um plano. Seu grupo se recusava a aceitar judeus, mas ele havia entrado em contato com um oficial polonês chamado Socha que estava disposto a ajudar os judeus de Zaglembie a se conectar com unidades locais que os incluíssem. Socha morava com a família em Będzin.

Todo o kibutz ficou animado. No início, sua filosofia era lutar no gueto como judeus. Mas, à medida que as liquidações avançavam furiosamente e as chances de um levante eficaz diminuíam, os camaradas foram ficando com cada vez menos opções. Juntar-se aos guerrilheiros era uma forma de agir, uma oportunidade de ouro. Eles haviam tentado entrar em contato com destacamentos, mas sempre sem sucesso.

Quem seria aquele polonês disposto a ajudar os judeus? Marek e Zvi Brandes precisavam avaliar a situação. Foram até o modesto apartamento de Socha. Bebês chorando, uma típica esposa camponesa, uma família de classe trabalhadora. Socha deixou uma impressão positiva nos rapazes.

Sim, eles disseram. Vamos com você.

A ŻOB decidiu enviar alguns membros de cada movimento. Todos rapazes; vários munidos de pistolas. Eles deveriam fugir do gueto, remover as estrelas de Davi, encontrar-se com Socha em um local combinado e segui-lo até a floresta. Também foram orientados a escrever para casa assim que chegassem.

Uma longa semana depois, os camaradas souberam que Socha havia retornado à cidade. O kibutz não quisera lhe revelar o endereço onde estava localizado, e então Marek foi até o apartamento de Socha, ansioso.

Socha tinha boas notícias: os camaradas haviam chegado em segurança e foram recebidos de braços abertos. Tinham saído para lutar contra os alemães naquele mesmo dia. Socha pediu desculpas — eles estavam tão animados que tinham se esquecido de escrever.

Enfim, vingança! Exultante, a ŻOB se preparou para enviar um segundo grupo. Com a deportação geral iminente, todos imploraram para ser incluídos. Renia suplicou, ansiosa por *fazer*, agir, lutar.

A lista foi apresentada.[2] Da Guarda Jovem: o namorado de Chajka Klinger, o líder David Kozlowski, e Hela Kacengold, que Chajka descreveu como um símbolo da nova garota em tempos de guerra: "Com botas de cano alto, calças de montaria e arma na mão, era difícil dizer que se tratava de uma mulher."[3] Do Liberdade: Tziporah Marder, cinco homens e um dos órfãos do Atid. Mais uma vez, os que partiam foram orientados a escrever de volta e dizer-lhes como preparar o próximo grupo. Os camaradas remanescentes, invejosos, mas cheios de esperança, observaram o novo grupo encher caixas de fósforos com munição; todos beberam vodca para comemorar.[4]

Renia, no entanto, ficou arrasada quando seu nome não foi chamado. Frumka e Hershel explicaram que a ŻOB precisava dela para fazer várias viagens a Varsóvia a fim de comprar armas, especialmente agora que os combatentes que iam para a floresta haviam levado com eles todo o arsenal. Somente quando essas viagens fossem concluídas é que Renia teria permissão para se juntar aos guerrilheiros.

Ela suspirou. Compreendia. Mas, ah, como tinha desejado, como tinha esperado se juntar à luta!

*

Era extremamente difícil ingressar em uma brigada de guerrilheiros, sobretudo para uma judia.[5] Embora houvesse muitos grupos de guerrilheiros,[6] cada um com suas lealdades e filosofias, em geral eles concordavam em duas coisas. Uma: não aceitavam judeus, por nacionalismo ou antissemitismo, ou simplesmente por não acreditarem que fossem capazes de lutar. A maioria dos judeus chegava à floresta sem armas ou treinamento militar e muito debilitada física e mentalmente — eles eram vistos como um fardo. A outra: as mulheres não eram consideradas material de combate, e só serviam para cozinhar, limpar e cuidar dos feridos.

Apesar disso, cerca de 30 mil judeus conseguiram se juntar a destacamentos de guerrilheiros, muitas vezes escondendo a identidade ou tendo de se provar capazes e se esforçar duas vezes mais. Desses 30 mil, 10% eram mulheres.[7] A maior parte das judias se juntou a unidades que operavam no Leste; sua fuga costumava ser planejada com antecedência. Juntar-se aos guerrilheiros era, muitas vezes, sua única chance de sobreviver, então elas corriam o risco.

Chegar a um campo de guerrilheiros por si só já representava um risco de vida. A mulher poderia ser reconhecida como judia e denunciada à polícia ou ser morta no caminho por civis poloneses em decorrência do crescente antissemitismo incitado pelas políticas nazistas. Os guerrilheiros costumavam atirar em qualquer desconhecido que se aproximasse, incluindo refugiados judeus. Em algumas unidades, os integrantes suspeitavam de que as mulheres fossem espiãs nazistas. Um comandante guerrilheiro ouvira dizer que a Gestapo havia enviado algumas mulheres para envenenar a comida de toda a unidade, e então seus homens mataram a tiros um grupo inteiro de judias que se aproximaram de onde estavam. As florestas estavam infestadas de bandidos, espiões, colaboradores dos nazistas e camponeses hostis que temiam os alemães. Os próprios guerrilheiros podiam ser violentos. Muitas mulheres foram estupradas.[8]

A grande maioria[9] dos judeus poloneses vivia em centros urbanos antes da guerra. A floresta, com seus animais e insetos, cursos de água e pântanos, invernos gelados e verões escaldantes, era outro universo — um mundo repleto de desconfortos físicos e psicológicos constantes. As mulheres tinham de enfrentar a solidão e a falta de proteção. Geralmente chamadas de "vadias" pelos guerrilheiros, eram quase sempre rejeitadas, a menos que tivessem uma habilidade médica ou culinária, ou fossem atraentes. A maioria das judias dependia de homens, trocando sexo por roupas, sapatos, abrigo. Algumas se sentiam compelidas a fazer "sexo por gratidão" com o guia que as levava até os acampamentos. Às vezes, os acampamentos eram atacados durante a noite, e as mulheres precisavam dormir junto de um homem que as protegesse. "Para ter um pouco de paz relativa durante o dia, tive que concordar com a 'falta de paz' durante a noite",[10] queixou-se uma guerrilheira. Desenvolveu-se, assim, uma economia sexo/defesa: ele a protegia, ela era sua garota. Uma judia recordava ter sido instruída de imediato a "escolher um oficial".[11] Uma guerrilheira descreveu como uma unidade soviética "levava mulheres para fazer sexo". E acrescentou: "Não posso chamar de estupro, mas era quase." Certa vez, um comandante guerrilheiro soviético entrou enquanto ela tomava banho com outras moças; uma delas jogou um balde d'água no sujeito. Ele começou a atirar.[12] Algumas mulheres se uniam a um homem apenas para que os outros parassem de assediá-la.[13]

As relações íntimas eram complexas em muitos níveis. Para começar, aquelas mulheres e garotas traumatizadas e enlutadas tinham acabado de perder a família inteira e não se sentiam particularmente românticas. Em segundo lugar, as diferenças de classe social eram significativas. Na vida pré-guerra, as judias urbanas eram educadas conforme as aspirações de classe média. Os guerrilheiros não judeus, por sua vez, eram, em sua maioria, camponeses analfabetos. Os homens de elite da cidade se tornavam "inúteis" na floresta; apenas o homem forte com uma arma tinha verdadeiro status.[14] As mulheres tinham não apenas que esconder sua condição de judias, mas também mudar sua maneira mais cosmopolita de pensar, falar, ser.

Apesar de tudo, muitas mulheres se tornaram "esposas de guerra" dos comandantes. Às vezes, um romance verdadeiro acontecia; mas na maior parte das vezes, não. Os abortos, realizados sem anestesia em um abrigo qualquer, eram comuns. A capitã Fanny Solomian Lutz, uma fisioterapeuta judia, se tornou a médica-chefe de uma brigada perto de Pinsk, e se especializou no uso de ervas medicinais que apanhava na floresta. Ela realizou vários abortos bem-sucedidos com quinino, embora muitas vezes o procedimento resultasse em morte na mesa de operação.[15]

Na maioria das vezes, as guerrilheiras judias sufocavam sua identidade e passavam a depender dos homens. Quaisquer armas que possuíssem eram confiscadas, e elas se viam forçadas a fazer botas de couro para os combatentes, cozinhar e lavar, a pele descascando com as roupas.[16] Cozinhar, aliás, não era uma tarefa fácil na floresta: as mulheres tinham que buscar lenha, transportar água e ser muito inventivas com os suprimentos limitados. Nos quartéis-generais das unidades, elas atuavam como escriturárias, estenógrafas e tradutoras, e umas poucas atuavam como médicas e enfermeiras.

Algumas mulheres judias, entretanto, foram exceção, servindo como agentes de inteligência, batedoras de reconhecimento, capturadoras de suprimentos, transportadoras de armas, sabotadoras, localizadoras de prisioneiros de guerra fugitivos e combatentes efetivas na floresta. Os camponeses locais ficavam chocados quando elas apareciam armadas, com armas e às vezes crianças amarradas às costas.

Faye Schulman[17] era uma fotógrafa ortodoxa moderna nascida na cidade fronteiriça de Lenin. Ela havia sido poupada de um fuzilamento em massa no qual 1.850 judeus foram assassinados, incluindo sua família, por causa de sua "habilidade útil" — ela foi forçada a revelar fotografias de nazistas torturando judeus. Sentindo que seu fim estava próximo, fugiu para a floresta e, tremendo loucamente, implorou a um comandante guerrilheiro que a deixasse entrar para o movimento. Ele sabia que ela era parente de um médico e ordenou que se tornasse enfermeira. Faye não sabia nada de medicina, mas superou rapidamente seus escrúpulos e aprendeu a administrar seu desconforto psicológico. O sangue dos pacientes passou a ser o sangue de sua mãe, o que a levava a imaginar as cenas de assassinato de cada pessoa de sua família. Treinada por um veterinário, realizava cirurgias ao ar livre em uma mesa de operações feita de galhos, deu vodca a um guerrilheiro para entorpecê-lo e então amputou--lhe o dedo usando os dentes e, certa vez, lancetou sua própria carne infectada antes que alguém notasse sua febre e a matasse por ser um fardo. Aos 19 anos, Faye era seu próprio mundo, constantemente obrigada a tomar decisões de vida ou morte.

Ela insistiu em participar do combate e dos ataques à sua cidade natal, para se vingar. "Os nazistas tinham coberto os túmulos com terra e areia, mas, dias depois, o terreno continuava a se mover à medida que os corpos se acomodavam; a camada superior rachava e o sangue brotava (...), como uma enorme ferida aberta", escreveu ela mais tarde. "Eu não podia ficar para trás enquanto o sangue da minha própria família ainda encharcava as valas."[18] Pegou a câmera, que mantinha enterrada na floresta durante suas missões de guerrilha cada vez mais frequentes. Junto com as lentes, sua arma se tornou sua melhor amiga, e ela a abraçava à noite como se fosse um amante, consciente de como a guerra havia reprimido seu desenvolvimento sexual. "Perdi minha juventude de uma forma dolorosa", refletiu. Adorava dançar, mas não havia mais dança. "Minha família foi assassinada, depois de ter sido torturada e brutalizada. Eu não podia me permitir me divertir ou ser feliz."[19] É verdade que uma vez despertou sob a mira de uma arma apontada para sua cabeça por um homem cujos avanços amorosos ela havia repelido (um amigo havia descarregado a arma), mas, de modo geral, se sentia como "um dos rapazes", comendo com eles de uma panela compartilhada (cada um ou cada uma tirava uma colher da própria bota), compartilhando a sobremesa de tabaco enrolado em jornal, atravessando florestas cheias de minas terrestres e, honrada como uma grande combatente, sendo convidada a esfaquear um grupo de espiões capturados. (Faye chegou atrasada de propósito, para não ter de cometer aqueles assassinatos; tinha uma coragem de ferro, mas nunca se deixou endurecer.)

Durante todo o tempo, manteve sua condição de judia em segredo, inventando histórias quando comia sozinha durante a Pessach. Somente quarenta anos depois ela descobriu que um homem de quem queria se aproximar a ignorara porque era judeu e temia levantar suspeitas por ser visto com ela. Mesmo entre os rebeldes, esconder a própria identidade era uma prática constante.

*

A menos, é claro, para quem fizesse parte de uma unidade de guerrilheiros composta inteiramente de judeus. Esses destacamentos únicos em geral eram estabelecidos por lideranças judaicas nas densas florestas do Leste. Tinham começado como acampamentos familiares que abrigavam refugiados judeus (a famosa Bielski, uma forte unidade composta por 1.200 combatentes, acolhia todos os judeus); eles também realizavam ações de sabotagem. Havia muito mais mulheres incluídas, algumas saindo em missões e outras servindo como guardas armadas.[20] Um grande grupo de judeus chegou à floresta de Rudniki, pronto para uma ação de guerrilha. Eram camaradas vindos de Vilna.[21]

Depois da reunião inicial de Abba Kovner com os movimentos clandestinos, durante a qual ele cunhou a célebre frase "Não nos deixemos levar como ovelhas para o abate!", vários grupos judeus de Vilna se apressaram em se unir. Eles formaram a FPO, a sigla em iídiche para Organização Guerrilheira Unida. Havia um grande número de mulheres envolvidas como mensageiras, organizadoras e sabotadoras, incluindo Ruzka Korczak e Vitka Kempner, camaradas da Guarda Jovem.

Quando Hitler invadiu a Polônia, em 1939, a pequena Ruzka Korczak viajou 500 quilômetros até Vilna, seguindo uma rota clandestina estabelecida por judeus em fuga. Lá, se dirigiu a um antigo abrigo para pobres onde agora viviam mil adolescentes, refugiados sionistas que aguardavam para fazer a *aliyah*, o que ainda era possível a partir daquele local (a cidade passou subitamente a ser governada pela Lituânia). Família, escola, lutas, sonhos — nada do que fizera parte da antiga vida de Ruzka era relevante. Sua capacidade de ouvir e resolver de conflitos rapidamente fizera dela uma líder.

Certa manhã,[22] enquanto estava absorta em um livro sobre o sionismo socialista, Ruzka foi abordada por uma garota animada, de cílios longos, que falava um polonês perfeito.

— Por que um livro tão sério? — perguntou a garota.

— O mundo é um lugar sério — respondeu Ruzka.

Em sua cidade natal havia poucos judeus, e quando sua professora na escola pública fez um comentário antissemita, ela transferiu para o corredor a carteira onde se sentava, em caráter permanente. Era uma excluída tímida, que passava todo o tempo livre na biblioteca.

— Não acho que o mundo seja tão sério assim — disse a jovem Vitka. Em seguida, admitindo a possibilidade contrária, explicou: — E mesmo que fosse, essa seria mais uma razão para não ler um livro sério.

Seu favorito era *O conde de Monte Cristo*.

Vitka tinha ido sozinha para Vilna depois de fugir de sua pequena cidade, escalando a janela do banheiro da sinagoga onde os nazistas haviam trancado todos os judeus. Uma das melhores alunas da escola judaica, Vitka foi a primeira mulher a ingressar no Betar e receber treinamento "semimilitar". Considerava-se uma patriota polonesa; tentou fazer parte de vários grupos antes de se estabelecer na Guarda Jovem, mas nunca foi uma adepta de dogmas.

Ruzka e Vitka rapidamente se tornaram amigas. Ruzka tinha integridade e humildade; Vitka, uma descontração determinada, apesar de tudo o que havia perdido. Um dia, elas repararam em um estranho líder da Guarda Jovem que observava os rapazes e as moças. Ele usava um chapéu enterrado quase até os olhos. Todas o acharam atraente; Vitka o achou estranho. Ninguém ousou abordá-lo. "Eu me perguntei por que ninguém estava falando com ele", disse Vitka mais tarde. "Será que ele era tão assustador assim?"[23] Ela foi cumprimentá-lo. Era Abba Kovner.

Quando Vilna foi ocupada pelos russos, Vitka fugiu, mas voltou depois de os nazistas reassumirem o controle. Se os alemães estavam em toda parte, pensou ela, então era melhor estar junto de Ruzka. Conseguiu carona com um nazista, mas quando disse a ele que era judia, ele entrou em pânico e fugiu. Ela pegou um trem de carga e, uma vez em Vilna, desfilou corajosamente pelas ruas sem usar a estrela amarela. Ruzka ficou chocada ao vê-la.

— Perdeu o juízo? Está querendo ser morta?[24]

Juntas, elas se mudaram para o gueto, onde compartilhavam uma cama, e conseguiram escapar de ações extremamente violentas, certa vez fingindo ser esposas de oficiais.[25] A Guarda Jovem enviou Vitka para o lado ariano. Ruzka pintou os cabelos dela, mas acabou deixando-os ruivos, de modo que tiveram de pagar um barbeiro judeu para que fizesse uma descoloração com água oxigenada.[26] De acordo com Ruzka, "nem mesmo a cor dos cabelos poderia disfarçar o nariz semita, ligeiramente comprido, os olhos, que tinham uma expressão particularmente judaica".[27] Apesar disso, com sua confiança infinita, Vitka estava pronta para enganar os poloneses. Enganar os alemães, observou ela, era fácil: "Os alemães acreditam em qualquer coisa."[28] Uma vez, tendo esquecido sua estrela, prendeu uma folha amarela no lugar.[29]

Em dezembro de 1941, a missão de Vitka era resgatar Abba, que estava escondido em um convento, vestindo um hábito de freira. Ela o levou até o gueto para se encontrar com Sara, a garota que havia sobrevivido ao massacre de Ponary. Ele ouviu a história dela, entendeu que a única saída era a revolta armada, convocou a famosa reunião de Ano-Novo, fundou a FPO e foi morar com as garotas. Compartilhava a cama com elas. "Eu durmo no meio",[30] disse a um combatente. Os três caminhavam pelas ruas do gueto de braços dados, suscitando rumores sobre um *ménage à trois*. (Diz a lenda que, quando um estudante perguntou a Vitka por que ela havia se juntado à resistência, ela respondeu de imediato: "Pelo sexo!")[31]

Com o profundo engajamento de Vitka e Ruzka, a FPO acumulou armas, pedras e garrafas de ácido sulfúrico. O grupo revestiu o quartel-general com uma espessa parede "à prova de balas", feita de volumes do Talmude, redigiu textos que apelavam para a resistência e planejou uma revolta.

Então, Abba enviou Vitka em uma missão pioneira, sua declaração de amor.[32] A missão: explodir um trem alemão que transportava soldados e suprimentos.[33] Durante duas semanas, ela deixou o gueto todas as noites para explorar os trilhos e encontrar o melhor local para colocar uma bomba, algum lugar longe o suficiente de quaisquer judeus, para que não fossem feridos ou culpados e punidos, mas também perto da floresta, onde os sabotadores poderiam se esconder, e não muito longe do gueto, para que Vitka pudesse sair e entrar na hora certa. Ela estudou minuciosamente as rotas do trem, tomando nota de todos os detalhes, já que a ação teria que ser realizada na escuridão da noite. As linhas férreas eram vigiadas pelos alemães e estavam interditadas aos civis. Mais de uma vez, Vitka foi interpelada.

— Só estou procurando o caminho de casa — mentiu ela. — Não fazia ideia de que era proibido andar por aqui.

Ela se afastou dos crédulos nazistas e voltou a se aproximar dos trilhos mais adiante.

Certa vez, sem poder retornar ao gueto por sua rota habitual porque havia cães latindo e já havia passado da hora do toque de recolher, Vitka foi parar em um campo de tiro alemão. Por pouco não foi alvejada. Fingiu estar perdida e se aproximou de um nazista aos prantos.[34] O soldado teve pena dela e ordenou que outros dois a acompanhassem até o lado de fora. Ela afirmou mais tarde que, sempre que se encontrava em uma situação perigosa, era dominada por uma "calma gélida", a sensação de que estava vendo a situação à distância e, dessa forma, era capaz de avaliá-la e proceder de forma a se desvencilhar com segurança.[35]

Em uma noite quente de julho, ela saiu do gueto com dois rapazes e uma moça. A esbelta Vitka costumava entrar e sair pelas fendas do muro do gueto, mas dessa vez os conduziu por chaminés e telhados. Sob o casaco, eles levavam pistolas, granadas e um detonador. Vitka tinha consigo uma bomba confeccionada a partir de um cano, construída por Abba.[36] (Ruzka fazia parte da Brigada de Papel,[37] um grupo que contrabandeava livros judaicos para mantê-los a salvo. Na biblioteca do Instituto Científico Iídiche de Vilna, ou Yivo, encontrou um panfleto finlandês, escrito quando o país nórdico estava se preparando para a invasão russa. O conteúdo do panfleto consistia em um curso sobre guerra de guerrilha e fabricação de bombas, incluindo diagramas. Esse livreto se tornou o livro de receitas do movimento.)

Vitka conduziu o grupo ao local perfeito que havia encontrado e, na escuridão, fixou a engenhoca nos trilhos, erguendo a cabeça de tempos em tempos, a fim de verificar se o trem se aproximava. Em seguida, se escondeu com os combatentes na floresta. De repente, a veloz locomotiva se aproximou — um clarão alaranjado cruzou o céu. Vitka correu ao lado do trem, lançando granadas.

Então a composição descarrilou, os vagões foram engolidos por uma nuvem de fumaça, a locomotiva afundou em uma ravina. Os alemães dispararam loucamente na direção da floresta, matando uma garota que integrava o grupo. Vitka a enterrou na floresta e voltou correndo para o gueto, antes que amanhecesse. Embora algum tempo depois a destruição de trens nazistas viesse a se tornar uma subversão comum entre guerrilheiros, àquela altura, o atentado de Vitka foi o primeiro ato de sabotagem do tipo em toda a Europa ocupada.

Alguns dias mais tarde, um jornal clandestino noticiou que guerrilheiros poloneses haviam mandado um trem pelos ares, matando mais de duzentos soldados alemães. A SS matou sessenta camponeses em uma cidadezinha próxima como retaliação. "Não me sinto culpada por isso", disse Vitka mais tarde. "Eu sabia que não tinha sido eu que havia matado aquelas pessoas; foram os alemães. Na guerra, é fácil esquecer quem é quem."[38]

Depois disso, Vitka passou a entrar e sair constantemente do gueto, ajudando duzentos camaradas a fugir para a floresta. Levou dias perambulando por Vilna, caminhando dezenas de quilômetros à procura de pontos por onde grupos de judeus pudessem passar sem serem notados. Costumava ir se despedir deles. Primeiro, porém, levava-os a um cemitério onde havia armas e granadas enterradas em uma sepultura. ("Os alemães não permitiam que ninguém vivo passasse pelos portões [do gueto]", escreveu Ruzka certa vez, "mas os mortos podiam sair.")[39] Vitka distribuía as armas entre os camaradas, explicava a rota que havia traçado para eles e se despedia de cada um com um beijo. Quanto a ela, era uma entre a centena de combatentes da FPO que permaneceriam no gueto para lutar. Sua unidade caiu imediatamente em uma emboscada. Entre os únicos sobreviventes: Vitka. "Ela simplesmente se afastou, andando de maneira despreocupada e confiante, como se tivesse outro compromisso", descreveu um cronista posteriormente. "Ninguém a deteve."[40]

Sem o apoio da comunidade judaica, o sonho da FPO de uma grande batalha no gueto tinha sido uma decepção devastadora, com apenas uns poucos tiros disparados. Organizados e liderados por Vitka, os combatentes escaparam do gueto pelos esgotos de Vilna e chegaram à floresta, ansiosos para lutar, decididos a passar da defesa para o ataque. Abba se tornou o comandante da brigada judaica, que foi segmentada em quatro divisões. Ele liderava a unidade "Vingador", enquanto Vitka comandava seu próprio corpo de batedores.[41]

Na floresta, os oficiais soviéticos que mantinham ligações com a brigada disseram a Abba para construir um acampamento a fim de abrigar as garotas, que cozinhariam e costurariam. Kovner, que não reconhecia diferença alguma entre homens e mulheres, recusou. Todas as pessoas que pudessem e quisessem lutar iam lutar, disse ele. Qualquer uma podia pegar uma arma do arsenal comunitário e ter a chance de restaurar seu respeito próprio. Além disso, ele havia testemunhado a extraordinária coragem daquelas mulheres. De acordo com Vitka, Abba insistia que pelo menos uma garota participasse de cada missão, mesmo que os rapazes não ficassem satisfeitos — os explosivos podiam pesar até 10 quilos, as caminhadas podiam chegar a 50 quilômetros, e a maioria das garotas não participava do transporte.[42]

Ruzka foi selecionada para participar da primeira operação de sabotagem liderada por judeus, junto com quatro homens; eles deveriam caminhar 65 quilômetros e explodir um trem de munição. No gueto, Ruzka, cuja postura calma e confiante lhe rendera o apelido de "Irmãzinha", não apenas contrabandeava livros, mas também recrutava combatentes, mantinha o fervor e era a segunda na cadeia de comando na unidade de combate. Abba sabia que a dureza que ela demonstrava provaria o valor das judias como guerrilheiras.

Ruzka e os homens partiram no início da noite, sob um frio congelante, cada um carregando uma arma e duas granadas de mão. A pequena Ruzka insistiu em fazer parte do revezamento para carregar a mina, que pesava mais de 20 quilos. Seguiram por trilhas até um rio, onde a água corria logo abaixo da superfície congelada. A unidade tinha que atravessá-lo com toda a munição, avançando passo a passo ao longo de um tronco. Ruzka caiu. Agarrou-se ao tronco e conseguiu sair da água, embora suas pernas estivessem dormentes e pesadas. O comandante viu as roupas encharcadas e ordenou que ela voltasse ao acampamento para não morrer de frio. Mas ela insistiu em ficar: "Vai ter que meter uma bala na minha cabeça para me afastar desta missão."[43] Então, alguns quilômetros depois, o grupo invadiu uma casa de camponeses e roubou roupas secas para Ruzka — roupas masculinas, que ela teve de enrolar e encher com meias. Em seguida, sob a mira de uma arma, eles obrigaram um camponês a levá-los até o destino. Cinquenta soldados nazistas morreram como resultado dessa missão e um depósito de armas alemão foi destruído.

"Eu me lembro da nossa primeira emboscada contra os alemães como se tivesse sido hoje", escreveu Ruzka mais tarde. "A maior felicidade para mim desde o início da guerra foi o momento em que vi, bem na minha frente, um carro destruído com oito alemães mortos. Nós tínhamos conseguido. Eu, que pensava que não era mais capaz de sentir felicidade, festejei."[44] Ruzka se tornou a comandante de uma unidade de patrulha.[45]

Além das ousadas missões de combate, Ruzka também era a oficial encarregada da distribuição de víveres, vestuário e equipamentos.[46] A vida na floresta podia ser surpreendentemente elaborada. Os acampamentos de guerrilheiros diferiam com base na localização e no tempo de permanência, mas alguns compreendiam uma vila inteira de cabanas camufladas, com área de convívio, gráfica, enfermaria, transmissoras de rádio, cemitério e "banho *shvitz*", feito com a imersão de pedras quentes na água. Comida, botas, roupas, casacos e suprimentos eram roubados sobretudo dos camponeses, muitas vezes sob a mira de uma arma.[47] Os guerrilheiros cozinhavam apenas à noite, para evitar que a fumaça revelasse sua localização. Roubavam recipientes dos moradores das pequenas cidades próximas e os enchiam com água de fontes e rios, que às vezes ficavam a horas de distância do acampamento.[48] No inverno, derretiam neve e gelo para obter água potável e dormiam às dezenas, enfileirados em *ziemiankas* camufladas: abrigos subterrâneos feitos de galhos e troncos, cobertos com grama e folhas, e inclinados para que a neve não se acumulasse. Vistas do alto e de lado, as *ziemiankas* pareciam pequenas elevações do terreno cobertas de arbustos. Esses esconderijos bem construídos ficavam sempre lotados, o ar "pútrido e nauseante".[49]

No Vingadores, Ruzka era a responsável pela saúde no acampamento. Gripe, escorbuto, piolhos, pneumonia, sarna, raquitismo, doenças gengivais e feridas na pele por falta de vitaminas proliferavam. (Certa vez, Vitka emprestou o casaco a um camarada, e ele voltou infestado de piolhos. Ela o jogou por cima de um cavalo e esperou até que todos os parasitas passassem para o animal.)[50]

Ruzka organizou uma lavanderia: duas vezes por semana, os guerrilheiros levavam as roupas para uma fossa onde elas eram fervidas em água e cinzas. Ela cuidava das queimaduras causadas pelo frio. Dividia as rações de pão — um tesouro em uma dieta constituída exclusivamente de carne e batata — e distribuía aos doentes.

Remédios, assim como armas, eram difíceis de conseguir, e ambos eram obtidos por mensageiras que se deslocavam até Vilna. A pequena Zelda Treger, com seus cabelos dourados e olhos azuis, era uma das principais *kasharit*.[51] Com seu jeito discreto, mas determinado, completou dezoito viagens entre a floresta e a cidade, deslocando-se sozinha por rotas sem trilhas através de pântanos e lagos. Criada pela mãe, que era dentista e morrera quando a filha tinha apenas 14 anos, Zelda estudara para ser professora de jardim de infância. Quando a guerra estourou, ela escapou do gueto e encontrou trabalho na casa de um agricultor polonês, que a registrou como integrante da família, dando-lhe assim uma identidade cristã oficial. Meses depois, uma infecção contraída por causa de uma lesão na mão fez com que ela voltasse para o gueto, onde procurou camaradas da Guarda Jovem e ingressou na FPO.

Graças à sua aparência, Zelda se tornou imediatamente uma *kasharit*, transportando armas em urnas e embrulhadas como trouxas de camponesa. Descobriu rotas para combatentes em fuga, com acesso a duas florestas (uma delas, a cerca de 200 quilômetros de distância) e acompanhou grupos para fora do gueto. Lutou no minilevante e, em seguida, ajudou Vitka a coordenar a fuga pelo esgoto. Ajudou no resgate de centenas de judeus que estavam em campos de trabalho e guetos, levando-os para a floresta. Foi pega em várias ocasiões, mas sempre conseguiu escapar, muitas vezes bancando a menina do campo ingênua, se fazendo passar por uma camponesa cristã devota que ia visitar a avó doente, ou gaguejando e fingindo sofrer de um distúrbio mental, ou simplesmente agarrando seus documentos e fugindo.

Em um frio sábado de inverno, durante uma missão para obter armas, Zelda vestiu uma jaqueta de pele no estilo camponesa e colocou um lenço na cabeça, baixando-o quase até os olhos. Em sua cesta, havia cartas em código para os movimentos clandestinos da cidade. Ela caminhou diretamente pela estrada para a cidade, passando pelos guardas com a cabeça erguida. Ao chegar, já era tarde, e teve de passar a noite na casa de uma cristã que conhecia. Uma das vizinhas tentou chantageá-la, mas ela se desvencilhou. Enquanto Zelda e a amiga cristã conversavam, alguém bateu à porta. Seu coração acelerou.

Um policial lituano e um soldado alemão entraram. Exigiram ver sua identificação; ela mostrou seus documentos falsos. Mesmo assim, os dois homens continuaram desconfiados e começaram a revistá-la. Encontraram um bilhete do gueto.

— Você é judia! — gritou o nazista, dando-lhe um tapa no rosto. — Vamos levá-la para a Gestapo.

Zelda disparou para o cômodo ao lado, saltou pela janela, desceu a colina aos tropeções e começou a correr no escuro. Esbarrou em uma cerca, cachorros começaram a latir, tiros soaram atrás dela. O nazista agarrou seus braços e a segurou.

— Por que você fugiu?

— Por favor, me mate — insistiu Zelda. — Não me leve para ser torturada.

— Você pode permanecer viva em troca de ouro — sussurrou o oficial lituano.

Zelda viu sua chance. Convidou os dois homens a voltarem ao apartamento de sua anfitriã para tomarem uma bebida.

— Vou lhes dar uma parte agora e conseguirei o restante com os judeus amanhã — prometeu ela.

Os policiais a seguraram pelos braços e a levaram de volta. A amiga e os filhos estavam histéricos.

— É assim que me retribui? — perguntou a mulher, furiosa. — Olhe para essas crianças que agora vão ficar órfãs.

Zelda disfarçou seu pavor e consolou a amiga, disse-lhe que pusesse a mesa e oferecesse uma bebida aos homens. O nazista bebeu, tentou acalmar as crianças e contou a Zelda sobre seu profundo amor por uma judia.

— Não quero que os judeus morram — balbuciou ele, bêbado. — Mas uma ordem é uma ordem, e eu preciso levá-la presa. — Seu tempo de serviço estava acabando e sua paciência era curta. Ele pediu que Zelda saísse.

— Me dê seu dinheiro e fuja.

— Não tenho um centavo — disse Zelda. — Amanhã, prometo, vou conseguir o dinheiro.

O lituano pareceu acreditar nela — disse ao nazista que lhe entregaria o dinheiro no dia seguinte. O nazista foi embora. O lituano agarrou Zelda pelo braço e a levou para casa. O que mais ela poderia fazer a não ser ir com ele?

Quando chegaram ao apartamento dele, porém, o proprietário começou a gritar, dizendo-lhe para não levar garotas para casa. Pegou um machado e o apontou para a cabeça do policial. Caos. Luta. E assim Zelda escapuliu, escondendo-se no jardim enquanto o oficial a procurava, esperando, imóvel, até que ele finalmente desistisse.

Então prosseguiu com sua missão.

*

Os guerrilheiros soviéticos pretendiam destruir uma cidade reduto dos alemães e, embora tivessem as armas, não tinham inteligência. Abordaram Abba Kovner e pediram "algumas garotas judias emprestadas".[52] Abba virou o jogo, dizendo que aquela missão cabia aos judeus e que os russos deveriam dar as armas a eles. Na véspera do Yom Kippur, dois rapazes e duas moças deixaram o acampamento disfarçados de camponeses. Uma das garotas — Vitka — carregava uma mala surrada. Dentro: minas magnéticas e bombas-relógio capazes de aderir a qualquer superfície metálica.

Os quatro se encaminharam para as colinas ao redor de Vilna e chegaram à fábrica de peles no campo de trabalho forçado de Kailis, com a intenção de passar a noite com os judeus que ainda trabalhavam no local. Eles falaram com Sonia Madejsker, uma judia comunista loira que vivia em uma das casas da fábrica, seu único elo restante com a clandestinidade em Vilna. Sonia lhes disse que em breve a fábrica seria fechada, e os judeus seriam mandados para a execução. Queriam fugir com Vitka para a floresta.

O comandante dos guerrilheiros já estava incomodado com o número de judeus que viviam nos campos como refugiados e havia pedido que reduzissem o número de novas chegadas. A maioria dos judeus não tinha experiência de combate, não sabia usar armas e não tinha muito interesse em aprender. Queriam esperar que a guerra acabasse, mas ainda precisavam de comida e roupas. Vitka explicou isso a Sonia e disse que estava na cidade como soldado, não como humanitária. Sonia respondeu que se Vitka não levasse aquelas pessoas, todas morreriam.

Primeiro, porém, Vitka tinha que cumprir sua missão. Naquela manhã, fervilhando de ódio em meio aos trabalhadores e às pessoas que viviam como se tudo estivesse normal, ela encontrou seus alvos. Os rapazes explodiriam o sistema hidráulico da cidade (os esgotos e a rede de abastecimento de água); as moças, os transformadores elétricos (as luzes da cidade). Ao anoitecer, os garotos desceram por um bueiro e plantaram a bomba. As moças entraram na área da fábrica, junto ao rio. As grades do transformador elétrico zumbiam, completamente expostas. Mas as minas de Vitka — cobertas de tinta — não aderiam. Teimavam em escorregar, e o tempo ia passando. Vitka raspou furiosamente a tinta com as unhas até os dedos sangrarem. As garotas se escondiam nas sombras, prendendo a respiração cada vez que a patrulha alemã passava. Levaram vinte minutos, mas conseguiram. Tanto os rapazes quanto as moças ajustaram os cronômetros para dali a quatro horas.

Os garotos estavam cansados e queriam passar o resto da noite descansando na fábrica de peles, mas Vitka insistiu que, depois que as bombas explodissem, a segurança seria reforçada e seria perigoso viajar. Colocariam em risco a vida de todos lá. Eles zombaram: os alemães nunca suspeitariam que os judeus fossem capazes de um ataque daquela proporção! A discussão se arrastou. Por fim, Vitka soube que seu tempo estava se esgotando. Ela disse a Sonia para buscar todas as pessoas que estivessem prontas para partir — ela os levaria para a floresta imediatamente. Os garotos ficaram.

Uma hora depois, Vitka encabeçava um grupo de sessenta judeus que caminhavam por estradas escuras, saindo da cidade. Eles ouviram as bombas explodirem e viram Vilna escurecer.

No dia seguinte, os rapazes foram pegos. "Conseguimos. Os rapazes, não", disse Vitka, "porque eles estavam cansados, e nós também, mas as mulheres são mais fortes do que os homens."[53] As mulheres, Vitka achava, eram guiadas por um código moral. Não só eram combatentes tão capazes quanto os homens, como também não desistiam, corriam riscos e raramente inventavam desculpas para fugir das coisas. "As mulheres são mais resistentes", refletiu.[54]

Anos mais tarde, ao explicar por que havia levado aqueles judeus da fábrica para a floresta, contrariando as ordens do comandante, Vitka se mostrou perplexa. "O que ele poderia fazer?", perguntara-se ela na época. "Se os sessenta judeus aparecerem (...) eles vão ficar. Terei desobedecido a uma ordem. Nenhuma grande tragédia!"[55]

"Ela não sabia o que era o medo, seu coração não sabia temer", disse Ruzka sobre Vitka. "Sempre foi doce, cheia de energia e iniciativa."[56]

Ruzka, Vitka, Zelda e os guerrilheiros judeus continuaram trabalhando durante todo o árduo inverno de 1943-44. Aprenderam a caminhar na neve sem deixar pegadas; às vezes, andavam virados para trás para dar a impressão de que estavam indo na direção oposta. Explodiram veículos e estruturas, e inventaram tipos de bombas mais seguras para essas ações. Em 1944, os guerrilheiros judeus destruíram, sozinhos, 51 trens, centenas de caminhões, dezenas de pontes. Usavam as próprias mãos para derrubar postes telefônicos, arrancar fios telegráficos e trilhos de trem. Abba invadiu uma fábrica de produtos químicos e ateou fogo a barris, incendiando uma ponte. Os alemães não conseguiam atravessar o lago congelado. Nazistas e judeus pararam e se encararam, as chamas rugindo, refletidas no gelo entre eles.[57]

Em uma manhã de abril, com o sol brilhando, as garotas riam e brincavam, quando Abba se aproximou com um sorriso triste.

— Para onde vou? — perguntou Vitka, decifrando seu estado de espírito.[58]

Ela partiu para Vilna com um manifesto que incitava os rebeldes comunistas da cidade a iniciarem uma revolta, bem como uma lista de medicamentos necessários. No caminho, uma velha camponesa a viu e perguntou se poderia acompanhá-la na viagem. Elas cruzaram uma ponte e, de repente, a camponesa sussurrou algo para um soldado lituano que estava acompanhado de um nazista. Guerrilheira e judia, Vitka valia uma generosa recompensa.

Pediram que ela apresentasse seus documentos. O lituano os considerou falsos. O alemão disse que ela tinha cabelos loiros. "Mas as raízes são pretas", observou o lituano. Suas roupas, argumentou ele, cheiravam a queimado por causa das fogueiras acesas pelos guerrilheiros. As pontas dos cílios estavam brancas.

Vitka rasgou o manifesto e o jogou para o alto, mas a camponesa catou os pedaços e os entregou aos soldados. Eles a revistaram e encontraram a lista de medicamentos.

— Para as pessoas da minha aldeia — arriscou ela.

Eles a mandaram para a Gestapo.

Sentada na parte de trás de uma carroça, Vitka falava sobre sua infância católica, sem acreditar que aquilo, ali, naquele momento, era o seu fim. Tortura, depois a morte. Será que deveria pular e correr e deixar que a matassem a tiros na floresta? Observava cada volta, notava cada solavanco na estrada, à espera do melhor momento.

De repente, Vitka mudou de tática.

— Vocês têm razão. Sou judia e guerrilheira. É por isso que devem me deixar ir. — Ela explicou que os nazistas estavam perdendo a guerra e que quem quer que a matasse logo seria morto. Além disso, muitos policiais trabalhavam para os guerrilheiros. No quartel-general da Gestapo, um dos policiais a levou até a entrada lateral. Devolveu a ela os documentos e disse para nunca mais cruzar aquela ponte, acrescentando que gostaria de um dia conhecer seu comandante.

Quando Vitka voltou ao acampamento, depois de comprar os medicamentos no mercado clandestino e de um episódio durante o qual teve de se esconder em um monte de feno revistado com um forcado que passou a centímetros de sua cabeça, ela declarou que havia completado sua última missão.

— É um milagre eu ter conseguido voltar — disse. — Quantas vezes uma pessoa pode depender de um milagre?[59]

*

Na realidade, não muitas. Alguns milagres não passam de miragens.

Poucos dias depois de o segundo grupo ter deixado Będzin para se juntar aos guerrilheiros, um dos integrantes, Isaac, da Guarda Jovem,[60] voltou. Seu rosto era quase irreconhecível, as roupas estavam rasgadas, ele tremia de terror, mal conseguia andar. Renia ficou aturdida.

Ele contou o que havia acontecido naquele dia quente de junho:

— Saímos do gueto, removemos as braçadeiras e, assim que avistamos as primeiras árvores, ficamos empolgados, sacamos nossas armas, nosso sonho de matar alemães estava prestes a se tornar realidade (...). Depois de seis horas de caminhada, ao cair da noite, Socha nos disse que não corríamos mais risco de sermos apanhados pelos alemães e que podíamos nos sentar em segurança e comer. Ele nos deu água enquanto nos regozijávamos, exultantes por termos escapado daquele gueto horrível. Ele nos disse para descansarmos um pouco antes de retomarmos a caminhada e foi verificar nossa localização.

"De repente, estávamos cercados. Soldados a cavalo. Eles começaram a disparar feito loucos. Eu estava sentado sob um arbusto, então me joguei no chão, mas não estava ferido. Consegui sobreviver. Mas os nazistas mataram todo mundo. Todos. Em seguida, pegaram lanternas e revistaram os cadáveres, roubando tudo o que tinham nos bolsos. Eu me escondi sob os arbustos e fiquei imóvel. Um alemão levantou minha perna e se convenceu de que eu estava morto. Depois que eles foram embora, rastejei para fora do meu esconderijo e fugi."[61]

A resistência de Będzin não conseguia acreditar no que estava ouvindo.

Era uma armadilha. Tinham sido enganados por Socha, em quem confiavam. Até mesmo o apartamento dele, com os bebês chorando, era falso. Apesar de todos os seus esforços para se esconder, a ŻOB não havia reconhecido o disfarce de seu inimigo.

Os seus melhores, mortos. Alguns durante o extermínio, e agora aquilo, 25 almas perdidas nos dois grupos. Quase não havia gente suficiente para lutar.

"A notícia nos deixou atônitos", escreveu Renia mais tarde. "Estamos falhando em tudo o que fazemos."

Marek queria se matar. Tomado pelo remorso, fugiu do gueto. Ninguém o viu partir.

À dor dessa traição veio se somar a perda de Chajka. Os camaradas não sabiam, mas, algum tempo antes, um rabino havia casado Chajka e David em segredo. David recebera a oferta de documentos para deixar a Polônia, mas não quis partir. Promovido a comandante, insistira em lutar ao lado dos rapazes que havia treinado e levara alguns consigo para a floresta, com Socha. "Ele não dormia, em vez disso, fazia planos e tinha ideias", descreveu Chajka. "Onipresente, sonhava com a ação." Pelo menos, consolou-se ela, David não teve tempo de sofrer, não teve tempo de pensar.

Agora Chajka era uma viúva mergulhada no desespero, fervilhando de raiva. Mais sedenta por vingança do que nunca.

20. *MELINAS*, DINHEIRO E RESGATE

RENIA E VLADKA

JULHO DE 1943

Semanas depois do fiasco fatal dos guerrilheiros, o chefe do Judenrat de Będzin foi preso. Renia sabia o que isso significava:[1] a deportação final estava próxima. O fim do gueto. O fim deles.

O kibutz tinha que se preparar.

Mas houve discórdia. A maior parte do grupo não sonhava mais com uma grande batalha. Muitos combatentes em potencial já haviam morrido. Estava na hora de fugir. Chajka e a camarada Rivka Moscovitch, no entanto, recusaram-se a partir, ainda insistindo na revolta. *Lutar ou fugir.*

Frumka e Hershel decidiram enviar primeiro as crianças; as pessoas mais fortes iriam por último. Aliza Zitenfeld, professora do Atid, disfarçou os órfãos de arianos para enviá-los a fazendas alemãs. Renia e seus camaradas forjaram documentos, cobrindo os dados antigos com informações falsas e novas impressões digitais. De madrugada, Ilza Hansdorf saiu com as crianças e as acompanhou até o conselho municipal de uma aldeia rural. As crianças explicaram que não tinham pais e procuravam trabalho. Muitos agricultores concordaram em recebê-las — a mão de obra barata era bem-vinda. Em questão de dias, Ilza encontrou lugar para oito delas. De acordo com o plano, os órfãos deveriam escrever cartas e enviá-las a um endereço polonês, dizendo que estava tudo bem. Então, duas meninas pararam de escrever. Renia supôs que tinham sido reconhecidas, "e sabe-se lá o que lhes aconteceu".

As crianças que tinham uma aparência mais evidentemente judaica permaneceram no gueto.

De seu esconderijo em Varsóvia, Zivia escreveu ao grupo de Będzin. Em uma das cartas, ela os exortava a desistir dos sonhos de rebelião. Tendo visto os resultados de seus próprios levantes, ela não promovia mais a luta — o preço em número de mortes era alto demais. Se quisessem continuar vivos, aconselhou ela, era melhor irem para Varsóvia.

Chajka ficou lívida e chamou essa mensagem de "um tapa na cara que nos deixou atordoados".[2] Ela imaginou que os combatentes de Varsóvia estivessem "espiritualmente exaustos" e "com medo do que haviam começado com as próprias mãos; a responsabilidade que recaíra sobre seus ombros era grande demais".[3] Por que os judeus de Będzin deveriam viver à sombra da glória *deles* e descansar em paz sobre os louros alheios?

Zivia sugeriu que aqueles com aparência ariana poderiam viver na cidade grande com documentos falsos. Os que tivessem aparência mista viveriam em bunkers. "Os poloneses deixavam que ficassem em seus esconderijos", explicou Renia, "naturalmente, em troca de grandes somas de dinheiro." O negócio escuso dos esconderijos.

*

Mais adiante na guerra, sobretudo depois que os guetos foram destruídos, um dos principais papéis das mensageiras era o resgate e o sustento de judeus que viviam na clandestinidade — sob o disfarce de arianos ou literalmente ocultos em esconderijos.[4] As *kashariyot* realocaram judeus do gueto, incluindo muitas crianças, no lado ariano da cidade; arranjavam-lhes apartamentos e esconderijos (*melinas*)[5] em casas, celeiros e espaços comerciais; forneciam-lhes documentos falsos e pagavam aos poloneses que os escondiam, custeando a hospedagem e a alimentação. No Leste, colocaram muitos judeus em acampamentos de guerrilheiros. Em Varsóvia e nas cidades ocidentais, as *kashariyot* visitavam seus protegidos — mas não com muita frequência[6] —, levando-lhes notícias e apoio moral. Travavam uma luta constante contra os *schmaltzovniks*, que ameaçavam "queimar" os esconderijos, e muitas vezes tinham que realocar os judeus porque seus senhorios os denunciavam ou porque estavam prestes a ser descobertos. Faziam tudo isso enquanto mantinham uma vida de disfarce.

Vladka Meed começou a resgatar crianças quando o gueto ainda estava intacto. Os nazistas eram particularmente brutais com elas,[7] que representavam o futuro judeu. Meninos e meninas que não serviam para o trabalho escravo estavam entre os primeiros a serem mortos. Junto com duas outras mensageiras do Bund — Marysia (Bronka Feinmesser), telefonista em um hospital infantil judaico, e Inka (Adina Blady Szwajger), pediatra, ela tentava realocar junto a famílias polonesas as poucas crianças judias que restavam no gueto de Varsóvia. Essas mulheres tiravam crianças dos braços de mães aos prantos — mães que já haviam salvado seus filhos e filhas repetidas vezes; mães que sabiam que aquela poderia ser sua despedida final, mas que sabiam também que as chances de sobrevivência provavelmente eram melhores no lado ariano.

As crianças judias tinham que cruzar o muro, manter sua identidade em segredo, adotar novos nomes, não cometer deslizes nem mencionar o gueto. Não podiam fazer perguntas nem se envolver em conversinhas infantis. Tinham de falar um polonês perfeito. Se fossem capturadas, não podiam dar informação alguma. E as famílias anfitriãs tinham que se comprometer e não desistir no último minuto. Uma anfitriã ficou perturbada porque as gêmeas de 10 anos entregues em sua porta tinham olhos castanhos e cabelos escuros. No fim das contas, ela as aceitou, mas a tristeza por estarem afastadas da mãe fez com que as duas parassem de comer. Vladka as visitava com frequência, levando cartas. Quando a família anfitriã se mudou para um apartamento de frente para o gueto, as meninas perceberam que podiam ver a mãe pela janela. Imploraram ao pai anfitrião — que trabalhava no gueto — que levasse comida para a mãe e contasse a ela sobre a janela. A mãe passava diante da janela muitas vezes ao dia; as meninas ficavam muito felizes em vê-la, mas tinham que ter cuidado ao espiar. Se um guarda as visse, apontaria a carabina diretamente para elas. Vladka teve que endurecer o coração e avisá-las de que o que estavam fazendo poderia colocar em risco a vida de todos.

Em outra família, Vladka levou roupas, brinquedos e comida para uma criança judia, mas a anfitriã distribuiu tudo entre seus próprios filhos. Em outro caso, Vladka teve que transferir diversas vezes um menino de 6 anos porque as famílias que o escondiam não conseguiam lidar com sua depressão ou ficavam com medo das batidas alemãs — apesar de estarem recebendo 2.500 złotys por mês. (Os valores das moedas flutuaram muito durante a guerra, mas, de acordo com as taxas de câmbio de 1940-41, seria o equivalente a cerca de 8 mil dólares hoje.) Em um depoimento dado em 2008 ao Centro de Sobreviventes do Holocausto em Londres,[8] "a criança escondida" Wlodka Robertson lembrou-se de ter sido transferida de família para família. A cada mês, se preocupava que ninguém fosse pagar seu "aluguel", mas todos os meses Vladka Meed aparecia, corajosa e sedutora, conseguindo acesso sempre que necessário.

Depois que o gueto foi arrasado, os agentes da resistência no lado ariano ficaram sem saber o que fazer — o levante tinha sido sua *raison d'être*. O fedor de queimado ainda persistia, e os alemães estavam por toda parte, perseguindo e prendendo poloneses, matando todos aqueles que ajudassem um judeu.[9] Forças de defesa polonesas locais foram criadas: elas forneciam segurança para seu bairro, mas denunciavam todas as pessoas de fora, o que tornava o trabalho de Vladka ainda mais difícil. Agora, os esforços da ŻOB se concentravam em ajudar os combatentes que haviam sobrevivido, bem como outros judeus. Foram estabelecidas várias organizações judaicas de ajuda humanitária, com base em filiações partidárias.[10] O Żegota (Conselho de Ajuda aos Judeus),[11] uma organização católica polonesa fundada em 1942, também trabalhava arduamente. O líder da Żegota — antes da guerra, um antissemita declarado[12] — alegou que fariam o que pudessem para ajudar os judeus, inclusive arriscando a própria vida (embora, ao que parece, com a esperança de que, depois da guerra, os judeus deixassem a Polônia para sempre).[13]

Essas organizações, que encontravam esconderijos para os judeus, os apoiavam, ajudavam as crianças e mantinham contato com a resistência, com os campos de trabalho e com os guerrilheiros poloneses, tinham grande cobertura. Todas recebiam dinheiro estrangeiro, algumas por intermédio do governo polonês no exílio em Londres. Os fundos vinham do Comitê Trabalhista Judaico dos Estados Unidos (JLC, na sigla em inglês), que apoiava o Bund, e do JDC americano,[14] o mesmo órgão que financiou as cozinhas comunitárias do gueto e o levante. Antes de 1941, o JDC conseguia enviar dinheiro — doado sobretudo por judeu americanos — diretamente para a Polônia. Depois de 1941, as fronteiras foram fechadas e o dinheiro passou a ser tomado emprestado de judeus ricos da Polônia (que não tinham permissão para possuir mais de 2 mil złotys) e daqueles que fugiam e não podiam levar suas economias consigo. A maior parte do capital vinha da riqueza anterior à guerra, embora alguns judeus continuassem a ganhar dinheiro no gueto de Varsóvia, como contrabandistas, vendendo as mercadorias de armazéns na área do gueto e fabricando artigos para o exército alemão e o mercado privado polonês.[15] Outras quantias eram contrabandeadas para a Polônia ilegalmente. Memórias falam de dinheiro que chegava de Londres e era convertido de dólares em libras e de libras em złotys no mercado paralelo — e de como os vários grupos se acusavam mutuamente de roubar nas taxas de câmbio.[16] No total, o JDC enviou mais de 78 milhões de dólares[17] americanos para a Europa durante a guerra, mais ou menos o equivalente a 1,1 bilhão de dólares hoje, dos quais 300 mil dólares[18] foram doados aos movimentos clandestinos judeus na Polônia em 1943-44.

Os grupos de resgate usavam os fundos para contrabandear crucifixos e exemplares do Novo Testamento para os judeus que queriam fugir dos campos, e para custear cirurgias de pênis e de nariz, bem como abortos.[19] O Żegota tinha uma "fábrica" onde eram produzidos documentos falsificados,[20] incluindo certidões de nascimento, batismo e casamento, além de certificados de trabalho, bem como um departamento de saúde com médicos judeus e poloneses de confiança dispostos a visitar as *melinas* e tratar judeus doentes. Vladka encontrou um fotógrafo de confiança que passou a ir a esconderijos de judeus para tirar fotos destinadas a documentos falsos. Ela se tornou a principal mensageira de resgate; sua organização ajudou doze mil judeus na área de Varsóvia.[21] E a jovem fez tudo isso sem manter registros escritos dos nomes poloneses ou dos endereços atualizados,[22] o que era muito arriscado. Algumas mensageiras usavam recibos falsificados que escondiam sob as pulseiras do relógio; muitas adotavam codinomes. Vladka memorizava tudo.

A maioria dos judeus que sobreviveram até o fim de 1943, Vladka descobriu, era formada por adultos e profissionais liberais. Eles podiam pagar contrabandistas, tinham contatos entre os gentios e falavam um polonês mais refinado. Alguns guardaram objetos de valor com amigos poloneses, mas a maioria ficou sem nada. Estima-se que entre vinte mil e trinta mil judeus[23] tenham permanecido escondidos na área de Varsóvia, e o trabalho de Vladka ficou conhecido por meio do boca a boca. Os judeus a encontravam por intermédio de amigos em comum, e a abordavam ao acaso nas ruas. Para receber ajuda, tinham que enviar um requerimento por escrito detalhando sua posição e seu "orçamento". Vladka lia todos esses apelos rabiscados.[24]

A maior parte dos candidatos eram os únicos sobreviventes da própria família, tendo fugido de campos ou saltado de trens. Um cirurgião bucal solicitava instrumentos odontológicos para poder trabalhar; outro homem pedia dinheiro para sustentar a sobrinha e o sobrinho, que tinham ficado órfãos. Um jovem entregador de jornais, o único sobrevivente de sua família, encontrou abrigo junto a uma família polonesa, que cuidava dele, contanto que contribuísse com seu salário. Ele se recusava a ficar em um esconderijo e desejava ter liberdade, mas precisava desesperadamente de um casaco de inverno para poder continuar a trabalhar durante os meses frios. A organização dispunha de fundos para oferecer apenas de 500 a 1.000 złotys por pessoa por mês, quando o custo de vida era de cerca de 2 mil.[25] Mas fazia tudo o que podia. Mulheres judias jovens, de aparência ariana, saíam todos os meses para entregar esse dinheiro, visitar seus protegidos e ajudar quando os planos davam errado — o que acontecia com muita frequência.

Alguns anúncios de quartos para alugar eram armadilhas, alguns vizinhos eram intrometidos e, em alguns casos, o proprietário aumentava o preço quando o judeu chegava. As *kashariyot* muitas vezes tinham que dar a entender que a resistência polonesa estava envolvida, para que os anfitriões se sentissem orgulhosos. Em uma *melina*, uma mulher começou a ter alucinações e a falar em iídiche. O filho do polonês que a escondia a envenenou, por medo, e escondeu seu corpo sob as tábuas do assoalho do bunker. Os outros judeus, incluindo a filha da mulher assassinada, ficaram traumatizados. Vladka arranjou um novo apartamento para abrigá-los, bem como a senhoria.

Da mesma forma, Vladka arranjou para uma jovem judia chamada Marie um trabalho como empregada doméstica — essas eram as melhores posições, porque proporcionavam comida e alojamento, e raramente era preciso sair de casa. Um dia, a menina da casa perguntou a Marie como era a vida no gueto. Marie entrou em pânico. Descobriu então que a mãe da menina era judia, e o pai havia mandado a esposa para o gueto. A Gestapo fora até lá e revistara a casa em busca da mãe desaparecida. Marie se sentiu insegura, então Vladka encontrou um novo abrigo para ela.

Um casal judeu vivia com sua antiga empregada no minúsculo quarto que ela ocupava dentro da residência de um oficial da SS — Vladka teve que transferi-los. Outra mulher e o filho viviam sob uma pilha de escombros, agachados no escuro por meses a fio; durante todo aquele tempo, não haviam se lavado. A senhoria havia vendido todas as suas roupas. Mais uma vez, Vladka teve que realocá-los e providenciar tratamento médico.

Quando os alemães começaram a perder na frente oriental, o reinado de terror em Varsóvia atingiu seu auge. Poloneses eram sequestrados e enviados para trabalhos forçados ou para a prisão de Pawiak. Os esconderijos tinham que ser ainda mais criativos. Em um apartamento, uma parede foi construída ao lado do vaso sanitário, para que um judeu pudesse se esconder no espaço restante no banheiro. A parede foi pintada e escovas decorativas foram penduradas. Outro judeu se escondia na cavidade de um fogão de azulejos oco.

Algumas pessoas se escondiam em *melinas* mais "habitáveis", onde — apesar da ansiedade e da depressão causadas pelo confinamento — ainda podiam realizar algumas atividades. Vladka levava papel de composição para um músico escondido que tocava em um diapasão; distribuiu livros a duas mulheres para que dessem aulas às crianças da casa. Benjamin, colega de Vladka e também agente da clandestinidade, se escondia com a família na cozinha de um barracão dentro de um cemitério católico nos arredores da cidade. Tinham pouco para comer, mas podiam acender velas no Shabat.

Trinta judeus — incluindo o historiador Emanuel Ringelblum[26] — viviam em um esconderijo sob um jardim nos arredores da cidade; a taxa de admissão era de 20 mil złotys por pessoa.[27] Esses judeus reuniam material de pesquisa e escreviam ensaios e relatórios. Para disfarçar os grandes carregamentos de comida que recebia, o anfitrião abriu uma mercearia. Tragicamente, o homem brigou com a amante, a única pessoa fora da família que sabia sobre o bunker. Ela o denunciou — foram todos mortos.

Vladka tinha contatos entre contrabandistas húngaros, guerrilheiros e judeus de fora de Varsóvia. Viajou sem documentos para ajudar um grupo de combatentes judeus que escaparam do gueto de Częstochowa e que estavam escondidos em casas de camponeses em uma área rural. No trem, fingiu que transportava mercadorias falsificadas — o dinheiro para os judeus estava escondido sob o cinto. Durante uma inspeção mais minuciosa, um "colega contrabandista" a encaminhou para um vagão de carga onde todos os parceiros de contrabando se escondiam. Ela descobriu que os contrabandistas poloneses tinham boas táticas para evitar os nazistas, e passou a usá-las com muita frequência. Chegou à aldeia e encontrou a casa que Antek descrevera, mas a senhoria alegou não saber de nada. Vladka insistiu e, por fim, a mulher a levou até um barracão. Os camaradas — já endividados — ficaram extasiados e, dali em diante, ela passou a levar-lhes dinheiro, roupas e remédios regularmente. Certa vez, os fundos enviados dos Estados Unidos e de Londres atrasaram, e ela foi visitar o grupo mais tarde do que o esperado; descobriu, então, que a senhoria havia despejado a todos. Vários deles foram mortos, outros se juntaram a grupos de guerrilheiros, uns poucos se esconderam na floresta, esqueléticos. Vladka tomou providências para que outros poloneses os acolhessem.

Ela também ajudava judeus em campos de trabalho forçado, muitos dos quais estavam em péssimas condições físicas e sem qualquer energia. Teve grande dificuldade de acessar os judeus em um campo de trabalho brutal em Radom. Perguntou aos habitantes locais onde poderia comprar itens baratos vendidos por judeus. Eles disseram que os judeus não tinham mais nada de bom para vender, mas a informaram sobre a hora em que tomavam banho, quando ela poderia se aproximar da cerca. Vladka encontrou o lugar infestado de contrabandistas vendendo restos de comida. Eles não queriam concorrência e tentaram expulsá-la, mas ela os convenceu de que era compradora. Por fim, conseguiu falar com um judeu, mas ele não confiou nela — nem mesmo depois que ela falou em iídiche. Outro contato embolsou o dinheiro que ela havia lhe entregado.

Por fim, falou com uma mulher judia que parecia mais receptiva. A mulher ficou muito feliz por eles não terem sido esquecidos e pediu notícias a Vladka, curiosa, sobretudo, quanto às crianças escondidas. Enquanto elas conversavam, crianças locais começaram a atirar pedras em Vladka e a gritar "judia!". Ela fugiu, encontrou um cavalo e uma carroça e disparou para a estação ferroviária, onde esperou a noite toda. Pouco depois, voltou ao campo com 50 mil złotys. Pediu a um guarda ucraniano que a deixasse entrar para comprar sapatos dos judeus e conseguiu entregar o dinheiro. O guarda tinha esperanças de sair com ela naquela noite, mas, na hora do jantar, ela já estava muito longe.

Enquanto realizava todo esse trabalho exaustivo, cada mensageira tinha que manter uma vida de ficção, lidando com chantagistas e informantes. Certa vez, Marysia foi reconhecida na rua por um polonês que fora seu vizinho na infância. Ele lhe deu duas opções:[28] ir com ele para a Gestapo ou para um quarto de hotel. Ela correu para uma loja de doces, e os proprietários a acompanharam até sua "casa", em um edifício próximo. Para evitar ser descoberta novamente, ela passou a noite na floresta.

Vladka mudou de endereço muitas vezes. Havia escondido o chefe do movimento juvenil do Bund em sua casa, e o apartamento fora "queimado", ou denunciado, por um informante. Os poloneses os trancaram lá dentro. Ela ateou fogo aos próprios documentos e, junto com o integrante do Bund, tentou escapar pela janela, descendo por uma corda feita de lençóis, mas o jovem estava muito ferido. Ambos foram presos, porém os camaradas subornaram os guardas da prisão, e ela foi libertada por 10 mil złotys. O líder do Bund, no entanto, morreu. O movimento a enviou para passar uma temporada no campo, até que fosse esquecida pelas autoridades. Embora se sentisse livre na floresta, onde, cercada de árvores, não precisava fingir, ela considerava a farsa constante — em particular, passar os domingos na igreja da aldeia — particularmente opressiva.

De volta a Varsóvia, Vladka continuou a procurar bons documentos de identidade para si mesma e voltou a se deslocar pela cidade, fingindo ser uma contrabandista para explicar o fato de passar as noites fora de casa. Alugou um apartamento minúsculo e escuro que fora de outra mensageira judia. Benjamin, o agente que vivia no barracão do cemitério, ajudou-a a improvisar esconderijos, como uma valise com fundo falso e uma concha de sopa com cabo oco. Os vizinhos descobriram que a locatária anterior era judia e começaram a suspeitar de Vladka. Mas, se partisse, ela reforçaria as suspeitas deles e prejudicaria a identidade cristã que cultivara por tanto tempo. Então ficou e adotou um comportamento extremamente polonês: conseguiu que uma amiga polonesa, sua "mãe", a visitasse com frequência; comprou um fonógrafo e passou a ouvir músicas alegres; convidava as vizinhas para tomar chá. A fim de reforçar a identidade falsa, os judeus que viviam na clandestinidade enviavam cartas para si próprios, emitindo-as de cidades próximas, para dar a impressão de que tinham amigos e família por perto; Chasia chegou a ter um "pretendente" que a visitava.[29] A "mãe" de Vladka deu uma festa no dia do santo padroeiro da filha, para a qual Vladka convidou amigos do Bund que ainda estavam vivos. Eles cantaram apenas em polonês, com sussurros em iídiche. Festejar era algo difícil para os jovens judeus — quanto mais alegria fingiam, mais tristeza sentiam.

Como Vladka, cerca de 30 mil judeus[30] sobreviveram "se passando" por não judeus,[31] sua vida uma encenação constante. A maioria eram mulheres jovens, solteiras, de classe média e média-alta, com "bons" sotaques, documentos e aparência de polonesas. Metade atuava — ou tinha pais que atuavam — no comércio, ou trabalhava como advogados, médicos e professores. Mais mulheres do que homens tentavam se passar por não judeus, por causa da relativa facilidade de disfarce. As mulheres também pediam ajuda e costumavam ser tratadas com mais cortesia. Muitos judeus desenvolviam uma ânsia por se salvar quando seus pais (em particular, a mãe) eram mortos, e finalmente se sentiam sozinhos e livres. Os homens costumavam tomar essa decisão por conta própria, de forma espontânea, enquanto as mulheres geralmente eram incentivadas por amigos ou parentes. Alguns pais exortavam filhos e filhas a fugir para o lado ariano, dando-lhes a missão, e a permissão, de "viver pela família". A maioria já havia sido confundida com não judeus, o que os deixava confiantes de que poderiam desempenhar o papel. Em geral, tinham que compartilhar quartos, o que não lhes dava privacidade nem trégua.

Aqueles que tinham um círculo social judeu no qual podiam ser quem eram de fato viviam uma dupla identidade, mas, no fim das contas, acabavam se saindo melhor psicologicamente, porque tinham um "bastidor" — um lugar onde podiam descansar da performance constante e recuperar as energias. Amigos que admirassem sua força alimentavam neles a confiança de que podiam desempenhar um papel no "palco". A maior parte das judias que escondia sua verdadeira identidade não era filiada a nenhuma organização, mas algumas eram recrutadas pela resistência polonesa, que acreditava que não fossem judias. Essas mulheres viviam em uma "cidade dentro da cidade, a mais clandestina de todas as comunidades clandestinas", escreveu Basia Berman, uma das líderes dos esforços de resgate. "Todos os nomes eram falsos, cada palavra pronunciada carregava um duplo significado, todas as conversas telefônicas eram mais criptografadas do que os documentos diplomáticos secretos das embaixadas."[32]

Nesse constante espetáculo de enganos, Vladka e o comitê judaico de resgate acabaram se tornando uma família. Muitos poloneses os ajudavam, não apenas por dinheiro, mas também por princípios cristãos, sentimentos antinazistas e compaixão, oferecendo-lhes emprego, esconderijos, locais de encontro, contas bancárias, comida e testemunho sobre seu "não judaísmo". Integrantes da resistência tinham que evitar senhorios que suspeitassem dos visitantes; por isso, procuravam lugares onde pudessem esconder documentos sob as tábuas do assoalho e instalar cofres ocultos para guardar dinheiro. Em um desses apartamentos, dois pregos que se projetavam perto da porta da frente eram, na verdade, uma campainha clandestina — camaradas colocavam uma moeda entre os pregos, acionando um circuito elétrico que fazia soar uma campainha no interior. Inka e Marysia alugaram um apartamento que se tornou o principal ponto de encontro. Em cada tábua do assoalho e cada recanto havia documentos e dinheiro escondidos. Um toca-discos abafava o som, vodca era consumida, e os vizinhos presumiam que as duas fossem prostitutas que recebiam uma infinidade de homens.[33]

Outro centro de atividade era a *melina* de Zivia, cuja aparência era semita demais para que saísse na rua. Depois de anos arriscando a vida em uma atividade incessante, Zivia agora tinha muito tempo nas mãos. Ficar escondida significava permanecer confinada com pessoas com as quais não necessariamente teria escolhido viver, pessoas das quais nem mesmo gostava. O mundo de fora "era filtrado por outros" e cada batida à porta fazia com que qualquer pessoa fugisse em pânico para um abrigo.[34] Antek levava romances policiais para ajudá-la a passar o tempo,[35] mas sua culpa e sua depressão cresciam. Ela se ocupava ora cuidando das tarefas domésticas com uma obsessão maníaca, ora escrevendo cartas, sobretudo porque precisava desesperadamente compartilhar seus conselhos. Depois de ter visto a taxa de mortalidade em Varsóvia, Zivia implorava ao grupo de Będzin que fugisse em vez de lutar; suplicava a Rivka Glanz que fosse para junto dos guerrilheiros. Mas, ao mesmo tempo, se recusava a deixar seu povo, então ficou em Varsóvia.

Zivia começou a trabalhar para o Żegota, tornando-se uma das principais administradoras, responsável pela distribuição de dinheiro e documentos falsos. Cuidava da correspondência, geria orçamentos e, mais uma vez, despachava as "garotas de Zivia" em missões constantes para conectar, informar e proteger judeus. Também enviava garotas para procurar combatentes que estivessem correndo perigo e, de vez em quando, para localizar mensageiras que tivessem desaparecido misteriosamente.

21. FLOR DE SANGUE

RENIA

JULHO DE 1943

A ŻOB de Będzin ouviu os apelos de Zivia e estabeleceu um plano. Aqueles que tivessem aparência ariana viajariam de trem até Varsóvia. Os outros seriam levados em um ônibus, a ser providenciado por Antek. Documentos falsos para os viajantes chegaram por meio das mensageiras de Varsóvia — mas apenas alguns poucos. Os vistos restantes estariam prontos para serem recolhidos quando Renia e Ina Gelbart chegassem à cidade. A essa altura, as duas já haviam feito várias viagens juntas,[1] transportando dinheiro, armas e instruções no sutiã, na mala e no cinto.

Ina partiu uma noite, munida de endereços, dinheiro e material para o falsificador. Renia saiu na manhã seguinte, com as mesmas coisas, mas levando também Rivka Moscovitch.[2] Rivka, então com 22 anos, era a única sobrevivente de sua família, parte da classe trabalhadora de Będzin. Dedicada combatente do Liberdade, ela havia adoecido e precisava ficar escondida enquanto se recuperava. Rivka tinha feições cristãs, além de visto e documento para cruzar a fronteira. Ela queria muito ficar e lutar. Mas o grupo insistiu que primeiro se curasse, e depois ajudasse a encontrar esconderijos em Varsóvia. Por fim, seus camaradas conseguiram convencê-la de que estava doente demais para enfrentar os dias que se aproximavam, e Rivka arrumou uma mala com seus objetos pessoais.

Renia dissera a Ina que se encontrasse com ela em determinado lugar da cidade. Ela e Rivka embarcaram no trem disfarçadas de Wanda e Zosia, duas moças polonesas em uma viagem à cidade grande. Por dentro, duas judias à beira de serem assassinadas, arriscando a vida para ajudar a salvar outras pessoas. Durante todo o trajeto, Renia não parava de entoar orações em sua cabeça, em seu coração, pedindo para que lhes fosse permitido cruzar a fronteira em paz.

Chegaram à fronteira.

— Inspeção de documentos!

Renia teve que se esforçar para não tremer da cabeça aos pés. Será que Rivka conseguiria se conter? Seria capaz de manter as mentiras, a história, sem vacilar nem por um instante?

— *Gut!*

Respirar.

Não havia, no entanto, nem ao menos a possibilidade de exalar todo o ar, nem um momento de alívio. O vagão estava lotado, não havia sequer um centímetro de espaço livre; não havia ar. Rivka, já doente, sentia-se mal enquanto era imprensada contra outras pessoas daquela maneira. Ela parecia prestes a desmaiar, o que causaria uma comoção. Renia olhou ao redor furtivamente e viu um assento vago no vagão do meio, um vagão militar. Rivka sentiu-se melhor sentada, mas, por dentro, Renia estava aterrorizada. Teve que sorrir e manter a cabeça erguida, acalmar cada um de seus nervos, lançar mão de uma determinação de aço e fingir ser o oposto de tudo que estava sentindo, enquanto ouvia os soldados falarem sobre matar judeus com uma "alegria bestial" e doentia.[3]

— Eu estava lá — disse um. — Eu os vi levar os judeus de Zaglembie[4] para a morte.

Os outros riram.

— Que disparate! Eles não estão realmente matando os judeus.

Renia percebeu que eles vinham da frente de batalha, onde ainda não se sabia sobre a máquina assassina que estava em funcionamento na Polônia.

— Uma imagem feliz! — ouviu o primeiro continuar. — Um banquete para os olhos ver os judeus caminhando para o abate como ovelhas.

Renia não podia pensar na família assassinada, não podia pensar nos amigos mortos, no irmão caçula. Não podia pensar.

Ela sorriu. Olhou para Rivka. Sorriu mais.

A jornada durou um dia inteiro. Árvores, cidades, paradas, apitos. Por fim, exaustas da viagem, da encenação sem intervalo, as garotas chegaram a Varsóvia. Caminharam sozinhas pelas ruas tranquilas ao entardecer, determinadas a se encontrar com Ina no horário e no local combinados. Não havia margem para erro, nem um centímetro. Renia percebeu que, mais adiante na rua, duas esquinas à frente, a polícia estava verificando os documentos de todos os transeuntes. Ela calculou rapidamente que, embora os documentos falsos pudessem ter servido para a viagem, os gendarmes de Varsóvia perceberiam que os carimbos eram falsificados. Fazendo um gesto para Rivka, Renia começou a se afastar a passos rápidos, virando esquinas, misturando-se à multidão. Nenhuma das duas olhou para trás — nem uma única vez —, apenas para a frente, para a frente, parte da multidão.

Por fim, chegaram ao ponto de encontro. Respirar.

Mas Ina não estava lá.

Quanto tempo poderiam ficar ali, paradas? Quanto tempo deviam esperar?

Seria suspeito. Às vezes, os pontos de encontro ficavam perto de lojas; podiam fingir que estavam olhando as vitrines, folheando livros à venda, ficção, romance, romances de espionagem. Mas ali não havia nada.

Será que Ina tinha sido presa no caminho?

Onde será que ela estava? Perto dali? Quem poderia vê-las?

Renia não tinha outros endereços. Nenhuma agente levava consigo muitas informações de uma vez, para o caso de ser pega, torturada.

Tinha dinheiro suficiente para apenas mais um dia.

E nenhum plano alternativo.[5]

Um minuto era uma vida inteira. Os pensamentos se atropelavam na mente de Renia enquanto ela tentava decidir quais seriam os próximos passos. Precisava levar Rivka para algum lugar, precisava encontrar alguém do movimento clandestino, alguém que conhecesse. Mas onde? O que fazer se não conseguissem encontrar um contato? Levar Rivka de volta para Będzin? Ela estava muito doente.

Renia decidiu deixar Rivka na pensão onde planejava ficar. Ia se aventurar pela cidade sozinha, tentando encontrar respostas.

Então, teve uma ideia.[6] A irmã de uma conhecida de Będzin vivia no bairro ariano, disfarçada de cristã. Renia pensou em Marek Folman — talvez ele tivesse conseguido voltar para lá depois do trágico fiasco com os guerrilheiros.

— Por acaso sabe o endereço de Marek? — perguntou Renia assim que chegou.

A mulher procurou em seu caderninho por um longo tempo enquanto Renia esperava, agoniada, até que finalmente: o endereço da mãe de Marek.

Cada fragmento de informação valia ouro.

Ainda nenhum sinal de Ina.

Renia voltou para a pensão e gastou a maior parte do dinheiro que tinha para pagar pelos quartos.[7]

Na manhã seguinte, levou a adoentada Rivka ao endereço que tinha conseguido. A mãe de Marek, Rosalie, estava lá, assim como sua cunhada — agora viúva depois que o marido fora morto lutando ao lado dos guerrilheiros. A irmã de Marek, Havka, era a mensageira do Liberdade que carregara dinamite escondida nas roupas íntimas; Renia tinha ouvido dizer que ela estava em Auschwitz. A mãe de Marek também ajudava a ŻOB — uma verdadeira família de combatentes.[8] Para consternação de Renia, no entanto, ela não tinha qualquer informação sobre o paradeiro de Marek; da última vez que tivera notícias, ele estava em Będzin, com Renia.

— Sinto muito — disse Rosalie, balançando a cabeça —, mas não posso ficar com Rivka na minha casa.

A polícia e os colaboracionistas batiam à sua porta diariamente. Na verdade, ela estava planejando mudar de apartamento assim que possível.

Mas teve uma ideia. Levaram Rivka para a casa de uma vizinha polonesa.

Renia se despediu dela, na esperança de que ficasse segura ali; mais uma judia escondida nas entranhas da cidade.

Agora sozinha, Renia caminhou por Varsóvia, onde a vida seguia como se nada tivesse acontecido, praças cheias de gente, lojas abertas, apesar da devastação do antigo gueto. Apesar de tudo. Tinha dinheiro suficiente para apenas mais uma noite na pensão. Na manhã seguinte, a mãe de Marek a colocou em contato com Kazik, o combatente da ŻOB que liderara a fuga pelos esgotos.

Renia foi encontrá-lo em uma esquina, mas antes que pudesse dizer uma palavra, eles ouviram um tiro. Um policial estava atrás de Kazik, e ele fugiu, desaparecendo no meio do trânsito. Renia seguiu rapidamente na direção oposta, sem correr, sem olhar para trás.

Por sorte, Kazik conseguiu marcar um encontro com Antek — o famoso Antek, que Renia conhecia de cartas e histórias, o atarefado comandante dos judeus no lado ariano, que se reunia com a resistência polonesa, administrava os assuntos financeiros, enviava pessoas para acampamentos de guerrilheiros, contrabandeava armas e tinha ligações com falsificadores de documentos. Uma equipe inteira o ajudava, Renia ouvira dizer.

Renia e Antek deveriam se encontrar em outra esquina, dessa vez em frente a uma escola profissionalizante, ou *technikum*. Renia usava um vestido e sapatos novos que haviam sido arranjados para ela. Uma flor vermelha presa ao cabelo trançado seria o sinal para que ele a reconhecesse. Renia se dirigiu até o local combinado, rezando para que tudo corresse bem, que ele estivesse lá, que ela conseguisse aquilo de que precisava e pudesse voltar correndo para Będzin, para junto dos amigos e de sua irmã, Sarah. De longe, avistou um homem. Tinha um jornal dobrado debaixo do braço — o sinal.

Ela não conseguia acreditar. "Ele era um verdadeiro Antek", escreveu, referindo-se ao seu apelido polonês. Tentou não olhar de maneira muito óbvia para aquele jovem alto e louro, "com um belo bigode que o fazia parecer um cavalheiro rico".[9] Ele vestia verde da cabeça aos pés.

Ela passou por ele, certificando-se de desacelerar o passo e mostrar a flor.

Mas ele não se moveu.

E agora?

Ela resolveu arriscar: deu meia-volta e percorreu mais uma vez a rua.

Nada ainda.

Por que ele não se aproximava? Será que era o homem errado? Um impostor? Ou será que sabia que estavam sendo vigiados? Será que aquilo era uma armadilha?

Seu instinto lhe disse para correr o risco.

— Olá — disse Renia em polonês. — Você é Antek?

— Wanda? — perguntou ele.

— Sim.

— Afirma ser judia? — sussurrou ele, parecendo surpreso. Em seguida se curvou discretamente. A interpretação dela tinha sido boa *demais*.

— E *você* afirma que é judeu? — respondeu Renia, aliviada.

Antek caminhava ao lado de Renia com passos seguros e firmes, avançando no concreto ariano que, de alguma forma, sustentava a ambos, juntos. Ela não conseguia acreditar que aquele homem "com ar de nobre e um andar confiante"[10] era realmente judeu. Descreveu-o afirmando que era astuto e rápido como um esquilo, alerta como um coelho, observando tudo ao seu redor. Renia sentiu que com um simples olhar ele era capaz de ler uma pessoa.

Quando começou a falar com ele, no entanto, ela identificou seu sotaque. Não era difícil de distinguir: um judeu de Vilna.

Os dois falaram com tristeza sobre o súbito desaparecimento de Ina.

— Ela deve ter ficado retida no controle de documentos na fronteira — disse Renia.

— Não há como ter certeza — respondeu Antek, tentando consolá-la. — Talvez um percalço qualquer a tenha feito voltar atrás.

Mais tarde, Renia diria que ele a tratou com preocupação e gentileza, como se fosse uma filha. Naquele mundo de órfãos prematuros, nove anos de diferença pareciam noventa.

Antek prometeu a Renia que arranjaria os vistos para o restante do grupo, bem como um ônibus para os que não poderiam se passar por poloneses — e o mais rápido possível. Nada disso era fácil; levaria dias para organizar tudo. Eles se separaram, por ora.

Até que os camaradas encontrassem um apartamento permanente para Rivka, decidiram colocá-la em um esconderijo. Antek deu a Renia o endereço e 200 złotys por noite, mais um extra para comida.

Renia esperou em Varsóvia por vários dias, dormindo na entrada de um porão. Um rapaz judeu que parecia polonês morava naquele corredor; Renia fingiu ser irmã dele. Disseram ao dono da casa que ela havia fugido ilegalmente da Alemanha para ver o irmão, razão pela qual não queria registrar seu passe. Renia prometeu ficar apenas alguns dias. Passava o tempo tentando evitar a senhoria; não podia cometer nenhum deslize na frente dela ou dos vizinhos. A maioria dos judeus "que se passava" por não judeus inventava histórias sobre atividades diurnas (trabalho, família) e desaparecia por oito horas, perambulando pela cidade, agindo como se estivessem a caminho de alguma coisa, qualquer coisa.

Na verdade, a única coisa que Renia fez foi esperar pelos vistos, por informações concretas a respeito do ônibus, sua impaciência crescendo a um ritmo exponencial. Todos os dias, ela se encontrava com Antek, pedindo-lhe que se apressasse. Não podia adiar mais o retorno a Będzin. A deportação geral poderia acontecer a qualquer momento. *Será que não é melhor sair com os documentos que já estão prontos e não esperar mais?*, ela se perguntava sem parar. No fundo do coração, sentia — sabia — que cada dia que passava era crítico. O relógio estava correndo, os ponteiros girando cada vez mais depressa na direção da morte.

A espera se arrastou, adiamento após adiamento. Finalmente, depois de alguns dias, o ônibus estava pronto, e Renia tomou as providências para que lhe enviassem um telegrama informando quando o veículo se aproximaria do gueto de Kamionka. Vários dos vistos já estavam prontos. Renia não conseguiu obter mais armas. Mas estava disposta a levar aquilo que havia reunido. Ela disse a Antek que não podia mais ficar esperando em Varsóvia.

Viajou para casa com 22 vistos falsificados colados ao corpo e costurados na saia, bem como fotografias e documentos de viagem para cada visto. No momento em que pisou na rua, seu coração começou a bater acelerado. A cada instante, temia tropeçar e cair. *O que teria acontecido a Ina?*

No trem, as inspeções habituais, mas agora com revista pessoal. Os gendarmes se aproximaram dela.

O simples fato de olhar para eles, escreveu ela mais tarde, era o suficiente para deixá-la confusa. Mas ela se recusou a perder o autocontrole.

Olhou nos olhos deles com um sorriso doce. Abriu corajosamente os embrulhos que levava. "Eles os vasculharam como galinhas bicando a areia", lembraria ela. Mantendo a pose e sorrindo com confiança, Renia conversou com os policiais, sem interromper o contato visual, para que não se lembrassem da revista corporal. Nenhum sinal de medo.

Eles se afastaram, sem suspeitar de nada.

Ainda assim, a encenação tinha que continuar.

Renia decidiu fazer uma breve parada em Częstochowa para se encontrar com Rivka Glanz e compartilhar informações. Temperamental, sensível, cheia de vida, Rivka era muito conhecida no movimento clandestino como líder, contrabandista e organizadora. Quando os nazistas invadiram a Polônia, ela estava em uma missão na cidade portuária de Gdynia; tinha visto camaradas fugirem, alguns de barco, para o mar. Ela ficou — até que os nazistas a expulsaram. Preparou rapidamente uma pequena mala e, de repente, reparou na gaita do kibutz. Foi dominada por um sentimento de apego ao pequeno instrumento de sopro que havia trazido tanta felicidade aos camaradas. Largou a mala e pegou a gaita. Mas chegou a Łódź envergonhada: não tinha roupas, nada que fosse útil. Escondeu a gaita junto da porta do kibutz e entrou de mãos vazias. "Não pude trazer nada comigo", anunciou. Mais tarde, ficou sabendo que os camaradas haviam encontrado o instrumento e que tinham entendido seu desejo de salvar aquele objeto que proporcionara tanta alegria.[11] A gaita se tornou uma lenda no movimento.

Renia pensava na gaita e queria muito ver Rivka, conectar-se com sua bondade, sua coragem. Mas isso não seria mais possível. Para seu horror absoluto, chegou à cidade fronteiriça e viu que todo o gueto fora destruído, reduzido a cinzas. Não havia vestígios de sua gente em lugar nenhum. Extintos.

— O que aconteceu? — perguntou ela quando conseguiu encontrar as palavras.

Os poloneses locais relataram que, algumas semanas antes, houvera uma batalha no gueto.[12] Jovens judeus, munidos de umas poucas armas e algumas centenas de coquetéis molotov, tinham resistido adotando a tática de se esconder e atirar. Alguns conseguiram roubar armas dos nazistas. Outros usaram vasilhas da cozinha do gueto para contrabandear alumínio, chumbo, carboneto, mercúrio, dinamite e outros produtos químicos roubados de fábricas de explosivos e munição. Escavaram vários túneis. Apesar de estarem em grande desvantagem numérica e de armamentos, conseguiram sustentar a luta por cinco dias inteiros.

Muitos fugiram para a floresta, onde agora viviam como animais. Os alemães, com medo da atividade dos guerrilheiros nos bosques, enviaram a polícia local para procurar por judeus escondidos. Eles capturaram um por vez — mas não todos.

Tudo que Renia conseguiu descobrir a respeito de Rivka Glanz foi que ela havia sido morta em combate, comandando uma unidade,[13] de arma na mão. "Como meu coração chorou por ela!" escreveu Renia. "Ela era como a mãe de todos os judeus de Częstochowa."[14] Ela recordou que, quando Rivka quis partir, os judeus remanescentes na cidade não permitiram. Enquanto Rivka estivesse com eles, disseram, se sentiam seguros.

Renia voltou rapidamente para a estação, esforçando-se para conter qualquer emoção. Precisava voltar para casa imediatamente. O trem avançou noite adentro pela zona rural arborizada. Seus olhos ardiam, imploravam para se fechar, mas não, não, não, ela não podia dormir. Tinha de se manter alerta o tempo todo. Desperta e consciente. Quem saberia quando poderia haver uma inspeção, uma verificação de documentos, qualquer coisa? Quem poderia saber o que seria?

Só mais tarde Renia veio a saber que Ina havia sido pega[15] por um guarda nazista em um posto de controle perto da fronteira. Quando estava sendo levada pela Gestapo para Auschwitz, Ina saltou do vagão e fugiu. Exausta, deprimida e espancada, procurou refúgio com uma amiga em um gueto local. Mas os nazistas colocaram sua cabeça a prêmio (Ina, ou vinte judeus mortos), e a milícia judia a entregou. Dessa vez, o supervisor da Gestapo a transportou pessoalmente para Auschwitz, e deu comando a um cachorro para atacá-la e mordê-la dentro do vagão. Ela cuspiu no rosto do homem e morreu durante o trajeto.

Polônia durante a Segunda Guerra Mundial

Baseado no mapa © Springer Cartographics LLC, 2020

A Grande Sinagoga (à direita) e a Biblioteca Judaica (à esquerda), em Varsóvia, Polônia. A Biblioteca Judaica abrigou a Organização de Ajuda Mútua Judaica durante a guerra e atualmente é o Instituto Histórico Judaico Emanuel Ringelblum.

Fotografia de K. Wojutyński, 1936-1939, cortesia do Instituto Histórico Judaico Emanuel Ringelblum em Varsóvia, Polônia

Integrantes de uma comuna de treinamento de pioneiros em Jędrzejów, Polônia, 1935. Zivia Lubetkin é a terceira de pé, da direita para a esquerda.

Cortesia do Museu da Casa dos Combatentes do Gueto, Arquivo de Fotos

Integrantes da Guarda Jovem em Włocławek, Polônia, durante o feriado judaico Lag BaOmer, 1937. Tosia Altman é a primeira de baixo para cima.

Cortesia do Arquivo Fotográfico Yad Vashem, Jerusalém. 1592/1

Tosia Altman.

Cortesia de Moreshet, Arquivo Hashomer Hatzair

Hantze Płotnicka durante sua estada em uma comuna de treinamento de pioneiros em Baranowice, Polônia, 1938.

Cortesia do Museu da Casa dos Combatentes do Gueto, Arquivo de Fotos

Camaradas da comuna de treinamento de pioneiros em Białystok, Polônia, 1938. Frumka Płotnicka é a segunda de pé, da direita para a esquerda.

Cortesia do Museu da Casa dos Combatentes do Gueto, Arquivo de Fotos

Gusta Davidson (à esquerda) e Minka Liebeskind em um acampamento de verão do Akiva, 1938. Ambas se tornaram integrantes do submundo do gueto de Cracóvia, Polônia.

Cortesia do Museu da Casa dos Combatentes do Gueto, Arquivo de Fotos

Da esquerda para a direita: Tema Schneiderman, Bela Hazan e Lonka Kozibrodska. Fotografia registrada em uma festa de Natal da Gestapo, 1941.

Cortesia do Arquivo Fotográfico Yad Vashem, Jerusalém, Israel. 3308/91

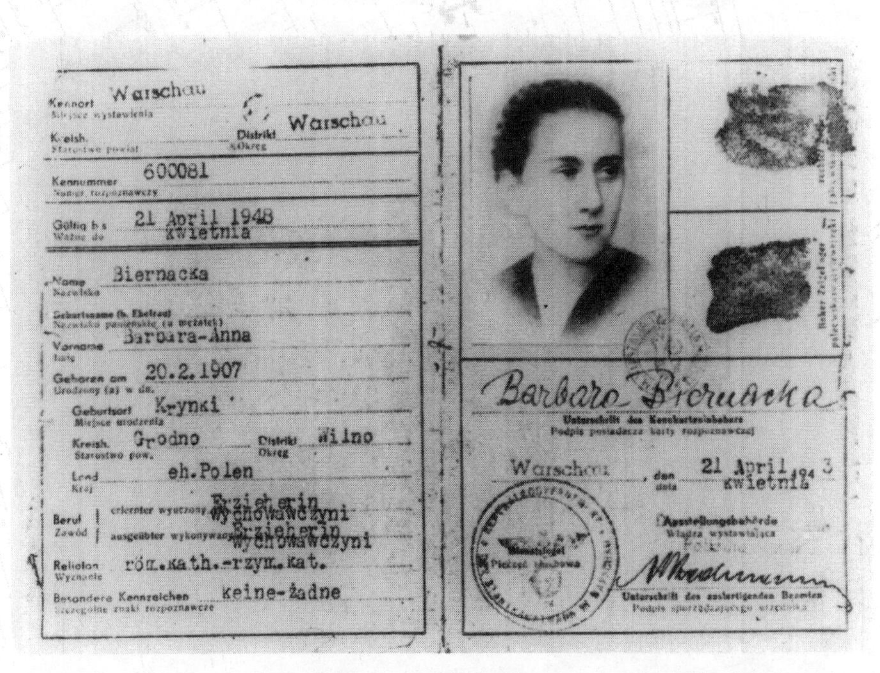

Kennort Warschau
Kreish. Distrikt Warschau
Kennummer 600081
Gültig bis 21 April 1948 kwietnia
Name Biernacka
Nazwisko
Geburtsname (b. Ehefrau)
Vorname Barbara-Anna
Geboren am 20.2.1907
Geburtsort Krynki
Kreish. Grodno Distrikt Wilno
Land eh.Polen
Beruf erlernter Erzieherin Wychowawczyni
Zawód ausgeübter Erzieherin Wychowawczyni
Religion röm.kath.-rzym.kat.
Wyznanie
Besondere Kennzeichen keine-żadne

Barbara Biernacka
Unterschrift des Kennkarteninhabers
Podpis posiadacza karty rozpoznawczej
Warschau, den 21 April 1943 kwietnia
Ausstellungsbehörde
Unterschrift des ausfertigenden Beamten

Um dos documentos de identidade ariana falsificados de Lonka Kozibrodska, 1943.

Cortesia do Museu da Casa dos Combatentes do Gueto, Arquivo de Fotos

Margolit Lichtensztajn, retratada na ilustração *Menina adormecida*, giz de cera sobre papel, de Gela Seksztajn.

Cortesia do Instituto Histórico Judaico Emanuel Ringelblum em Varsóvia, Polônia

Sarah Kukiełka, 1943.

Cortesia do Museu da Casa dos Combatentes do Gueto, Arquivo de Fotos

Chajka Klinger, durante a guerra.

Cortesia do Museu da Casa dos Combatentes do Gueto, Arquivo de Fotos

Membros do movimento jovem na fazenda de treinamento agrícola em Będzin, na Polônia, se divertindo na *hora*, dança tradicional judaica, durante celebração do aniversário do poeta Chaim Nachman Bialik, 1943.

Cortesia do Museu da Casa dos Combatentes do Gueto, Arquivo de Fotos

Reunião de jovens sionistas na fazenda de treinamento agrícola em Będzin, durante a guerra. Chajka Klinger está no centro.

Cortesia do Museu da Casa dos Combatentes do Gueto, Arquivo de Fotos

Parque de diversões na praça Krasiński, ao lado do gueto de Varsóvia. Fotografia de Jan Lissowki, abril de 1943.

Cortesia do Instituto Histórico Judaico Emanuel Ringelblum em Varsóvia, Polônia

Fotografia, registrada por nazistas, de dormitórios de um bunker montado pela resistência judaica durante a revolta do gueto de Varsóvia, 1943. A legenda original, em alemão, pode ser traduzida como: "Foto do que era chamado de bunker residencial."

Museu Memorial do Holocausto dos Estados Unidos, cortesia da Administração Nacional de Arquivos e Registros, College Park

Niuta Teitelbaum como estudante em Łódź, Polônia, 1936. Durante a guerra, ela ficou conhecida como "A pequena Wanda de tranças".

Cortesia do Museu da Casa dos Combatentes do Gueto, Arquivo de Fotos

Hela Schüpper (à esquerda), mensageira, e Shoshana Langer, líder do Akiva, disfarçadas de cristãs, no lado ariano de Varsóvia, 26 de junho de 1943.

Cortesia do Museu da Casa dos Combatentes do Gueto, Arquivo de Fotos

Vladka Meed, no lado ariano de Varsóvia, posando na praça do Teatro, 1944.

Museu Memorial do Holocausto dos Estados Unidos, cortesia de Benjamin [Miedzyrzecki] Meed

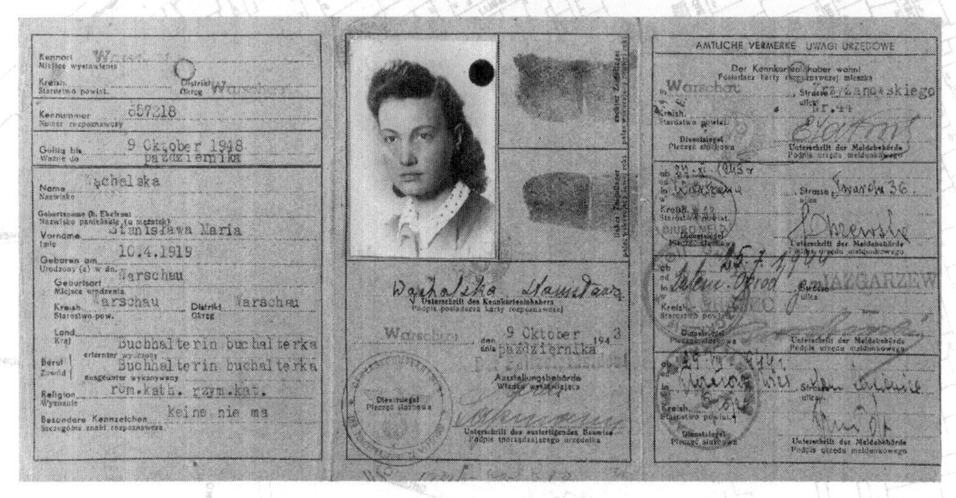

Kennort / Miejsce wystawienia
Kreish. / Starostwo powiat. — Distrikt / Okręg
Kennummer / Numer rozpoznawczy: 657218
Gültig bis / Ważne do: 9 Oktober 1948 / października
Name / Nazwisko: Wąchalska
Geburtsname (b. Ehefrau) / Nazwisko panieńskie (u mężatek)
Vorname / Imię: Stanisława Maria
Geboren am / Urodzony (a) w dn.: 10.4.1919
Geburtsort / Miejsce urodzenia: Warschau
Kreish. / Starostwo pow.: Warschau — Distrikt / Okręg: Warschau
Land / Kraj
Beruf / Zawód — erlernter / wyuczony: Buchhalterin buchalterka
ausgeübter / wykonywany: Buchhalterin buchalterka
Religion / Wyznanie: röm.kath. rzym.kat.
Besondere Kennzeichen / Szczególne znaki rozpoznawcze: keine nie ma

Unterschrift des Kennkarteninhabers / Podpis posiadacza karty rozpoznawczej
Warschau den / dnia 9 Oktober / października 1943
Dienstsiegel / Pieczęć służbowa
Ausstellungsbehörde / Władza wystawiająca
Unterschrift des ausfertigenden Beamten / Podpis sporządzającego urzędnika

AMTLICHE VERMERKE — UWAGI URZĘDOWE
Der Kennkarteninhaber wohnt / Posiadacz karty rozpoznawczej mieszka
Warschau — Strasse / ulica — Nr. 44
Kreish. / Starostwo powiat.
Dienstsiegel / Pieczęć służbowa
Unterschrift der Meldebehörde / Podpis urzędu meldunkowego
Strasse / ulica
Kreish. / Starostwo powiat.
Dienstsiegel / Pieczęć służbowa
Unterschrift der Meldebehörde / Podpis urzędu meldunkowego
ab / od — in / w — Strasse / ulica
Kreish. / Starostwo powiat.
Dienstsiegel / Pieczęć służbowa
Unterschrift der Meldebehörde / Podpis urzędu meldunkowego

Documento de identidade falso de Vladka Meed, emitido com o nome de Stanisława Wąchalska, 1943.

Museu Memorial do Holocausto dos Estados Unidos, cortesia de Benjamin [Miedzyrzecki] Meed

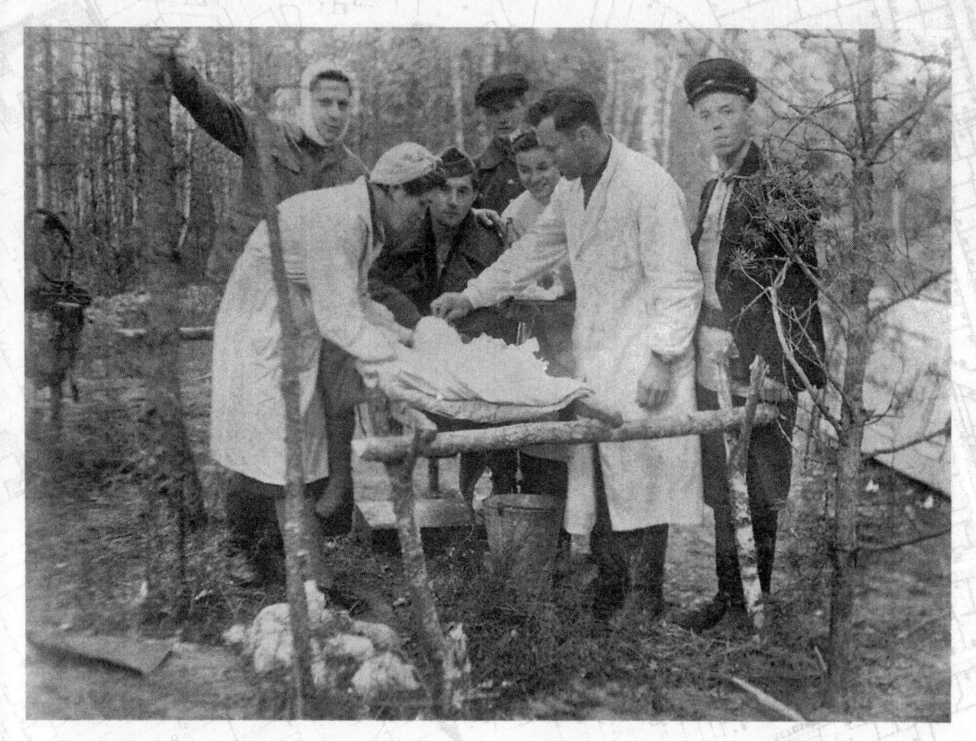

Faye Schulman auxiliando na operação de um guerrilheiro ferido.

Museu Memorial do Holocausto dos Estados Unidos, cortesia do Museu Estatal da Bielorrússia de História da Grande Guerra Patriótica

Da esquerda para a direita: Vitka Kempner, Ruzka Korczak e Zelda Treger.

Cortesia do Arquivo Fotográfico Yad Vashem, Jerusalém. 2921/209

Esconderijo de guerrilheiros na floresta de Rudniki, Polônia. A fotografia foi registrada em 1993.

Cortesia de Rivka Augenfeld

Retrato de Ala Gertner em Będzin, entre 1930–1939.

Museu Memorial do Holocausto dos Estados Unidos, cortesia de Anna e Joshua Heilman

Número 41 ou 43 da rua Promyka, no lado ariano de Varsóvia. Zivia Lubetkin e seus companheiros se esconderam no porão após a Revolta de Varsóvia de 1944.

Cortesia do Museu da Casa dos Combatentes do Gueto, Arquivo de Fotos

Camaradas do grupo Liberdade, em Budapeste, Hungria, 1944. Na fileira inferior, da esquerda para direita: Chawka Lenczner; o "pequeno Muniosh", Moniek Hopfenberg; e Renia Kukiełka. Na fileira superior, da esquerda para a direita, Max Fischer e Yitzhak Fiszman, seguidos por dois integrantes não identificados.

Cortesia do Museu da Casa dos Combatentes do Gueto, Arquivo de Fotos

Renia Kukiełka, em Budapeste, 1944.

Cortesia de Merav Waldman

Antek [Yitzhak] Zuckerman, em Varsóvia, 1946.

Cortesia do Museu da Casa dos Combatentes do Gueto, Arquivo de Fotos

Zivia Lubetkin e Antek [Yitzhak] Zuckerman, após a guerra.

Cortesia do Museu da Casa dos Combatentes do Gueto, Arquivo de Fotos

Zivia Lubetkin falando no kibutz Yagur, Israel, 1946.

Cortesia do Museu da Casa dos Combatentes do Gueto, Arquivo de Fotos

Ex-combatentes do gueto de Varsóvia e familiares, na Casa dos Combatentes do Gueto, 1973. Zivia Lubetkin é a primeira à esquerda na fileira inferior. Na fileira superior, da esquerda para a direita estão: Vladka Meed (segunda); Pnina Grinshpan Frimer (terceira); Yitzhak [Antek] Zuckerman (quarto); Benjamin Meed (quinto); e Masha Futermilch (oitava).

Cortesia do Museu da Casa dos Combatentes do Gueto, Arquivo de Fotos

Renia Kukiełka (à direita) e sua neta mais velha, Merav Waldman, no casamento da irmã de Merav, Israel, 2008.

Cortesia de Merav Waldman

22. A JERUSALÉM DE ZAGLEMBIE EM CHAMAS

RENIA

AGOSTO DE 1943

1º de agosto de 1943.[1]

Finalmente, Renia chegou a Będzin, suja, abatida, cansada da viagem. Mas assim que saiu do trem, tudo — a plataforma, o grande relógio *art déco* da praça — escureceu diante de seus olhos. Os nazistas estavam expulsando os passageiros da estação.

Ao longe, Renia ouviu gritos agudos, tumulto.

— O que está acontecendo? — perguntou a alguns poloneses que estavam reunidos ali perto, tentando ver algo em meio à confusão.

— Eles estão expulsando os judeus da cidade desde sexta-feira. Um grupo após o outro.

Era segunda-feira, o quarto dia. E ainda não era o fim.

— Eles vão expulsar todos os judeus? — perguntou Renia em uma voz que não era nada parecida com a dela, fingindo que não apenas não se importava, mas que também estava satisfeita. Fingindo ser uma entre os espectadores do mundo. Fingindo que aquele não era o momento que ela vinha esperando com horror havia meses.

Tudo aquilo, escreveu mais tarde, enquanto "meu coração se despedaçava de dor". Eles estavam expulsando todos os seus amigos, sua irmã, todas as pessoas que tinha no universo. Ela não fazia ideia do que ia acontecer a eles, ou se um dia ia voltar a vê-los.

O gueto estava completamente cercado por soldados da SS. Era impossível entrar. Renia espreitou, ouviu rumores, tentou o máximo possível ver algo. Lá dentro, os alemães invadiam os bunkers e assassinavam as pessoas ali mesmo. Por quatro dias, sem parar, empurraram judeus para dentro de vagões de gado; de todas as direções, disparavam tiros para o interior do gueto. A milícia judaica carregava macas com feridos e mortos, cobertos de trapos. Nas ruas, os alemães conduziam filas de jovens judeus, acorrentados como criminosos, rumo aos trens. Chutavam-lhes os pés. Aqueles rapazes e moças tinham tentado fugir, mas os poloneses os pegaram e os entregaram. Agentes da Gestapo à paisana percorriam a cidade como cães raivosos, verificando documentos, olhando no rosto de cada pessoa, em busca de mais vítimas.

Então Renia avistou uma área aberta próxima à estação, do outro lado da barreira. Lá havia uma aglomeração de pessoas. Entre elas, seus amigos. Os poloneses olhavam para eles, para aqueles "criminosos culpados", como se fossem animais em um zoológico. Seus camaradas, seus amigos estavam cercados por rufiões armados com rifles, chicotes e revólveres.

Ela não viu Sarah em lugar nenhum.

Renia mal conseguia se manter de pé. Ia desmaiar. Sabia que precisava fugir dali o mais rápido possível. Se checassem seus documentos, seria o fim.

"Mas", escreveu mais tarde, "naquele momento, vi que meu coração havia se transformado em pedra, senão, como poderia ir embora sem saber nada sobre o destino das pessoas que me eram mais próximas?" Vira a única família que lhe restava ser levada para a morte. E deu meia-volta — mas aquilo era inútil. Não poderia entrar no gueto. "Em meu coração, pensei: minha vida perdeu todo o sentido. Por que viver, agora que tiraram tudo de mim — minha família, meus parentes e agora meus adorados amigos?" Ela havia restabelecido sua vida, estava disposta a arriscar tudo por aqueles camaradas. Pela irmã.

"Um demônio interior me disse para pôr fim à minha própria vida", recordou-se Renia. "E então senti vergonha dessa fraqueza. Não! Não vou facilitar o trabalho dos alemães com minhas próprias mãos!" Em vez disso, seus pensamentos se voltaram para a vingança.

Renia caminhou sem rumo. Não tinha para onde ir, não tinha mais casa.

Só lhe restava um caminho: voltar para Varsóvia. Mas como? O próximo trem só partiria às cinco da manhã do dia seguinte.

Renia Kukiełka era a última mensageira do Liberdade.[2]

*

Por volta das três da tarde, Renia já havia passado toda a noite e o dia inteiro na estrada. Estava cansada, abatida e não conseguia se lembrar da última vez que havia comido. Pão era a única coisa na qual conseguia pensar. Mas um pão só podia ser obtido com um cartão de racionamento. Ela não poderia entrar em uma loja sem um, ou as pessoas suspeitariam de que era judia. De repente, lembrou-se de alguém que conhecia: a dra. Weiss, uma gentia russa, dentista, que vivia em Sosnowiec, uma cidade a cerca de 6 quilômetros a oeste de Będzin.

Renia pegou o bonde. Na outra extremidade do vagão, policiais estavam verificando os documentos. Foi o mais longe que pôde, então saltou e pegou um segundo bonde. Foi passando de vagão em vagão, trocando de bonde diversas vezes, até chegar a seu destino.

Em Sosnowiec, o gueto estava cercado.

A expulsão acontecia ali também. Nazistas por toda parte, gritos, tiros.

Renia correu para a casa da dentista. *Só mais algumas ruas*, repetia para si mesma. Ruas pequenas.

A dra. Weiss abriu a porta e olhou para Renia, espantada.

— Como conseguiu chegar até aqui?

Ofereceu uma cadeira a Renia, com medo de que a garota desabasse. Em seguida, foi até a cozinha fazer chá.

Só então, depois de ter sentado, Renia percebeu como estivera perto de perder a consciência. Ela se recompôs. Queria contar tudo à dra. Weiss.

Mas não conseguiu.

Sentia uma pressão na garganta.

De repente, começou a chorar. Soluços violentos, convulsivos.

Renia ficou envergonhada. Mas o sofrimento transbordou e ela não conseguiu se conter. Se não chorasse, temia que seu coração explodisse de angústia.

A dra. Weiss afagou sua cabeça.

— Não chore — disse ela. — Você sempre foi corajosa. Eu a considero uma heroína. Sua coragem é um exemplo para mim. Você tem que ser forte, minha filha. Talvez alguns dos seus ainda estejam vivos.

Renia sentia uma fome avassaladora, mas não conseguiu comer. Tinha chegado ao limite. Era o fim. "Meu coração queria morrer", escreveu ela.

Pouco a pouco, porém, começou a relaxar, ansiosa por algumas horas para descansar, se recompor. Permanecer viva.

— Eu adoraria que você passasse a noite na minha casa — disse a dra. Weiss, e Renia expirou. — Mas os alemães estão invadindo as casas das pessoas de uma hora para a outra, em busca de judeus escondidos. Se estiverem na área, certamente virão aqui. Sou russa. Eles já suspeitam que mantenho contato com judeus. — Ela suspirou. — Me perdoe, mas não posso arriscar minha vida.

Renia não conseguia acreditar no que estava ouvindo. Ficou desolada. E apavorada. Para onde iria agora, naquele exato momento? Onde passaria a noite? Na estação de trem, eles inspecionariam seus documentos. As ruas eram infinitamente perigosas. Ela não conhecia mais ninguém na cidade.

A dra. Weiss deu a ela um pouco de comida para levar. Em seguida, a abençoou, com lágrimas nos olhos, e mais uma vez lhe pediu perdão.

— Sinto muito.

Renia deixou seu refúgio, desorientada. "Apenas caminhei por onde meus pés me levavam", lembrou.

Ela deixou para trás o maldito povoado e se aproximou de uma floresta não muito densa. A luz do dia se dissipava mais uma vez no crepúsculo; era uma noite luminosa de verão. A lua lançava seu clarão sobre Renia, as estrelas brilhando apenas para seus olhos. Renia teve visões dos pais, dos irmãos, dos camaradas. Ela os via como se estivessem bem ali ao seu lado, os rostos tristes, distorcidos, alterados. O sofrimento havia deixado marcas no corpo de todos eles. Queria desesperadamente abraçá-los, ir até eles e apertá-los junto ao peito, agarrando-os com amor. Mas as imagens começaram a se dissolver, as aparições sumindo como figuras que se dissipavam aos poucos em uma tela de cinema. Não tinha nada a que se agarrar.

Renia fez um balanço de sua vida. "Sobre os ombros de quem coloquei tantos fardos? Quão graves foram meus pecados? Quantas pessoas eu matei? Por que todo esse sofrimento recaiu sobre mim?"

De repente, viu a figura de um homem no meio das árvores. Quem poderia ser, tão tarde da noite? A figura se aproximou dela. Uma arrepio gelado percorreu seus ossos. O homem estava bêbado. Sentou-se perto dela. Renia se afastou. Ele se aproximou mais. Seus olhos estavam dilatados nas órbitas como os de um predador. O homem começou a gritar com ela; as palavras se misturavam em uma bola de fúria, hostilidade, raiva. Renia não conseguia gritar, nem fugir. Estava no meio do nada, sem ninguém que a ouvisse. E ele ia segui-la, ia segui-la e fazer o que quisesse.

*

A violência sexual contra judias, que ia da humilhação ao estupro,[3] persistiu, e até mesmo se alastrou, durante o Holocausto. Apesar de algumas das primeiras memórias do pós-guerra mencionarem o abuso e a violência sexual, essas histórias foram amplamente silenciadas depois da guerra. Pesquisadores quase nunca insistiam nessa questão em suas entrevistas, e as informações raramente eram fornecidas de forma voluntária. A maioria das vítimas não sabia os nomes de seus algozes. Muitas mulheres foram mortas depois de serem estupradas; outras tinham vergonha de falar disso, temendo que as pessoas considerassem que elas não serviam para casar. Aquelas que levantavam a questão eram com frequência desencorajadas e muitas vezes desacreditadas. Em vez de encontrarem acolhimento, eram ostracizadas.

Os nazistas mantinham bordéis oficiais tanto no interior quanto nas proximidades de campos de concentração e trabalho — de acordo com alguns relatos, mais de quinhentos desses bordéis funcionavam para servir os oficiais nazistas, os soldados alemães e alguns prisioneiros privilegiados. As prisioneiras eram obrigadas a se tornar escravas sexuais. A lei proibia os oficiais da SS de ter relações sexuais com prisioneiras, sobretudo judias, mas acontecia mesmo assim. Muitos nazistas tinham suas próprias escravas sexuais, principalmente no Leste. Nos campos, comandantes alemães e oficiais superiores poloneses assediavam e engravidavam judias; em um caso particular, algumas belas judias foram escolhidas para servirem nuas em uma festa particular de nazistas, ao fim da qual acabaram sendo estupradas pelos convidados. Quase todas foram mortas. Um nazista de Varsóvia costumava chegar à casa das garotas bonitas do gueto com um carro funerário — ele as estuprava e as matava ali mesmo. (Uma adolescente bonita esfregou pasta de farinha no rosto para parecer menos atraente.)[4] Nazistas estupravam mulheres que estavam prestes a ser mortas em campos de extermínio. No vilarejo de Ejszyszki, os poloneses locais forneceram aos nazistas uma lista de todas as mulheres judias bonitas e solteiras. Elas foram conduzidas para uma mata próxima, onde sofreram estupro coletivo antes de serem assassinadas pelos alemães.[5] Em um campo de trabalho em Lublin, judias de todas as idades eram espancadas e torturadas, passavam fome e eram obrigadas a trabalhar por horas a fio. Quando um erro era detectado, todas as mulheres da unidade eram obrigadas a se despir, e um nazista as golpeava 25 vezes entre as pernas com um bastão.[6]

Hierarquias sexuais também existiam entre os judeus. No campo de trabalho de Skarżysko-Kamienna, garotas descalças trazidas de Majdanek eram “objetos a serem comprados”; algumas mulheres tornavam-se “primas” dos membros da elite masculina do campo e se mudavam para seus barracões. Assim como acontecia com os guerrilheiros, romances entre garotas judias de classe média e “sapateiros” judeus de uma *shtetl* tinham início motivados pela necessidade de proteção, e alguns continuaram até mesmo depois da guerra. Nos guetos, o sexo era uma mercadoria que se trocava por pão.[7]

Chasia Bielicka relatou que em um campo perto de Grodno, garotas e mulheres judias que o comandante considerava bonitas recebiam vestidos de noite e eram levadas para festas alemãs. Depois, cada mulher era convidada a dançar com um dos homens na frente de todos os convidados. Então, em algum momento inesperado, o comandante se aproximava, sacava a arma que levava consigo e atirava na cabeça da mulher. “Só posso imaginar o terror e o frio mortal que se instalavam dentro daqueles vestidos de baile que se grudavam ao corpo das mulheres que os vestiam", refletiu Chasia décadas depois. "Tento entender como as pernas daquelas mulheres não tremiam, como seus joelhos não cediam quando eram levadas para a pista de dança. Como o medo delas não se transformava em uma cascata de sons que afluía pelo círculo em torno do par em movimento."[8]

O próprio procedimento para entrar em campos de concentração era em si uma violação sexual: as mulheres eram empurradas para banheiros e forçadas a se despir na frente de estranhos e de guardas nazistas. Em estado de confusão e pandemônio, arrancadas dos filhos e da família, sentindo o cheiro de carne queimada, as novas prisioneiras eram violadas por homens da SS que faziam comentários obscenos sobre suas formas, cutucavam seus seios com cassetetes e incitavam os cães a avançar sobre elas. A cabeça das mulheres era raspada, e suas cavidades corporais, inspecionadas — incluindo exames ginecológicos forçados em que alemães revistavam judias nuas para se certificar de que não tinham joias escondidas na vagina.[9] As mulheres eram submetidas a experimentos "médicos" supostamente relacionados à fertilidade e à gravidez. Algumas guardas da SS se envolviam em comportamentos sexuais com seus namorados especificamente na frente de mulheres judias enquanto elas eram forçadas a assistir a espancamentos brutais, atormentando aquelas que haviam perdido pessoas amadas — crueldade e devassidão unidas.

Vários líderes judeus dos guetos foram cúmplices da violência sexual ao fornecer mulheres aos nazistas como "moeda de troca" em suas tentativas de evitar a deportação, e várias mulheres acusaram chefes de gueto de abusar sexualmente delas. Em um dos relatos, Rivka Glanz deixou seu trabalho no Judenrat de Łódź porque o líder a assediava com investidas sexuais; várias outras mulheres denunciaram esse megalomaníaco por tentar assediá-las também.[10]

Vários gentios que protegiam e escondiam judeus abusavam sexualmente das mulheres escondidas ou exigiam sexo como pagamento. *Schmaltzovniks* podiam exigir favores sexuais além de dinheiro, ou em vez dele. Anka Fischer, da resistência de Cracóvia, conseguiu um apartamento e um emprego no lado ariano, mas foi chantageada: o chantagista ameaçou denunciá-la como judia se ela não fizesse sexo com ele. Ela recusou e, pouco depois, foi presa.[11] As adolescentes escondidas cediam a exigências sexuais para proteger as irmãs mais novas. O sexo era a única moeda de que dispunham, sua única proteção contra o assassinato, ainda que temporária.

Por fim, havia a violência sexual que vitimava judias em fuga. Certo dia, Mina Stern,[12] de 15 anos, decidiu que estava farta do gueto. Abandonou o trabalho forçado e se viu vagando pela floresta. Depois de escapar de dois agricultores que armaram uma cilada para denunciá-la, embrenhou-se ainda mais na floresta. À noite, não tinha onde se esconder. De repente, foi atacada por três homens, que a estupraram. "Eu não tinha ideia do que eles estavam fazendo comigo, porque sabia pouco sobre sexo", lembrou ela, "mas durante aquele ataque aterrorizante, eles começaram a me morder como animais selvagens; morderam meus braços, arrancaram um dos meus mamilos." Mina desmaiou. Os homens devem ter pensado que ela estava morta. Mas ela acordou, em choque, dolorida, sangrando, incapaz de ficar de pé. Só anos mais tarde, quando engravidou e quase morreu, Mina soube a extensão dos danos que eles haviam infligido a seus órgãos.

*

Apesar do desespero e da exaustão, apesar da escuridão da floresta, Renia se esforçou para manter a clareza de pensamento. O homem se aproximou mais e começou a bombardeá-la com perguntas. Guiada pelo instinto, ela lhe deu respostas tolas, agindo como se fosse uma idiota.

O pensamento de que não podia mais esperar, no entanto, não lhe saía da cabeça. Já era quase uma da manhã; cada minuto contava. Ela começou pouco a pouco a se distanciar dele e, de repente, se levantou de um salto e começou a correr.

Ele correu atrás dela.

Reunindo todas as energias que lhe restavam, ela continuou a correr até chegar a uma casa. Encontrou uma porta aberta, avançou aos tropeços e quando viu estava em um corredor escuro. Prendendo a respiração, se escondeu embaixo da escada, à espera, "sentada ali feito um cão perseguido".

De manhã, torturada e exausta, Renia partiu para Varsóvia.

Parte 3

"Nenhuma fronteira deterá seu avanço"

Elas estão prontas para tudo, e nenhuma fronteira deterá seu avanço.[1]

Chaika Grossman, sobre as mulheres do movimento, em Women in the Ghettos

23. O BUNKER E ALÉM

RENIA E CHAJKA

AGOSTO DE 1943

Não ter um lar. Nenhuma morada física, nenhum abrigo espiritual. Nenhum alojamento improvisado, nem ao menos um pão. Não ter família. Nem amigos. Nem emprego, nem dinheiro, nem identidade registrada. Não ter país, apesar do legado milenar de sua família. Não ter ninguém esperando nada de você, ninguém que se pergunte onde você está. Ninguém que saiba sequer que você está vivo.

Mas os sobreviventes tinham que seguir adiante, continuar sobrevivendo.

*

Por fim, em Varsóvia, protegida pelos contatos de Antek, Renia estava transtornada. Como descreveria mais tarde, "bastava olhar para mim para saber o que havia acontecido e quais eram as informações que eu trazia de Będzin".[1] Ninguém conseguia acalmá-la. Até Renia sentia que a qualquer momento poderia enlouquecer.

Dia sim, dia não, esperava notícias, qualquer notícia, uma carta que fosse, algo que viesse de Będzin.

O que teria acontecido com seus amigos, com as pessoas que amava, sua irmã? E agora que não haveria mais nenhum levante em Zaglembie, o que aconteceria com ela? Renia precisava saber em que pé estavam as coisas para poder planejar seus próximos passos.

Demorou três semanas, mas finalmente chegou um cartão-postal de Ilza Hansdorf. "Venha para Będzin imediatamente." Renia devorou cada palavra. "Explico tudo quando você chegar."

Em poucas horas, Renia contatou Antek e fez as malas para a viagem. O movimento clandestino providenciou para ela uma autorização de viagem falsa que lhes custou uma fortuna, bem como duas extras, para o caso de ainda haver mais alguém vivo em Będzin. Renia também recebeu vários milhares de marcos para necessidades inesperadas: *schmaltzovniks*, subornos policiais, abrigo, comida, equipamento, quem poderia saber?

De volta ao trem. Ela chegou ao endereço do cartão-postal de Ilza: a casa de um mecânico polonês que trabalhava na lavanderia do kibutz. Ele manteve contato com integrantes do Liberdade durante a guerra, sempre tentando ajudar. Todos sabiam seu endereço.

Renia ouviu quando Frau Novak, a dona da casa, enfiou a chave na fechadura. Ela mal conseguia se conter.

A porta se abriu. Silêncio. Duas figuras solitárias estavam sentadas a uma mesa, emaciadas e abatidas. Mas ficaram felizes em ver Renia.

As duas pessoas eram Meir Schulman e a mulher dele, Nacha.[2] Meir não era membro do movimento, mas era um amigo dedicado. Tinha sido um vizinho no kibutz. Era uma pessoa muito capaz — um perfeccionista, de acordo com Renia. Conhecedor de tecnologia, ajudara a construir os bunkers e a instalar rádios secretos. Limpava e consertava as armas avariadas e gastas. Quando receberam instruções de Varsóvia para fabricar explosivos, foi Meir quem levou para eles os materiais necessários. Produzia carimbos de borracha falsos e tentava imprimir dinheiro falsificado.

Agora, ali estava ele sentado, e — Renia esperava — com as respostas para suas perguntas urgentes: Onde estavam todos? O que tinha acontecido durante a deportação? O que tinha acontecido com os combatentes? Com Sarah?

*

Chajka tinha sua própria versão da história.[3]

Algumas semanas antes, às três da madrugada de um domingo: tiros.

Até Chajka ficou surpresa. Não conseguia acreditar que os nazistas arruinariam o feriado. Todos acordaram. Zvi Brandes afastou uma ripa e tirou do esconderijo um punhado de armas. "Por que tão poucas?", perguntou Chajka.

Acontece que eles não estavam preparados. A maioria das armas estava em um local diferente; no abrigo do Liberdade na casa de Hershel não havia nenhuma. Chajka ficou furiosa. "Temos cultivado o pensamento de *hagana* em nossas cabeças e agora estamos de mãos vazias? (...) Não vamos deixar que eles nos deportem. Vamos fazer qualquer coisa estúpida — talvez apenas um tiro seja disparado, mas alguma coisa vai acontecer, alguma coisa tem que acontecer." Um dos combatentes do gueto de Varsóvia que estava com eles pegou uma arma, irritado por ela estar tão suja. Começou a limpá-la.

Todos desceram. Pegaram dois pães e um jarro de água. Então, pela passagem secreta do forno, vinte deles entraram no bunker da Guarda Jovem.

Era pequeno, inacabado. Insuportavelmente apertado.

Eles trancaram a porta do forno depois de passar. Uma fina corrente de ar entrava por um orifício no fogão. Não havia balde. Chajka ficou indignada com a humilhação. Ser obrigada a urinar no mesmo lugar onde ia dormir parecia pior do que as torturas mais brutais.

O esconderijo ficava localizado sob o cruzamento de duas ruas. Os nazistas entravam no edifício a toda hora, revistando tudo lá em cima. Retiraram o assoalho com picaretas, tentaram abrir o forno. Começaram a rasgar o chão bem acima da cabeça deles. Zvi procurou sua arma e ordenou que a combatente de Varsóvia se preparasse.

— Fujam — disse a todos. — Se conseguirem, ótimo; se não, que seja.

Sem fôlego. A qualquer momento, a existência de cada pessoa poderia ir pelos ares. Uma trilha sonora de tiros incessantes.

Foi assim durante três dias. Dez vezes por dia.

Nem uma palavra do exterior. Nenhuma possibilidade de se comunicarem com os outros esconderijos da ŻOB. Eles temiam ser os últimos judeus. Zvi decidiu ir investigar o kibutz do Liberdade. Chajka e os camaradas ficaram aterrorizados por ele, seu amado e respeitado líder, irmão e pai.

Ele saiu. Mais um dia horrível de marteladas, picaretadas, "respiração suspensa, medo mortal e tensão nervosa". Os nazistas trabalharam perto do bunker por três horas, arrancaram metade do piso, instando-os a sair. Pânico. Chajka usou toda sua força de vontade para acalmar os outros. Um sibilar baixo:

— Para o chão.

Eles obedeceram. "Eu instintivamente assumi o comando", escreveu ela mais tarde. "Estava contando com mais uma coisa: a preguiça deles. E não me desapontei." Os alemães foram embora.

Zvi voltou, um tremendo alívio. Mas não havia suprimentos suficientes. O grupo ficou sem água. Eles abriram a saída. Ouviram tiros. Alguém no corredor. Não podiam se mover. Mas, sem água, morreriam. Levantaram a tampa do forno, fazendo "um barulho infernal". Todos ficaram aterrorizados. Zvi, sempre o primeiro, saiu com outro homem. Eles voltaram com água. Graças a Deus.

Mas e agora?

— Quanto tempo vamos aguentar ficar nesta masmorra?

Estava muito abafado. As pessoas ficavam mais fracas a cada dia. Para qualquer um, disse Chajka, aquela era a própria definição do inferno, "mesmo para quem nunca ouviu falar dele ou o viu em uma pintura".

Eles eram uma massa de figuras sedentas, rostos irreconhecíveis no escuro. "Dava para ver corpos jovens, nus, seminus, estendidos sobre trapos. Muitas pernas, umas ao lado das outras. (...) Braços, muitos braços. (...) Mãos suadas e pegajosas, pressionadas contra você", escreveu Chajka. "É nojento. E as pessoas fazem amor aqui.[4] Esses podem ser seus últimos momentos. Deixemos que ao menos digam um último adeus." Chajka não resistiu a repreender Zvi e a namorada, Dora, pela falta de dedicação, pelo tempo que todos tinham desperdiçado.

No dia seguinte, ficaram mais uma vez sem água. Dessa vez, não havia nada lá em cima. Os nazistas tinham cortado o abastecimento de água. A irmã de Zvi, chamada Pesa, teve uma crise histérica, gritando a plenos pulmões que queria que os nazistas a matassem de uma vez. Todos tentaram acalmá-la. Nada funcionou.

Zvi decidiu que tinham que se mudar para o bunker do kibutz do Liberdade. Dora e uma mulher chamada Kasia foram. Zvi e a irmã, também. Chajka saiu com um camarada, Srulek, rastejando para fora do forno, para o mundo. No início, o caminho estava livre. Então, de repente, foguetes iluminaram a rua inteira. Tiros, luzes ofuscantes, estilhaços e pedras vinham de todas as direções. Eles se atiraram no chão. O coração de Chajka batia em um ritmo alucinado. Por que tinha que morrer daquela maneira, sem ter *feito* nada, sozinha em um campo, fugindo em vez de lutar? A miséria, a solidão, tudo era insuportável. Mas também tivera coisas boas na vida, consolou-se ela, estendida no chão. Tivera companheiros, intimidade profunda, momentos maravilhosos com David. Agora ela também seria morta a tiros, destinada a morrer como ele. "Que azar", disse a si mesma.

Sem saber ao certo como, Chajka conseguiu rastejar até um prédio próximo e entrou em um dos apartamentos. Apalpou o próprio corpo: seria possível que ainda estivesse viva? Ela e Srulek se beijaram para comemorar, beberam água. Conseguiram chegar ao kibutz do Liberdade. Eram três horas. Todos estavam lá. Vinte pessoas, até mais.

A irmã de Zvi foi instalada em um apartamento amplo, acima do chão; esperavam que o espaço aberto a acalmasse, mas ela ainda estava histérica. Um nazista a encontrou.

Zvi atirou nele por trás.

"O primeiro tiro", escreveu Chajka. "Estou tão orgulhosa. Tão feliz."

Seu deleite durou pouco. Um alemão a menos, mas antes que pudesse recuperar o fôlego, Chajka descobriu que muitos de seus camaradas haviam sido mortos. "Nós deveríamos morrer todos juntos, e não assim, como pedaços de carne viva e saudável sendo arrancados pedaço por pedaço. Ora, faríamos alguma coisa, algo grande", escreveu ela mais tarde. "[Isso] me enfurece, grita dentro de mim, me rasga as entranhas."

Aquele novo esconderijo, onde Meir e Nacha tinham se refugiado, era pior do que o anterior. Não havia armas além das duas que tinham levado consigo.[5] Era abafado, suarento. A pele de todos brilhava. Andavam de um lado para o outro seminus, de pijama ou só de camisa. Passavam a maior parte do tempo estendidos no chão, como cadáveres. Chajka mal conseguia respirar, e ficou grata pelo ventilador elétrico, suas pás girando sem parar — *chop-chop-chop* —, um pequeno alívio. Além disso, tinham uma cozinha de verdade, com fogão elétrico. Todos estavam sem energia, mas Chawka Lenczner,[6] a médica do Liberdade, cozinhou sêmola para Aliza Zitenfeld. O grupo, incluindo Sarah, a irmã de Renia, comeu refeições quentes em vez de fatias de pão. Chajka gostava de Chawka,[7] que se dispunha a ficar diante do fogão quente e cuidava dos camaradas, tratando as feridas, distribuindo talco para a pele, ordenando a todos que se lavassem para não ficarem infestados de piolhos. "É tão bom olhar para ela", refletiu Chajka, com ternura, "tão limpa e bondosa." No início, Chajka tinha ficado furiosa com Hershel por mantê-la no bunker quando ela tinha uma aparência ariana tão boa, mas ele dissera que, sem ela, todos estariam acabados.

Chajka olhou em volta: mortos-vivos. Não suportava mais aquilo.

"Eu quero dar o meu último suspiro na superfície, olhar para o céu mais uma vez, me saciar de água e ar", escreveu. O sufocamento, a sede, a escuridão sem fim eram avassaladores. *Não vou entrar viva em um vagão.*

À noite, eles abriram a tampa do esconderijo. Chajka saiu com os rapazes, exultante com a atmosfera, "ar vivo, saudável, fresco". Ela respirou o mais fundo que pôde, desejando absorver o máximo possível, guardando para mais tarde.

De repente, tiros.

Foguetes iluminaram o prédio. Ela recuou. Então, com raiva de si mesma por estar com medo, Chajka se forçou a sair. Viu a luz forte do quartel, o centro de deportação onde os alemães amontoavam os judeus nos trens. Holofotes. Postos de observação. Não havia como escapar. Mais foguetes. Chajka riu alto: aquilo era o *front*. Os nazistas estavam lançando um ataque em grande escala contra judeus sedentos e desarmados, escondidos em bunkers. Uma guerra que, é claro, eles venceriam.

Os rapazes voltaram com água. Tinham arriscado a vida para consegui-la, e Chajka decidiu que, da próxima vez, iria com eles. Retornaram todos para o porão. Chajka tinha pensado que o ar fresco lhe faria bem, mas só piorou tudo, porque agora seus pulmões tinham que se readaptar a quase não respirar. Além disso, havia uma disputa no bunker: algumas mulheres discutiam por causa de trapos, com o esconderijo aberto, ainda por cima. Que ridículo. Chajka ficou tão furiosa que começou a chorar. Por que tinha que estar ali com aquela gente? Onde estavam as pessoas que amava e que lhe eram tão caras? David? As irmãs Pejsachson? Talvez fosse melhor, pensou, que eles não estivessem ali para ver seus sonhos destruídos. Mas então pensou que, com eles, teria sido diferente — é claro que teria —, e seu coração doeu mais do que ela imaginava que fosse possível.

Eles se sentaram no bunker. Qual era o objetivo de estarem ali? Iam sufocar. Lá fora, o gueto com certeza estava *Judenrein* — "livre" de judeus. O abastecimento de água não era confiável, faltava ar. Eles seriam descobertos. Morreriam ali. A cada dia, o grupo tirava a sorte para ver qual dupla tentaria chegar ao lado ariano. Ninguém queria ir; ninguém queria se separar do grupo. Não tinham endereços, nenhum destino seguro. Queixavam-se de que não estavam preparados para fugir rumo ao desconhecido. "Nós achávamos que íamos juntos", diziam todos. A tristeza de Chajka era avassaladora. Assim como sua fúria. Eles eram todos tão covardes. Não faziam nada. Não sabiam de ninguém. Será que haveria mais alguém vivo?

Um camarada saiu em busca de informações. Voltou horas mais tarde, ofegante. Relatou que alguns judeus sobreviveram e estavam trabalhando em um campo de extermínio, criado para limpar o gueto de quaisquer bens dos judeus que ainda pudesse haver lá.

Então, um dia, foi a vez de Chajka. O grupo estava diminuindo. Não havia mais tempo para procrastinação. Ela queria ir embora com Zvi ou Hershel, mas Aliza Zitenfeld continuava adiando a saída. Ela poderia ir com o irmão e a irmã de Zvi. Será que deveria fazer isso? Naquele momento?

Do nada, um grito. Alemães por perto. Eles estavam escavando o carvão. Abrindo a tampa.

Tinham sido descobertos.

*

Um camarada que conseguira escapar havia elaborado um plano com Wolf Bohm, comandante do campo de extermínio. Bohm enviou um judeu para tirá-los do bunker e levá-los até o campo, mas ele estava acompanhado por dois nazistas.

Como não sabia do acordo, Chajka não conseguia entender como eles haviam sido descobertos.[8]

Agitação. Pessoas agarrando malas e trouxas com seus pertences. Eles decidiram: as mulheres e as crianças sairiam primeiro. Chajka colocou um vestido sobre o corpo nu; não tinha sapatos, nada. Meir e Nacha abriram uma segunda saída, e Chajka estava prestes a segui-los quando — *bum!* — eles a fecharam novamente com força. Guardas demais.

Por fim, Chawka saiu. Não demorou a voltar, nervosa, gaguejando. Os nazistas tinham perguntado se Hershel estava lá e lhe disseram que, se todos saíssem ao mesmo tempo, seriam mandados para uma rua perto da fábrica de Rossner. Chajka adivinhou, acertadamente, que Bohm estava por trás daquilo. *Um raio de esperança*, pensou ela. Mas e as armas? Zvi gritou para Meir pegar a arma e sair, mas ele se recusou e se escondeu embaixo de uma das camas. As pessoas saíam, apressadas. Hershel e Zvi estavam confusos. Hershel distribuiu entre todos uma grande quantidade de dinheiro. "Nunca tinha visto tanto dinheiro", escreveu Chajka mais tarde.[9]

Ela saiu. Havia três nazistas parados junto à porta. Eles revistaram os judeus um a um e confiscaram todo o dinheiro. Aliza, muito pálida, perguntou baixinho sobre eles serem levados para a rua perto da fábrica de Rossner. Chajka assistia do depósito de carvão, perguntando-se o que fazer com sua parte do dinheiro, com medo de os alemães confiscarem tudo o que tinham. Onde poderia escondê-lo — na calcinha?

Ao lado dela, Pesa sussurrou:

— O que devo fazer com a minha arma? Eles me deram, achando que os nazistas não revistariam as mulheres.

Chajka gelou de terror. De quem tinha sido aquela ideia estúpida? A arma deveria ter sido usada ou estar muito bem escondida.

Chajka disse a Pesa para colocar a arma no meio do carvão. Pensando nisso, ela perdeu a concentração; no mesmo instante, os nazistas pegaram todo o seu dinheiro.

Em seguida, entraram no depósito, enfiaram a mão no carvão e tiraram de lá um saco coberto de sangue.

A arma.

— Então, vocês tinham algo com que nos atacar! — gritou um dos alemães.

As garotas começaram a chorar, implorando:

— Não é nossa. Alguém a colocou aí.

— Que vergonha — resmungou outro nazista. — Nós íamos ajudá-los e vocês iam nos matar.[10]

Estavam condenadas. Chajka recuou para o bunker. Zvi estava em pânico. Tinha perdido a outra arma. Achava que a havia colocado em uma mala. Começaram todos a procurar, frenéticos.

A combatente de Varsóvia desceu.

— Eles enfileiraram todos na rua e ameaçaram executar um a um, a menos que saiam.

Silêncio.

— Eu serei o sacrifício — disse Zvi. — Eu vou.

Ele saiu do bunker.

Meir e Nacha se recusaram a ceder. Chajka decidiu: *Muito bem, eu vou.*

Havia doze pessoas deitadas no chão, de braços abertos. Chajka juntou-se a elas.

— Tem mais alguém lá dentro?

Mandaram Hershel verificar.

— Não tem mais ninguém.

Não ia entregar Meir e Nacha.

O nazista desceu a escada, pegou uma pasta e vasculhou o interior. A arma. Pegou-a e deu uma gargalhada.

— Não é sua, certo?! — Ele remexeu dentro da pasta e encontrou uma fotografia de Aliza Zitenfeld. — Que idiotice ter deixado uma fotografia! — disseram eles, às gargalhadas.

Aliza começou a implorar.

— Não é minha.

Chajka estava tremendo de raiva: Aliza poderia ao menos tentar ser corajosa.

Então o nazista apontou para Chajka.

— E isso é seu.

O destino proferiu sua sentença, pensou Chajka. Fim da linha.

— O que é meu?

Ele não disse nada, mas deu-lhe dois pontapés e a golpeou com um bastão de madeira. Ela gritou apenas no fim, quando viu quão furioso ele estava ficando.

Do chão, ela olhou para cima, absorveu tudo, convencida de que era a última vez que via o céu.

Os alemães ordenaram que todos se levantassem. Chajka foi proibida de calçar os sapatos ou levar a pasta. Seu vestido estava sujo por ter ficado deitada no chão.

Ordenaram a Chajka que fosse a última da fila, acertando-a nas costas com a coronha do rifle.

— Vou acabar com ela agora — disse um dos nazistas.

— Deixe-a. Não faça nada por iniciativa própria — disse o outro nazista.

Fizeram uma fila. Chegaram a uma praça em frente ao quartel. Soldados, oficiais. Todos apontavam para eles.

Aliza chorava, suplicava.

— *Se acalme*, sua idiota — sibilou Chajka. — Tenha o mínimo de dignidade.

*

O gueto estava deserto. A *Aktion* já durava uma semana. Soldados especialmente treinados para liquidar judeus foram chamados para arrastá-los para fora dos bunkers. Todos foram obrigados a entrar em vagões de gado cobertos, com exceção dos membros do Judenrat, que viajaram em carruagens. Algumas pessoas tentaram fugir. Rossner escondeu quinhentos fugitivos, mas todos foram apanhados. Alguns poucos judeus foram enviados para campos de trabalho; um pequeno número foi mantido em Kamionka para limpar os apartamentos do gueto. Os que seriam deportados estavam em um barracão, onde podiam circular livremente, mas os integrantes da resistência foram forçados a se sentar no chão, do lado de fora, proibidos de se mexer, vigiados por guardas como se estivessem "em um zoológico".

Chajka viu pessoas "correrem para baldes de água como animais selvagens". A sede era insuportável. Fazia semanas que não tinham água corrente, bebendo água da chuva e até urina. Chajka tinha pena dos idosos e das crianças, tão assustados, tão sujos.

Os judeus tentaram subornar os alemães para conseguir trabalho. Mas não tinham mais nada com que suborná-los. O grupo de Chajka se voluntariou — todos foram ignorados. Chajka queria viver, mas como? Não acreditava em milagres.

Ela e Aliza foram chamadas pelos nazistas.

Era o fim. A execução.

— Adeus — disse ela, e avançou sem medo, de cabeça erguida.

Eles as levaram para o prédio da antiga milícia — um edifício fechado, sem testemunhas. Aliza entrou. Chajka recebeu ordens para esperar do lado de fora. Um funcionário do Judenrat passou por ela, com um ar assustado.

— O que você está fazendo aqui?

— Nada de especial — respondeu ela. — Eles querem me executar.

— Como assim? Por quê?

— Encontraram uma coisa no nosso bunker.

O homem estava carregando uma bandeja com maçãs. Chajka estendeu a mão tranquilamente, pegou uma e a mordeu. O homem a olhou como se ela estivesse louca. Será que estava? Enquanto ainda mastigava, ela foi chamada para dentro do prédio. Jogou o miolo da maçã no chão e ensaiou a frase que planejava dizer em seu momento final: "Assassinos, o dia do ajuste de contas vai chegar. Nosso sangue será vingado. Seu fim já está próximo."

Quando entrou no local da execução, Chajka quis gritar — mas o lugar estava deserto, ninguém a ouviria. Ela se controlou, pelo bem dos outros. Embora não tivesse recebido ordens para fazê-lo, permaneceu em silêncio. E manteve a autocrítica.

Aliza estava em um canto da sala. Ensanguentada. Brutalmente espancada. Destroçada.

Então, Chajka compreendeu que seria torturada.

Ordenaram que ela se deitasse no chão. O comando foi dado: espancá-la até a morte. Os golpes começaram. Seu corpo inteiro. Implacável, feroz. Então, começaram a bater em sua cabeça. Ela queria reprimir os gritos e mostrar a eles "do que uma judia desgraçada era capaz". Mas manter-se calada os aliviaria da culpa, e ela tinha que gritar sua inocência.

— Diga de quem é a arma, e nós a deixaremos em paz! — gritaram eles.

— Não sei — respondeu Chajka. — Eu sou inocente. Mamãe! Mamãe!

Por fim, eles pararam e se voltaram para Aliza. "Devo ser um animal vil", escreveu Chajka mais tarde, "porque não reagi." Como podia ter coberto o rosto com as mãos em vez de estapeá-los por baterem em sua amiga? Mas ela estava sentindo muita dor e, ao mesmo tempo, uma alegria perversamente feroz — tinha certeza de que poderia suportar.

Então eles começaram a espancá-la novamente. Um nazista se aproximou. "Um galgo alto e magro", escreveu ela mais tarde. "[Os] olhos familiares de um espião." Chajka lançou-lhe um olhar de desprezo. Teve a impressão de que foi por isso que ele bateu nela.

Cabeça, rosto, olhos. O sangue jorrou. "Mais um centímetro, e eu teria perdido o olho." O homem passou os braços musculosos em torno de seu pescoço magro, estrangulando-a. Ela começou a sufocar. Ele afrouxou a pressão. "Eu estava prestes a descobrir em que ponto uma pessoa pode morrer", refletiu ela. "Sempre tive curiosidade para saber quando o processo de agonia começava." Mas ele parou de estrangulá-la, e as duas foram levadas para fora. Chajka ouviu uma referência a Auschwitz.

Ela mal conseguiu se arrastar de volta para junto do grupo. Quando os camaradas viram as duas, Chajka e Aliza, todos irromperam em lágrimas.

Ofereceram a Chajka toalhas e camisas para que ela se sentasse sobre algum tecido. Seu corpo estava "duro como pedra, duro como borracha. E completamente enegrecido. Não azulado, mas preto", descreveu. "Em vez de sentar, eu me encolhi como um gato, apoiada em Pesa." Sem casaco, sapatos ou meias. Estava frio, escuro. Os soldados quebravam móveis velhos para fazer uma fogueira.

De repente, Zvi ficou de pé de um salto.

Ele correu tão depressa que Chajka não conseguiu nem ao menos acompanhá-lo com os olhos.

Estava fugindo!

Comoção entre os soldados. Tiros, corridas. O comandante ficou furioso.

— Vão atrás dele e tragam-no, vivo ou morto.

Minutos se passaram. O coração de Chajka batia acelerado. Os soldados voltaram. Estava escuro demais para ver os rostos, mas ela ouviu um deles dizer:

— Missão cumprida! Peguei ele!

Chajka disse a si mesma que talvez não fosse verdade, que talvez o soldado estivesse apenas se gabando. No fundo do coração, no entanto, ela sabia: Zvi estava morto. Eles haviam perdido o melhor de todos: um companheiro, um verdadeiro líder. Seu querido, querido amigo.

O irmão e a irmã de Zvi se sentaram ao lado dela.

— O que eles disseram?

— Não sei — mentiu Chajka. E ficou ali sentada, vazia por dentro.

"Se alguém batesse em mim", escreveu ela, "talvez houvesse um eco."

No escuro, os pensamentos de Chajka se voltaram para a vida dos soldados, para uma fuga em potencial, para a curiosidade sobre o que se passava em Auschwitz. Ela prometeu a si mesma que nunca iria para lá, que primeiro correria, pularia, atiraria em si mesma. No banheiro, mais tarde, ela considerou rastejar até a lavanderia e fugir. Mas o guarda estava perto demais. Ela não teve coragem. Pensou em Zvi. No dia seguinte poderia ser tarde demais.

Chegou a manhã, e o tormento recomeçou. Nada de comida. Eles imploraram por água. Os judeus que passavam poderiam ter lhes dado algumas gotas, mas, em vez disso, mantiveram distância e desviaram o olhar. Era aquela a nação pela qual ela queria morrer? Pensando bem, ela entendia. Os nazistas os transformaram naquilo.

Por fim, um guarda alemão teve pena e ordenou que se levantassem. Deu água a eles e um pouco de comida para os órfãos do Atid.

À tarde, os nazistas voltaram. Levaram um grupo de quatro homens. Chajka calculou que iam executá-los, quatro de cada vez.

Mas não. Os homens voltaram carregando alguma coisa.

O corpo de Zvi.

Para mostrar a eles do que eram capazes.

A irmã de Zvi gemia. Chajka queria que ela parasse; que olhasse, orgulhosa, para o rosto deles.

Mas alguma coisa uivava dentro dela. "Toda a pele da minha cabeça ficou dormente (...). Acho que meu cabelo está prestes a ficar grisalho." As pernas dos rapazes que carregavam o corpo pareciam estar prestes a ceder. O rosto de Zvi tinha uma aparência horrível, "o corpo tão mutilado e tão cheio de buracos quanto uma peneira". O amigo adorado e justo de todos eles. Hershel soluçou.

Os rapazes foram obrigados a abrir covas — suas próprias sepulturas, presumiram. Dez vezes por dia, pensavam que os alemães os matariam. "A espera era pior do que a morte", escreveu Chajka. No fim da tarde, chegou uma ordem. Chajka deveria ir para o quartel. Ia se juntar aos outros judeus. E, no dia seguinte, seria transportada para Auschwitz.

Ela foi dominada pelo medo. Voltaria atrás em sua promessa e se deixaria levar para Auschwitz? Por que tinha esperado? Lá fora pelo menos havia uma chance de fuga. Será que conseguiria se misturar à multidão e fugir? Hershel a consolou: o transporte não aconteceria tão depressa.

De manhã, os judeus pegaram as toalhas e lavaram o rosto, como se fosse um dia normal. Chajka estava furiosa. *Pelo amor de Deus, se rebelem! Pulem de uma janela...* Por que todos estavam tão calmos? O boato era de que o trem chegaria às dez.

Ou será que estava apenas criticando a si mesma? *Ela* deveria ter fugido.

Entre os que seriam deportados, Chajka reparou em Berek, um rapaz jovem e habilidoso. Chajka confiava nele — ele tinha olhos honestos. Costumava sair com o grupo de trabalho, e naquele dia não seria diferente. Ele queria ajudar e se ofereceu para dar cobertura para que as moças fossem até a cozinha. O rosto ferido de Chajka a deixara reconhecível demais para que fosse também. Os rapazes saíram para trabalhar, e Chajka empurrou Hershel para ir com eles. Mas ele ficou.

Quase dez horas. Berek estava parado com os cavalos perto do barracão.

Chajka tinha que ir.

Esperar, esperar, esperar pelo momento certo. De repente, um grande grupo de pessoas. Berek piscou para ela.

Fugir.

Ela fez isso; caminhou até ele.

— Vá para o prédio da cozinha — sussurrou Berek.

— Venha comigo.

— Não — insistiu ele. — Vá sozinha.

Chajka foi.

Havia um soldado diante da porta.

Ele deixou que ela entrasse.

*

Aliza, Pesa, Chawka, a combatente de Varsóvia e Sarah — irmã de Renia — juntaram-se a Chajka na cozinha. Disseram ao membro da milícia para ir buscar Hershel. Então, o comandante apareceu. Chajka sabia que seria mandada de volta por causa de seu rosto. Aliza se escondeu. Mas ela não. Não aguentava mais.

O comandante olhou para Chajka por um longo momento, depois balançou a cabeça.

— Novos rostos — disse ele. — Mas [tudo bem], podem ficar.

Às dez horas, o transporte partiu para Auschwitz. Hershel foi junto. "Que estranho", refletiu Chajka mais tarde. "Uma caminhada de dois minutos do barracão até a cozinha me salvou, por enquanto, de Auschwitz, da morte. Como é estranha toda esta nossa vida!"

*

Meir contou a Renia que, depois que os outros foram levados para fora do bunker, ele e Nacha passaram vários dias escondidos sob camas portáteis antes de fugirem para a casa de um mecânico polonês.

— Temos um pouco de dinheiro — disse. — Mas o que vai acontecer quando acabar?[11]

Eles sabiam que algumas garotas da Guarda Jovem ainda estavam em Będzin, disfarçadas de gentias. Mas os Schulman não sabiam de mais nada, e não sabiam o que tinha acontecido com aqueles que foram para a cozinha.

Os relatos escritos por Renia nos anos 1940 não mencionam sua irmã Sarah — talvez por questões de segurança, talvez porque Renia estivesse tão perturbada que era difícil escrever sobre a irmã, talvez por respeito ao movimento, onde não se deveria favorecer irmãos de sangue em detrimento de camaradas. Mas o que teria acontecido com Sarah? Estaria morta? Haveria mais algum Kukiełka vivo? Ou Renia estaria completamente sozinha?

Ela ia enlouquecer.

Felizmente, Ilza chegou ao apartamento do mecânico naquele exato momento. Chorando, agarrou-se a Renia, abraçou-a, as palavras se atropelando, palavras demais para serem contidas.

— Frumka morreu, nossos camaradas morreram.

Ilza se sentou com Renia e contou a história de outro bunker,[12] "o bunker dos combatentes", sob um pequeno prédio em uma encosta, um edifício feio e modesto em uma área gramada. Frumka e seis outros camaradas do Liberdade estavam em um porão bem camuflado debaixo desse edifício. Era a melhor construção da equipe, com uma entrada habilmente escondida na parede, bem como eletricidade, água e um aquecedor.

Durante todo o tempo, aqueles sete ouviram todos os barulhos do lado de fora. O líder do Liberdade Baruch Gaftek ficava junto de uma pequena fresta e guardava o bunker. De repente, vozes alemãs — estavam bem acima deles, gritando. Será que teriam visto a luz se infiltrando pela fresta? Sem pensar, cheio de raiva, Baruch gritou:

— Vamos retaliar antes de morrer!

Então, engatilhou a arma e disparou pela abertura. Dois alemães tombaram, os corpos pesados fazendo tremer a terra.

A namorada o abraçou por trás com tanta força que os outros ouviram seus ossos estalarem.

O eco dos tiros chamou atenção. Uma horda de alemães ofegantes cercou a casa, mas sem se aproximar muito. Soldados carregaram os corpos dos dois nazistas, loucos de raiva, espantados por ainda haver judeus dispostos a lutar.

Frumka, que fumava um cigarro atrás do outro apesar de ser proibido fumar no bunker, era a que tinha a cabeça mais erguida. Empunhava a arma, dura e fria, um brilho incomum cintilando em seus olhos havia muito deprimidos.

— Tenham cuidado — gritou —, mas matem alguns deles e morram uma morte honrosa![13]

Os camaradas engatilharam as armas e atiraram.

Os nazistas, dezenas deles, atacaram a casa com granadas e bombas de fumaça. A escuridão tomou conta do bunker. A fumaça das bombas e da casa em chamas acima deles fazia os olhos dos combatentes arderem. Eles começaram a sufocar. Levaram as mãos ao pescoço, gritaram que não conseguiriam usar as armas.

— Bárbaros! — esbravejaram enquanto habilmente lançavam uma granada, mas os nazistas se afastaram. Os alemães usaram uma bomba de água especial trazida de Auschwitz para inundar o bunker e afogar todos eles.

"A casa estava pegando fogo", descreveu Ilza. "A fumaça escura subia para os céus, levando com ela o fedor de corpos e cabelos queimados. Ouvíamos tiros, suspiros, gritos, gemidos, xingamentos, vozes alemãs — era ensurdecedor. As penas das almofadas flutuavam no ar. Um mar de chamas."[14]

A Gestapo ordenou que a milícia apagasse o incêndio; um alemão apontou o cano do revólver para a cabeça do miliciano Abram Potasz, um membro da unidade dos cadáveres, e ordenou-lhe que levasse os corpos para fora. Abram entrou no bunker pelo buraco feito por uma saraivada de balas de metralhadora que durou trinta minutos. No chão, corpos negros, carbonizados, alguns ainda meio vivos, se retorcendo e se contraindo, praticamente irreconhecíveis como seres humanos. Abram viu crânios esmagados de onde saíam os miolos. "Um gemido desumano, parecido com o zumbido de uma esquadra inteira de aviões saía da garganta dos *chalutzim* [pioneiros] caídos",[15] descreveu ele mais tarde. A fuzilaria havia incendiado travesseiros e edredons, dos quais se desprendia uma coluna de fumaça densa. Com os dentes cerrados, Abram arrastou para fora os corpos deformados, um após o outro, posicionando-os no jardim. Frumka, meio queimada, ainda segurava um revólver de seis balas.

Sete esqueletos chamuscados, com a cabeça rachada, crânios expostos, olhos imóveis. Abram recebeu ordens para virar os corpos de barriga para cima e despir as mulheres.

Frumka ergueu a parte superior do corpo — a parte inferior estava completamente queimada. Orgulhosa, quis falar, mas sua expressão era horrível, ela parecia cega. Murmurou algo, olhou em volta e então deixou pender a cabeça. Um dos homens da Gestapo se inclinou para ouvi-la, caso estivesse oferecendo alguma informação útil. Mas um segundo soldado se aproximou, rindo, e desferiu-lhe um chute no rosto com sua bota pesada. Pisoteou o corpo "com uma calma perfeita, sádica e estoica".[16] Eles atiraram na cabeça e no peito dela, atacando seu cadáver com uma sanha maníaca.

A Gestapo disparou contra os sete cadáveres com sete metralhadoras. Mas cadáveres tão "cheios de buracos quanto peneiras" não eram o suficiente. Chajka descreveu como eles pisotearam os corpos meio mortos. Chutando, atirando contra eles, "lançando-se sobre eles como hienas sobre a carniça", até os rostos se transformarem em uma "polpa pegajosa e vermelha de sangue e carne", e os corpos, "pedaços humanos azuis, ensanguentados e dilacerados".[17]

No dia seguinte, o que restava do corpo de Frumka foi enviado para Auschwitz para ser queimado.

*

Mais ou menos na época em que Renia retornara a Będzin, e enquanto ela se abrigava no apartamento do mecânico, Chajka estava viva e trabalhando na cozinha do campo de extermínio,[18] preparando alimentos para as pessoas que retiravam objetos deixados nos apartamentos agora vagos dos judeus. Ela era a última líder da Guarda Jovem, da resistência de Będzin. Os outros judeus se apiedaram dos ferimentos dela, mas ainda assim a ostracizavam e queriam que fosse embora — eles temiam que, se a Gestapo se lembrasse de quem ela era, todos fossem mortos. Sempre que o homem que a havia espancado entrava nas instalações, Chajka se escondia embaixo da banheira.

Ela viu os barracões onde eram guardados os bens dos judeus assassinados. "O ritmo e a organização dos alemães" a deixavam "sem palavras". Chajka viu uma série de barracas, cada uma dedicada a um tipo específico de objeto, expostos como em uma galeria. Mais tarde, ela descreveu essa meticulosidade: "Um barracão contém utensílios de cozinha azuis, cuidadosamente dispostos, classificados de acordo com a qualidade." Havia barracas para panelas, copos, seda, talheres, tudo. Quando recebeu ordens para se encarregar também do trabalho de organização, sua vontade foi partir os aparelhos de jantar de porcelana em um milhão de pedaços. Alemãs vestindo terninhos e peles de raposa roubadas de judias entravam no campo para selecionar objetos para sua família, exibindo-se umas diante das outras, tentando provar a superioridade de seu gosto.

Chajka não tinha uma simpatia maior pelas garotas judias "escolhidas": as que eram bonitas, que trabalhavam nas cozinhas e comiam ganso e bolo recheado, ganhavam vestidos, tinham o próprio quarto e três travesseiros. Elas não compartilhavam nada com ninguém. "Ah, meretrizes judias!", escreveu ela mais tarde. "Como eu gostaria de estrangulá-las."

Em um ambiente de constantes seleções, cada judeu se equilibrava no limite mais tênue da existência, a um triz da morte. A vida no campo era particularmente violenta e moralmente corrupta: espancamentos, roubos, saques em casas de judeus, vendas no mercado clandestino. Sem mencionar os judeus que se fartavam de comida e sexo, hedonistas condenados à morte aproveitando o dia. Vodca, vinho. Os homens assediavam Chajka constantemente. "Não, não quero ficar com você!", ela queria gritar para todos eles. "Não quero satisfazer todos os meus apetites antes de morrer. Isso me faz querer vomitar."

Os soldados que estavam estacionados em Będzin receberam ordens de ir para o *front*, provavelmente para tentar conter o avanço dos soviéticos. Novos alemães chegaram, soldados mais velhos. Chajka fez amizade com alguns. Eles também sofriam. Não acreditavam nas histórias de assassinato em massa e, tal como o movimento havia pedido, ela assumiu a responsabilidade de divulgar a verdade, de esclarecer os alemães, de dizer a eles exatamente o que estavam fazendo.

24. A REDE DA GESTAPO

RENIA

AGOSTO DE 1943

Mas como tirá-los de lá?

Desesperada, Renia[1] era uma pilha de nervos e não conseguia pensar em nada além de como ajudar seus camaradas no campo de extermínio. Ouvira dizer que, além de Chajka, Aliza também estava lá, assim como Chawka Lenczner, as crianças do Atid e até mesmo sua irmã, Sarah. A cada dia, mais judeus eram deportados para a morte. Renia não conhecia os guardas nem tinha acesso à planta das instalações; não conseguiria entrar lá sozinha.

Procurou freneticamente e descobriu informações sobre Bolk Kojak, um membro da Juventude Sionista (Hanoar Hatzioni),[2] um grupo jovem sionista menos político, que se concentrava no pluralismo judaico e no resgate. Bolk conhecia vários guardas e entrava e saía do campo todos os dias. Ele morava na parte ariana de Będzin, disfarçado de católico. Era amigo de vários integrantes do Liberdade, e Renia rezou para que ele a ajudasse — mesmo que fosse lhe dando conselhos. Acompanhada de Ilza, Renia "ficou parada na rua como um cachorro", e esperou dois dias até encontrá-lo. De repente, Kojak surgiu à distância, e Renia correu até ele, cheia de esperança.

Caminharam juntos, como se estivessem passeando, depois se sentaram em um banco do mercado. Agiam com naturalidade, mas sussurravam, por causa de duas mulheres polonesas mais velhas que estavam sentadas perto deles. Renia implorou.

— Por favor, me ajude.

— Minha prioridade é resgatar integrantes da Juventude Sionista — disse ele, partindo o coração de Renia. Ela estava muito perto, perto demais.

E não desistiu. Como sempre, fez tudo que estava a seu alcance para conseguir o que queria.[3] Em voz muito baixa, suplicou, negociou. Por fim, ofereceu a ele vários milhares de marcos se ele salvasse pelo menos uma pessoa entre os *kibutznik* do Liberdade.

— Encontre-me novamente depois de amanhã — disse ele. — Às seis da manhã.

Eles se separaram, Bolk indo para um lado, e Renia e Ilza, para o outro. Elas correram para pegar o bonde até a cidade vizinha de Katowice, onde passariam a noite. De repente, as duas mulheres que estavam sentadas no banco perto delas apareceram.

— Vocês são judias, não são?

E começaram a perseguir as moças, seguidas por um grupo de crianças que gritavam "Judias! Judias!".

— Vamos correr — sussurrou Ilza.

— Não.

Renia não queria levantar suspeitas. Junto à amiga, apressou o passo na direção de um prédio vazio que anteriormente havia sido ocupado por judeus. Àquela altura, no entanto, já havia uma pequena turba atrás delas, liderada pelas duas mulheres mais velhas, que gritavam:

— Vocês estão disfarçadas de polonesas. Vocês se encontraram com um judeu!

Uma multidão se reuniu em volta delas.

— Devíamos matar vocês, hebreus, todos vocês!

— Se Hitler não fizer o trabalho, nós faremos — gritou uma mulher.

Sem pensar, sem um momento de hesitação, Renia deu-lhe uma bofetada. Em seguida, estapeou-a novamente. E mais uma vez.

— Se eu for realmente judia — disse Renia entre as bofetadas —, você deve saber do que um judeu é capaz. — Me chame de judia de novo — ameaçou — e vai apanhar mais.

Dois agentes da Gestapo à paisana chegaram ao local da cena, o que na verdade foi um alívio.

— O que está acontecendo? — perguntaram eles.

Renia contou-lhes a história em polonês; um menino da rua traduziu.

— Essa mulher não deve estar no seu juízo perfeito para achar que sou judia — disse Renia, muito calma, em seguida sacou os documentos das duas, com impressões digitais. — Verifiquem nossos documentos.

O agente da Gestapo perguntou a ela seu nome completo, sua idade, seu local de nascimento. Ela havia memorizado tudo, claro, assim como Ilza. Como todos os judeus que viviam disfarçados, elas haviam passado horas ensaiando cada detalhe de suas vidas inventadas; poderiam ser acordadas no meio da noite e recitar linhagens fictícias inteiras.[4] Outro gendarme se aproximou.

— Se não falam alemão — disse ele —, então devem ser polonesas. Todos os judeus falam alemão.

A multidão concordou, dizendo que, na verdade, as moças não pareciam judias.

A senhora que havia iniciado a perseguição parecia envergonhada. Renia deu mais uma bofetada nela, dessa vez na frente dos gendarmes e dos homens da Gestapo.

— Descubram o nome e o endereço dela — disse Renia aos homens da Gestapo. — Talvez um dia eu possa querer me vingar.

Os homens riram.

— Vocês não passam de duas porcas polonesas — disse um deles. — O que diabos poderiam fazer com ela?

As duas mulheres se afastaram. Atrás delas, as crianças instigavam:

— Você deveria ter quebrado os dentes dela por ter suspeitado que era judia!

— Ela tem cabelos grisalhos, é idosa — respondeu Renia. — Não quero desrespeitá-la.

*

Naquela noite, as garotas ficaram na casa de uma alemã, uma simpática conhecida de Sarah. Se pudesse, disse-lhes a alemã, ajudaria a salvar os camaradas. Ela tentou acalmar Renia, consolando-a depois do drama daquele dia. Renia estava ansiosa para se encontrar com Bolk no dia seguinte e contar a ele sobre os problemas que havia lhes causado.

Às cinco da manhã, enquanto a cidadezinha ainda dormia, Renia tomou o bonde e se dirigiu ao ponto de encontro com o dinheiro que havia sido enviado de Varsóvia. Esperou por uma hora. Nada de Bolk.

No início, Renia ficou surpresa. Em seguida sentiu raiva, muita raiva.[5] Ele deveria saber como a colocava em risco ao fazê-la esperar, deixando-a parada por muito tempo em um mesmo lugar. Depois de duas horas, Renia decidiu que estava se arriscando demais. E se afastou. Mas e agora? Precisava encontrar outra pessoa que pudesse entrar no campo, que o conhecesse por dentro.

Vários dias se passaram, e o problema não saía da cabeça de Renia; ela sabia muito bem, por sua trágica experiência, que, naquele mundo doentio onde viviam, cada minuto contava.

E então, de repente, na casa da mulher alemã, uma aparição que parecia ter saído de um sonho.

Sarah.

A alegria de Renia foi enorme, estonteante.

A irmã contou de imediato a história de sua fuga: tinha se vestido como gentia, um membro da milícia subornara os guardas, e ela fugira para a zona ariana. Agora que tinha um sistema para escapar, precisava encontrar um lugar onde pudesse esconder algumas pessoas. Sarah havia prometido que faria tudo que estivesse a seu alcance para ajudar seus camaradas a sair.[6]

Ela voltou para o campo naquele mesmo dia. Nunca havia um segundo a perder.

Enquanto isso, Renia precisava levar Ilza para Varsóvia e instalá-la no lado ariano. Depois disso, arranjaria um lugar para ficar.

*

De Katowice para Varsóvia. Os bilhetes de trem foram comprados. Ilza e Renia tinham passaportes e documentos de viagem para cruzar a fronteira, a duas horas de distância. Como tinham documentos falsos fornecidos pelo mesmo traficante de Varsóvia, elas se sentaram em vagões diferentes. Renia não parava de lembrar a si mesma do êxito que teve em atravessar a fronteira quando acompanhara Rivka Moscovitch, e rezava para que aquela vez fosse igualmente fácil.

À meia-noite e quinze chegaram à passagem da fronteira. Renia via os guardas caminhando do lado de fora, preparando-se para entrar nos vagões. Ilza estava na frente do trem — verificariam os documentos dela primeiro. Renia esperou, cautelosamente otimista. Já havia funcionado tantas vezes, disse a si mesma.

Mas então continuou à espera. Por que estava demorando tanto? Aquilo que ouvia eram passos pesados? A verificação de passagens e documentos costumava demorar menos. Ou seria só sua imaginação? Por fim, a porta do vagão se abriu. Renia entregou o passaporte e os documentos, como já havia feito inúmeras vezes.

Eles examinaram os documentos.

— Este é o mesmo do outro vagão — disse um deles.

O coração de Renia parou, em seguida começou a bater acelerado. Ela não disse nada, fingindo, como sempre, que não falava alemão.

Eles não lhe devolveram os documentos.

Com firmeza, em alemão, disseram a Renia que pegasse todos os seus pertences e os acompanhasse.

Ela fingiu não entender.

Cordialmente, um homem se prontificou a traduzir.

Renia olhou os guardas nos olhos, desafiadora. Mas, naquele momento, outro pensamento lhe passou pela cabeça: é o fim.

Ela manteve o foco. Era noite. Havia policiais alemães por toda parte. O mais discretamente possível, abriu a bolsa, tirou lá de dentro o papel com o endereço, enfiou-o na boca e o engoliu inteiro. Descartou o dinheiro que levava. Tinha documentos do Reich e mais alguns endereços em Varsóvia costurados à cinta-liga, mas não havia como pegá-los em público.

Eles a levaram para o edifício da alfândega. Ela viu Ilza, cercada por gendarmes. Os policiais perguntaram se ela conhecia aquela mulher.

— Não.

O rosto de Ilza corou. Renia compreendeu o que seus olhos diziam: "Caímos nas mãos de nossos carrascos."

Eles levaram Renia para uma pequena sala, onde "uma policial alemã gorda que resfolegava como uma bruxa" esperava para fazer a inspeção. Ela revistou as roupas de Renia — casaco, blusa, saia — usando uma faca para abrir as costuras. Renia se esforçou para permanecer imóvel enquanto a lâmina se movia bem perto de sua pele. Perto demais.

E então ela os encontrou, na cinta-liga de Renia: o documento com as impressões digitais e os endereços.

Renia tentou imediatamente apelar para a consciência da mulher.

— Por favor.

Nada.

Renia tirou o relógio do pulso e o ofereceu a ela, com a condição de que destruísse os papéis.

— Não.

A guarda acompanhou Renia até um grande salão. E não apenas apresentou os documentos e os endereços, como relatou as tentativas de suborno.

Os policiais se juntaram em torno dela. Começaram a rir. Quem seriam aquelas garotas? O que deviam fazer com elas?

Renia estava descalça. Seus sapatos foram cortados, sua jaqueta, desfeita, e a bolsa tinha sido reduzida a pedaços. Viu que até o tubo de pasta de dente havia sido furado em busca de materiais escondidos. Estilhaçaram seu pequeno espelho de mão, desmontaram o relógio. Examinaram tudo.

Primeiro, interrogaram Ilza, depois se voltaram para Renia. Onde tinha conseguido os documentos? Quanto pagara por eles? Como havia colocado a foto no passaporte? De qual gueto havia escapado? Era judia? Para onde estava indo? Por quê?

— Eu sou católica. Os documentos são autênticos. Eu os consegui na empresa onde trabalho como escriturária. — Renia manteve sua história. — Pretendia visitar um parente meu que trabalha na Alemanha, mas encontrei uma mulher que me disse que meu parente havia se mudado, então estou voltando para Varsóvia. Fiquei no país com pessoas que não conhecia. Paguei pela minha estada.

— Então, vamos voltar — disse um oficial. — Mostre-nos onde você ficou.

Renia não titubeou.

— Foi a primeira vez que estive na região. Não conheço as pessoas. Minha memória não é boa o suficiente para lembrar o nome da cidade e a casa exata. Se soubesse, escreveria o endereço para vocês agora.[7]

As respostas de Renia irritaram os policiais. Um deles deu-lhe um tapa e um pontapé. Agarrou-a pelos cabelos e a arrastou pelo chão. Ordenou que ela parasse de mentir e contasse a verdade. Mas quanto mais eles gritavam e batiam, mais Renia endurecia.

— Mais de dez judeus com esses mesmos documentos foram fuzilados como cães esta semana — disse um policial.

Renia deu uma risadinha.

— Bem, isso provaria que todos os passaportes emitidos em Varsóvia são falsos e que todos os seus titulares são judeus. Mas obviamente isso não é verdade, já que sou católica e meus documentos são legítimos.

Disseram que seria melhor se ela fosse sincera, e ameaçaram:

— Nunca deixamos de descobrir a verdade quando a buscamos.

Renia se manteve firme.

Então, eles seguiram o protocolo. Compararam o rosto dela com a fotografia. Fizeram com que assinasse seu nome diversas vezes, comparando a assinatura com a do passaporte. Todos os documentos estavam em ordem, exceto pelo carimbo, que era ligeiramente diferente do verdadeiro.

A cabeça de Renia latejava. No chão, um chumaço de cabelos que haviam sido arrancados de seu couro cabeludo. O interrogatório já durava três horas. Eram quatro da manhã.

Eles ordenaram que ela limpasse o chão.

Renia olhou em volta, procurando uma maneira de escapar, qualquer abertura. Mas as portas e janelas eram cobertas por grades de metal. Um gendarme armado a vigiava.

Às sete, os gendarmes começaram um dia normal de trabalho. Renia foi jogada em uma cela estreita. Nunca tinha sido presa. Seria fuzilada? Que tortura desumana a aguardava? Sua cabeça girava, os pensamentos começaram a sair do controle. Invejava aqueles que haviam sido mortos, desejando que alguém simplesmente atirasse nela, acabando com seu sofrimento.

Exausta, Renia cochilou por um segundo enquanto estava sentada no chão. Foi acordada pelo girar de uma chave. Dois policiais alemães, um velho e outro jovem, entraram na cela e a levaram para o salão principal para que continuasse a ser interrogada. O mais jovem sorriu para ela. Espere um minuto: ela o conhecia! Ele costumava verificar o passaporte dela na fronteira. Sempre que transportava itens contrabandeados de Varsóvia para Będzin, ela pedia que ele segurasse sua bolsa durante a inspeção, explicando que continha comida e não queria que a patrulha da fronteira a confiscasse.

Agora era seu turno na prisão. Que sorte maravilhosa! Ele afagou sua cabeça e disse a ela para não se preocupar.

— Ninguém vai lhe fazer mal. Erga a cabeça, logo vai ser liberada.

Ele levou Renia de volta para sua cela e trancou a porta.

Se soubesse que sou judia, pensou Renia, *ele não seria tão gentil.*

Ela ouviu os guardas discutindo no corredor principal. O jovem gendarme manteve sua palavra.

— Não, não podemos presumir que ela seja judia — disse ele. — Ela cruzou a fronteira muitas vezes enquanto eu estava de serviço. Semana passada, examinei seus documentos no caminho de Varsóvia para Będzin. Devemos soltá-la imediatamente.

Mas o oficial mais velho e mais rígido, aquele que a espancara na noite anterior, não concordou.

— Você não sabia que os documentos dela são falsos — disse ele. — Agora sabemos que os documentos de Varsóvia com esse carimbo são falsificados. — Seu riso selvagem se amplificou. — Essa foi a última viagem que ela fez. Em algumas horas, vai cantar como um canário e nos contar tudo. Já tivemos muitas aves canoras como ela.

De poucos em poucos minutos, os policiais abriam a porta da cela para ver o que ela estava fazendo. Eles riam, cheios de escárnio. Renia queria tanto responder, insultá-los por sua presunção. Não ficou calada.

— Isso os deixa felizes? — provocou. — Machucar uma mulher inocente?

Em silêncio, eles fechavam a porta.

Às dez horas, a porta se abriu mais uma vez. Ilza estava lá. Os gendarmes conduziram as duas para o salão principal, algemaram-nas e ordenaram que se desfizessem de todos os seus pertences. O relógio, as joias e outros objetos de valor de Renia foram colocados na bolsa de um agente da Gestapo, que as acompanhou de volta à estação de trem.

Quando elas saíram, o jovem policial olhou para Renia com simpatia, como se quisesse dizer a ela que tinha tentado ajudar, mas não fora possível porque o crime dela era muito grave.

O trem chegou. Os outros passageiros observaram, curiosos, enquanto o homem da Gestapo as empurrava para um vagão especial e trancava a porta. Um vagão de prisioneiros. Através da pequena janela, um raio de luz tentava confortá-las, dando-lhes um alívio momentâneo dos pensamentos sombrios sobre as horas que estavam por vir.

O homem da Gestapo alertou-as sobre as coisas horríveis que as aguardavam.

— Vamos descobrir tudo no escritório da Gestapo em Katowice — disse ele. Esbofeteou-as e não permitiu que se sentassem durante todo o trajeto.

Quando desembarcaram, uma multidão de passageiros as seguiu, perguntando-se por que aquelas duas jovens teriam sido presas.

As meninas estavam algemadas uma à outra. As algemas estavam apertadas, cortando a pele de Renia. Ilza estava pálida, tremendo. Renia teve pena dela. Era tão jovem, tinha apenas 17 anos.

— Não confesse que você é judia, nunca. E não diga uma palavra a meu respeito — sussurrou Renia para ela.[8]

O homem da Gestapo a chutou.

— Mais rápido.

Depois de meia hora de caminhada, algemadas, eles chegaram a uma rua estreita e a um grande edifício de quatro andares decorado com bandeiras alemãs e suásticas. Os escritórios da Gestapo ocupavam todo o prédio.

Renia e Ilza subiram as escadas revestidas com carpete verde, empurradas pelo homem da Gestapo, que acompanhava seus passos. Ouviram lamentos e gemidos vindos de uma fileira de salas. Alguém estava sendo torturado.

O agente da Gestapo abriu a porta de uma das salas. Renia viu um homem de cerca de 35 anos, alto e forte. Tinha os óculos empoleirados no nariz aquilino, de narinas largas. Seus olhos esbugalhados eram cruéis.

O homem que as conduzia ordenou que ficassem de pé, de frente para a parede. Contou a história ao chefe. A cada poucas palavras, batia em Renia com tanta violência que ela não via nada além de clarões de luz branca. Então, ele pegou os documentos falsos. Um homem mais jovem entrou e retirou-lhes as algemas. Mais alguns golpes.

— Esta é a prisão de Katowice! — gritou o homem que as acompanhara até lá. Katowice era uma prisão e centro de detenção nazista para presos políticos, conhecida por ser uma das mais brutais.[9] — Aqui, vão fazer picadinho de vocês se não contarem a verdade.

Os pertences das duas ficaram na sala do andar de cima. As garotas foram levadas para um subsolo úmido e trancadas em celas separadas.

Era um dia quente de verão, mas Renia tremia. Seus olhos se adaptaram lentamente à escuridão. Ela viu duas camas portáteis e sentou-se em uma delas, apenas para descobrir que a superfície estava coberta de sangue coagulado. Enojada, levantou-se de um salto. A janela era reforçada por duas barras metálicas. Ela conseguiu retirar a primeira, mas a janela era muito estreita até mesmo para sua cabeça. Recolocou a barra no lugar, para que ninguém percebesse.

Como podia se sentir saudável e forte, e ao mesmo tempo tão impotente, à espera da tortura? O frio aumentava a cada instante. "A água pingava", escreveu ela mais tarde, "como se a parede estivesse chorando." Ela se sentou na beirada da cama e se curvou, seu corpo enrolado como uma bola, tentando se aquecer. *O que tiver que ser será*, repetia ela, tentando se acalmar.

Música da igreja entrava pela pequena janela. Era domingo: para os poloneses, o dia do Senhor.

A mente de Renia zumbia enquanto ela repassava os acontecimentos dos últimos dias. Valeria a pena viver aquela vida de sofrimento? Ela se sentia culpada por haver pessoas esperando por sua ajuda, esperando que ela voltasse de Varsóvia com mais dinheiro. Pelo menos tinha entregado a Meir e Sarah o endereço de sua amiga Irena Abramowicz; eles a procurariam se fosse preciso. Então Renia se obrigou a parar de pensar, sobretudo em seus camaradas. Como saber se alguém não estaria lendo sua mente por um buraco na parede? Tudo era possível.

*

Fim de tarde. As garotas foram retiradas da masmorra. Ordenaram-lhes que recolhessem seus pertences — um sinal de que ainda não seriam fuziladas. O homem da Gestapo as fez caminhar pela rua, "como cães na coleira", segurando a ponta de uma corrente presa às algemas. Renia se lembrou de uma vez ter visto um jovem, que assassinara uma família inteira, sendo levado daquela maneira. As pessoas na rua olhavam. Crianças alemãs atiravam pedras. O homem da Gestapo sorria.

Chegaram a um edifício alto. A prisão principal. Nas pequenas janelas havia grossas barras de ferro. O portão metálico se abriu com um guincho agudo. Os guardas prestaram continência para o oficial da Gestapo. O portão voltou a se fechar depois que elas entraram. O homem da Gestapo removeu as algemas e as entregou ao supervisor. Sussurrou algumas palavras em seu ouvido e saiu. Renia se sentiu melhor. Enquanto ele estava por perto, seu medo era avassalador.

Um escrivão anotou os dados formais: aparência, idade, local de nascimento, local de prisão. Elas foram trancadas juntas em outra cela.

Às oito horas, o supervisor abriu a porta. Duas garotas jovens e muito magras entregaram-lhes pequenas fatias de pão preto e café servido em canecas militares. Renia e Ilza pegaram a comida; a porta voltou a se fechar. Não tinham comido nada durante todo o dia, mas não conseguiram tocar na refeição. As canecas estavam imundas, o pão, intragável.

A fuga era impossível. As garotas se sentaram lado a lado e discutiram opções de suicídio. Ilza tinha certeza de que acabaria cedendo se a torturassem; que ao ser espancada contaria tudo a eles: quem ela era, com quem tinha estado.

— Eles vão me dar um tiro, e vai ser o fim de tudo.

Renia não ficou surpresa; Ilza era jovem, inexperiente. Teria força suficiente para se manter calada? Ela explicou a Ilza que, se ela falasse, isso resultaria em muito mais mortes.

— Sim, falhamos — disse ela com firmeza. — Mas não faz sentido causar sofrimento aos outros.

Exaustas, deitaram-se nos colchões de palha sujos. Mas não conseguiram ficar deitadas por muito tempo: as pulgas começaram a picá-las, dolorosamente. A coceira era incontrolável. No escuro, catavam os insetos, esmagando-os na pele. O fedor era sufocante. Por fim, acabaram se deitando no chão nu.

À meia-noite, uma dúzia de mulheres foi empurrada para dentro da cela. Eram prisioneiras "definitivas", a caminho da Alemanha, e apenas passariam a noite ali. Jovens e velhas, cada uma tinha a própria história para contar. Uma mulher alemã fora condenada a cinco anos de prisão por ter um noivo francês; três anos depois, estava sendo transferida para um campo de trabalhos forçados. Duas garotas choravam sem parar. Tinham estado na Alemanha, trabalhando para camponeses que as sobrecarregavam com tarefas pesadas e as deixavam famintas, então fugiram. Passaram nove meses em Varsóvia até que uma vizinha as denunciou; elas também estavam indo para campos de trabalhos forçados. Duas mulheres de mais idade tinham sido pegas em um trem transportando bebida alcoólica e banha de porco. Não sabiam nem ao menos qual tinha sido sua sentença; estavam detidas havia um ano e meio, e aquela era a sexta prisão pela qual passavam. Outra mulher, frágil e mais velha, estava presa havia meses porque o filho fugira do recrutamento para o exército alemão. Seus gestos gentis e doloridos comoveram o coração de Renia.

Apesar de tudo, Renia invejava aquelas mulheres. Ir para um campo de trabalhos forçados era um sonho em comparação com a tortura que ela estava prestes a enfrentar.

— Por que estão presas? — perguntaram as mulheres a Renia e Ilza. — São tão jovens.

— Tentamos atravessar a fronteira e fomos pegas.

— Ah, por isso, vão ficar presas apenas seis meses — as mulheres as consolaram. — Vão levá-las para trabalhar na Alemanha.

Deitaram-se todas no chão como sardinhas, debaixo de cobertores úmidos devido ao suor de estranhos. Algumas das mulheres estavam imundas ao fim de semanas de transferência de prisão em prisão. Renia se coçou — ela já havia pegado piolho. As mulheres mantiveram a luz acesa para se proteger das pulgas, que se sentiam mais à vontade no escuro. Ainda assim, as picadas não cessaram. Renia não conseguiu dormir.

Ao amanhecer, as mulheres foram embora. Renia e Ilza estavam cobertas de manchas vermelhas deixadas pelos insetos que agora passeavam por suas roupas. "Pelo menos temos algo com que nos ocupar", escreveu Renia mais tarde, com um tom ácido. "Caçar pulgas."

Oito horas. Pão, café, banheiro. Renia conheceu a jovem esposa de um oficial polonês suspeito de atividades antigermânicas. Ela parecia um esqueleto, mal conseguia arrastar os pés. Seria enforcada em algumas semanas. Sua única esperança: que a guerra acabasse antes. O marido estava morto. O que seria de seus três filhos pequenos?

Outra polonesa no banheiro disse a Renia que sua irmã havia sido decapitada dias antes, naquela mesma prisão, por ter abatido ilegalmente um porco. Havia deixado sete filhos. Estava grávida do oitavo.

Enquanto conversavam, a diabólica carcereira se aproximou, como o anjo da morte. Ela era conhecida por bater na cabeça das prisioneiras com o grande molho de chaves. Elas ficaram quietas.

Através das janelas gradeadas, as mulheres conseguiam ver a prisão dos homens ali perto, os rostos masculinos emaciados. Elas se curvavam quando os supervisores passavam, para que não percebessem que estavam olhando, curiosas, desesperadas. Ao lado da prisão, elas sabiam, ficava a área onde os carrascos executavam as sentenças de morte — geralmente por decapitação. Não se passava um dia sem que houvesse várias execuções. Despedidas de familiares e amigos não eram permitidas; nem a confissão. A prisão se orgulhava de suas técnicas medievais.

Depois do almoço, Renia e suas companheiras de cativeiro se lavaram e vestiram uniformes da prisão. Ilza parecia feliz, na esperança de que a Gestapo as tivesse esquecido. Talvez ficassem presas por alguns meses, até que a guerra acabasse. As duas permaneceram na cela o dia todo, sentadas, olhando uma para a outra com incredulidade. Eram prisioneiras de verdade, usavam longos vestidos de aniagem, roupas íntimas e blusas feitas de remendos sobre remendos. Todas as peças de roupa tinham o selo da prisão de Katowice.

A noite chegou e, com ela, as tensões do dia diminuíram. A Gestapo não funcionava depois do expediente. Por outro lado, era a hora das pulgas. Renia cochilou. De repente, acordou e não conseguiu acreditar no que via. Ilza estava tentando se enforcar. Tinha usado o cinto do vestido. Mas o tecido não aguentou o peso e se rasgou. Ela caiu.

Renia explodiu em gargalhadas incontroláveis, como se tivesse enlouquecido. Por fim, se conteve. Foi até Ilza, mas a garota a repeliu, furiosa com o fracasso de sua tentativa de suicídio. Era por isso que os agentes da resistência carregavam consigo cápsulas de cianeto e os guerrilheiros levavam granadas extras para autodestruição.

Ao amanhecer, os supervisores ordenaram que saíssem, gritando e praguejando. Elas foram transferidas para celas separadas. A nova cela de Renia, que acomodava oito mulheres, foi uma melhoria. As camas eram cobertas com esteiras; havia tigelas e colheres arrumadas em prateleiras e um banco limpo para se sentarem.

— O que você fez? — perguntou uma mulher com traços delicados.

— Fui presa por tentar cruzar a fronteira.

— Eu fui presa por consultar cartas — disse a mulher, começando a chorar. Ela era parteira e tinha dois filhos adultos, um engenheiro e outro escriturário. Um de seus vizinhos, por pura maldade, dissera à Gestapo que ela era cartomante. Já fazia sete meses que estava em Katowice sem ter sido nem ao menos condenada. — Cuidado com o que fala para as outras mulheres — sussurrou ela para Renia. — Há espiãs entre nós.

Renia acenou com a cabeça. Aquela mulher parecia simpática. Maternal.

Não pense na sua família, disse ela a si mesma. *Não sinta.*

Depois do café da manhã, elas foram transferidas para o salão principal. A carcereira bateu em Renia sem motivo algum.

— Aposto que queriam ficar sentadas sem fazer nada. Isso seria impensável para nós, alemães. Vão trabalhar! Não vou tolerar mulheres mimadas!

No salão havia longas mesas com mulheres "limpando penas", ou melhor, removendo as hastes duras da penugem.[10] Renia se juntou a elas. Enquanto trabalhava, olhou em volta com cautela, à procura de Ilza. Avistou-a a pouca distância, mas não podiam se falar. Perto delas, havia supervisoras com chicotes

— conversar era proibido. A mulher de feições delicadas estava sentada à sua frente. Renia olhou para seus olhos lindos e tristes e reparou que deles emanava um brilho, irradiavam empatia. O rosto da mulher falava das torturas que havia suportado e da pena que sentia de Renia, e seus olhos se encheram de lágrimas. Isso entristeceu Renia, que desviou o olhar. O tempo voava, e Renia se concentrava no futuro. Será que ia ficar ali por muito tempo? Será que ia ser executada? Isso seria melhor do que as surras.

Voltaram à cela para almoçar: caldo queimado com folhas de legumes. Quando Renia rejeitou a refeição, enojada, as outras prisioneiras agarraram sua tigela e devoraram a comida.

— Depois de algum tempo aqui — disseram —, você vai implorar por esse tipo de sopa.

— Ela é uma dama — murmurou uma das camponesas, ressentida. — Acha que essa sopa não está à sua altura, mas vai sentir falta dela.

Depois do almoço, de volta ao trabalho: mais quatro horas limpando penas. No início, Renia estava inquieta. Mas então, a cada quinze minutos, uma prisioneira era chamada e levada para ser interrogada.

Calafrios percorriam seu corpo toda vez que a porta se abria, e ela suava a cada vez que um nome diferente era chamado. Até que:

— Wanda Widuchowska!

Renia congelou. Foi atingida por uma chicotada nas costas.

— Venha comigo.

25. O CUCO

BELA E RENIA

AGOSTO DE 1943

Renia não foi a primeira mensageira a ser presa, interrogada e torturada como cristã polonesa. Bela Hazan[1] manteve seu disfarce de gentia por muito mais tempo do que imaginara que conseguiria. O segredo era um fardo terrível, mas tinha vantagens óbvias.

Depois de chegar à prisão de Pawiak, vinda da Szucha, Bela esperava encontrar Lonka Kozibrodska, a única alma na face da terra que a entendia, mas, em vez disso, foi colocada na solitária: uma masmorra mergulhada na mais absoluta escuridão. Ela tateou em busca da cama estreita, mas sentiu muitas dores ao se deitar, então passava a maior parte do tempo andando de um lado para o outro no pequeno espaço úmido, mordiscando cascas de pão duro, bebendo água e uma imitação de café, ouvindo os gritos de outras prisioneiras. Estava apavorada diante da ideia de morrer sem que ninguém soubesse o que tinha acontecido com ela. E, no entanto, Lonka estava tão perto.

Depois de seis semanas de recuperação dos espancamentos, Bela foi transferida para a enfermaria. Quase cega depois de tanto tempo na escuridão, recebeu óculos escuros para poder se acostumar com a luz aos poucos. Então, mandaram-na para uma cela.

Lá estava Lonka. Esquelética, sem carne no corpo, o rosto pálido. Claro que não podiam correr uma para a outra, de modo que, por alguns minutos, ficaram apenas se olhando, sem jeito, os olhos cheios de lágrimas. Bela não conseguiu aguentar mais e se aproximou.

— Acho que te conheço de algum lugar — disse ela em polonês.

Lonka fez que sim com a cabeça.

Algum tempo depois, quando todas as outras estavam distraídas, elas tiveram um momento.

— Você foi pega como judia ou polonesa? — sussurrou Lonka.

— Polonesa.

Lonka suspirou de alívio.

— Como veio parar aqui?

— Eu vim atrás de você.

— Não basta eu estar sofrendo? Por que você deveria sofrer também?

Lonka impediu Bela de continuar falando, deitou-se no colchão e chorou.

— Por que você está chorando? — perguntaram as companheiras de cela polonesas.

— Meus dentes estão doendo — respondeu Lonka.

Bela descobriu que o tempo que passara na solitária lhe valera a admiração de suas companheiras de cela. Ela se ajoelhava e rezava com as polonesas; fez amizade com elas, incluindo mulheres mais velhas pertencentes à classe intelectual. Tornou-se próxima de uma pintora encarregada de fazer desenhos para os alemães; a mulher fez um retrato de Bela em frente à janela com vista para o gueto. A pintora era religiosa, e Bela confiava em seus olhos sempre atentos. Uma noite, enquanto as bombas caíam sobre Varsóvia como neve, uma delas explodindo a prisão masculina bem ali ao lado, ela confessou à pintora que era judia. A pintora a abraçou e prometeu ajudar. Depois de ser libertada, enviava pacotes de comida para Bela por meio da Cruz Vermelha. Os guardas confiscavam a comida, mas Bela gostava dos bilhetes que a acompanhavam. Saber que alguém lá fora estava pensando nela fazia sua vida parecer real.

Por outro lado, raramente conseguia falar com Lonka. Estava sempre consciente de que havia colaboracionistas entre elas. As mensageiras tentavam trabalhar perto uma da outra no pátio, e conversavam, sobretudo, no caminho de ida e volta para o banheiro, trocando informações sobre amigos e familiares. Lonka era amada na cela graças a seu comportamento otimista. Mesmo assim, Bela detestava ver como a amiga, que vinha de uma vida de riqueza e privilégio, tinha dificuldade de suportar as agruras físicas da realidade prisional. Diarreia, crises de dor de estômago — seu corpo estava se deteriorando.

A janela de Bela dava para o gueto; elas estavam em frente ao quartel-general do Liberdade. "Sinto que eles estão nos observando",[2] Lonka costumava dizer, e as duas imaginavam que Zivia e Antek podiam enxergá-las. Lonka jogava bilhetes pela janela; certa vez, viu alguém pegar um e rezou para que os outros ficassem sabendo onde ela estava. Da janela, Bela avistava as crianças judias brincando no orfanato, mas também via policiais aterrorizando judeus. E tinha de fingir ficar feliz com isso. Certa vez, ouviu gritos agudos e puxou uma cadeira na qual subiu para ter uma visão melhor. Testemunhou nazistas que surraram crianças judias até a morte e, em seguida, espancaram um homem mais velho que implorava para que parassem. Depois que os agentes da Gestapo atiraram nele, seu filho disse: "Matem-me também, não tenho razão para viver." Eles concordaram de bom grado, mas primeiro o obrigaram a enterrar o pai. O filho chorava, beijando a testa do pai assassinado. Os nazistas o mataram a tiros e ordenaram aos judeus que estavam perto que lavassem o sangue. Bela ficou paralisada, dominada pelo desejo de vingança, incapaz de dizer às inquisitivas companheiras de cela o que tinha visto, com medo de não conseguir se controlar e desatar a chorar.

As condições na cela ao lado, destinada a prisioneiras políticas judias, eram ainda piores. As mulheres dormiam seminuas no chão, mal comiam e tinham obrigação de limpar as latrinas. Duas vezes por dia, eram levadas para fora e obrigadas a fazer ginástica enquanto sofriam espancamento. Lonka reconheceu uma das prisioneiras como Shoshana Gjedna,[3] de 16 anos, a filha única de uma família de classe operária de Varsóvia. Ela havia ingressado no Liberdade muito jovem e participara de atividades clandestinas no gueto. Fora pega enquanto levava consigo um jornal do movimento. Do pátio, tentava encontrar o olhar de Bela e Lonka, ansiosa para conversar com elas no banheiro, dizer-lhes que precisavam testemunhar depois que ela fosse morta.

Uma noite, Bela ouviu gritos se erguerem para o céu. Não conseguiu dormir, apavorada por Shoshana. Logo pela manhã, a primeira coisa que fez foi pedir permissão para ir ao banheiro. Pálida, chorando, Shoshana disse a Bela que, no meio da noite, as judias foram levadas para o pátio, de camisola, e os nazistas soltaram os cães em cima delas. Ela levantou o vestido: um pedaço de carne havia sido arrancado de sua perna direita. Sentia uma dor debilitante, mas continuava limpando as latrinas. Bela foi falar com a médica e a convenceu a cuidar das feridas de Shoshana no banheiro. Bela cobriu a bandagem com um lenço.

As prisioneiras — polonesas também — eram constantemente levadas para a execução. Após qualquer tipo de incidente contra os alemães, por menor que fosse, várias eram enforcadas nas praças da cidade como um aviso ao povo polonês. Uma noite, as garotas foram forçadas a sair da cama e correr para outro prédio em filas de dez. Bela era a sétima da fila; Lonka, a nona. A décima de cada fila era afastada para o lado. Mais tarde, Bela soube que elas foram enforcadas e amarradas a postes de iluminação por toda Varsóvia.[4]

As prisioneiras recebiam poucas notícias do mundo exterior, mas às vezes as secretárias polonesas da prisão levavam pedaços de jornal para elas. Quando ouviram aviões russos sobrevoando o prédio, todas se emocionaram.

Aos domingos, uma comitiva inteira as inspecionava. Certa vez, Bela implorou ao comandante polonês que lhe arrumasse um trabalho, dizendo que ia enlouquecer se não tivesse uma ocupação. No dia seguinte, conseguiu um posto na lavanderia. Ela disse ao comandante que sua amiga "Chrisa" também queria trabalhar, e Lonka foi mandada para a cozinha para descascar batatas. O trabalho as distraía da fome e da fraqueza e fazia o dia passar mais rápido. Lonka roubava algumas batatas e as cozinhava na lareira da cozinha. Deu várias delas a Shoshana e às judias.

Bela continuou a ser interrogada durante quatro meses. Certa vez, disseram-lhe que, se não confessasse quem lhe dera as armas, seria morta ali mesmo. Como sempre, ela insistiu que eram suas. Foi chutada e espancada, depois arrastada pelas ruas até uma floresta, onde lhe disseram que tinha mais uma hora de vida. Passado um tempo, porém, os guardas cederam e a levaram de volta para a cela.

Lonka estava esperando na janela. "Quando vi o rosto dela", escreveu Bela mais tarde, "esqueci a minha dor."

Em novembro de 1942, cinquenta nomes foram lidos em voz alta: deportação. Bela e Lonka estavam na lista. A perspectiva, na verdade, deixou Bela animada: finalmente, talvez, uma chance de escapar. As garotas receberam pão e geleia, foram forçadas a entrar em caminhões cobertos que estavam cheios de guardas, obrigadas a ficar em silêncio, depois empurradas para vagões de prisioneiros sem janelas e na mais absoluta escuridão. Bela e Lonka se sentaram em um canto com seus vestidos de verão, abraçadas uma à outra, se aquecendo, mantendo-se alertas o tempo todo.

Muitas horas depois, chegaram ao destino e desembarcaram. Uma banda tocava marchas militares alemãs. Elas leram o nome da estação: Auschwitz. Em uma estrutura de ferro acima do portão estava escrito: *Arbeit macht frei.** Bela não sabia o que aquilo significava, mas percebeu de imediato que, embora a entrada fosse enorme, não havia saídas.

*

Auschwitz-Birkenau fora originalmente estabelecido[5] como prisão e campo de trabalhos forçados para líderes e intelectuais poloneses. Bela e Lonka estavam separadas das judias; foram obrigadas a marchar ao longo do arame farpado enquanto centenas de mulheres vestindo uniforme listrado as observavam, gritando, doentes, abatidas. As judias eslovacas que trabalhavam nos chuveiros ficaram felizes com a chegada das polonesas. Bela estava atormentada por ter de manter sua verdadeira identidade escondida de seu próprio povo.

Tiraram-lhe as botas e a jaqueta de couro. De pé, nua, ela foi examinada por prisioneiras em busca de infecções. Queria morrer. Tentou subornar a responsável por cortar os cabelos para que deixasse em sua cabeça um pouco mais do que apenas "escadas" (camadas). "Se *eu* não tenho cabelo", disse a mulher, "você também não vai ter." Bela lembrou a si mesma: *enquanto eu tiver a cabeça acima*

* "O trabalho liberta." [*N. da T.*]

dos ombros, meu cabelo vai voltar a crescer. Em seguida, recebeu roupas: vestido listrado, casaco com cadarço e cantil de água. Nada de sutiã nem calcinha. Tamancos que não cabiam em seus pés. Depois de ficar horas de pé, ela teve o braço direito tatuado com uma sequência de números. Caneta elétrica. Uma dor terrível. Mas ninguém ao redor dela chorou enquanto se transformavam em números. Chovia. Lonka e Bela se acomodaram em uma esteira no chão lamacento, se encolheram em um canto e adormeceram.

Às três da manhã, chamada. Pés descalços afundando na lama, dezenas de milhares de mulheres, ainda meio sonolentas, batendo nas costas umas das outras para se aquecerem. Horas em pé. Guardas armados e com cães na coleira. Nenhuma água para beber. Em seguida, marchar, marchar, o ritmo imposto por cassetetes de borracha. Mulheres mais fracas que caíam eram espancadas. Os guardas ficavam irritados com elas por não saberem alemão. Chovia forte. Bela estava encharcada. Elas foram levadas para serem fotografadas, pois assim poderiam ser encontradas caso fugissem — uma vez com um lenço na cabeça, outra vez sem. A "foto de registro" de Bela a mostra sorrindo, parecendo até mesmo saudável.

Um dia inteiro de espera, marchando, morrendo de fome. Bela dormia na cama de cima — mais longe dos ratos —, aos pés de seis outras mulheres, sentindo o cheiro de carne queimada que era exalado pelos crematórios à distância. Ela ficou deitada com as roupas molhadas, sem cobertores, incapaz de se mover um centímetro a noite toda. Pelo menos o calor dos corpos das outras mulheres a mantinha aquecida. Durante a noite, foi cutucada por objetos pontiagudos no colchão. Mais tarde, descobriu que eram os ossos de prisioneiras anteriores. Foi assim o seu primeiro dia em Auschwitz.

Bela e Lonka foram designadas para trabalhar nas plantações. Esperavam que fosse um alívio estar fora do campo, mas mesmo lá ficavam sob forte vigilância. As guardas, ela descobriu, eram mais cruéis do que suas contrapartes masculinas: quanto mais torturassem as prisioneiras, mais rápido eram promovidas. Cada assassinato lhes rendia uma divisa. Burman, uma mulher de 50 anos que segurava a todo tempo a coleira de seu cachorro, Trolli, era a guarda de Bela. Trolli mordia todas as mulheres que não conseguiam acompanhar o ritmo da marcha.

Bela recebeu uma picareta e ordenaram-lhe que trabalhasse direto das sete da manhã às quatro da tarde; se não, 25 chicotadas. Seus braços doíam, mas ela continuava — pelo menos se mantinha aquecida.

No fim do dia, as mulheres ajudavam a posicionar as mais fracas no centro da formação, para tentar evitar que Burman as espancasse. Os *kommandos*, ou unidades de trabalho, voltavam juntos para o campo, com a ordem de cantar. Uma banda marcial[6] as esperava junto ao portão, onde as mulheres passavam por uma inspeção completa. (A banda era composta de prisioneiros forçados a tocar para a diversão dos nazistas, bem como para enganar os recém-chegados.) Certa vez, Bela foi pega com quatro batatas. Ela foi obrigada a ficar de joelhos a noite toda, sem mover o rosto para a direita ou para a esquerda, ou seria morta no mesmo instante. "Devo ter sido muito forte", refletiu mais tarde. "Minha mãe me deu as ferramentas para suportar esse tipo de tortura."

Bela e Lonka passavam a noite toda pensando, tentando descobrir uma maneira de encontrar trabalhos diferentes. Certa manhã, depois da chamada, as duas se esconderam no banheiro, que as presidiárias chamavam sarcasticamente de "centro comunitário" ou "cafeteria".[7] Dezenas de mulheres, de todas as línguas e nacionalidades, se juntavam ali para fugir do trabalho. Depois que os *kommandos* saíram, as duas garotas abordaram a comandante, surpreendendo-a ao falar em alemão. Lonka argumentou que falava vários idiomas e podia trabalhar no escritório, enquanto Bela explicou que era enfermeira treinada. Funcionou. Lonka foi enviada para o escritório como tradutora; Bela, para o *revier*, a enfermaria.

O hospital feminino era dividido em três seções: polonesa, alemã e judaica. Bela foi mandada para a divisão alemã. Embora contrariada por ter de ajudar alemães, ficou feliz por trabalhar debaixo de um teto. Por outro lado, havia três pacientes por leito, a maioria com tifo, disenteria ou diarreia. Sofriam de incontinência e uivavam de dor. Não havia medicamentos.

Como única enfermeira polonesa, ela era maltratada pelos pacientes alemães, que atiravam os lençóis sujos em cima dela. Bela ficou encarregada das tarefas mais pesadas, como empurrar carrinhos carregados com cerca de 50 litros de água da cozinha. Certa vez, ordenaram que levasse o almoço para toda a equipe. Ela levantou a bandeja, mas estava muito fraca e a deixou cair. Por isso, foi chutada várias vezes na barriga, depois espancada enquanto estava prostrada no chão. Chorou, inconsolável, e pediu para voltar a trabalhar do lado de fora, onde pelo menos as árvores e o vento não eram cruéis.

De volta às plantações, Bela ouviu por acaso as conversas antissemitas das polonesas, que culpavam os judeus imundos por todos os seus tormentos. A ideia de que sua verdadeira identidade fosse revelada a apavorava, e ela tinha medo de murmurar alguma coisa em iídiche durante o sono. Nas plantações, pensava nos amigos, em canções hebraicas, e procurava maneiras de fugir, mas era impossível. Quando voltava, Lonka, que passava os dias tentando ajudar judias no escritório da SS, esperava por ela com pedaços de pão.

Os barracões começaram a ficar ainda mais superlotados. O tifo, transmitido pelos piolhos, grassava e, depois de um mês de trabalho no campo, Bela o contraiu. Ficou deitada no barracão por quatro dias. Quando perguntou à supervisora se poderia ficar na cama durante a chamada, a mulher a derrubou no chão. Sua febre subiu até passar dos 40 graus, o que significava que podia ir para a enfermaria. Naquela ala, agora mista devido ao excesso de pacientes, havia seis mulheres por leito, encaixadas umas nas outras, quase grudadas por semanas de suor. Não havia água para banhos nem compressas, nem espaço para se deitarem. Bela teve de ficar sentada. Ela não conseguia ver as próprias pernas. Correntes de ar entravam por todos os lados, e cada uma puxava o lençol em sua direção. Os pacientes alemães batiam em Bela e roubavam sua comida. Barulho constante, gritos, pedidos de ajuda. Bela tinha certeza de que morreria de sede, mas não conseguia beber a água da chuva que lhe levavam. Agarrava-se às vizinhas, sem perceber quando já estavam mortas.

As amigas polonesas rezavam por ela; algumas pensavam que também já estava morta. Outras esperavam ficar com a comida dela. Mas então aconteceu um milagre: Bela se recuperou. Um dia abriu os olhos e não se lembrava de nada, com medo de ter revelado seu segredo em meio às alucinações febris. Acrescentava um "Jesus, Maria, José" extra (em vez de "Deus") a todas as suas conversas.

Quando Lonka foi lhe fazer uma visita, Bela percebeu que ela também estava doente e cada vez mais fraca. Física e emocionalmente, Lonka estava perdendo a vontade de viver. Bela viu a amiga reunir o que lhe restava de forças para confortá-la.

Mas, à medida que a condição de Bela melhorava, a de Lonka piorava, e ela foi levada para a mesma enfermaria, quase irreconhecível. Bela implorou ao médico que as colocasse no mesmo leito. Passavam dia e noite abraçadas uma à outra.

Depois de seis semanas, Bela se sentia melhor. Usou alguns trapos para enrolar os pés inchados e conseguiu andar. Comia, chegando a apreciar o sabor da sopa. Sabia que tinha de sair dali e trabalhar, caso contrário, seria mandada para a câmara de gás. Mas também precisava ficar perto de Lonka e cuidar de sua saúde. Decidiu voltar a trabalhar no hospital. Ela era uma "ilegal", e por isso ficava encarregada das tarefas mais difíceis, como remover a lama das pedras entre as camas com uma faca e esvaziar os baldes de urina e fezes.

Enquanto isso, Lonka era consumida pelo tifo. Em seguida, contraiu caxumba. E disenteria. Bela estava fora de si, fazendo o que podia: lavava a amiga com neve, arriscava a própria vida roubando água para ela beber e contrabandeava remédios do campo masculino por intermédio dos limpadores de esgoto — um dos quais era irmão de uma amiga.

Então Bela ficou sabendo que Mengele,[8] o médico da SS que realizava experiências médicas desumanas em prisioneiros e era conhecido como o Anjo da Morte, ia fazer uma seleção. Ela sabia que Lonka, estando tão doente, seria enviada para as câmaras de gás. Bela a carregou do *revier* até seu barracão, dizendo às pessoas que a amiga estava apenas exausta por causa de todo o trabalho extenuante. Mas era muito difícil esconder o tifo e mantê-la de pé durante as longas horas das chamadas, então Bela acabou levando-a de volta para o hospital. Sua saúde se deteriorou; seus olhos perderam a cor e seu rosto foi ficando encovado. Ela era toda ossos.

Lonka chamou Bela para junto de sua cama.

— Tenho medo de deixá-la sozinha e de você não conseguir guardar seu segredo — sussurrou ela. — Nunca revele que é judia.

Lonka manteve Bela ao lado da cama por quatro horas, falando, chorando, recordando camaradas do Liberdade, o irmão. Detestava estar tão desconectada, tão solitária. Ela agarrou a mão de Bela. "Me agarrei ao fio da vida até o fim, mas você precisa continuar e contar nossa história. Resistir. Não perca a doçura. Olhe todos nos olhos. Não se perca e você sobreviverá."[9]

Lonka murmurou um adeus. Seu último suspiro.

Bela não conseguia se mexer. Recusava-se a soltar a mão de Lonka. Como continuaria a viver naquele inferno sem sua amiga mais querida? Em quem confiaria? Com quem falaria?

A única pessoa em todo o universo que sabia onde ela estava, quem ela era, se fora.

Mulheres polonesas se aproximaram, rezando, colocando cartões com imagens de santos e de Jesus entre os dedos de Lonka. Bela odiou ver sua melhor amiga morrer como cristã. Concentrou toda a sua energia em segurar a língua.

O *kommando* que recolhia os cadáveres chegou; em geral, pegavam os cadáveres de qualquer jeito, jogavam-nos em pranchas de madeira, de barriga para baixo, cabeça e pés pendendo das extremidades. Bela não podia permitir que Lonka fosse levada dessa maneira. Pediu ao médico uma autorização especial para usar uma maca, alegando que Lonka era sua parente e que queria acompanhá-la ao "cemitério" — o lugar onde os nazistas empilhavam os cadáveres antes da cremação. No início, ele se recusou a "distinguir os mortos", mas acabou cedendo.

Todas as polonesas que conviveram com Lonka em Pawiak se reuniram. Tremendo, Bela transferiu o corpo da cama para a maca e, discretamente, levantou o lençol e retirou os cartões e santinhos. Quatro mulheres carregaram a maca; outras entoaram cânticos fúnebres. Na área onde ficavam os cadáveres, Bela levantou mais uma vez o lençol que cobria o rosto de Lonka. Não conseguia parar de olhar; não conseguia se mover. Disse em silêncio uma *Kadish*, a prece judaica em memória dos falecidos.[10]

Então, lembrou-se de Lonka dizendo a ela que continuasse. "Durante todos os anos que se seguiram", escreveria Bela, "o caráter de Lonka me acompanhou por toda parte."

Mas, nesta vida, Bela estava sozinha.

*

Limpando penas na prisão de Katowice, Renia olhou para Ilza uma última vez.[11] Um "venha comigo" ecoou nos ouvidos de todas as mulheres presentes. Renia tinha sido chamada. Ilza retribuiu o olhar, constrangida, solidária.

*

Renia subiu vários lances de escada até o topo do prédio e entrou no gabinete da supervisora. Sua visão estava turva, sentia-se fraca. Um homem da Gestapo com expressão severa e olhos esbugalhados a esperava. Era o mesmo que estava sentado à mesa quando ela e Ilza chegaram à prisão.

— Vá se vestir — ordenou ele.

Para onde iriam levá-la?

Renia vestiu a saia e o suéter. Não levou nada consigo. A supervisora e o homem da Gestapo discutiram sua prisão. O agente da Gestapo murmurou alguma coisa, depois disse em voz alta:

— Por enquanto, o nome dela é Widuchowska, mas no interrogatório ela vai abrir o bico e vamos descobrir seu nome verdadeiro.

(Ironicamente, um dos significados do sobrenome Kukiełka é "cuco" — um pássaro canoro solitário e esquivo.)

A supervisora perguntou se Renia voltaria para a prisão. O homem da Gestapo disse que não sabia.

Mais uma vez, Renia se viu andando pela rua, acorrentada, conduzida por um guarda da Gestapo.

— Dê uma boa olhada na roupa que está usando — disse o homem em alemão, e ela fingiu não entender. — Depois da surra, vai estar em farrapos.

Renia estava surpresa consigo mesma. Não sentia medo. Aquelas palavras não a abalaram. Era como se ele estivesse falando de outra pessoa. Ela estava se distanciando da experiência física, preparando-se para suportar.

De volta ao prédio da Gestapo, perguntaram-lhe se ela entendia alemão. Ela respondeu que não. Em troca, recebeu duas bofetadas estrondosas. Manteve-se calma, como se nada tivesse acontecido.

Mais quatro agentes da Gestapo entraram, acompanhados de uma intérprete. O chefe Gehringer, comandante-adjunto da Gestapo em Katowice e aquele que a conduzira até ali, seria o interrogador principal.

Começou o interrogatório. Renia foi alvo de uma enxurrada de perguntas. Os homens tentavam ser espertos, superar uns aos outros, para confundi-la.

Mas, em resposta, Renia endureceu mantendo sua história: os documentos eram autênticos. Seu pai era um oficial polonês feito prisioneiro pelos russos. A mãe estava morta. Ela ganhava a vida trabalhando em uma empresa e vendendo objetos de valor da família, até suas posses se esgotarem. Um dos homens da Gestapo retirou um maço de papéis de uma gaveta, dizendo que todas as pessoas com aqueles documentos tinham sido detidas na fronteira. Os documentos eram idênticos aos dela, com o mesmo carimbo falsificado.

Renia sentiu o sangue gelar nas veias. Felizmente, suas bochechas ainda estavam vermelhas por causa dos tapas, ou eles a teriam visto empalidecer.

Esperaram sua resposta. Claro que ela sabia que o falsificador havia vendido aqueles documentos a qualquer pessoa que pagasse. Mas não pestanejou.

— Os documentos dessas pessoas podem ser falsos, mas isso não prova que os meus sejam. A empresa para a qual trabalho é real. Trabalho lá há três anos. Meu documento de passagem foi redigido por um funcionário da empresa. O carimbo é do gabinete do prefeito de Varsóvia. Meus documentos não são falsificados.

Agitados, os homens da Gestapo insistiram:

— Todos os que foram apanhados disseram a mesma coisa, e mais tarde descobrimos que eram judeus. Foram todos mortos no dia seguinte. Se confessar seu crime, podemos garantir que você continue viva.

Renia abriu um sorriso irônico.

— Posso ter muitos talentos, mas mentir não é um deles. Meus documentos são autênticos, então não posso dizer que são falsos. Sou católica, então não posso dizer que sou judia.

Suas palavras os irritaram, e eles bateram nela com violência. A intérprete, por livre e espontânea vontade, atestou que Renia não era judia — suas feições eram arianas, enfatizou, e seu polonês, perfeito.

— Então você é uma espiã — disse o chefe da Gestapo.

Todos concordaram.

Uma nova linha de interrogatório. Para qual organização ela trabalhava como mensageira? A dos socialistas ou a de Władysław Sikorski, o falecido primeiro-ministro do governo polonês no exílio? Quanto lhe pagavam por seus serviços? O que transportava? Onde ficavam localizados os acampamentos dos guerrilheiros?

Um deles bancou o bom policial.

— Não seja ingênua — disse a ela. — Pare de proteger seus superiores. Quando souberem que você falhou, eles não vão te ajudar. Diga-nos a verdade, e nós a libertaremos.

Renia entendeu perfeitamente aquelas palavras "bondosas".

— Tudo bem — disse lentamente. — Vou lhes dizer a verdade.

Todos a ouviam com atenção.

— Não sei o que é um mensageiro — disse ela. — É uma dessas pessoas que entregam jornais? — Assumiu sua expressão mais ingênua. — Não conheço o PPR nem o grupo de Sikorski; só ouvi pessoas falarem deles em conversas. Tudo que sei sobre os guerrilheiros é que eles vivem nas florestas e atacam pessoas desarmadas. Se soubesse onde eles estão, eu lhes diria de muito bom grado. Se quisesse mentir, já teria dito vários nomes.

Os homens da Gestapo estavam furiosos. O interrogatório já durava mais de três horas e, ainda assim, nada.

Questionada sobre sua educação, Renia respondeu que havia frequentado a escola primária até o sétimo ano.

— Não admira que ela não fale. — Eles riram. — É estúpida demais para entender que sua vida é mais valiosa do que a dos outros.

Um deles objetou:

— Está mentindo a respeito da escolaridade assim como mentiu sobre todo o resto. Uma garota simples que não completou os estudos não seria capaz de mentir dessa maneira.

Todos concordaram com ele.

Percebendo que seus esforços eram inúteis, o chefe ordenou que Renia fosse levada para outra sala, grande e vazia. Ela foi seguida por vários homens da Gestapo, que seguravam grossos chicotes.

— Depois dessa lição, você vai cantar como um passarinho. Vai nos contar tudo.

Eles a jogaram no chão. Um deles segurou seus pés, o outro, sua cabeça, e os demais começaram a açoitá-la. Renia sentia dor por toda parte. Depois de dez chicotadas, gritou: "Mamãe!" Mesmo que a estivessem segurando, começou a estrebuchar como um peixe preso em uma rede. Um dos assassinos enrolou os cabelos dela em uma das mãos e a arrastou pelo chão. Agora, as chicotadas atingiam não apenas suas costas, mas todo o seu corpo — rosto, pescoço, pernas. Ela foi ficando cada vez mais fraca, e mesmo assim não falou. Não podia demonstrar fraqueza. Não faria isso. Então tudo ficou escuro e a dor desapareceu. Tinha perdido os sentidos.

Acordou com a sensação de que estava dentro de uma piscina, nadando na água. Estava vestindo apenas uma saia. Ao redor dela estavam os baldes que seus algozes haviam usado para jogar água nela e reanimá-la.

Dois homens da Gestapo a ajudaram a se levantar. Ela procurou o suéter e o vestiu, envergonhada.

Eles retomaram o interrogatório.

Compararam seus testemunhos. Por que não confessava?

Com uma pistola na mão, um dos homens da Gestapo disse:

— Se não quer falar, venha comigo. Vou matá-la como um cão.

Renia o seguiu escada abaixo. A arma brilhava. Renia estava feliz. Finalmente, aquele tormento acabaria.

Ela se voltou para o pôr do sol pela última vez. Deleitou-se, saboreando cada cor, cada tom do céu. Como a natureza era perfeitamente bela, demarcando cada transição, cada transformação, com precisão e graça.

Lá fora, na rua, o homem da Gestapo perguntou a ela com genuíno espanto:

— Você não acha que é um desperdício morrer tão jovem? Como pode ser tão estúpida? Por que não diz a verdade?

Sem pensar, Renia respondeu.

— Enquanto houver pessoas como vocês no mundo, não quero viver. Eu disse a verdade, e vocês estão tentando me forçar a mentir. Não vou mentir! Não me importo de morrer.

Ele a chutou algumas vezes, então a levou de volta para dentro e a entregou aos outros. "Provavelmente estava cansado de lidar comigo", lembrou Renia mais tarde.

Um dos homens da Gestapo puxou uma cadeira para ela. Renia percebeu que ele estava tentando ganhar a confiança dela com gentileza. O homem prometeu que, se dissesse a verdade, eles a mandariam para Varsóvia para trabalhar para a Gestapo como espiã. Ela concordou, mas não mudou seu testemunho.

O comandante disse-lhes que parassem de brincar com ela.

— Apliquem mais 25 chicotadas, até ela implorar para dizer a verdade.

Dois homens da Gestapo começaram a açoitá-la com uma fúria implacável. O sangue jorrava de sua cabeça e de seu nariz. A intérprete não aguentou mais assistir à tortura e saiu da sala. A dor fazia Renia saltar de um lado para o outro do cômodo. O comandante disse aos homens para continuarem e juntou-se a eles, desferindo alguns chutes.

Renia desmaiou. Nenhuma recordação, nenhuma sensação. Depois de algum tempo, sentiu alguém abrir sua boca e dar-lhe água. Seus olhos permaneceram fechados. Alguém estava falando, perto de seu rosto.

— Ela está morta. Está fria e espumando pela boca.

Mais baldes de água foram despejados sobre ela. Estava seminua e gelada, fingindo estar inconsciente. Dois homens da Gestapo verificaram seu pulso e lhe deram alguns tapas.

— Ela ainda está viva, ainda tem pulsação. — Eles se aproximaram, para ouvir se ela estava dizendo alguma coisa. Olharam em seus olhos esbugalhados e vidrados. — Ela está completamente apagada.

Deitaram-na em um banco. Sangue e água escorriam de seu corpo. Naquele momento, ela lamentou que a tivessem trazido de volta à vida. Recomeçariam os espancamentos, e dessa vez ela não aguentaria. Seu coração praticamente não batia. Consolou-se com o pensamento de que, agora que tinham se dado conta de que não conseguiriam arrancar nada dela, se limitariam a executá-la com um tiro.

Renia não conseguia se levantar sozinha. Um homem da Gestapo enfaixou sua cabeça com um trapo sujo, vestiu-a com o suéter, segurou-a pelo braço e a conduziu até a mesa. Entregou-lhe um papel e disse:

— Assine seu nome nessas mentiras insolentes.

Enquanto ele falava, sua mulher entrou. Fez uma careta ao ver o rosto de Renia e deu meia-volta. Então notou o relógio na mesa e disse ao marido que, como Renia iria morrer de qualquer maneira, ela queria levá-lo. Ele explicou que ela receberia o relógio, mas ainda não. Isso a irritou, e ela saiu bufando.

O homem ajudou Renia a segurar a caneta, e ela assinou.

Em seguida, chamaram um táxi.

O motorista convidou o guarda da Gestapo a se sentar a seu lado, já que Renia tinha um aspecto tão "desagradável".

Mas o guarda recusou.

— Mesmo que pareça um cadáver — disse ele —, ela é capaz de abrir a porta e fugir.

Noite. Trevas. Pela conversa dos dois homens, Renia percebeu que não voltaria para Katowice; estava sendo levada para a prisão de Mysłowice.

O taxista deu uma risadinha.

— Suponho que seja o único remédio para a insolência dela.

26. VINGANÇA, IRMÃS!

RENIA E ANNA

SETEMBRO DE 1943[1]

Mysłowice. Entraram em um grande pátio escuro.[2] Cães gigantes pularam sobre eles, vindo de todas as direções. Guardas armados andavam de um lado para o outro do pátio, prontos para a ação. O homem da Gestapo entrou no escritório para entregar o testemunho de Renia, depois voltou para o táxi e foi embora. Um novo *gestaponik*, com cerca de 22 anos, olhou para Renia.

— Eles sulcaram bem a sua pele, não foi?

Renia não respondeu.

Com o punho, ele gesticulou para que ela o seguisse.

Trancou-a em um porão. Ela apertou os olhos para tentar ver no escuro. Uma cama. Não conseguia se sentar nem se deitar por causa das dores. Dores insuportáveis. Por fim, conseguiu se estender de barriga para baixo. Era como se todos os ossos, as costelas e a coluna vertebral tivessem se estilhaçado. Seu corpo inteiro estava inchado. Não conseguia mover os braços ou as pernas.

Como invejava aqueles que tinham morrido. "Nunca imaginei que um corpo humano fosse capaz de suportar aqueles espancamentos", escreveu ela mais tarde. "Uma árvore teria se partido como um palito de fósforo se tivesse sido atacada como eu fui, e ainda estou viva, respirando, pensando."

A memória de Renia havia se desligado, no entanto; as coisas estavam confusas em sua mente. Estava lúcida o suficiente para saber que seus pensamentos não estavam lúcidos. O que, é claro, não era o ideal.

Seu estado piorou. Ela ficou deitada naquela cama, envolta em curativos, por dias. No almoço, davam-lhe sopa diluída e um copo de água, que ela usava para lavar a boca e o rosto. Não tinha tomado banho. Não havia nenhum lugar onde se aliviar. O fedor era sufocante. Assim como a escuridão. Tinha sido enterrada viva. "Aguardo a minha morte, sem resultado", foi como mais tarde ela descreveu seu estado de espírito. "Não se pode dar ordens à morte."

*

Uma semana depois, uma jovem foi à sua cela. Levou Renia até um escritório. Um agente da Gestapo a interrogou e tomou notas. Renia ficou surpresa. Por que ela não tinha sido executada? Será que iam trancafiá-la em outra cela? A mulher a levou ao banheiro e, ao vê-la se encolher de dor, ajudou-a a se despir.

Renia viu então o resultado dos espancamentos. Não restava um centímetro de pele branca em seu corpo, apenas pele amarela, azulada e vermelha, com hematomas negros como fuligem. A mulher que a ajudou a tomar banho soluçava, falando em polonês, acariciando-a e beijando-a, cheia de pena. Sua preocupação levou Renia às lágrimas. *Será possível que alguém ainda se importe comigo? Será que ainda há alemães capazes de ter compaixão? Quem será essa mulher?*

— Estou presa há dois anos e meio — disse a mulher. — Passei os últimos doze meses aqui. Isto aqui é um campo de interrogatório, onde eles mantêm as pessoas até que terminem de lhes fazer perguntas. Há dois mil prisioneiros em Mysłowice.

Ela continuou.

— Antes da guerra, eu era professora, mas, quando a guerra estourou, todos os suspeitos de atividade política na minha cidade, Cieszyn, foram detidos. Todos os meus amigos foram presos. Fiquei escondida por um tempo, mas fui pega. Eu também sofri. — Ela mostrou a Renia as marcas em seu corpo, cicatrizes de espancamento com correntes e de alfinetes de metal incandescentes que foram enfiados sob suas unhas. — Meus dois irmãos também estão aqui. Moribundos. Passaram seis meses acorrentados à cama, constantemente vigiados, espancados pelo menor movimento. São suspeitos de pertencer a uma organização secreta. Coisas terríveis acontecem aqui, coisas inimagináveis. Não passa um dia sem que pelo menos dez pessoas sejam chicoteadas até a morte. Aqui, não há distinção entre homens e mulheres. Este campo é para prisioneiros políticos. A maioria vai ser executada.

Renia tomou banho assimilando todas aquelas novas informações.

A mulher se ofereceu para ser sua amiga. Conseguiria tudo de que ela precisasse.

— Até pouco tempo, eu ficava trancada em uma cela, mas agora cuido dos banhos — disse ela a Renia. — Ainda sou tratada como uma prisioneira, mas pelo menos posso circular livremente por aqui.

Renia foi levada para um cômodo comprido, com duas janelas cobertas por malhas de metal. Ao longo de uma das paredes havia uma fileira de beliches. Ao lado da porta, ficava a mesa da monitora do quarto, uma das prisioneiras mais simpáticas, que era a responsável pela limpeza do ambiente. No canto, uma pilha de tigelas, do tipo usado para alimentar leitões.

As prisioneiras — incluindo muitas professoras e pessoas da sociedade[3] — cercaram Renia, examinaram-na com atenção e a encheram de perguntas. De onde era? Por que tinha sido presa? Qual tinha sido sua sentença? Ao saberem que tinha sido detida apenas duas semanas antes, fizeram-lhe perguntas sobre o mundo exterior. Renia se sentia uma estranha entre aquelas mulheres, um grupo heterogêneo: boas e más, jovens e velhas, acusadas de crimes graves e pequenos delitos. Uma delas, provavelmente maluca, começou a dançar para ela enquanto cantava disparates.

Mulheres maldosas zombaram dela.

— Mal acabou de chegar da liberdade e já está com esse aspecto horrível. Como vai aguentar? A fome é tão forte que assobia no seu estômago. Tem uma fatia de pão? Me dê.

Renia se interessou por uma menina de uns 10 ou talvez 15 anos, de rosto simpático. Antes mesmo de se falarem, já gostava dela. A menina se mantinha a certa distância e a observava. Só mais tarde reuniu coragem para se aproximar e fazer perguntas.

— Ainda restam judeus em Będzin e Sosnowiec?

Mirka era judia.[4] Fora deportada de Sosnowiec, mas, com a irmã, saltara do trem. A irmã ficara gravemente ferida, mas sobrevivera. Sem saber o que fazer, Mirka foi até a delegacia de polícia próxima. Eles a entregaram à Gestapo. A irmã, ao que parecia, tinha sido transportada para um hospital, mas Mirka não teve mais notícias; ela provavelmente tinha sido morta no local. Mirka fora levada para Mysłowice e lá estava havia três semanas.

— Eu tenho uma paixão tão grande pela vida — disse a pequena Mirka, embora andasse de um lado para o outro como um zumbi. — Talvez a guerra acabe logo. Todas as noites, sonho com os portões da prisão se abrindo e eu me tornando livre novamente.

Renia a consolou.

— A guerra vai acabar logo. Você vai ver, um dia voltará a ser livre.

— Quando for libertada, senhora, por favor, me mande ajuda, qualquer coisa, até mesmo um pequeno pacote de comida.

Mirka ajudou Renia a se integrar à vida na prisão, ensinando-a a se comportar e se certificando de que ela sempre recebesse uma tigela de comida e um travesseiro de palha à noite.

Então Renia começou a deixar a sopa sobre a mesa e a sussurrar para Mirka pegar o pote.

— E você? — perguntava-lhe Mirka, mas Renia dizia a ela para não se preocupar. Como desejava dizer a verdade, provar sua própria existência.

A ala comportava 65 mulheres. Todos os dias, algumas delas eram levadas — para interrogatórios e espancamentos, para outra prisão ou para a morte. Todos os dias, novas mulheres chegavam para substituí-las. Uma linha de produção de tortura.

A carcereira responsável pelo grupo do qual Renia fazia parte era cruel, uma verdadeira sádica, sempre à espera de uma desculpa para usar o molho de chaves ou o chicote que levava consigo. A qualquer momento, podia atacar sem motivo uma prisioneira, espancando-a com violência. Não se passava um dia sequer sem que ela provocasse um incidente por absolutamente nenhum motivo. *Quando a guerra acabar, vamos fazê-la em pedaços e atirá-los aos cães*, fantasiavam as mulheres, engolindo a fúria, com um nó na garganta. Tudo era adiado para depois da guerra. Uma prisioneira contou a Renia que, antes da guerra, a cruel supervisora e seu marido tinham uma lojinha de pentes, espelhos e brinquedos, vendendo seus artigos em mercados e feiras. No início da ocupação, o marido morrera de fome e ela fugira de casa, mudando de identidade e tornando-se uma *volksdeutsche*. Seu status passou de viúva empobrecida a "senhora alemã" encarregada de quinhentas prisioneiras. "Porcas polonesas!", gritava ela enquanto as espancava. A Gestapo gostava de seu estilo.

A rotina de Renia era ao mesmo tempo tediosa e horripilante. Era acordada às seis da manhã. As mulheres iam ao banheiro em grupos de dez e se banhavam na pia, com água gelada e às pressas, já que havia outras à espera. Às sete, a carcereira sádica chegava e ninguém ousava estar no corredor. Ficavam todas em formação, em filas de três. A monitora da sala as contava e transmitia o número de prisioneiras às duas carcereiras da Gestapo. Depois, cada uma recebia uma fatia de 50 gramas de pão, às vezes um pouco de geleia, e uma xícara de café preto e amargo. As portas das celas eram trancadas, e as prisioneiras ficavam ansiosas e famintas, uma vez que a comida não fazia nada além de lhes abrir o apetite; contavam os minutos até as onze, quando tinham permissão para caminhar por meia hora no pátio. Lá, ouviam chicotadas e gritos bestiais. Viam homens sendo levados para a sala de interrogatório ou trazidos de lá, mortos-vivos, os olhos ensanguentados e arrancados, a cabeça enfaixada, mãos e dentes quebrados, membros deslocados, rostos amarelos como cera, cobertos de cicatrizes e rugas, as roupas rasgadas revelando a carne apodrecida. Às vezes, Renia via cadáveres sendo empilhados nos ônibus que levavam os prisioneiros para Auschwitz. Teria preferido ficar do lado de dentro.

Na cela, silêncio. Ninguém se atrevia a dizer uma palavra. Guardas patrulhavam o corredor. O estômago de Renia doía de fome. Cada mulher segurava uma tigela. Quando ouviam o bater de panelas, sabiam que era meio-dia. A comida era servida por duas prisioneiras acusadas de pequenos delitos, acompanhadas por um guarda armado. As mulheres esperavam em fila indiana. A carcereira ficava à porta. Apesar de uma fome que as fazia tremer, ninguém empurrava. "A ordem em primeiro lugar", era a descrição seca de Renia do sistema prisional nazista.

Enchiam sua tigela com um caldo aguado e um pouco de repolho e folhas de couve-flor cozidos. Insetos flutuavam na superfície. As mulheres retiravam os vermes à vista e comiam o resto, incluindo as folhas. "Nem mesmo os cães comiam aquele tipo de sopa", escreveu Renia mais tarde. Ninguém tinha colher, de modo que qualquer coisa mais espessa que um líquido era comida com as mãos. Se uma prisioneira recebia mais vegetais que o habitual, considerava-se uma mulher de sorte, capaz de aliviar a fome por mais algum tempo. Algumas mulheres recebiam apenas líquido. Infelizmente, não havia ninguém com quem reclamar do serviço, comentou Renia sarcasticamente. Por horas depois de comer, tinha vontade de vomitar os vermes e as folhas estragadas. Seu estômago parecia um saco abarrotado. E ainda assim estava sempre com fome. Sentia as entranhas se contraírem. Lembrava-se de como, no início, recusara a sopa. Mas agora, se pudesse conseguir um pouco mais...

Depois da sopa, as prisioneiras ficavam ociosas, sentadas em bancos dispostos ao longo da parede. A espera pelo jantar demorava uma vida inteira. Quando fossem libertadas, sonhavam as mulheres, a primeira coisa que fariam seria comer até passar mal. Em suas fantasias não havia bolos ou guloseimas, apenas pão, linguiça, uma sopa sem lagartas. "Mas quem de nós vai conseguir sair daqui viva?", Renia se perguntava, cada vez mais convencida de que ela não sairia.

Às sete horas, elas ficavam em formação para o jantar: uma fatia de 100 gramas de pão com margarina e café preto. Elas devoravam o pão e bebiam o café em pequenos goles para se sentirem saciadas. Às nove, hora de dormir. As pontadas de fome que dilaceravam as entranhas de Renia a impediam de adormecer.

Mysłowice era mais limpa do que Katowice. Em 1942, uma epidemia de febre tifoide estourara na prisão devido à desnutrição e às condições insalubres. Desde então, a prisão aplicava o regulamento e fornecia colchões aos prisioneiros — mas eles não tinham recheio de palha suficiente, de modo que as tábuas das camas lhes maceravam a carne. Renia se cobria com cobertores limpos, ainda que esfarrapados. As prisioneiras dormiam vestidas, para o caso de os guerrilheiros atacarem e elas terem de fugir imediatamente. Durante toda a noite, policiais armados patrulhavam os corredores, atentos ao menor ruído. Depois da hora de dormir, as mulheres não podiam deixar a cela em hipótese alguma; Renia se aliviava em uma bacia.

De tempos em tempos, as mulheres eram acordadas por tiros.

Provavelmente, alguém na ala masculina tinha tentado escapar, imaginava Renia. A fuga era impossível: as janelas tinham grades de ferro, as portas ficavam trancadas, os muros da prisão eram pontuados de torres de vigia. O prédio era patrulhado por guardas que trocavam de turno a cada duas horas, e que atiravam três vezes em qualquer coisa que lhes parecesse suspeita.

Por vezes, de manhã, ela ouvia dizer que homens haviam se enforcado durante a noite, ou que uma mulher tentara fugir pelo banheiro e fora espancada e trancada em uma cela escura.

Renia passava noites sem dormir pensando em escapar. *Mas como?*

Um dia, chegaram à prisão cinco judias de Sosnowiec. Apesar de terem descolorido os cabelos para se disfarçar, foram pegas na estação de Katowice. Um garoto polonês suspeitara delas e alertara a Gestapo. Todos os seus bens foram confiscados. Renia falou com elas à noite, mas teve o cuidado de esconder sua identidade judaica; será que a reconheceriam da área? Ao mesmo tempo, o reconhecimento de sua identidade era uma das coisas que ela mais desejava. Ninguém no mundo sabia onde ela estava; precisava contar a alguém para que, caso morresse, as pessoas soubessem. Para que *alguém* soubesse.[5]

As judias continuaram a chegar com regularidade. Uma foi pega durante uma inspeção rotineira de documentos. Outra estava escondida na casa de uma amiga de um gendarme; não sabia quem a havia denunciado. Toda a família alemã fora presa. Uma mãe já idosa e suas duas filhas foram apanhadas no trem com documentos que não eram falsificações muito boas — uma delas chorou e confessou ser judia. A maioria das mulheres, escreveu Renia, havia sido denunciada à Gestapo por poloneses.

Quando um grupo de vinte judias foi reunido, os nazistas as enviaram para Auschwitz. O coração de Renia se apertou ao vê-las partir. Eram sua gente, embora não o soubessem. *Estão sendo enviadas para lá, e eu fico para trás*. Elas se iludiram até o último segundo — talvez a guerra acabasse! —, mas ao partir, choraram, sabendo muito bem que iam morrer. Todas choraram com elas.

Os nomes das mulheres chamadas para interrogatório eram anunciados sem aviso prévio. Algumas desmaiavam ao ser convocadas e eram levadas para a sala de interrogatório em macas. No dia seguinte, retornavam completamente deformadas pelos espancamentos. Às vezes, voltavam mortas.

A maioria dos prisioneiros era suspeita de atividade política. Entre eles havia famílias inteiras. Mães e filhas estavam com Renia; os maridos, na ala masculina. Uma mulher podia ficar sabendo durante o interrogatório que seu marido estava morto ou tinha sido enviado para Auschwitz. As mães recebiam esse tipo de notificação sobre filhos e filhas o tempo todo. Perdiam a vontade de viver; todas eram afetadas.

Renia soube que muitos homens e mulheres poloneses foram executados por ajudar judeus. Enforcaram uma mulher suspeita de esconder em casa a antiga patroa judia. Com apenas 25 anos, ela deixou dois filhos pequenos, o marido e os pais. Algumas das prisioneiras eram mulheres que viviam em um casamento misto e estavam ali como reféns porque o marido judeu estava foragido. Algumas nem sabiam por que tinham sido presas. Chegavam a ficar encarceradas por três anos sem acusações formais nem ninguém que investigasse seu caso. Também eram comuns as condenações à revelia: a pessoa encarcerada não sabia por que motivo nem quando seria executada. Certa vez, uma aldeia inteira — várias centenas de pessoas — foi levada para Mysłowice. Aparentemente, os moradores da aldeia haviam travado contato com um guerrilheiro.

Um dia, enquanto Renia estava no pátio durante um intervalo, chegaram quatro caminhões cheios de crianças. Havia grupos de guerrilheiros atuando naquela área, e os alemães se vingavam atormentando pessoas inocentes, roubando seus filhos. As crianças viviam em uma cela especial, sob os cuidados de uma prisioneira mais velha. Eram alimentadas e interrogadas como os adultos. Vendo o chicote, as crianças confessavam tudo e mais um pouco. Essas confissões forçadas bastavam para os nazistas. As crianças eram enviadas para escolas na Alemanha, onde eram "educadas" para se tornarem "alemães respeitáveis".

Uma polonesa mostrou as mãos a Renia: sem unhas. Tinham caído depois que alfinetes incandescentes foram enfiados por baixo delas. Seus calcanhares estavam apodrecidos após terem sido golpeados com hastes de metal em brasa. Suas axilas mostravam as marcas das correntes. Ela havia sido pendurada e espancada durante meia hora; em seguida, a amarraram de cabeça para baixo e continuaram. No topo de sua cabeça não havia cabelo porque eles o haviam arrancado. E o que tinha feito para merecer tudo isso? Em 1940, seu filho desaparecera. Dizia-se que liderava um grupo de guerrilheiros. Os alemães suspeitavam de que os parentes mantinham contato com ele. Ela era a última pessoa viva de toda a família.

Entre as companheiras de prisão de Renia, havia pessoas acusadas de pequenos delitos: mulheres presas por vender mercadorias no mercado clandestino ou acender a luz durante um apagão e outros "disparates", como ela os chamava. A vida dessas prisioneiras era um pouco mais fácil. Elas podiam receber pacotes de comida e roupas. Os alemães vasculhavam tudo e ficavam com os melhores itens.

Por que razão, Renia se perguntava, ela ainda estava em Mysłowice? Por que não a haviam levado? Por que ainda estava viva? Tantas mulheres morriam, tantas outras eram levadas para substituí-las.

Então, uma tarde, foi a vez dela. Um carcereiro entrou na cela. Ele olhou para Renia e perguntou por que ela havia sido presa. Ela respondeu que fora presa ao atravessar a fronteira.

— Vamos.

O que ia ser? Uma bala? A forca? Tortura medieval? Ou Auschwitz?

Ela não sabia qual seria o método. Mas sabia qual seria o resultado:

Aquele era seu fim. Seu fim.

*

Auschwitz, o exemplo máximo da brutalidade bestial, ficava a apenas uma viagem de ônibus de Mysłowice. Mas, apesar das terríveis condições, a resistência crescia sob as fissuras do campo. O movimento clandestino em Auschwitz compreendia grupos (muitas vezes discordantes) de vários países e filosofias, incluindo jovens judeus que, em vez de serem enviados de imediato para as câmaras de gás, tinham sido selecionados para o trabalho escravo. (Por essa razão, muitas judias tentavam parecer mais jovens quando chegavam aos campos — uma mulher usou a tinta vermelha das borlas do sapato como blush e batom, outras usaram margarina para alisar os cabelos e esconder os fios grisalhos.)[6] O transporte de Będzin, com camaradas dos movimentos, havia contribuído com vários integrantes para a resistência[7] e renovara sua energia.

A primeira vez que Anna Heilman[8] ouviu falar sobre a resistência foi por intermédio de uma de suas companheiras de barracão, uma judia que havia sido presa como polonesa e tinha contatos no Exército Nacional. Anna, de apenas 14 anos, havia chegado a Auschwitz um ano antes com a irmã mais velha, Esther. As duas garotas, de uma família extremamente assimilada e de classe média-alta de Varsóvia, cresceram com babás e visitas a sorveterias gourmet. Agora viviam no campo das mulheres em Birkenau, "trabalhando" para a Union Factory. A autoproclamada "fábrica de bicicletas" era, na realidade, uma fábrica de munições em um grande prédio térreo e com telhado de vidro,[9] onde eram produzidos detonadores para projéteis de artilharia usados pelo exército alemão. Auschwitz tinha cerca de cinquenta subcampos e, como os campos de trabalho, muitos eram alugados para a indústria privada.

Anna ficou entusiasmada com a notícia da rebelião. Tinha aderido à Guarda Jovem no gueto de Varsóvia e essa tinha sido sua salvação espiritual. (Como não falava hebraico, nem mesmo iídiche, o movimento dera-lhe o nome de Hagar — por pertencer a outra tribo.) Todas as noites, seu grupo de amigos judeus e sua irmã cantavam canções, contavam histórias e pensavam sobre a resistência. Ela havia assistido ao levante do gueto e ansiava por mais atividade. Agora, ouvira dizer que o Exército Nacional estava organizando uma revolta em Varsóvia e havia entrado em contato com o movimento clandestino em Auschwitz. Eles planejavam atacar o campo a partir do exterior; quando os detentos no campo ouvissem uma senha, atacariam do interior. Homens e mulheres começaram a se preparar. Anna e seu grupo coletaram materiais — fósforos, gasolina, objetos pesados — que colocaram em locais previamente combinados. Conseguiram as chaves do galpão de ferramentas agrícolas, de onde roubariam ancinhos e enxadas. Participaram cerca de cinco mulheres de cada bloco, coordenadas por uma líder. Somente as líderes estavam em contato nessa operação secreta e organizada.

Todos os dias, a caminho do trabalho, Anna passava por um homem que trabalhava como chaveiro e estava sempre sorrindo para ela. Uma manhã, tomando coragem, ela pediu a ele um alicate isolado para cortar fios (para abrir passagem em uma cerca de arame farpado eletrificado). Ele olhou para ela, espantado, e não disse nada. Durante dias, Anna vivenciou o medo de ter agido com descuido e acabar sendo pega. Então, uma tarde, o homem colocou uma caixa em sua bancada de trabalho. As garotas da fábrica cochicharam: "Ele é seu namorado!" — o termo para protetor masculino.[10] Anna colocou a caixa embaixo da bancada e espiou. Um pão inteiro! Ficou animada, mas ao mesmo tempo desapontada. Felizmente, não houve inspeção naquele dia, de modo que ela conseguiu levar o pão para o campo, escondido em uma pequena bolsa por baixo das roupas.

Era comum que os namorados levassem presentes para as garotas. Possuir o que quer que fosse era proibido, de modo que, se fosse apanhada, uma garota diria: "Eu encontrei." Encolhida em sua cama, Anna mostrou o pão a Esther. Elas repararam que o miolo fora retirado. No interior: um alicate, um belo alicate, com cabos vermelhos isolados. As irmãs esconderam o tesouro no colchão e — caso estivessem fora quando a senha fosse dita — contaram a algumas amigas, incluindo Ala Gertner, sua elegante companheira de beliche de Będzin, cujas fotografias antes da guerra a mostravam posando, coquete, com um belo chapéu fedora e uma blusa de colarinho.

Dias depois, Ala transmitiu a elas a mensagem de uma amiga, a camarada da Guarda Jovem Roza Robota,[11] de 23 anos, que trabalhava no *kommando* da rouparia, separando os artigos pessoais, as vestes e as roupas íntimas dos judeus assassinados. Roza tinha um namorado na unidade de trabalho conhecida como *sonderkommando*, composta de judeus que operavam os crematórios e transportavam os cadáveres. O namorado disse a ela que o grupo no qual ele trabalhava seria eliminado em breve. (Os *sonderkommandos* eram periodicamente "reformados" — isto é, mortos.) A revolta, dissera ele, era iminente.

Eles não tinham armas, mas então Anna teve uma ideia: na fábrica onde trabalhavam havia pólvora. Anna pediu a Esther, uma das poucas mulheres que ficavam no *Pulverraum* (a sala da pólvora), que roubasse um pouco. De acordo com outros relatos,[12] foram os homens que suplicaram a Roza que pedisse a pólvora às mulheres, e ela concordou de imediato.

Roubar do *Pulverraum*? A fábrica inteira era aberta, transparente, concebida de forma a tornar impossível manter segredos, as bancadas cercadas por corredores de vigilância. Os encarregados ficavam sentados em cabines de onde podiam ver tudo. Banheiros, refeições, uma pausa do trabalho — tudo era proibido. Qualquer coisa podia levar a uma acusação de sabotagem. O *Pulverraum* não media mais que 3 metros de largura e 1,80 de profundidade. "Impossível, ridículo, esqueça", dissera Esther. Mas ela ficou pensando no assunto.

Apesar da vigilância constante, da sede enlouquecedora, da tortura e da ameaça de castigos coletivos, as judias em campos de concentração se revoltavam. Quando ordenaram a Franceska Mann, uma famosa bailarina judia do clube noturno Melody Palace,[13] de Varsóvia, que se despisse ao chegar a Auschwitz, a jovem atirou os sapatos na cara do nazista que lhe dirigia olhares cobiçosos, pegou sua arma e disparou contra dois guardas, matando um deles. Um grupo de quinhentas mulheres[14] que receberam paus e ordens de espancar duas meninas acusadas de roubar cascas de batata se recusou a obedecer, apesar de terem sido espancadas e forçadas a passar a noite inteira de pé e sem comer, no frio congelante. Em Budy, um subcampo agrícola,[15] um grupo de mulheres tentou uma fuga organizada. Em Sobibor,[16] as mulheres roubavam armas[17] dos agentes da SS para os quais trabalhavam e as entregavam ao movimento clandestino.

Em Auschwitz, uma mulher belga chamada Mala Zimetbaum,[18] que falava seis línguas, foi escolhida para atuar como intérprete para a SS — um trabalho que lhe garantiu liberdade de movimento. Ela usou sua posição privilegiada para ajudar judeus: transportava medicamentos, conectava membros de uma mesma família que haviam sido separados, adulterava as listas de prisioneiros que chegavam, arranjava trabalho mais leve para os fracos, alertava os pacientes do hospital sobre as seleções iminentes e dissuadia a SS de aplicar punições coletivas, chegando até mesmo a convencer os agentes a permitir que os prisioneiros usassem meias.

Mala se vestiu como homem e saiu do campo fingindo fazer parte de uma "comissão de trabalho" — a primeira mulher a conseguir escapar —, mas foi pega tentando deixar a Polônia. Enquanto sua sentença era lida, ela cortou os pulsos com uma lâmina de barbear que havia escondido nos cabelos. Um dos homens da SS a agarrou, e então Mala esbofeteou-o com a mão ensanguentada e vociferou: "Vou morrer como uma heroína, mas você vai morrer como um cão!"

Bela Hazan estava presente na execução de Mala. Bela continuou a manter o disfarce de polonesa e voltou a trabalhar como enfermeira. Depois da morte de Lonka, ficou arrasada, mas um dia a banda marcial tocou uma marcha que a fez lembrar de um camarada de Będzin. Bela começou a chorar. Uma das integrantes da banda percebeu. As duas conversaram e Bela descobriu que a mulher, Hinda, fizera parte de um movimento jovem. Bela aceitou correr o risco e contou a ela que era judia. Ser conhecida era *ser*. As duas choraram juntas, desesperadas para se abraçar, e falaram da resistência. O grupo de judias que chegara no mesmo transporte que Hinda queria se rebelar, contou ela. Uma das garotas tinha conseguido uma ferramenta para cortar arame farpado. À noite, os guardas quase sempre ficavam bêbados. Em uma noite sem lua, elas puseram mãos à obra, cavando um túnel para levar garotas judias a um local seguro. Duas delas cavavam enquanto quatro montavam guarda. Bela ajudou a cavar. O túnel passava por baixo do arame farpado, começando no lugar onde os trens paravam. Bela se lembrou de que, certa vez, tinham ajudado duas meninas de 15 anos vindas da Alemanha a entrar.[19] As garotas ficaram chocadas quando lhes disseram para ficar em silêncio e rastejar pelo túnel, mas Bela ficou muito feliz por terem conseguido levá-las para o campo de trabalho. Ensinou a elas como se comportar como ilegais e vestiu-as com roupas de pacientes mortas. Uma garota judia que trabalhava no banheiro as escondia lá durante as chamadas. Bela roubava batatas e cenouras para alimentá-las. As garotas não conseguiam entender por que uma polonesa as ajudaria.

Bela usava continuamente seu cargo de enfermeira para ajudar judeus doentes. Servia-lhes sopa que continha um pouco mais de repolho, acariciava-lhes delicadamente a testa enquanto lhes dava pequenos goles de água e se voluntariava para trabalhar na enfermaria das judias com sarna. (Todos presumiram que ela assumiu essa última tarefa por suas "razões comunistas", ou, como ela afirmava, para evitar que a sarna atingisse os poloneses e os alemães.) Ela avisava os pacientes quando o dr. Mengele estava prestes a aparecer para uma seleção e escondia os mais doentes.

Bela sabia que sua bondade parecia não apenas estranha às prisioneiras judias, mas também suspeita. Compreendia, é claro, os murmúrios em iídiche sobre a possibilidade de ela ser uma espiã. Mesmo assim, todas ficaram satisfeitas quando ela autorizou as judias que trabalhavam na enfermaria a celebrar o Hanucá. Por dentro, Bela ficou arrasada por não poder participar, mas tinha que parecer "mais polonesa do que o Papa". Em vez disso, decorou uma árvore de Natal com figurinhas de Papai Noel.

Uma das supervisoras de Bela, Arna Cook, era uma mulher baixinha, zangada e cruel. Insistia para que Bela limpasse seu quarto, lhe levasse café e engraxasse suas botas. Certa manhã, Bela entrou para cumprir suas obrigações, e Arna não a ouviu entrar. Bela a viu deitada na cama com as pernas bem abertas, fazendo sexo com seu pastor-alemão. Bela fechou a porta e saiu correndo, sabendo que, se tivesse sido flagrada, teria sido morta.

Mais tarde, Arna bateu em Bela por não chegar pontualmente ao trabalho. Levou-a de volta para Birkenau para realizar trabalhos forçados e a obrigou a se juntar a uma unidade encarregada de cavar trincheiras — uma tarefa tremendamente exigente. Sem descanso, com espancamentos constantes; as garotas que desfaleciam eram abatidas a tiros. As outras tinham de carregar os corpos ao som da banda marcial.

Uma vez, durante o trabalho, os homens da SS arrastaram uma das garotas para uma floresta próxima. Bela a ouviu gritar. Ela nunca mais voltou. Depois, ficaram sabendo que eles a haviam forçado a fazer sexo com um cachorro. Ela suplicou que a matassem. Os agentes da SS riram. "Esse cachorro encontrou uma bela fonte de prazer", Bela os ouviu dizer. Não foi a única vez que isso aconteceu. Outra sobrevivente de Auschwitz relatou que os nazistas a obrigaram a despir a filha pequena e assistir enquanto ela era violada por cães.[20]

Bela e as outras prisioneiras ficavam aterrorizadas cada vez que saíam para trabalhar. Decidiram que, se aquilo voltasse a acontecer, todo o *kommando* se revoltaria. Depois do terceiro incidente de violação por cães, quando os alemães começaram a arrastar outra garota, as vinte que constituíam a unidade começaram a gritar. Os agentes da SS as confinaram em um porão, onde foram forçadas a ficar de pé por dias e noites a fio, sendo alimentadas apenas uma vez a cada 96 horas. Saíram desse confinamento fisicamente destruídas, mas reconfortadas pela ideia de que haviam resistido. As mulheres se uniram e protegeram umas às outras.

Em muitos campos de trabalho, incluindo Auschwitz, as mulheres se revoltavam sabotando os itens que eram obrigadas a produzir, prejudicando a produtividade ou a qualidade. Enfraqueciam os fios de cânhamo na tecelagem, trocavam as medidas das peças constituintes de bombas, derrubavam fios no meio de rolamentos e deixavam as janelas abertas durante a noite para que os canos congelassem.[21] Munições sabotadas faziam com que as armas alemãs explodissem. Fania Fainer,[22] uma nativa de Białystok vinda de uma família de integrantes do Bund, às vezes colocava areia em vez de pólvora nas munições produzidas na Union.

Quando Fania estava prestes a completar 20 anos, sua amiga Zlatka Pitluk[23] decidiu que uma data tão importante precisava ser celebrada. Zlatka, que adorava trabalhos manuais, arriscou a vida para reunir materiais encontrados no campo e usou uma mistura de água e pão para colá-los e criar um cartão de aniversário tridimensional em forma de coração — semelhante a um livro de autógrafos, artigo muito popular na época. O pequeno cartão, forrado com tecido roxo (arrancado da blusa que Zlatka secretamente usava por baixo do uniforme), tinha na capa um *F*, bordado com linha na cor laranja. Zlatka então passou o livreto para dezoito outras prisioneiras, incluindo Anna,[24] que escreveram suas mensagens de parabéns. Em oito páginas cuidadosamente dobradas como um origami, abrindo-se em um trevo, estão os votos das prisioneiras, escritos nas mais diversas línguas: polonês, hebraico, alemão, francês.

"Liberdade, Liberdade, Liberdade, é o meu desejo no dia do seu aniversário", escreveu uma mulher chamada Mania, correndo o risco de ser assassinada.

"Não morrer será a nossa vitória", escreveu outra.

Uma mulher citou um poema polonês: "Ria entre as pessoas (...). Seja leve ao dançar (...). Quando for velha, coloque os óculos e lembre-se do que passamos."[25]

A camaradagem, um desafio secreto e até ilegal, dava esperança às mulheres e as ajudava a perseverar.

*

Por fim, Esther acabou concordando em roubar a pólvora.

A irmã de Anna passava doze horas por dia trabalhando diante de uma máquina que prensava a pólvora — cor de ardósia e com a consistência de sal grosso — em um formato semelhante ao de uma peça de jogo de damas. Era a parte que deflagrava a bomba.

Anna atravessou o corredor poeirento e tomado por um cheiro acre, passou por vários supervisores e se dirigiu ao *Pulverraum*, como se estivesse trabalhando na coleta de lixo. O posto de Ester ficava junto à entrada; ela entregou a Anna uma pequena caixa metálica, do tipo que era usado para resíduos. Esther tinha escondido pedaços de pólvora, embrulhados em tecido, no meio dos rejeitos. (Os trapos vinham de camisas rasgadas ou de lenços trocados por pão.) Anna levou a caixa para sua mesa, tirou os embrulhos de pano e os escondeu debaixo do vestido. Encontrou-se com Ala no banheiro, onde dividiram os pacotes e os esconderam nas roupas. No fim do dia, Esther transferiu alguns para seu próprio corpo antes da marcha de retorno ao campo, sempre com sapatos de madeira, percorrendo quase 1,5 quilômetro sob chuva, neve ou sol escaldante. Se houvesse uma inspeção, as garotas abririam os embrulhos e deixariam o pó cair no chão, espalhando-o com os pés. Ala entregou a pólvora a Roza.

Não foram apenas elas. Uma rede constituída por cerca de trinta judias[26] com idades entre 18 e 22 anos roubava a pólvora boa e, no lugar dela, usava resíduos naquilo que era produzido. Elas contrabandeavam explosivos em caixas de fósforos e no peito, entre os seios. Embrulhavam em papel montinhos de 250 gramas e os enfiavam nos bolsos dos ásperos vestidos azuis. Em um dia, três garotas podiam juntar duas colheres de chá. Marta Bindiger, uma das amigas mais próximas de Anna e uma das coletoras, conservou os pacotes consigo por vários dias até o momento da "coleta". A operação se dividia em quatro níveis e envolvia redes de garotas que não sabiam umas das outras. Tudo desembocava em Roza, que fazia a ligação entre as diferentes facções da resistência.

Roza entregou a pólvora aos homens. Os membros do *sonderkommando*, que tinham permissão de entrar no campo feminino para retirar os cadáveres, transportavam os explosivos em uma tigela de sopa com fundo falso, nas costuras dos aventais[27] e na carroça que usavam para remover os corpos das judias que morriam durante a noite. Os pacotes de pólvora eram escondidos sob os cadáveres e depois nos crematórios. Um prisioneiro russo transformava a dinamite em bombas, usando latas vazias de sardinha e de graxa de sapato. Perto dali, uma adolescente chamada Kitty Felix tinha como missão revistar[28] os casacos dos prisioneiros assassinados e procurar objetos de valor. Ela roubava diamantes e ouro e os escondia atrás de uma latrina; depois eram trocados por explosivos.

As garotas viviam com medo e excitação. Então, um dia, pandemônio. Sem aviso, sem senha. A revolta, organizada com cuidado ao longo de meses, não pôde prosseguir conforme o planejado porque os homens do *sonderkommando* descobriram que seriam enviados para as câmaras de gás naquele mesmo dia. Era agora ou nunca.

Em 7 de outubro de 1944, a resistência judaica atacou um oficial da SS com martelos, machados e pedras e mandou pelos ares um crematório,[29] onde haviam colocado trapos embebidos em óleo e álcool. Desenterraram as armas escondidas e mataram um punhado de guardas da SS, ferindo outros; atiraram um nazista particularmente sádico dentro de um forno, vivo. Cortaram o arame farpado e fugiram.

Mas não rápido o suficiente. Eram trezentas pessoas; os nazistas mataram todas elas, depois fizeram uma chamada formal para os cadáveres, colocando-os em formação. Várias centenas de prisioneiros fugiram no meio da confusão; também foram perseguidos e mortos.

Depois disso, os nazistas encontraram as bombas improvisadas: latas cheias de pólvora que só podia ter vindo do *Pulverraum*.[30] Seguiu-se uma investigação minuciosa. Pessoas foram levadas e torturadas, e há muitos relatos conflitantes de denúncias e traições. De acordo com as memórias de Anna, uma companheira de barracão chamada Klara foi pega com pão e delatou Ala em troca da suspensão do castigo. Por sua vez, Ala, torturada, revelou que Roza e Esther estavam envolvidas. Em uma versão,[31] os nazistas ordenaram a uma agente infiltrada, uma tcheca meio-judia, que seduzisse Ala com chocolates, cigarros e afeto até que ela revelasse os nomes.

Esther foi levada para uma cela de punição. Anna ficou horrorizada e foi tomada pelo desânimo. Um dia, também foi levada para interrogatório e espancada como advertência. Eles limparam o sangue de seu rosto. O "bom policial" perguntou, em tom paternal:

— Quem roubou a pólvora? Por quê? Onde? O que sua irmã disse a você?

Anna o encarou, muda.

— Esther confessou tudo — disse ele —, então é melhor nos contar de uma vez.

— Como Esther pode ter confessado alguma coisa? — perguntou Anna. — Ela é inocente e não é uma mentirosa.

Eles a soltaram e, felizmente, mandaram Esther de volta para o barracão. Ela estava coberta de hematomas negros e azulados. A pele de suas costas estava rasgada em tiras. Ela não conseguia se mover nem falar. Marta e Anna cuidaram dela, que aos poucos começou a melhorar.

Alguns dias depois, no entanto, os nazistas voltaram e levaram Ala, Esther, Roza e Regina, uma garota de Będzin que era supervisora do *Pulverraum*.

As garotas foram condenadas à forca.[32] Anna ficou louca; Marta a admitiu no *revier* para impedi-la de cometer suicídio. Ela tentou entrar em contato com a irmã, tentou vê-la, mas não conseguiu.

Um membro da resistência da cidade natal de Roza usou vodca para convencer o guarda do bunker de tortura a deixá-lo entrar para vê-la. "Entrei na cela de Roza", lembrou Noah Zabludowicz. "No chão de cimento frio, vi uma figura caída como um monte de trapos. Ao som da porta se abrindo, ela virou o rosto para mim. (...) Então disse suas últimas palavras. Ela me disse que não havia traído [ninguém]. Queria dizer às camaradas que elas não tinham nada a temer. Que tinham que continuar." Não estava triste nem arrependida, mas queria morrer sabendo que as ações do movimento iam continuar. Deixou com ele um bilhete destinado às companheiras restantes. Estava assinado com a exortação "*Chazak V'Amatz*". Sejam fortes e corajosas.

Esther escreveu uma última carta para Anna e outra para Marta, a quem pedia: "Cuide da minha irmã, para que eu possa morrer tranquila."

"Irmãs de campo" eram família.

No dia da execução, as quatro mulheres foram enforcadas em uma das raras cerimônias públicas destinadas a aterrorizar as prisioneiras e dissuadi-las de mais sabotagem e rebelião. Duas foram executadas no turno do dia, as outras duas, no turno da noite. Todas as prisioneiras judias foram obrigadas a assistir; eram espancadas se desviassem o olhar por um segundo que fosse. As amigas de Anna a esconderam e a seguraram para que ela não tivesse que ver. Mas ela ouviu. "Um rufar de tambores", ela descreveu a cena mais tarde, "um gemido saído de milhares de gargantas, e o resto foi névoa." Bela Hazan também estava lá, no papel de enfermeira polonesa encarregada de retirar os corpos.

Em seu último suspiro, antes de o nó se apertar, Roza gritou em polonês:

— Vingança, irmãs!

27. A LUZ DOS DIAS

RENIA

OUTUBRO DE 1943

Do lado de fora da cela em Mysłowice, um policial esperava por Renia.[1]

— Você — disse ele.

Ela havia relutado por um longo tempo, agarrando-se ao último fio de esperança. Estava pronta. Pronta para morrer.

— Um dia desses — disse ele devagar, deliberadamente —, alguém vai vir buscá-la para um novo trabalho. Você vai trabalhar na cozinha da polícia.

O quê?

Renia não disse nada, mas estremeceu de alívio. Milagrosamente, não era Auschwitz no fim das contas. Nem mesmo um interrogatório, mas uma promoção.

Um mês depois de ser presa, Renia deixou Mysłowice pela primeira vez. Na rua, a rua normal, a caminho da delegacia de polícia, ela procurou loucamente por alguém que conhecesse. Alguém familiar, qualquer pessoa a quem pudesse contar sobre sua prisão. Mas viu apenas desconhecidos.

O turno de Renia ia das quatro da manhã às quatro da tarde. Ela deixava a cela em uma escuridão que ia clareando com o amanhecer e depois se dissipava por completo com a luz do dia. A cozinheira, ela se lembrava, era uma alemã glutona, mas dava comida de qualidade a Renia, que então recuperou as forças.

Devido às inspeções diárias, ela não podia levar comida para a cela, mas, saciada depois do trabalho, dava seu jantar da prisão para mulheres com mais fome do que ela, sobretudo as judias. As outras ficavam olhando com raiva.

Um dos policiais[2] que acompanhava Renia até o trabalho a tratava com simpatia, oferecendo-lhe cigarros, maçãs e pão com manteiga. Disse a ela que tinha vivido muitos anos na Polônia, mas era originalmente de Berlim. Havia se tornado um *volksdeutsche*. Fora obrigado a se divorciar da esposa polonesa; ela pegara o filho deles e fugira para a casa dos pais.

"Não sei dizer por que acreditava e confiava nele", escreveu Renia mais tarde. "Eu realmente sentia que ele era um homem honesto e que sua amizade poderia me beneficiar."

Uma noite, quando as prisioneiras estavam dormindo, Renia escreveu uma carta. Tinha que arriscar. Ela pediu ao simpático gendarme que enviasse a carta a Varsóvia, "para os meus pais". Explicou que, desde que fora presa, ninguém sabia do seu paradeiro. Ele prometeu que colocaria um selo na carta e a enviaria. Então fez um gesto com o dedo para Renia, avisando-a para que não falasse sobre aquilo com ninguém.

Mas, a partir daquele momento, Renia não conseguiu mais dormir. O que tinha feito? E se o gendarme entregasse a carta à Gestapo? Isso tornaria sua situação muito mais difícil. A carta, embora codificada, continha informações e alguns endereços; alguns itens precisavam ser removidos daqueles locais. Mas, sobretudo, ela queria que os camaradas soubessem onde estava. A cada dia, no entanto, ela afundava mais no vórtice do complexo prisional nazista, e parecia cada vez menos provável que alguém a encontrasse.

*

Um dia, tarde da noite, quatro mulheres e um bebê foram levados para a cela. Todas eram judias, exceto uma, Tatiana Kuprienko, russa nascida na Polônia. Renia fez amizade com Tatiana. Falando em uma mistura de russo e polonês, Tatiana explicou que por um tempo escondera aquelas mulheres, que a haviam ajudado antes da guerra. Tinha abrigado e alimentado seis adultos e um bebê no sótão da casa onde morava, presumindo que ninguém soubesse. Contratara um falsificador e providenciara para eles documentos poloneses a um preço exorbitante, na esperança de que encontrassem trabalho na Alemanha. A maioria das mulheres se mostrara relutante em se separar do marido, cujas feições eram demasiado judaicas, mas uma delas havia partido para a Alemanha e escrevera para dizer que havia arranjado um emprego.

— Dois meses e meio depois, a polícia apareceu na minha casa com um jovem polonês de 17 anos — continuou Tatiana. — Antes que eu pudesse dizer uma palavra, o rapaz disse à polícia que eu estava abrigando judeus. Fomos todos presos. Meus dois irmãos e o falsificador, também. Ainda não sei como descobriram sobre o sótão, os documentos falsos, a mulher na Alemanha, até mesmo o que paguei ao falsificador. Antes de tomar meu testemunho, eles leram em voz alta tudo o que sabiam: era tudo verdade.

Na delegacia, Tatiana foi espancada. A Gestapo disse que ela tinha sorte de ser russa; caso contrário, teria sido enforcada. Não paravam de ameaçar matá-la ou mantê-la presa pelo resto da vida.

Dois dias depois, as judias e os maridos foram enviados para Auschwitz. E no quarto dia, a judia que tinha partido para a Alemanha foi trazida para a prisão, em um estado de total desespero. Certa de que sobreviveria passando o resto da guerra trabalhando para um agricultor perto de Berlim, ela de repente fora presa. Depois do interrogatório, foi carregada de volta para a cela em uma maca, desfigurada a ponto de Renia quase não a reconhecer. Grandes nacos de carne haviam sido arrancados de seu corpo. Os nazistas a amordaçaram, depois golpearam seus pés com varas de metal e perfuraram sua pele com um ferro quente. Apesar da tortura, a judia não havia revelado o nome do falsificador nem admitira conhecer Tatiana. Os nazistas usaram métodos semelhantes para torturar Tatiana.

Um dia, quando estava com o ânimo melhor, Tatiana disse a Renia:

— Depois de tudo que passei, tenho a sensação de que um dia vou ser libertada. Tenho que viver para cuidar da minha mãe. Tenho um cunhado rico em Varsóvia; talvez ele pague a minha fiança.

Renia sorriu, presumindo que ela tinha enlouquecido como consequência de todos os espancamentos.

Alguns dias depois, o nome de Tatiana foi chamado. Ela empalideceu — outro interrogatório. Seria seu fim. Ela saiu da cela e foi levada pela Gestapo.

Poucos minutos mais tarde, Renia ouviu uma risada histérica. Tatiana voltou, beijou todas as companheiras e disse que tinha sido libertada. Estava indo para casa!

Quando se aproximou de Renia para beijá-la, sussurrou em seu ouvido que seu cunhado pagara meio quilo de ouro por ela.

Os olhos de Renia se iluminaram. Se era possível subornar a Gestapo, mesmo ali em Mysłowice, talvez houvesse esperança.

*

Certa tarde, um táxi parou diante do portão do campo. Dois homens vestidos com roupas civis saíram, apresentaram documentos identificando-os como agentes secretos da Gestapo e se dirigiram à ala masculina, à mais terrível das celas, onde sombras em forma humana estavam acorrentadas às camas. Os agentes da Gestapo à paisana chamaram os nomes de dois jovens que haviam sido condenados por liderar um grupo de guerrilheiros. Tiraram-lhes as correntes e os levaram para o táxi que os esperava e que rapidamente desapareceu. Os guardas que viram os agentes levando os prisioneiros, algo que nunca tinha acontecido, ficaram desconfiados, e, logo depois de o táxi partir, ligaram para a Gestapo em Katowice. Então descobriram que os dois homens da Gestapo "à paisana" eram guerrilheiros e portavam documentos falsos. Os quatro homens desapareceram. Livres.

Renia ficou simplesmente exultante. "Aquele episódio despertou minha paixão pela vida e minha fé na liberdade", lembrou. "Quem sabe talvez um milagre pudesse acontecer comigo também."

Os comandantes da prisão, no entanto, ficaram furiosos. Os guardas foram presos. A disciplina foi reforçada, os casos, reabertos. De repente, certa manhã, Renia foi informada de que não iria trabalhar. Em vez disso, foi espancada e trancada em uma cela escura, supostamente como punição por sua mentira sobre ter apenas tentado atravessar a fronteira. Agora, era suspeita de espionagem. A surra deixou uma cicatriz permanente em sua testa.

Renia foi transferida para uma cela destinada a presas políticas. Ninguém ali saía para trabalhar. De poucos em poucos dias, uma comissão da Gestapo surgia para examiná-las, como gado no mercado. Não havia a menor esperança de sair.

Por acaso, Renia soube por uma mulher de Katowice que Ilza havia confessado ser judia e fora enforcada. Seu coração se partiu em um milhão de pedaços, mas ela não contraiu um músculo. "Mesmo que me apunhalassem com uma faca, eu não podia me deixar abalar."[3]

Dia e noite, Renia contemplava o destino das camaradas. Sentia que estava perdendo a memória, que estava enlouquecendo. Não conseguia se concentrar. Não conseguia se lembrar de seu depoimento. Não tinha certeza se poderia confiar em si mesma caso decidissem interrogá-la mais uma vez. Era atormentada por uma dor de cabeça constante. Estava muito fraca, mal conseguia ficar de pé. As prisioneiras eram proibidas de se deitar na cama durante o dia, mas a carcereira teve pena dela e permitiu que se sentasse na beirada da cama. Ela se levantava de um salto sempre que ouvia o tilintar das chaves da carcereira, para que ninguém a visse sentada sem fazer nada, assombrada pelo rosto jovem de Ilza.

Estivera tão perto da liberdade.

28. A GRANDE FUGA

RENIA E GUSTA

NOVEMBRO DE 1943

— Isto é para você — sussurrou uma mulher, entregando um papel a Renia. — Chegou até mim quando eu estava trabalhando no campo — Renia, que estava a caminho do banheiro, se assustou. — A mulher volta amanhã para saber a resposta e deixar um pacote de comida.

As mãos de Renia tremeram quando ela pegou o papel. Seria possível? Ficou agarrada ao bilhete o dia todo.

Finalmente, à noite, quando todas ao seu redor estavam dormindo, Renia abriu seu tesouro, devorando cada palavra. Seria verdade? A caligrafia era parecida com a de Sarah.

A irmã dizia que ainda estavam todos vivos. Os camaradas tinham encontrado lugares para se esconder em casas de poloneses. Ela soubera do destino de Renia pela carta que Zivia havia recebido em Varsóvia. O gendarme realmente a havia enviado! Agora Sarah queria saber como poderiam ajudar. Os camaradas fariam qualquer coisa para tirá-la de lá. "Não desanime", escreveu ela.

Renia releu o bilhete dezenas de vezes.

Pensando, planejando, maquinando.

Verificou se todas ainda estavam dormindo. Já passava da meia-noite.

Deslizou para fora da cama e caminhou até a mesa da monitora. O mais silenciosamente que pôde, tateou no escuro à procura de um lápis. E encontrou!

Sarah, sempre preparada, tinha incluído um pedaço de papel para a resposta.

Renia voltou para a cama na ponta dos pés e escreveu:

"Em primeiro lugar, você deve pagar generosamente à mulher que me trouxe o bilhete, já que ela arriscou a vida. Depois, seria possível pagar a ela para trocar de lugar comigo, para que eu possa ir para o campo? Então poderemos nos encontrar e decidir o que fazer."

De manhã, no banheiro, Renia passou o papel para a mulher, Belitkova, e combinou de se encontrar de novo com ela naquela noite.

Durante todo o dia, sempre que podia, Renia relia o bilhete de Sarah: "Faremos de tudo para tirar você daí. Zivia mandou uma pessoa com dinheiro." Seus amigos estavam a salvo.

Naquela mesma noite, chegou outro bilhete:

"Vai ficar tudo bem. Depois de muita persuasão, Belitkova concordou em deixar você ir para o campo no lugar dela. Ela será paga com objetos de valor e muito dinheiro. Vou mandar tudo para a casa dela esta noite. Ela é pobre e ficará feliz com o dinheiro."

No dia seguinte, Renia vestiu rapidamente as roupas de Belitkova e se mudou para sua cela; Belitkova a substituiria na chamada. Era uma manhã gelada de novembro, e Renia cobriu o rosto com todos os trapos que conseguiu encontrar. Felizmente, nenhum dos guardas a conhecia.

Chegou à praça com o grupo de trabalho de Belitkova e encontrou prisioneiras russas, francesas e italianas — tantas pessoas. Todas começaram a trabalhar, carregando tijolos para um vagão de trem. Apesar da relativa facilidade da tarefa, Renia ainda estava muito fraca para realizá-la. Cada tijolo que pegava caía no chão, atraindo olhares. Estava muito impaciente. Quando Sarah chegaria? Cada segundo era uma eternidade.

Então, à distância, Renia avistou duas mulheres elegantes e bem-vestidas — e uma delas tinha o passo confiante de Sarah. Viu a irmã estudar os arredores. *Ela provavelmente nem vai me reconhecer.* Renia começou a se aproximar. As prisioneiras observavam, intrigadas: com quem aquela garota de Varsóvia, sem contatos locais, estava indo falar?

— São conhecidas de uma companheira de cela — mentiu Renia, tentando manter o ar descontraído enquanto caminhava até o portão.

O chefe da guarda caminhou bem atrás de Renia. Ele não a conhecia e, felizmente, não sabia de sua história de presa política. Renia se aproximou do muro e, apesar do guarda em seus calcanhares, as irmãs não conseguiram conter as lágrimas. Era realmente ela. Sarah entregou doces ao guarda enquanto Renia conversava com a outra garota, Halina. Zivia a enviara de Varsóvia, e Renia percebeu por quê.

— Não importa se você falhar — disse Halina, os olhos verdes fixos no rosto de Renia. — Você tem que tentar sair. Sua vida está em perigo de qualquer maneira.

Combinaram de se encontrar no mesmo local na semana seguinte. As garotas levariam roupas para Renia vestir. Ela precisava se preparar para fugir.

Renia não podia ficar muito tempo perto do muro sem levantar suspeitas. Abalada pela emoção, viu a irmã e Halina se afastarem e desaparecerem, sentindo uma determinação que estava adormecida havia muito tempo. Repetiu para si mesma as palavras de Halina: *Você precisa tentar.*

*

Mas assim que voltou do trabalho, Renia desabou. Seu crânio latejava. Ela não conseguia ficar de pé. O encontro com Sarah havia desencadeado algo dentro de sua cabeça, escreveu mais tarde. Os remédios não ajudaram. A febre chegou aos 40 graus e se manteve assim por três dias seguidos. Em meio à confusão mental, ela começou a balbuciar, o que era uma ameaça real. E se falasse em iídiche? E se revelasse sua verdadeira identidade? Algumas companheiras de cela se apiedaram dela e lhe ofereciam o pão de seu café da manhã, mas ela não conseguia engolir nada. Perderia sua chance. Ia morrer.

Quando, por fim, a febre cedeu milagrosamente, as companheiras de cela fizeram uma oração especial de domingo para agradecer a Deus sua recuperação. Renia, verdadeiramente grata, levantou-se da cama para se juntar a elas, ajoelhando-se e rezando com fervor, como havia aprendido a fazer.

No meio da oração, porém, uma onda de calor. Renia desmaiou. A porta estava trancada, e as mulheres não tinham como conseguir água. Salpicaram no rosto dela o líquido sujo usado para lavar as tigelas.

Renia recuperou os sentidos, mas ficou deitada na cama por mais dois dias. Como aquilo podia acontecer?

Ela precisava se levantar, precisava ficar boa. Precisava. *Você precisa tentar.*

*

"12 de novembro de 1943. Uma data gravada na minha lembrança", Renia escreveu em suas memórias. Depois de uma noite insone, foi a primeira a pular da cama. Tinha chegado o dia.

— Não — disse a monitora da cela. — Você não pode ir para o campo hoje.

O quê?

— Por que não? Você me deixou ir na semana passada.

Belitkova havia concordado mais uma vez em trocar de lugar, por uma grande quantia.

— É arriscado demais. E se o chefe do campo perceber que você é uma das presas políticas? Todos nós vamos ter problema.

— Por favor — implorou Renia. Era tudo que lhe restava. — Por favor, eu imploro.

A monitora da cela grunhiu e a deixou ir. Os pequenos milagres eram infinitos.

Vestida com as roupas de Belitkova e coberta com lenços, Renia saiu. A carcereira não a reconheceu. Aquelas que estavam à sua direita e à sua esquerda a apoiavam para que ela não desmaiasse; foram necessárias muitas mulheres para ajudá-la a viver. Por fim, chegaram à praça. Quinze mulheres, cinco guardas. Renia arrumou os tijolos e olhou em volta, à procura de Sarah e Halina. Elas não estavam em lugar algum.

Dez da manhã. Chegaram! Renia olhou em volta: as prisioneiras estavam todas ocupadas com seus próprios tijolos, os próprios fardos. Tudo certo. Ela saiu rapidamente do local de trabalho.

Mas antes que conseguisse chegar até onde estavam as garotas, o chefe dos guardas a alcançou, aos gritos.

— Como se atreve a deixar o trabalho sem a minha permissão!

Sarah tentou acalmá-lo, flertando, implorando.

— Volte às duas com cigarros e bebida[1] — murmurou Renia para Halina.

As prisioneiras ficaram furiosas com Renia por ter desobedecido ao chefe dos guardas — ela estava colocando todas em perigo.

Renia voltou para os tijolos, calma, por enquanto. Então, pouco antes do almoço, um dos guardas a chamou.

— Então você é uma prisioneira política — disse ele, para o horror de Renia. — Você é muito jovem, e tenho pena de você. Caso contrário, eu teria informado o comandante do campo.

Ele agitou o dedo na cara de Renia e disse a ela para nem pensar em tentar fugir. Eles a fariam em pedaços.

— Claro que não vou fugir — respondeu Renia. — Sou inteligente o suficiente para saber que seria pega. Fui presa por tentar atravessar a fronteira; provavelmente serei solta em breve. Por que eu correria esse risco?

Renia presumiu que as mulheres tivessem contado seu segredo ao chefe dos guardas. Não era de admirar: se Renia fugisse, todas elas sofreriam. Todos passaram a ser ainda mais cautelosos depois que os guerrilheiros haviam escapado.

Tudo isso tornava a fuga ainda mais difícil. Todos a vigiavam: os guardas e suas companheiras de prisão. Mas Renia também sabia que seu disfarce estava arruinado. Eles sabiam que ela era uma "política". Estava condenada de qualquer maneira.

Onde estavam Sarah e Halina? Renia não tinha um relógio — é claro, o seu havia sido confiscado —, mas tinha a impressão de que já haviam se passado horas desde que as vira partir. E se tivesse acontecido alguma coisa? E se elas não voltassem? Poderia tentar fugir sozinha?

Por fim, duas silhuetas ao longe.

Dessa vez, Renia adotou uma tática agressiva.

— Venha comigo, por favor — pediu ao chefe dos guardas.

Ele a seguiu.

As três judias e o nazista se encontraram atrás da parede de um prédio bombardeado.

Halina passou para o guarda várias garrafas de uísque. Ele começou a beber do gargalo de uma enquanto elas enchiam seus bolsos de cigarros. Renia pegou algumas garrafinhas de bebida e maços de cigarro e os embrulhou no lenço. Distribuiu-os entre os vigias e pediu que impedissem as outras mulheres de irem até o outro lado da parede. As amigas tinham lhe levado sopa quente, explicou Renia, e ela não queria compartilhar. Os vigias não ficaram muito preocupados, pois sabiam que o chefe dos guardas estava de olho nela.

A essa altura, no entanto, o chefe da guarda estava completamente embriagado. Renia precisava descobrir como lidar com ele.

— Por que não vai ver se alguma das mulheres está olhando na nossa direção? — sugeriu ela.

Ele se afastou, cambaleando.

Tinha chegado o momento. Era agora ou nunca.

*

Renia não foi a única combatente judia a tentar fugir da prisão.

Depois dos bombardeios de Cracóvia, Shimshon Draenger foi dado como desaparecido; Gusta foi a todas as delegacias de polícia até encontrá-lo, e então se recusou a deixá-lo. Pela segunda vez, a mulher foi fiel ao pacto matrimonial e se entregou.

Gusta foi encarcerada em Helzlow, a seção feminina da prisão de Montelupich.[2] Erguida no centro de uma bela e antiga cidade, Montelupich era mais uma das pavorosas prisões da Gestapo, orgulhando-se de usar métodos de tortura medievais. Depois de espancar Gusta com extrema brutalidade, os nazistas a levaram até o marido, na esperança de usar suas feridas para arrancar dele uma confissão. Em vez disso, Gusta disse aos oficiais:

— Nós fizemos isso. Organizamos grupos de combate. E se sairmos daqui, vamos organizar outros ainda mais fortes.[3]

Ela foi mandada para a grande e escura "cela 15" com outras cinquenta mulheres, incluindo várias agentes dos movimentos clandestinos judaicos. Organizou de imediato uma rotina diária para as companheiras de cárcere: desde que houvesse água disponível, ela obrigava as mulheres a se lavarem, escovarem os cabelos e limparem a mesa, tudo para manter a higiene e a humanidade. Iniciou discussões regulares sobre filosofia, história, literatura e a Bíblia. Celebravam o Oneg Shabat. Recitavam poemas e compunham novos. E quando os nazistas levaram um grupo para ser fuzilado, as que ficaram compartilharam sua dor em uma canção.

Gola Mire, capturada pelos nazistas na gráfica da resistência polonesa, também foi levada para a cela, iniciando um período de "elevação espiritual" e "irmandade".[4] Gola passava o tempo escrevendo poesia em iídiche e hebraico, trabalho que com frequência dedicava ao marido e aos filhos mortos. Brutalmente espancada em sucessivos interrogatórios, seu corpo tornou-se acinzentado, suas unhas e seu cabelo foram arrancados, seus olhos ficaram temporariamente cegos. Mas, ao voltar para a cela, pegava o lápis e depois recitava seus poemas para as companheiras.

Gusta também escreveu suas memórias nos intervalos entre os espancamentos. Ela se sentava em um canto, cercada por um grupo de judias, escondendo sua atividade das outras prisioneiras — algumas das quais eram criminosas pouco confiáveis. Em triângulos de papel higiênico costurados com linha das saias das mulheres, usando lápis oferecidos por mulheres polonesas que os recebiam secretamente em pacotes de comida, e com os dedos esmagados pela tortura, Gusta escreveu a história da resistência de Cracóvia. Por segurança, todos receberam nomes fictícios, e ela escrevia sobre si mesma — "Justyna" era seu codinome — na terceira pessoa.

Muito do material vinha da perspectiva de outras pessoas, sobretudo de Shimshon e de suas companheiras de cela; todas elas contribuíram. Por segurança, Gusta incluía apenas acontecimentos passados e que já eram conhecidos pela Gestapo. Ela escreveu até ficar demasiado cansada e dolorida, então passou adiante o lápis, ditando enquanto as companheiras de cela se revezavam na transcrição, mantendo sempre o tom literário e introspectivo que lhe era único, traçando retratos psicológicos de combatentes, de pessoas que ajudavam os judeus e até de inimigos. Para encobrir sua voz, algumas das mulheres cantavam; outras vigiavam, atentas aos guardas. Gusta revisava todas as páginas, relendo-as pelo menos dez vezes, insistindo na precisão. Encantadas com a fantasia de que suas histórias um dia pudessem ser contadas, as mulheres simultaneamente fizeram quatro cópias do diário. Três foram escondidas na prisão — no fogão, no forro das portas e sob as tábuas do assoalho — e uma foi contrabandeada para o lado de fora por mecânicos judeus que trabalhavam para a Gestapo (e que também levavam lápis e papel higiênico adicional para Gusta). Depois da guerra, fragmentos de texto que estavam escondidos sob o piso da cela foram encontrados.

Em 29 de abril de 1943, Gusta e suas companheiras, que vinham planejando uma fuga,[5] souberam que estariam no próximo transporte para a morte e, como Renia, decidiram que aquela seria sua oportunidade. Enquanto eram conduzidas para o caminhão de transporte, no meio de uma rua movimentada da cidade, Gusta, Gola, sua camarada Genia Meltzer e mais algumas mulheres pararam subitamente e se recusaram a se mover. Os guardas da Gestapo ficaram confusos. Um deles sacou a arma. Genia correu até ele e empurrou seu braço para cima.

Naquele momento, as garotas fugiram, contornando uma carroça puxada por um cavalo. Os homens da Gestapo foram atrás delas, atirando pelas ruas lotadas de gente enquanto elas procuravam refúgio.

Apenas Gusta e Genia sobreviveram. Genia se escondeu atrás de uma porta; Gusta foi ferida na perna.

Sem que as mulheres soubessem, Shimshon também havia escapado da prisão naquele dia. Ele e Gusta se encontraram em uma pequena cidade nos arredores de Cracóvia, onde vários membros do Akiva estavam escondidos. Retomaram a luta na floresta, organizando grupos de combatentes e redigindo e distribuindo boletins clandestinos. Alguns meses mais tarde, mais ou menos na época em que Renia foi presa, Shimshon foi capturado novamente enquanto preparava a fuga dele e de Gusta para a Hungria; ele disse à Gestapo que fosse buscar sua mulher. Os nazistas chegaram ao esconderijo de Gusta com um bilhete dele, e ela se entregou na mesma hora. Três vezes azarados. Ambos foram mortos.

*

Em um piscar de olhos, as garotas ajudaram Renia a colocar um vestido, xale e sapatos novos.[6]

Sarah e Renia se afastaram em uma direção, e Halina, na direção oposta.

Se estavam destinadas ao fracasso, Renia não queria que Halina fracassasse com elas.

Então elas correram, mais rápido do que nunca, ofegantes, arquejando.

As irmãs chegaram a uma colina — Renia não conseguiria subi-la. De jeito nenhum, de jeito nenhum.

Outro milagre: um prisioneiro italiano passou por elas.

— Venham — disse ele, estendendo a mão para ajudar Renia a subir.

Com muita dificuldade, ela conseguiu passar pela barreira de arame farpado que cercava a praça. As garotas alcançaram a rua, ao ar livre. Aquela era a parte mais perigosa da fuga, e o momento mais crucial da vida de Renia. Elas não sabiam que caminho tomar; seguiram em frente. O vestido de Renia estava coberto de lama por causa da subida, mas ela continuou a correr, movida por uma energia impossível. Mais depressa, mais depressa. Renia se virou para se certificar de que ninguém estava atrás delas. O vento refrescava seu corpo e seu rosto suados. Sentiu a presença da mãe e do pai, como se eles estivessem ali, protegendo-a.

Um carro se aproximou.

Sarah escondeu o rosto nas mãos.

— Eles nos pegaram! Estamos condenadas.

Mas o carro seguiu em frente.

— Renia, mais rápido! — gritou Sarah. — É agora. Se conseguirmos, nós duas vamos sobreviver.

A cada minuto que passava, Renia ficava mais fraca. Tentava e tentava, mas as pernas não aguentavam. Caiu na rua. Sarah a levantou, chorando.

— Renia — implorou. — Por favor, continue. Do contrário, será o fim para nós duas. Faça um esforço. Eu não tenho ninguém além de você. Não posso te perder. Por favor.

Suas lágrimas caíram no rosto da irmã, reanimando-a. Renia se levantou e fez uma pausa. Seguiram em frente.

Mas Renia ofegava. Seus lábios estavam secos. Não sentia os braços, como se estivesse sofrendo um AVC. Suas pernas pareciam de borracha, dobravam-se sob ela.

Cada vez que ouviam o ruído de um ônibus passando, o coração delas parava. As pessoas na rua diminuíam o passo para olhar para elas, provavelmente pensando que eram loucas.

Um ônibus parou perto deles. Renia teve certeza de que era o fim. Como iam fazer? A Gestapo poderia prendê-las com toda a facilidade, a qualquer momento. As irmãs vestiam trapos enlameados, os sapatos estavam cobertos de terra, tudo tão incrivelmente suspeito.

O ônibus se afastou.

Sarah caminhava 30 metros à frente, Renia se arrastava atrás dela. Como era estranho caminhar sozinha, sem ser acompanhada por um guarda. Pouco a pouco, as duas se aproximaram de Katowice. Tinham percorrido 7 quilômetros.

Sarah limpou o rosto de Renia com saliva e um lenço, e removeu a lama e a sujeira de seu casaco. Ela estava radiante de felicidade. Conhecia uma mulher alemã que morava perto. Nacha Schulman, esposa de Meir, estava disfarçada de católica e trabalhava para ela como costureira. As duas irmãs não podiam pegar o bonde, pois um gendarme poderia reconhecê-las, mas não era muito longe. Apenas mais 7 quilômetros.

Renia caminhava devagar, passo a passo, pela lateral da estrada. Então: um grupo de gendarmes à distância.

Os uniformes. Renia estremeceu. Era tarde demais para que elas dessem meia-volta.

Os homens se aproximaram, observaram as garotas… e seguiram em frente.

Renia se forçava a avançar. Precisava fazer uma pausa a cada dois ou três passos. Sua respiração era pesada, quente.

— Falta pouco — encorajou-a Sarah. Teria carregado a irmã nos braços se pudesse.

Renia cambaleava como se estivesse embriagada. Sarah a puxava para a frente. Suas roupas estavam encharcadas de suor.

Renia fez um esforço — pela irmã.

Por fim, se aproximaram dos primeiros edifícios nos arredores de Siemianowice. Renia não conseguia dar mais do que dois passos sem parar para se apoiar em uma parede. Ignorava as pessoas que passavam; sua visão estava tão embaçada que ela mal conseguia enxergá-las.

Renia parou no poço de um quintal qualquer e jogou água no rosto. *Acorde.*

As irmãs atravessaram o povoado, Renia usando todas as suas forças para ficar de pé, para não chamar atenção. Foram de viela em viela até chegarem a uma pequena rua. Sarah apontou para um prédio de dois andares.

— É aqui.

Então se abaixou e pegou a irmã no colo, carregando Renia escada acima como se fosse uma noiva.

— Não sei onde ela encontrou forças — escreveu Renia mais tarde. A porta se abriu, mas, antes que pudesse ver o interior, Renia desmaiou.

Quando acordou, ela tomou um comprimido, mas a febre persistia. Tirou os trapos imundos que vestia e se deitou em uma cama limpa — um prazer que ela não tinha certeza se um dia teria de novo. Os dentes batiam e seus ossos pareciam ocos sob os cobertores; espasmos de frio a sacudiam.

Sarah e Nacha se sentaram ao lado dela, chorando. Nacha não tinha reconhecido Renia. Mas Sarah confortou as duas.

— Esqueça tudo. O importante é que você está livre.

Mas onde estava Halina?

Sarah disse à senhora alemã, a dona da casa, que Renia era uma amiga que estava doente e precisava de repouso. Mas Renia não podia ficar ali. O refrão de sempre.

Naquela noite, sem saber muito bem como, Renia estava de pé novamente. Quatro quilômetros até Michałkowice. Pelo menos a escuridão ajudaria a esconder a marcha trôpega e sinuosa das duas.

Chegaram à aldeia às onze da noite e se dirigiram para a casa de uns camponeses poloneses. O sr. e a sra. Kobiletz as receberam de braços abertos. Tinham ouvido falar de Renia e eram só elogios às habilidades de Sarah. Ofereceram-lhe comida, mas Renia não podia ficar na sala principal por muito tempo — estava ali para se refugiar no bunker. Esgueirou-se por uma janela debaixo da escada até o porão. A janela era tão estreita que mesmo a esquelética Renia mal conseguia passar. Então ela desceu a escada. Vinte camaradas a saudaram com alegria, "como se eu tivesse acabado de nascer".

Queriam saber tudo, imediatamente.

Renia estava muito fraca e teve que se deitar, mas Sarah contou a eles a história da fuga. Renia sentia a cabeça girar, assim como o coração. Estava ali, com os camaradas, com a irmã e, naquele momento, segura.

Observou todos no bunker enquanto eles ouviam Sarah. Ainda queimava de febre, ainda se sentia como se estivesse na prisão, como se estivesse sendo perseguida. Será que algum dia se livraria daquela sensação?

*

Algumas horas depois, Halina chegou e os regalou com sua história:

— Quando comecei a me afastar de você, virei o casaco pelo avesso e tirei o lenço. À minha frente, vi um trabalhador da ferrovia. Perguntei se ele não gostaria de me acompanhar enquanto eu caminhava. Ele olhou para mim e disse: "Com todo o prazer." Dei-lhe o braço e passeamos e conversamos sobre vários assuntos. Ele provavelmente pensou que eu era uma prostituta. Dez minutos depois, passamos por dois guardas que corriam loucamente em direção ao campo. Eles perguntaram se tínhamos visto três mulheres fugindo e descreveram nossas roupas. Foi uma alegria tão grande para mim vê-los atrapalhados. Continuei conversando com o trabalhador, como se nada tivesse acontecido. Ele me acompanhou até o bonde. Combinamos de nos encontrar amanhã!

Na manhã seguinte, Halina, de bom humor, partiu para Varsóvia. Uma semana depois, receberam uma carta dela. A viagem tinha sido tranquila. Ela havia cruzado a fronteira a pé. Estava feliz por ter participado da fuga de Renia.

Chegou uma carta comovente da mãe de Marek Folman e outra de Zivia, Antek e Rivka Moscovitch, que havia se recuperado e trabalhava como mensageira, contrabandeando armas e levando ajuda aos judeus que estavam escondidos — os três estavam muito felizes por elas terem conseguido fugir.

Marek, por outro lado, teve um fim menos afortunado.[7] Depois de deixar Będzin e ir para Varsóvia, torturado pela culpa depois da traição de Socha, ele ficou tão perturbado que os nazistas repararam nele enquanto trocava de trem em Częstochowa. Foi assassinado a tiros no local.

*

Do início ao fim dos dias, Renia[8] ficava sentada no bunker Kobiletz, que havia sido construído por Meir Schulman. Meir fora amigo do filho mais velho dos Kobiletz, Mitek, antes da guerra. Mitek havia trabalhado para a Gestapo em Cracóvia, mas mantivera contato com os judeus do gueto. Quando um de seus amigos se embebedou e revelou seu segredo, Mitek subiu em sua motocicleta e fugiu. Meir soube que Mitek fora pago para providenciar que amigos seus na cidade de Bielsko abrigassem judeus. Foi então que Meir teve a ideia de pedir que Mitek o deixasse construir um bunker embaixo da casa de seus pais. No início, o sr. Kobiletz recusou, mas os apelos do filho o convenceram, especialmente quando ele disse ao pai que poderia usá-lo para se esconder da Gestapo.

Alguns judeus se esconderam no pequeno sótão dos Kobiletz até que o bunker ficasse pronto. Meir teve que construí-lo à noite para que os vizinhos não percebessem. Em suas memórias, Renia escreveu que o sr. Kobiletz recebeu uma fortuna para escondê-los. "Ele disse que fez isso por piedade, mas, na verdade, ele fez pelo dinheiro." Outros relatos sugerem que, embora os Kobiletz tenham aceitado pagamento, foram motivados por sentimentos antinazistas e compaixão.[9] A questão de saber se os poloneses que receberam dinheiro para ajudar os judeus deveriam ser considerados "justos" continua em aberto.[10]

Renia estava segura e livre — relativamente —, mas a vida no bunker dos Kobiletz não era uma solução permanente. O abrigo havia sido construído para alojar duas ou três pessoas, mas não paravam de chegar fugitivos do gueto. As pessoas dormiam juntas em poucas camas. A comida era comprada com cupons de racionamento falsificados recolhidos de poucos em poucos dias por uma das garotas, que arriscava a vida para viajar até a aldeia de Jablonka. O almoço era preparado pela sra. Kobiletz. No início, os camaradas usaram seu próprio dinheiro do gueto para pagar por tudo aquilo, mas depois Halina levou para eles fundos adicionais enviados por Zivia.

Além da falta de espaço, as pessoas no bunker viviam com o medo constante de que os vizinhos as descobrissem. Assim como os Kobiletz, que também seriam executados se fossem pegos.

Poucos dias depois de sua chegada, Renia subiu as escadas à meia-noite e foi transferida para um esconderijo na casa da filha dos Kobiletz, Banasikova. A mudança foi uma melhoria. Ela estava agora com as camaradas do Dror: Chawka, a médica, e Aliza, que cuidava dos órfãos. A porta ficava sempre fechada, de modo que os vizinhos não sabiam de nada. Quando alguém batia, elas se escondiam no armário. Banasikova cuidava de todas as suas necessidades. Seu marido estava no exército e mal ganhava o suficiente para se sustentarem, de modo que ela apreciava o dinheiro e os bens que recebia por esconder pessoas.

Ainda havia algumas centenas de judeus espalhadas pelo campo de extermínio de Będzin e pelos guetos locais, uma população que ia diminuindo a cada transporte. Sarah, Chawka, Kasia, Dorka — todas garotas com feições não judias — continuaram a se infiltrar nesses lugares para tentar salvar todos que pudessem, embora fosse quase impossível encontrar esconderijos. Renia, entretanto, ainda estava muito fraca para sair.

Todos sabiam que a única maneira de escapar daquela vida sufocante era pela Eslováquia, onde, até então, os judeus ainda gozavam de relativa liberdade. Entretanto, para transferir camaradas para aquele lugar, eles precisavam de contatos. Foram necessárias muitas tentativas até receberem um endereço de Haia. Mas como chegariam lá? Depois de ter sido traído de uma maneira tão cruel por Socha, o grupo estava ainda mais cauteloso. O movimento da Juventude Sionista, escreveu Renia, se recusava a revelar o nome de seus atravessadores. Mitek tentou arranjar outros, mas, como sempre, não era uma tarefa fácil. Os Kobiletz estavam cada vez mais temerosos por suas vidas e, apesar dos pagamentos, instavam os "hóspedes" a partir. Mais uma bomba-relógio.

*

Renia e o grupo estavam em contato constante com Varsóvia. Zivia e Antek também os incentivaram a ir para a Eslováquia, embora tenham se oferecido para levar Renia para Varsóvia, onde ela estaria mais segura. Mas Renia não queria se separar de seus companheiros. "O destino deles é o meu."

Por fim, Mitek conseguiu encontrar atravessadores. Enviariam um grupo primeiro e, se esse grupo conseguisse chegar, os outros o seguiriam.

O primeiro grupo partiu no início de dezembro. Os camaradas vestiram-se como poloneses e levaram documentos de viagem e papéis de trabalho falsos. O atravessador os levou de trem de Katowice para Bielsko, e depois até Jeleśnia, a cidade fronteiriça. Os outros ficaram nos bunkers, pensando e falando obsessivamente sobre o perigo mortal que enfrentavam.

Uma semana depois, o atravessador voltou.

Tinha sido um sucesso! Seus amigos já estavam na Eslováquia. Dessa vez, eles escreveram para o grupo, dizendo-lhes que a viagem era menos difícil do que eles imaginaram. "Não esperem mais", disseram.

20 de dezembro de 1943: durante todo o dia Aliza e Renia esperaram que Chawka ou Sarah chegassem para lhes dizer quem faria parte do segundo grupo. À meia-noite, uma batida na porta. Todos acordaram sobressaltados. A polícia?

Depois de alguns momentos de pura aflição, Chawka entrou.

Ela se virou para Renia:

— Prepare-se para a viagem.

Oito pessoas partiriam pela manhã. Renia seria uma delas.

Fugir ou lutar.

Renia se recusou a ir.

Não por ideologia, mas por amor. Sarah estava em uma missão ajudando as crianças do Atid que tinham sido levadas para a Alemanha, e Renia não via a irmã havia duas semanas.[11] Não queria partir sem que ela soubesse — certamente não sem dizer adeus.

— Ela é minha irmã — disse a Chawka. — Arriscou a vida durante a minha fuga da prisão. Não posso ir sem o consentimento dela.

Chawka e Aliza tentaram convencê-la. A Gestapo estava atrás de Renia: havia cartazes de "Procura-se" com o rosto dela espalhados pelas ruas, dizendo que ela era espiã e oferecendo uma recompensa em dinheiro por sua captura.[12] Ela precisava partir imediatamente. Sarah entenderia, disseram, e logo a seguiria. Sarah e Aliza estavam reunindo as crianças do Atid que haviam se instalado em casas de camponeses alemães. Aliza prometeu a Renia que ela, Sarah e as crianças se juntariam ao próximo grupo a partir para a Eslováquia.

Ao fim de uma noite inteira de persuasão, Renia cedeu.

O trem para Katowice saía às seis da manhã. Renia prendeu os cabelos em um penteado diferente e vestiu roupas novas, tudo para não ser reconhecida pela Gestapo ou pela polícia. "Só o meu rosto é o mesmo." Não levou nada além das roupas do corpo.

Banasikova despediu-se dela com grande compaixão, pedindo apenas para ser lembrada depois da guerra. Separar-se de Aliza foi doloroso. Quem saberia quantos deles iam conseguir?

Às cinco e meia em uma fria manhã de dezembro, Renia e Chawka avançaram tateando por um campo na mais absoluta escuridão. Falavam em voz baixa, em alemão, para não chamar a atenção das pessoas que passavam apressadas a caminho do trabalho nas minas. Na estação de Michałkowice, as duas se encontraram com Mitek, que ia com elas até Bielsko, bem como com seis outras pessoas que as acompanhariam na fuga, incluindo Chajka Klinger.

Chajka havia fugido do campo de extermínio, onde as entradas e saídas não eram muito vigiadas, e os guardas podiam ser facilmente subornados. A princípio, se escondeu com Meir na casa dos Novak, mas afirmou que a sra. Novak andava muito nervosa e gananciosa. Havia se mudado, então, para vários locais pertencentes à família Kobiletz, onde escreveu a maior parte de seus diários. Outros camaradas nos arredores de Będzin eram instalados em celeiros e pombais, mas, como havia assumido a missão de escrever a história de todos eles, Chajka era colocada em *melinas* maiores e mais confortáveis.

No início, ela havia resistido ao seu papel de documentarista, mas com tantos camaradas mortos, aceitara o chamado. Era terrivelmente difícil para ela escrever, revisitar suas dores a todo instante, enquanto os outros camaradas podiam se concentrar na vida cotidiana. Fazia quatro anos que não ouvia música, e agora o som de canções alemãs saindo do rádio fazia com que se lembrasse de todos os que haviam sido mortos — de tudo que lhe fora roubado. Chajka, que não chorou quando Zvi morreu, nem ao ser espancada, agora uivava de dor. *David.* Teria feito o suficiente? A culpa por não ter salvado a própria família era tão esmagadora que ela não conseguia escrever sobre seus parentes.[13]

A depressão havia se alojado em seus ossos.

Renia, Chajka, Chawka e o restante do grupo tomaram o trem de Michałkowice para Katowice, onde, apesar de ser cedo, encontraram tráfego intenso. Renia caminhou confiante pela plataforma, ao lado de Mitek. Cada vez que viam um policial ou um homem da Gestapo, eles se afastavam e se misturavam à multidão. Mitek brincou: "Não seria ótimo se fôssemos pegos juntos — eu, um ex-instrutor político da Gestapo, e fugitivo, e você, uma suposta espiã que escapou da prisão!"

De repente, três homens da Gestapo se aproximaram. Renia os reconheceu de Mysłowice; eles a tinham visto enquanto ela estava em formação. *Pense rápido.* Renia abaixou o chapéu e cobriu o rosto com o lenço, fingindo estar com dor de dente.

Os homens passaram por eles e seguiram adiante.

Em poucos minutos, o grupo estava todo a bordo do vagão, a caminho de Katowice para Bielsko. Para Renia, que corria o risco de ser reconhecida naquela área, era a etapa mais perigosa de toda a viagem. Mas correu tudo bem. Ninguém pediu para ver seus documentos; ninguém sequer inspecionou suas malas.

Em Bielsko, os atravessadores esperavam por eles. Compraram passagens para Jeleśnia, a estação mais próxima da fronteira com a Eslováquia, onde o grupo desembarcou naquela noite. Mitek se despediu deles como se fosse um parente próximo.

— Por favor — pediu —, não se esqueçam do que eu fiz por vocês.

Prometeu se juntar a eles na Eslováquia depois de ajudar o restante dos companheiros a fugir. Disse aos atravessadores que cuidassem dos judeus. Os camaradas rabiscaram mensagens apressadas destinadas aos que tinham ficado para trás. Renia escreveu uma carta para a irmã e Aliza dizendo: "Venham depressa me encontrar." Mitek pegou as páginas, dobrou-as e voltou para o trem.

Os fugitivos passaram algumas horas descansando na casa de um dos atravessadores, preparando-se para a caminhada pelas montanhas Tatra. O restante do caminho seria percorrido a pé.

Então chegou o momento. Saíram furtivamente da pequena aldeia: oito camaradas, dois atravessadores, dois guias. Ao longe, viram as montanhas cobertas de neve elevando-se em direção ao céu. A fronteira. O objetivo.

Os primeiros quilômetros foram planos. O mundo deles estava todo branco, mas a neve não era muito funda. "A noite era tão clara que parecia manhã", escreveu Renia.

Ela estava trajando apenas um vestido — sem casaco —, mas não sentia frio.

Então chegaram às montanhas. Caminhar tornou-se mais difícil. O grupo avançava em fila, o mais rápido possível. A neve chegava até os joelhos e, onde não afundavam, seus pés deslizavam e escorregavam. Cada ramo que se movia os assustava — seria a polícia?

Os guias conheciam bem o caminho. Um deles caminhava à frente, enquanto o outro e os atravessadores ajudavam os camaradas. O vento soprava em rajadas fortes, o que na verdade foi útil, já que o som abafava o ruído de seus passos. Mas a caminhada foi se tornando cada vez mais difícil. Sem casacos nem botas, eles subiram até o cume, 1.899 metros de altitude. De vez em quando, paravam para recuperar o fôlego, deitados na neve como se estivessem em uma cama de plumas. Apesar do frio, as roupas suadas se colavam ao corpo.

O grupo entrou em uma floresta; todos tropeçavam como crianças aprendendo a andar. Estavam espantados com o pequeno Muniosh, do kibutz Atid: cabelos castanhos, pele pálida, orelhas pontudas,[14] ele era todo coragem, encabeçando a fila, zombando dos demais por suas sofríveis habilidades de alpinismo.

De repente, ao longe, avistaram pontos pretos sobre a neve: patrulha de fronteira.

Eles se deitaram, cobrindo-se de neve, até os oficiais passarem.

Renia, molhada, malvestida, ainda estava muito fraca por causa da prisão. Mal conseguia respirar àquela altitude. *Não vou conseguir*.

Os atravessadores a ajudaram, amparando-a como se fosse uma criança. Ela se lembrou da fuga de Mysłowice; se havia conseguido sair viva de lá, também conseguiria agora. *Força*.

Devagar, em silêncio, com muito cuidado, o grupo passou pelo prédio da patrulha de fronteira e chegou ao cume. Exaustos, tiveram que acelerar o ritmo. Tropeçaram a cada passo, afundando na neve. Mas aquela era a última etapa da jornada, e eles conseguiram encontrar um segundo fôlego. *Fugir*.

Ao fim de seis horas de caminhada torturante, eles estavam na Eslováquia.

A travessia mais incrível de todas.

Renia havia deixado a Polônia.

Agora, para o resto do mundo.

29. "ZAG NIT KEYN MOL AZ DU GEYST DEM LETSTN VEG"

Nunca diga que a derradeira viagem está próxima
Nunca diga que não veremos a Terra Prometida,
A hora tão esperada há de chegar, não tema.
Os tambores anunciam a boa nova: estamos aqui!

De "The Partisan Song",[1] de Hirsh Glick,
escrita em iídiche no gueto de Vilna

RENIA

DEZEMBRO DE 1943

A Eslováquia, um Estado recém-formado, fundado às vésperas da Segunda Guerra Mundial, não era nenhum paraíso judaico. O país, cujo governante era um antissemita declarado, estava alinhado com as nações do Eixo e havia se tornado um satélite de Hitler. A maioria dos judeus da Eslováquia tinha sido deportada para campos de extermínio na Polônia em 1942. Depois disso, houve uma pausa nas deportações que durou até agosto de 1944. Durante esses dois anos, os judeus viveram em relativa segurança, protegidos por documentos ou fingindo ser cristãos, ou ainda graças a pressão política e subornos.

Esse período de calma pode ser creditado em parte à líder da resistência Gisi Fleischmann.[2] Nascida em uma família judia ortodoxa e burguesa, Gisi, como a maioria dos judeus na Eslováquia, não falava eslovaco nem se encaixava na nova consciência nacional do país. Gisi se juntou aos sionistas logo de início. Na capital, Bratislava, foi presidente da Organização Internacional de Mulheres Sionistas (Wizo, na sigla em inglês) antes de assumir vários cargos públicos de liderança. (Na Polônia, muito maior, nem mesmo os grupos de esquerda tinham mulheres em cargos públicos. Gisi era única.) Em 1938, dirigia uma agência que ajudava refugiados judeus alemães, depois se tornou chefe do JDC eslovaco. O dinheiro internacional era enviado para ela por meio de uma conta bancária na Suíça.

No início da guerra, Gisi, então com quase 30 anos, estava em Londres tentando providenciar uma imigração judaica em grande escala para a Palestina. Seus esforços não foram bem-sucedidos e, embora os colegas a encorajassem a ficar na Inglaterra, ela insistiu em voltar para casa, sentindo a obrigação que tinha para com a mãe doente, o marido e a comunidade. Por uma questão de segurança, mandou as duas filhas adolescentes para a Palestina.

Durante a guerra, Gisi foi uma líder da comunidade judaica, insistindo em se juntar à chefia do Judenrat (uma das raras mulheres a fazê-lo) para ajudar seu povo; mantinha contato com várias lideranças internacionais, às quais relatava o que estava acontecendo. O governo da Eslováquia havia prometido enviar seu povo para campos de trabalho alemães, mas mudou os planos fazendo um acordo com os nazistas e pedindo-lhes que deportassem os judeus eslovacos. Foi então o único país europeu a pedir formalmente aos nazistas que levassem seus cidadãos judeus.

No início, os nazistas queriam apenas 20 mil judeus para ajudar a construir Auschwitz, mas a Eslováquia pediu-lhes que aceitassem mais. Na verdade, o governo eslovaco pagava aos nazistas 500 marcos para cada judeu adicional[3] — mais uma maneira de a Alemanha lucrar com a Solução Final. Na esperança de que o dinheiro pudesse influenciar ainda mais os nazistas, Gisi pôs mãos à obra, negociando com os alemães e com o governo eslovaco, e por fim reunindo fundos e oferecendo subornos aos nazistas para reduzir o número de judeus deportados.

Ela montou campos de trabalho para judeus na Eslováquia, a fim de salvá-los de serem levados para a Polônia. Quando várias de suas intervenções pareceram funcionar — embora seja possível que a redução das deportações tenha ocorrido por outras razões políticas —, ela promoveu o Plano Europa, uma tentativa de subornar os alemães para reduzir os transportes e assassinatos de judeus em todo o continente.

Sempre ativa, Gisi enviava remédios e dinheiro para os judeus poloneses por meio de emissários pagos. Ela também foi fundamental na angariação de fundos internacionais para ajudar na travessia de judeus, conhecidos como "caminhantes", por uma rota de fuga clandestina que saía da Polônia — como a que Renia havia atravessado.

*

No novo país, Renia e seus companheiros de caminhada desceram a montanha até um vale. Ao longe, uma fogueira. Traficantes de mercadorias em um intervalo. Os camaradas pararam no local onde deveriam se encontrar com os guias locais e fizeram sua própria fogueira.

Agora sim, sentiam o frio.

Seus pés estavam molhados e correndo o risco de congelar. Eles secaram os sapatos e as meias no fogo. Então ouviram passos pesados na neve. Mas eram apenas os atravessadores eslovacos, trazendo bebida para aquecer a todos. Os camaradas descansaram por uma hora, e os guias que os tinham acompanhado se despediram deles com carinho, voltando a Bielsko para buscar mais grupos. Também os guias, escreveu Renia mais tarde, recebiam uma grande quantia em dinheiro por pessoa. Os montanheses eram pobres, e era assim que ganhavam a vida.

Os camaradas tiveram dificuldade para calçar os sapatos encolhidos, mas tinham que continuar.

Caminharam com os eslovacos, tentando puxar conversa. Passando por montanhas, colinas, vales e florestas, se aproximaram de um vilarejo sonolento. Foram recebidos pelos latidos de um cão, e conduzidos a um estábulo com cavalos, vacas, porcos e galinhas. A única luz vinha de uma pequena lamparina a óleo, e o fedor de estrume era insuportável, mas eles não podiam entrar na casa, por receio de que algum vizinho os visse.

Apesar do frio, estava quente no interior do estábulo. A fadiga os venceu. Todos se deitaram em fardos de feno. As pernas de Renia estavam tão fracas que ela não conseguia esticá-las. Enrolou-se e mergulhou em um sono profundo.

*

Ao meio-dia, a dona da casa, vestida com um tradicional traje de montanhesa — lenço na cabeça, vestido colorido e sapatos de feltro presos a ligas por fitas brancas —, acordou-os com o almoço. Era domingo. Ela lhes disse para ficarem onde estavam, pois os aldeões estavam todos a caminho da igreja. Tinham de ser cuidadosos. Naqueles tempos, todo mundo espionava os vizinhos; todo mundo era suspeito. Para eles, claro, não havia nada de novo.

Depois de comer, Renia[4] dormiu um pouco mais, deitada no feno ao lado de seus companheiros como sardinhas em lata. Raios de sol entravam por uma pequena janela. Os judeus começaram a falar e — pela primeira vez — a recordar os acontecimentos dos últimos meses e anos. No limiar da segurança, começavam a compreender tudo o que haviam perdido.

A felicidade por terem cruzado a fronteira foi silenciada pelo medo do futuro. Sua jornada ainda não havia terminado. E a guerra, também não. À noite, um trenó chegou. Os camaradas se acomodaram nele e foram levados até a aldeia seguinte por estradas rurais estreitas e campos desertos, longe da polícia. Poucas horas depois, chegaram a uma cidade e foram alojados em um pequeno quarto na casa de camponeses, com a orientação de que não saíssem de lá até que um carro fosse buscá-los. Havia bastante comida, desde que pudessem pagar e, felizmente, todos os camaradas tinham algum dinheiro. O chefe da família — alguém que Renia sentiu que era honesto e compassivo, que falava dos alemães com grande ódio — saiu para comprar provisões para eles. Ficaram sabendo que o primeiro grupo tinha estado lá alguns dias antes. Depois de comerem, os camaradas dormiram mais um pouco.

Naquela noite, um carro os esperava nos arredores da aldeia. O motorista era um funcionário da alfândega que havia sido subornado. Ele fez perguntas sobre os judeus na Polônia.

De repente, parou o carro.

E agora? Escuridão, no meio do nada. Eles estavam completamente vulneráveis.

O motorista desceu e foi para o banco traseiro. Todos se encolheram.

— Não se preocupem, não vou lhes fazer mal — disse ele.

Para a surpresa de Renia, ele abraçou o pequeno Muniosh.

Então perguntou a cada um deles sobre seus respectivos parentes. Não conseguia acreditar que eram os únicos sobreviventes de cada família. Ficou furioso ao ouvir as histórias das atrocidades alemãs.

O motorista os conduziu por vilas e aldeias eslovacas. Estava escuro, mas aqui e ali eles viam o brilho de uma luz vinda de uma janela que não fora devidamente vedada, como mandava a lei. O motorista disse-lhes que os estava levando para Mikuláš, uma cidade onde havia uma comunidade judaica que cuidaria deles. Renia ficou maravilhada com a forma como toda a operação tinha sido planejada, tudo organizado nos mínimos detalhes.

Em Mikuláš, o carro parou diante do centro comunitário. O motorista foi buscar um judeu, que os levou para uma pensão. Foi lá que encontraram Max Fischer, de cabelos castanhos e elegante.[5] Max contou a eles que o restante do primeiro grupo já estava na Hungria, de onde esperava fazer uma *aliyah* legal para a Palestina. De repente, Renia se sentiu como um pássaro fora da gaiola, finalmente capaz de abrir as asas.

Os judeus Mikuláš ficaram felizes por eles terem conseguido fugir, mas ninguém se ofereceu para hospedá-los, por medo de batidas policiais. Os camaradas foram instalados em um auditório escolar preparado para receber refugiados. Até onde a polícia sabia, o abrigo recebia apenas pessoas que haviam sido flagradas pela patrulha de fronteira e aguardavam que as autoridades examinassem seu caso; quando alguns descobriram sobre os refugiados adicionais, tiveram de ser subornados. Naquele lugar, como Renia aprendeu rapidamente, os policiais podiam fazer qualquer coisa, desde que mediante a quantia certa de dinheiro.

O grande salão tinha camas, uma mesa, um banco comprido e um aquecedor. Era possível comprar comida em uma cozinha especial montada pelos próprios refugiados. Os camaradas foram orientados a esperar ali por alguns dias até que chegasse o próximo grupo; juntos, seguiriam para a Hungria. Será que Sarah estaria com eles?

No dia seguinte, Benito, um judeu eslovaco pertencente à Guarda Jovem, chegou, perguntando sobre os camaradas sobreviventes. Benito estava sempre ocupado, cuidando dos preparativos para as fugas. Aconselhou Renia a não relaxar muito — um grande número de judeus eslovacos tinha sido deportado para a Polônia. Ali, também, eram obrigados a usar uma braçadeira que os identificasse. Quem sabia quanto mais tempo eles poderiam ficar?

Todos os dias, no abrigo, Renia conhecia judeus que chegavam de Cracóvia, Varsóvia, Radom, Tarnów, Liubliana, Lvov — uma mistura de pessoas torturadas e em busca de asilo reunidas pelo destino. Conversadores e cheios de energia, os jovens judeus eram pessoas diferentes quando não estavam sob um perigo constante e mortal. Mas, por hábito, continuavam a falar aos sussurros. Alguns haviam sido capturados pelos guardas de fronteira, a maioria estivera escondida no lado ariano. Quase ninguém tinha parentes, mas todos queriam viver — muitos eram movidos por sonhos de vingança. Renia soube de comunidades espalhadas por toda a Polônia, dos guetos e campos de trabalho forçado que ainda existiam, dos milhares de judeus escondidos em todas as grandes cidades. Será que algum deles era da sua família? Ela tentou não alimentar esperanças.

Enquanto isso, Chajka teve um despertar totalmente diferente.[6] Ela e Benito se apaixonaram instantaneamente um pelo outro. Vindo de uma família eslovaca assimilada e de classe média, Benito tinha a mesma idade que ela e fora, durante muito tempo, um líder da Guarda Jovem. Escapara às deportações eslovacas fugindo para a Hungria — isto é, depois de providenciar também a fuga de sessenta camaradas. Após várias detenções na Hungria, ele voltara à Eslováquia para ajudar a receber refugiados judeus. Mantinha conexões com líderes de movimentos na Europa e na Palestina. Chajka tinha vivenciado horrores dos quais Benito só tinha ouvido falar. Ela ficava acordada até tarde, contando suas histórias, aquecida pelo grande fogão do auditório. "Ela encontrou tudo que havia perdido no ativista eslovaco", explicaria o filho muitos anos depois. "Como ela, ele estava disposto a arriscar a vida pelos amigos e também acreditava nos ideais do futuro." Benito sentiu uma necessidade imediata de proteger Chajka. Como ele lembrou: "Uma geração inteira gritava por sua boca. Chajka falava por horas a fio, como se temesse não ter tempo de transmitir todas aquelas informações. (...) E eu a ouvia, de vez em quando pegava sua mão, para sentir a pessoa que carregava tudo aquilo no coração e na alma."

Do outro lado da sala, Max Fischer e Chawka observavam os dois cochichando um com o outro. Max piscou para Chawka.

— Já prevejo complicações...

*

Alguns dias mais tarde, mais um grupo de oito chegou.

Sem Sarah.

Os judeus planejavam viajar juntos até a fronteira com a Hungria, acompanhados por um policial subornado. Seu disfarce: os camaradas se fariam de judeus húngaros, enquanto o policial afirmaria que os escoltaria até a fronteira para deportá-los. O grupo partiu, mas Renia permaneceu na Eslováquia, assim como Chajka, à espera das próximas pessoas a chegar — à espera de Sarah, à espera de Benito.

O grupo seguinte chegou uma semana depois. Ainda sem Sarah.

Esse grupo estava traumatizado.

Na Polônia, houvera um incidente na casa dos Kobiletz. O marido de Banasikova, Pavel, voltara para casa, em licença do exército, e fora visitar os sogros. Meir não esperava por ele e o encontrou do lado de fora do bunker. Pavel, embriagado, revelou que sabia dos judeus escondidos; tais rumores vinham de amigos de Mitek que os ajudavam a fugir do gueto.

— Não se preocupe — insistiu ele. — Não vou fazer mal aos judeus.

Pavel estava curioso a respeito de como o bunker tinha sido feito e abriu a porta secreta. Estava tão bêbado que mal conseguia ficar de pé. As cinco pessoas que restavam no bunker foram pegas de surpresa. Meir entrou atrás dele, empunhando uma pistola de fabricação caseira. Pavel pediu para segurá-la. Meir deixou.

"As pessoas que nos contaram a história ainda hoje não entendem por que Meir fez aquilo", escreveu Renia.

Pavel examinou a pistola, esmiuçando cada uma das partes. Então, puxou o gatilho... e atingiu a si mesmo.

Ele estava consciente quando os camaradas o arrastaram para fora do bunker. Mas a família precisava relatar o incidente à polícia. Meir implorou que ele não dissesse nada sobre o bunker, e Pavel assegurou-lhes que não o faria. Mas estava em muito mau estado. A polícia chegou e ele declarou, mostrando-lhes a pistola caseira de Meir, que a havia roubado de guerrilheiros durante seu trabalho militar e que a estava limpando quando o disparo acidental ocorreu. Uma ambulância chegou e o levou para o hospital em Katowice. Dois dias depois, ele morreu.

Mesmo assim, os Kobiletz não exigiram que os judeus partissem, mas os camaradas estavam amedrontados demais para ficar e, na primeira oportunidade, fugiram para a Eslováquia.

Então Renia recebeu uma mensagem. Ela e Chajka deveriam partir imediatamente: haviam recebido os papéis para imigrar para a Palestina. Fotografias das duas tinham sido enviadas para a Hungria, e elas teriam que fazer uma escala em Budapeste para pegar todos os documentos.

O sonho de ambas.

Renia escreveu para Sarah e Aliza, dizendo-lhes que era possível fazer a *aliyah* e que as duas precisavam viajar para a Eslováquia com as crianças logo que pudessem.

No dia em que ela deveria partir para a Hungria, o grupo recebeu uma carta de um atravessador. A neve nas montanhas já estava chegando à altura dos quadris, e a fronteira entre a Polônia e a Eslováquia se tornara intransitável. Não fariam mais travessias.[7] Fim.

Tudo ficou escuro. Renia soube que Sarah não chegaria. Sentiu que nunca mais veria a irmã. Ela era a última Kukiełka.[8]

*

Início de janeiro de 1944: Renia não podia se dar ao luxo de perder conexão alguma.

Viajou com Chajka, Benito e Moshe, da Guarda Jovem, que falava húngaro fluentemente. Pegaram o trem para a última estação na Eslováquia. Cruzariam a fronteira na locomotiva de um trem de carga.

Já era tarde, e estava escuro. Um maquinista desceu da locomotiva e gesticulou para que o seguissem. Renia, Chajka e Moshe embarcaram. Benito, no entanto, ficou para ajudar mais refugiados judeus. Eles se agacharam lá dentro, onde já havia outros fugitivos. Os maquinistas, pagos por pessoa, as amontoaram em cantos escondidos, e o trem começou a se mover, todos rezando para que não houvesse revista na fronteira. O calor da caldeira era insuportável, e Renia não conseguia encher o peito de ar. Cada vez que o trem parava, todos se agachavam no chão. Felizmente, a viagem foi rápida. Ela não se permitiu pensar em Aliza, nas crianças, em Sarah.

Na primeira estação já na Hungria, o maquinista liberou uma grande nuvem de vapor, criando uma névoa espessa.

— Vão! — disse ele a Renia.

A fumaça escondeu os fugitivos enquanto eles desembarcavam e corriam para a estação. O maquinista comprou as passagens e mostrou a eles onde pegar o trem de passageiros para Budapeste.

A viagem durou um dia e meio, por climas cada vez mais quentes, e durante todo esse tempo os camaradas não disseram uma palavra, não querendo levantar suspeitas. "A língua húngara soa desconhecida e estranha", escreveu Renia. "Os húngaros têm feições semitas. É difícil dizer quem é judeu e quem é ariano."[9] A maioria dos judeus falava húngaro, não iídiche ou hebraico. O radar que Renia desenvolvera no território governado pelos nazistas tinha deixado de ser funcional. Os judeus não eram obrigados a usar braçadeiras nem estrelas nas mangas. Não houve verificação de documentos nem inspeções no trem; provavelmente era impensável que fossem refugiados judeus oriundos da Polônia.

Então, por fim, Budapeste. A grande estação central estava lotada e agitada. A polícia inspecionava as malas dos passageiros. Renia passou sem problemas e correu para o endereço que lhes fora dado. As competências de Moshe como falante de húngaro foram indispensáveis.

Eles pegaram o bonde para o Gabinete da Palestina, que estava movimentado, ecoando apelos em alemão, polonês, iídiche e húngaro. Todos queriam documentos, todos tinham argumentos para justificar a necessidade de partir imediatamente. *Todos eles merecem fazer a aliyah!*, pensou Renia. Os britânicos, no entanto, mantinham as cotas e limitavam a imigração judaica. Os primeiros na fila para conseguir vistos eram os refugiados poloneses que haviam suportado as mais terríveis torturas. Isso incluía Renia.

Ela esperou com impaciência a data da partida, sempre adiada. Primeiro, as fotografias não chegavam. Então, quando os passaportes ficaram prontos, os vistos da Turquia estavam atrasados. Quanto mais a data se aproximava, mais enervante a espera. A incerteza era constante. "Não parávamos de pensar que aconteceria alguma coisa que adiaria a nossa *aliyah*", refletiu Renia mais tarde. "Todos os horrores pelos quais havíamos passado não tinham servido de nada? A situação na Hungria é boa, por enquanto, mas pode mudar a qualquer momento." Ela havia aprendido que a vida não oferecia estabilidade, que os momentos voavam, que a sorte era fugaz, que o relógio comandava tudo. Ela sabia.

*

Renia precisava dos documentos certos não apenas para fazer a *aliyah*, mas também para existir na Hungria. Via as pessoas serem detidas regularmente nas ruas para inspeções; aqueles que não estivessem registrados na polícia eram presos. Hitler ainda não havia invadido a região, mas os direitos dos judeus foram restringidos. Pessoas que, havia muito, tinham assumido estar a salvo da selvageria que ocorria na Polônia agora viviam sobre o fio da navalha.

Renia foi ao consulado polonês para se registrar como refugiada. O capitão polonês fez perguntas intermináveis: Era integrante do PPR? (O comunismo era ilegal.) Não, claro que não. Por outro lado, todos os poloneses eram obrigados a apoiar o movimento de Sikorski. Sim, claro que ela apoiava.

Um dos funcionários perguntou:

— A senhora é realmente católica?

Renia respondeu que sim, sem a menor dúvida.

— Graças a Deus — disse ele. — Até agora, só têm aparecido aqui judeus disfarçados de poloneses.

Renia fingiu indignação.

— O quê? Judeus disfarçados de poloneses?

— Sim, infelizmente — respondeu ele.

A performance nunca terminava. Uma fotografia de Renia em uma rua de Budapeste,[10] tirada em 1944, mostra-a bem penteada, vestindo um casaco bem-ajustado com bolsos de pele e carregando uma bolsa de couro, a sugestão de um sorriso nos lábios, traindo as brutalidades físicas e emocionais dos meses anteriores. Ela recebeu 24 pengő para hospedagem e alimentação, o suficiente para alguns dias, e um certificado que lhe permitia andar livremente pela cidade.

Quando voltou para junto dos camaradas, soube que, embora todos tivessem se registrado como cristãos poloneses, os funcionários suspeitaram de que eram judeus e não lhes deram dinheiro, apenas um certificado que poderiam mostrar durante as inspeções. O JDC, explicou Renia, tinha pago aos funcionários do consulado polonês para fazer vista grossa.[11]

Renia nunca mais voltou àquele gabinete, convencida de que iria embora dentro de poucos dias. Um mês depois, no entanto, ainda estava em Budapeste, ainda à espera de seu visto para a Palestina.

Durante esse mês, ainda magra, mas recuperando as forças, Renia começou a escrever suas memórias.[12] Ela sabia que precisava contar ao mundo o que havia acontecido com seu povo, sua família, seus camaradas, mas como? Com que palavras? Escrevia em polonês, usando iniciais em vez de nomes, talvez por questões de segurança, descobrindo por si mesma o que havia acontecido, como cinco anos tinham durado várias vidas, quem ela era, quem poderia ser, quem passaria a ser.

Em uma fotografia dos camaradas na Hungria,[13] seu pulso fino como um palito está adornado com um relógio novo. Tempos renovados.

Nenhum dos camaradas estivera em sua pátria espiritual, exceto na imaginação. Ainda assim, sabiam que seria acolhedora e familiar. "Vão nos receber de braços abertos", acreditava Renia, "como uma mãe recebendo os filhos." Ansiavam por aquela terra onde encontrariam remédio para todo o seu sofrimento — a esperança que os mantivera vivos. Lá, finalmente, estariam livres da ameaça constante.

Mesmo assim, Renia estava preocupada. "Será que nossos amigos de Israel vão compreender aquilo por que passamos?", perguntava ela, presciente. "Seremos capazes de ter uma vida normal e mundana, uma vida como a deles?"

*

E então, finalmente, Renia estava na estação. Chajka também. A plataforma estava lotada de pessoas que tinham se conhecido apenas alguns dias antes, mas já se formara uma camaradagem, uma proximidade espiritual indelével. Renia seguia seu caminho.

Todos a invejavam, ela sabia, mas apesar de toda a sua ânsia, não conseguia encontrar a felicidade. "A memória dos milhões que foram assassinados, a memória dos camaradas que dedicaram a vida a Eretz Israel, mas morreram antes de chegar ao seu destino, não me abandona." Do nada, a imagem de judeus sendo empurrados para dentro de um vagão de trem atravessava sua mente, arrepios percorriam seu corpo. A família, a irmã — ela mal conseguia começar a pensar em tudo isso.

Renia viu um comboio militar alemão passar pela estação, nos trilhos da outra linha. Deviam saber que eles eram um grupo de judeus, pensou. Os soldados olharam para ela, para todos os judeus, com olhos maldosos. Alguns sorriram. Se pudessem, teriam descido do trem para bater nela. Mas, por outro lado, pensou Renia, se eu pudesse, também bateria neles. Sentiu um forte impulso de provocá-los, de mostrar a eles que havia escapado da Gestapo e estava a caminho da Palestina. Tinha conseguido.

Melancolia e alegria. Abraços afetuosos, despedidas tristes. *Lembrem-se de nós, os que ficaram para trás*, diziam os abraços. *Faça o que puder, aonde quer que vá, para ajudar os poucos que sobreviveram.*

O trem começou a se mover lentamente. As pessoas corriam ao lado da composição, não querendo deixar seus entes queridos. Renia também não conseguia se desvencilhar — não das mãos estendidas, mas dos sentimentos. Queria tanto se sentir alegre, se encantar com o sol glorioso e a paisagem verdejante, mas seu coração estava pesado, inconsolável, enquanto ela pensava obsessivamente em

Sarah, Aliza, os órfãos que tinham ficado na Polônia, seu irmão Yankel, todas as crianças.

Renia seguia viagem com um grupo de dez pessoas. A maioria tinha fotos no passaporte, embora alguns usassem nomes falsos. De acordo com os documentos de imigração de Renia para a Palestina, ela era "também conhecida como Irena Glick e, por vezes, Irene Neuman". Seu arquivo inclui uma declaração assinada de que seu casamento com Yitzhak Fiszman, também conhecido como Vilmos Neuman, não fora uma união verdadeira — presumivelmente, fingiram estar casados para facilitar a imigração. (Yitzhak, que posa com um elegante terno de lapelas largas ao lado de Renia em uma foto do grupo do Liberdade em Budapeste, era na verdade casado com Chana Gelbard, a mensageira do Liberdade em Varsóvia.) Todos os falsos casais acompanhavam crianças órfãs ou filhos de adultos que não puderam partir. As crianças estavam em êxtase, animadas para uma nova aventura.

Renia chegou à fronteira na noite seguinte. As inspeções nunca teriam fim? Os guardas revistaram sua bagagem sem incidentes. Na Romênia, o grupo ficou sabendo que os funcionários do Gabinete da Palestina em Budapeste tinham sido presos. Embora nervosos, todos conseguiram cruzar a Bulgária em paz. Ali, a certa altura, os trilhos do trem estavam bloqueados por uma enorme rocha. Renia teve que caminhar 800 metros para embarcar em outro trem. Os búlgaros — militares, ferroviários e civis — ajudaram os judeus de boa vontade. A simpatia deles deixou uma impressão duradoura em Renia enquanto seu grupo percorria o sinuoso caminho até a fronteira com a Turquia.

Eles estavam prestes a deixar a Europa.

Agora, finalmente, pressentindo um futuro em que poderia olhar para as pessoas e não temer seus olhares, Renia começou a sentir uma pontada de alegria.

Benito esperava por eles na estação de Istambul, com outro camarada a quem Renia se refere apenas por V. Todos estavam exultantes; hospedaram-se juntos em uma pensão. V bombardeou-os com perguntas a respeito de pessoas que conhecia. Deu banho em Muniosh, que havia chegado com o primeiro grupo; estava sempre ocupado, tentando entrar em contato com os judeus sobreviventes dispersos por toda a Europa. Ele "chorou como um bebê" ao ouvir suas histórias de perda. V estava desesperado para tirar Zivia da Polônia, mas ela se recusava a sair. Ainda tinha muito trabalho a fazer, diziam suas cartas. Precisava ficar.

Os judeus perambulavam livremente pelas ruas de Istambul. Não havia ninguém atrás deles, ninguém lhes apontava o dedo. Renia passou uma semana maravilhada com a estranheza que isso lhe causava — não ser suspeita, não ser perseguida. Então, uma viagem de barco pelo Estreito de Bósforo, um trem pela Síria, uma parada em Alepo e na capital libanesa, Beirute.

Em 6 de março de 1944,[14] Renia Kukiełka, uma estenógrafa de 19 anos nascida em Jędrzejów, chegou a Haifa, na Palestina.

Parte 4

O legado emocional

Entrevistador: Como você está?
Renia: [Pausa] Geralmente, estou bem.[1]

Testemunho no Yad Vashem, 2002

Estávamos livres do medo da morte, mas não estávamos livres do medo da vida.[2]

Hadassah Rosensaft, dentista judeu que roubou comida, roupas e medicamentos para pacientes em Auschwitz

30. MEDO DA VIDA

> Aquele que sobrevive é como uma folha levada pelo vento, uma folha que não pertence a ninguém e que perdeu a árvore-mãe, pois esta morreu. (...) A folha voará com a ventania e não encontrará um lugar para si, nem encontrará as velhas folhas que conhecia, nem um pedaço do antigo céu. É impossível juntar-se a uma nova árvore. E a pobre folha vagará, relembrando os velhos dias, ainda que muito tristes, e sempre ansiando pelo regresso, mas não encontrará seu lugar.[1]
>
> *Chajka Klinger*, I Am Writing These Words to You

MARÇO DE 1944

Renia chegou à sua terra natal confusa, exultante. Tinha saído da Polônia como fugitiva, procurada pela Gestapo, e agora estava na terra de seus sonhos. Depois de um período de reabilitação no sanatório do kibutz Givat Brenner, onde continuou a escrever suas memórias, ela se instalou com sua camarada Chawka no verdejante kibutz Dafna, na região da Galileia. (O mesmo kibutz que é descrito no romance *Exodus*, de Leon Uris.) Ali, finalmente, na companhia de seiscentos outros *kibutzniks*, sentiu conforto, "como se tivesse chegado à casa de meus pais".[2] Muitos sobreviventes do movimento sionista foram para Israel, finalmente se juntando aos kibutzim para os quais haviam se preparado. Até mesmo sobreviventes não sionistas foram atraídos para esses lugares,[3] não por questões de ideologia, mas porque proporcionavam trabalho, orgulho e estrutura para reconstruírem sua vida.

E no entanto... Ainda havia diferenças, dificuldades. Por mais aliviada que estivesse por ter encerrado sua errância e estar livre para cantar as canções que havia reprimido por tanto tempo, Renia continuava a sentir o peso do tormento e das lembranças daqueles que se foram. "Nós nos sentimos menores e mais fracos do que as pessoas à nossa volta", escreveu ela logo depois de chegar. "Como se não tivéssemos o mesmo direito à vida que eles."[4]

Como muitos sobreviventes, Renia nem sempre se sentia compreendida. Ela viajou pela Palestina, dando palestras sobre suas experiências na guerra, falando em locais tão díspares quanto o anfiteatro de Haifa e os refeitórios dos kibutzim locais, contando ao mundo sobre o extermínio dos judeus poloneses. Em um depoimento dado à Biblioteca Nacional de Israel na década de 1980, Renia lembrou que certa vez fora convidada para falar no kibutz Alonim. Começara a contar sua história em polonês e iídiche, quando sua fala foi interrompida por uma agitação na plateia. No momento em que ela parou de falar, as pessoas começaram a afastar cadeiras e mesas. O que estava acontecendo? Todos estavam se preparando para dançar. A música soou. Renia ficou tão ofendida que saiu correndo, sem saber se aquelas pessoas simplesmente não entendiam o idioma em que falava ou se não estavam interessadas em ouvi-la.

*

Há muitas razões para as histórias das judias na resistência terem sido relegadas à clandestinidade. A maioria das combatentes e mensageiras foi morta — Tosia, Frumka, Hantze, Rivka, Leah, Lonka — e não viveu para contar sua versão dos fatos. Mas, mesmo no caso das sobreviventes, as narrativas femininas foram silenciadas por razões políticas e pessoais, que variavam conforme o país e a comunidade.

A política dos primeiros anos de Israel, à medida que o país crescia para se tornar uma nação, influenciou a forma como as histórias do Holocausto vieram a ser conhecidas.[5] Quando os sobreviventes do Holocausto chegaram ao Yishuv (o assentamento judaico na Palestina), em meados e fim da década de 1940, as histórias sobre os combatentes do gueto agradavam aos partidos políticos de esquerda. Não apenas a atividade antinazista era mais palatável do que os horrores da tortura,[6] mas esses relatos de bravura também ajudavam a fortalecer a imagem do partido e reforçavam a convocação para pegar em armas e lutar por um novo país. Como Renia, várias outras combatentes do gueto tiveram uma plataforma para falar — e o fizeram de forma prolífica —, mas, por vezes, suas palavras eram editadas para seguir a linha do partido. Alguns sobreviventes acusaram o Yishuv de ser passivo e não apoiar os judeus da Polônia. Foi nesse momento que Hannah Senesh se tornou um símbolo. Embora nunca tenha cumprido sua missão, exceto no que diz respeito a elevar o ânimo da comunidade judaica, sua história de ter deixado a Palestina para lutar na Hungria provava que o Yishuv tivera um papel ativo na ajuda aos judeus da Europa.

Logo depois, explicam os estudiosos, os primeiros políticos israelenses tentaram criar uma dicotomia entre judeus europeus e judeus israelenses. Os judeus europeus, diziam os israelenses, eram fisicamente fracos, ingênuos e passivos. Alguns sabras, ou israelenses nascidos em Israel, referiam-se a eles como "sabões", por causa dos rumores de que os nazistas faziam sabão usando corpos de judeus assassinados. Por outro lado, os judeus israelenses se viam como a poderosa próxima onda. Israel era o futuro; a Europa, durante mais de mil anos um berço da civilização judaica, era o passado. A memória dos combatentes da resistência — os judeus da Europa que eram tudo menos fracos — foi apagada para reforçar o estereótipo negativo.

A história da resistência caiu ainda mais no esquecimento. Uma década depois da guerra, as pessoas estavam prontas para ouvir sobre os campos de concentração, e o trauma passou a ser assunto de interesse público. Na década de 1970, o cenário político mudou, e as histórias de indivíduos rebeldes foram substituídas por histórias de "resistência cotidiana". No início dos anos 2000, a combatente do gueto de Varsóvia Pnina Grinshpan (Frimer) foi convidada para ir à Polônia a fim de receber um prêmio. Ela subiu ao palco angustiada, apática. "Por que preciso vir para a Polônia receber um prêmio?", perguntou em um documentário, refletindo que tinha *fugido* da Polônia. "Aqui [em Israel] somos tão pequenos."[7]

As controvérsias continuam até hoje. Mordechai Paldiel, ex-diretor do Departamento de Gentios Justos do Yad Vashem, o maior memorial do Holocausto em Israel, ficava perturbado com o fato de os salvadores judeus nunca receberem o mesmo reconhecimento que suas contrapartes gentias. Em 2017, ele escreveu *Saving One's Own: Jewish Rescuers during the Holocaust*, um livro sobre judeus que organizaram esforços de resgate em grande escala por toda a Europa. Alguns judeus criticam a falta de reconhecimento da atividade clandestina da Juventude Revisionista (a ŻZW do Betar).[8] Talvez isso se deva ao fato de poucos de seus integrantes terem sobrevivido; outros dizem que é porque os historiadores tendem a ser de esquerda e celebram apenas os seus. Outros ainda apontam que Menachem Begin, o primeiro líder da direita israelense e sexto primeiro-ministro do país, fugiu para a Rússia e não lutou no gueto de Varsóvia; Begin minimizava o levante.[9] O Bund (baseado sobretudo fora de Israel), os sionistas e os revisionistas continuam a discordar sobre quem foi responsável por iniciar o levante do gueto de Varsóvia. Mesmo entre os sionistas de esquerda, o Liberdade, a Guarda Jovem e a Juventude Sionista, cada movimento tem seus próprios arquivos, galerias e editoras dedicados ao Holocausto em Israel.

A história é diferente nos Estados Unidos. No imaginário popular, os judeus americanos não discutiram o Holocausto nas décadas de 1940 e 1950 — presumivelmente por medo e culpa e porque estavam muito ocupados com os esforços para mudar-se para bairros nos subúrbios e não destoar de seus vizinhos não judeus de classe média. Mas, como Hasia Diner mostra em sua obra pioneira *We Remember with Reverence and Love: American Jews and the Myth of Silence After the Holocaust, 1945-1962*, essa narrativa é infundada. Na verdade, houve uma proliferação de escritos e discussões sobre o Holocausto nos anos do pós-guerra. Um líder da comunidade judaica se preocupava que houvesse um foco *excessivo* na guerra, chegando a citar o livro de Renia como exemplo. Como Diner aponta, os judeus americanos — em sua nova identidade de principal comunidade judaica do mundo — se debatiam com o problema de *como* falar sobre o genocídio, e não se deveriam fazê-lo.[10]

Com o tempo, as histórias mudaram. Nechama Tec, autora de *Resistance: Jews and Christians Who Defied the Nazi Terror* e *Defiance: The Bielski Partisans* (mais tarde adaptado para o cinema), afirma que, no início dos anos 1960, havia no meio acadêmico americano uma tendência a aceitar a tese de submissão judaica e até a culpar a vítima.[11] Esse "mito da passividade",[12] estimulado em parte pela filósofa política Hannah Arendt, era tendencioso e não fundamentado em fatos. Diner afirma que, no fim da década de 1960, a comunidade judaica americana tinha se tornado pública e estabelecida; uma explosão de publicações tardias sobre o Holocausto se sobrepôs a trabalhos anteriores, o que talvez explique em parte por que o livro de Renia desapareceu de nossa memória coletiva.

Ainda hoje há complicações éticas em apresentar esse material nos Estados Unidos. Um texto sobre combatentes pode dar a impressão de que, afinal, o Holocausto "não foi tão ruim"[13] — um risco, considerando-se um contexto em que o genocídio está desaparecendo da nossa memória.[14] Muitos escritores e escritoras temem que glorificar pessoas que atuaram na resistência coloque uma ênfase excessiva na agência, sugerindo que a sobrevivência era mais do que uma questão de sorte, julgando aqueles que não pegaram em armas e, no fim das contas, culpando a vítima.[15] Além disso, trata-se de uma história que torna cinzento o tropo vítima-agressor e revela complicações cheias de nuances, chamando a atenção para a intensa discórdia que existe *no seio* da comunidade judaica sobre como lidar com a ocupação nazista. Essa narrativa inclui inevitavelmente judeus que colaboraram com os nazistas e rebeldes judeus que roubavam para comprar armas — uma ética frágil a cada curva do caminho. A raiva e a retórica violenta nas memórias dessas judias provocam hesitação. Assim como o fato de que muitos integrantes da resistência eram de classe média e urbanos, mais modernos e sofisticados, mais "como nós" do que seria confortável admitir. Todos esses fatores[16] dissuadem o debate.

E então há o gênero. As mulheres são rotineiramente excluídas de narrativas nas quais desempenharam papéis importantes, suas experiências apagadas da história. Aqui, também, as histórias das mulheres foram particularmente silenciadas.[17] De acordo com o filho de Chajka Klinger, o estudioso do Holocausto Avihu Ronen, isso tem a ver em parte com o papel que as mulheres desempenharam nos movimentos jovens. Em geral, eram elas que recebiam a ordem de escapar com "a missão de contar". Eram as documentadoras nomeadas e as historiadoras de primeira mão. Muitas das primeiras crônicas da resistência foram escritas por mulheres. Como autoras, argumenta Ronen, eles relatavam as atividades de *outras* pessoas — geralmente dos homens —, em vez de as suas próprias. Suas experiências pessoais ficavam em segundo plano.[18]

Lenore Weitzman, uma das pioneiras no estudo das mulheres e do Holocausto, explica que logo depois que os trabalhos dessas mulheres foram publicados, as histórias de maior destaque foram escritas por homens, que se concentravam em homens, não em garotas mensageiras que minimizavam elas mesmas as próprias atividades. Ela sugere que apenas o combate físico — que era público e organizado — era valorizado, ao passo que outras tarefas da clandestinidade eram consideradas triviais.[19] (Mesmo assim, muitas judias *de fato lutaram* nos levantes e se envolveram em combates armados, e não devem ser excluídas da história.)

Mesmo quando tentavam contar suas histórias, as mulheres muitas vezes eram deliberadamente silenciadas. Alguns escritos de mulheres foram censurados para se adequar a motivações políticas, algumas mulheres enfrentaram uma indiferença flagrante e outras foram tratadas com descrença, acusadas de ter inventado tudo. Depois da libertação, um jornalista do exército americano aconselhou Fruma e Motke Berger, duas guerrilheiras de Bielski, a não contar sua história, porque as pessoas pensariam que elas eram mentirosas ou loucas.[20] Muitas mulheres enfrentaram o desprezo — parentes as acusavam de terem fugido para lutar em vez de ficar para cuidar dos pais;[21] outras foram acusadas de "pagar na cama pela própria segurança". As mulheres se sentiam julgadas de acordo com uma crença persistente segundo a qual, enquanto as almas puras pereciam, as ardilosas sobreviviam. Na maior parte das vezes, quando seus desabafos e a expressão de sua vulnerabilidade não eram recebidos com empatia ou compreensão, as mulheres se voltavam para dentro e reprimiam suas experiências, enterrando-as bem fundo.

E então, havia a superação. Mulheres silenciavam a si mesmas. Muitas sentiam que era seu "dever sagrado" de "importância cósmica"[22] fazer surgir uma nova geração de judeus, e guardaram seu passado para si mesmas, movidas por um desejo desesperado de criar uma vida "normal" para seus filhos — e para elas próprias. Muitas dessas mulheres estavam na casa dos 20 anos quando a guerra terminou; tinham uma vida inteira pela frente e precisavam encontrar maneiras de seguir adiante. Nem todas queriam ser "sobreviventes profissionais".[23] Familiares também silenciavam as mulheres, temendo que encarar suas lembranças fosse difícil demais, que mexer em antigas feridas as desestruturasse por completo.

Muitas mulheres sofriam de uma opressora culpa da sobrevivente.[24] Quando Chasia, uma das mensageiras de Białystok, se sentiu pronta para compartilhar seu passado de roubo de armas e sabotagem, os judeus estavam se abrindo sobre suas experiências em campos de concentração. Em comparação com o que eles haviam enfrentado, ela "teve sorte". Sua narrativa parecia "egoísta" demais.[25] Outros falaram sobre a hierarquia do sofrimento na comunidade de sobreviventes. Certa vez, o filho de Fruma Berger se sentiu marginalizado em um evento de segunda geração porque seus pais haviam sido guerrilheiros. Alguns combatentes e suas respectivas famílias se sentiam excluídos dos fortes laços tecidos entre as comunidades de sobreviventes — e então se afastavam.

E então há os tropos narrativos que predominaram para as mulheres durante décadas. Hannah Senesh pode ter sido uma boa referência por ter mostrado o envolvimento do Yishuv. Mas estudos apontam que Hannah ficou famosa, em detrimento de sua colega paraquedista Haviva Reich — que convenceu um piloto americano a ajudá-la a saltar às cegas sobre a Eslováquia, onde conseguiu arrumar comida e abrigo para milhares de refugiados, resgatou militares aliados e ajudou crianças a escapar —, porque Hannah era jovem, bonita, solteira, rica e poeta. Haviva era uma divorciada de 30 e poucos anos e cabelos castanhos, com um passado romântico movimentado.[26]

Para os judeus americanos, tudo isso é um passado distante, mas, ainda assim, há muito em jogo. Na Polônia, onde as pessoas ainda se veem balançadas pelos anos de domínio soviético, a colaboração das mulheres com o Exército Vermelho assume um significado diferente. O senado polonês aprovou recentemente uma lei (posteriormente revisada) determinando que a Polônia não poderia ser responsabilizada por nenhum crime cometido no Holocausto. Hoje a memória da resistência polonesa tem muito prestígio na Polônia. Uma pessoa que tenha um combatente do Exército Nacional na sua história familiar é tida em alta conta.

A narrativa continua em construção, a resistência e seu papel, em uma posição delicada. A forma como a guerra é apresentada — para nós mesmos e para o mundo exterior — pode explicar quem somos, por que agimos como agimos.

*

Não apenas o silenciamento de suas histórias de vida foi imediatamente difícil para sobreviventes e combatentes, mas também a liberdade.

Essas jovens mulheres eram adultas de 20 e poucos anos que não tinham casa e haviam perdido a infância, que não tiveram a chance de estudar e de se preparar para uma carreira, que não tinham redes familiares normais e cujo desenvolvimento sexual fora muitas vezes inexistente, traumático ou profundamente intensificado. Muitas dessas mulheres — sobretudo as que não aderiam a filosofias políticas fortemente instituídas — simplesmente não sabiam para onde ir, o que fazer, quem ser, como amar.

Faye Schulman, a guerrilheira que por anos[27] vagou pela floresta, explodindo trens, realizando cirurgias ao ar livre e fotografando soldados, escreveu que a libertação não fora o epítome da alegria, mas "o ponto mais baixo da minha existência. (…) Nunca na vida eu tinha me sentido tão só, tão triste; nunca senti tanta saudade dos meus pais, da minha família e dos meus amigos que nunca mais veria".[28] Depois do brutal assassinato de seus familiares e de todas as suas perdas, o rigor, os deveres e a coesão social da vida de guerrilheira a mantiveram sã, focada, e lhe deram um propósito: sobrevivência e vingança. Agora ela estava absolutamente sozinha no mundo, sem nada, nem mesmo uma nacionalidade. Enquanto outros guerrilheiros se sentavam ao redor da fogueira, esperando o fim da guerra, sonhando com reencontros e celebrações, ela sentia o oposto:

> Quando a guerra acabasse, eu teria um lugar ao qual sentisse que pertencia? Quem esperaria por mim na estação de trem? Quem celebraria a liberdade comigo? Para mim, não haveria desfile de boas-vindas, nem tempo de chorar os mortos. Se eu sobrevivesse, para onde voltaria? Minha casa e minha cidade tinham sido reduzidas a cinzas, as pessoas, assassinadas. Eu não estava na mesma situação que os camaradas à minha volta. Eu era judia e mulher.[29]

Faye recebeu uma medalha do governo soviético, mas teve de entregar suas armas. Sem um senso de proteção ou identidade, decidiu se alistar no exército soviético e continuar a lutar na Iugoslávia. A caminho do gabinete militar, conheceu um oficial de aparência judaica que a convenceu a não arriscar mais a vida. Faye tornou-se fotógrafa do governo em Pinsk. Conseguiu localizar os irmãos que haviam sobrevivido, a medalha dando-lhe acesso a trens e autoridades. Por intermédio de um dos irmãos, conheceu Morris Schulman, um comandante guerrilheiro que ela encontrara certa vez na floresta e que conhecia sua família de antes da guerra. Algumas sobreviventes idealizavam o pai morto e tinham dificuldades de estabelecer laços íntimos,[30] mas os sentimentos de Faye e Morris um pelo outro foram imediatos, e, por ele, Faye recusou muitas outras propostas. "Sentíamos uma urgência de avançar rapidamente com o que restava de amor em nós",[31] refletiu ela.

Embora fossem um casal soviético relativamente abastado e bem-sucedido, a cidade *Judenrein* de Pinsk era deprimente demais. Os dois percorreram a Europa em inúmeras viagens difíceis e perigosas, mais um casal entre os milhões de refugiados que deambulavam pelo continente; foram obrigados a ficar em um terrível campo de refugiados que fez Faye se lembrar do gueto. Pouco depois, aderiram à Bricha, uma organização clandestina que enviava judeus ilegalmente para a Palestina, onde as cotas de imigração continuavam em vigor. Mas Faye teve um bebê e ansiava por segurança. Ela e Morris mudaram de rumo e passaram o resto da vida em Toronto, onde construíram as respectivas carreiras e uma família. Faye falou publicamente sobre suas experiências de guerra durante décadas. "Por vezes, [o] mundo antigo parece quase mais real para mim do que o presente",[32] escreveu. Uma parte dela ficou para sempre enraizada em seu universo perdido.

*

Outra questão que acompanhava os sobreviventes por toda a vida era a culpa.

No verão de 1944, da janela de seu esconderijo em Varsóvia, Zivia observava os cavalos cansados puxando carroças cheias de alemães que fugiam para salvar a própria vida.[33] A resistência polonesa, controlada sobretudo pelo Exército

Nacional, decidira que era hora de lutar — expulsar os nazistas enfraquecidos e defender a Polônia da invasão soviética. Embora não concordassem com todas essas políticas, Zivia, a ŻOB e os comunistas poloneses decidiram se juntar à luta — qualquer esforço para destruir os nazistas valia a pena. Zivia divulgou, por meio da imprensa clandestina polonesa, que todos os judeus deveriam lutar, não importava qual fosse sua afiliação, por uma "Polônia livre, independente, forte e justa". A revolta começou em 1º de agosto. Judeus de todas as facções políticas participaram, incluindo mulheres.[34] Durante essa revolta, Rivka Moscovitch foi morta[35] quando um nazista que passava de carro a metralhou em plena rua.

O Exército Nacional se recusava a lutar ao lado dos judeus, mas o Exército do Povo aceitou de braços abertos a colaboração da ŻOB. Preocupados com as baixas entre os judeus, ofereceram a eles papéis nos bastidores, mas Zivia e seu grupo insistiram no combate ativo. Ela defendeu um posto importante e isolado, quase esquecida no meio da ação. Os 22 judeus tiveram um papel secundário, mas, para Zivia, havia um enorme significado em ver que a ŻOB continuava viva, ativa, e ainda trabalhando ao lado dos poloneses. O Exército Nacional tinha se preparado para lutar por alguns dias, mas os soviéticos resistiram e a sangrenta batalha acabou durando dois meses. A magnífica cidade de Varsóvia foi arrasada, transformada em um amontoado de escombros com três andares de altura; quase 90% dos prédios haviam sido destruídos.[36] Por fim, os poloneses se renderam. Os alemães expulsaram todo mundo. Mas o que os judeus — especialmente aqueles que aparentavam sê-lo — deveriam fazer?

Mais uma vez, combatentes escaparam pelos canais de esgoto. Dessa vez, Zivia estava exausta e quase se afogou. Antek a carregou nas costas enquanto ela dormia.

Mesmo com o Exército Vermelho se aproximando, Zivia permaneceu realista, ou pessimista, alertando os camaradas para que não ficassem muito entusiasmados. Depois de enfrentarem dificuldades em uma série de *melinas*, a situação dos judeus escondidos era desesperadora. Seis semanas de um bombardeio soviético implacável, de escassez de água e comida, de fumar folhas que arrancavam de árvores, de quase sufocarem no minúsculo porão onde tinham se refugiado — estavam condenados. Sobretudo quando os alemães começaram a cavar trincheiras na rua e, em seguida, no edifício onde os combatentes estavam escondidos.

Os nazistas estavam derrubando paredes bem ao lado do esconderijo de Zivia.[37] Os judeus ouviam cada golpe da pá. Mas, como sempre, ao meio-dia, os alemães fizeram a pausa para o almoço. Cinco minutos depois, um grupo de resgate da Cruz Vermelha polonesa chegou. Mensageiros do Bund tinham contatado um médico polonês de esquerda em um hospital próximo, e ele enviara uma equipe para resgatá-los sob o pretexto de remover doentes com tifo — o que, ele sabia, manteria os alemães bem longe. Os dois combatentes de aparência judaica mais acentuada tiveram o rosto enfaixado e foram carregados em macas. Os demais colocaram braçadeiras da Cruz Vermelha e fingiram fazer parte do grupo de socorristas. Zivia se passou por uma velha camponesa que perambulava de casa em casa. O grupo atravessou a cidade destruída e, apesar de várias altercações, todos conseguiram escapar — chegando a convencer um nazista, que havia perdido um dos olhos pelas mãos "daqueles bandidos judeus", a transportá-los em sua carroça. Do hospital, Zivia foi se esconder nos subúrbios.

Quando, em janeiro de 1945, os russos libertaram Varsóvia, Zivia, então com 30 anos, se sentiu vazia. Ela descreveu o dia em que os tanques soviéticos entraram na cidade. "Uma multidão de gente correu para recebê-los, exultantes, na praça do mercado", escreveu ela. "As pessoas festejaram e abraçaram seus libertadores. Nós ficamos à parte, esmagados e deprimidos, resquícios solitários do nosso povo."[38] Foi o dia mais triste da vida de Zivia: o mundo que ela conhecera tinha deixado oficialmente de existir.[39] Como muitos e muitas sobreviventes que lidaram com as sequelas da guerra por meio da hiperatividade, Zivia se dedicou a ajudar outras pessoas.

Restavam aproximadamente 300 mil judeus poloneses vivos: apenas 10% da população pré-guerra. Esse número incluía os sobreviventes de campos, os que haviam se disfarçado de não judeus, os que ficaram escondidos, guerrilheiros da floresta e — a maioria — os 200 mil judeus que viveram a guerra em território soviético, muitos deles encarcerados em *gulags* siberianos. (Os "asiáticos", como eram chamados.) Esses judeus retornariam para o nada — não tinham mais família, não tinham casa. A Polônia do pós-guerra era uma "terra arrasada" onde grassava o antissemitismo. Nas cidades pequenas, sobretudo naquelas cujos habitantes temiam que os judeus voltassem para reclamar suas propriedades, qualquer judeu podia ser morto em plena rua.[40] Zivia trabalhava para levar-lhes ajuda;[41] também planejava rotas de fuga. Em Lublin, entrou em contato com Abba Kovner e, embora de início se propusessem a colaborar, os dois acabaram se desentendendo. Zivia dava prioridade à construção da comunidade; Kovner, à saída imediata da Polônia — e à vingança.

Os movimentos se esforçaram como nunca para renovar suas bases polonesas, chegando a enviar emissários às estações de trem para convencer "asiáticos" a se juntarem às suas fileiras. Zivia voltou a Varsóvia para trabalhar com sobreviventes, estabelecendo comunas seguras e atraindo judeus para o Liberdade. Como sempre, era a figura maternal que todos admiravam, ao mesmo tempo que guardava seus sentimentos para si.

Sofrendo de exaustão, em 1945 Zivia finalmente pediu para fazer a *aliyah*. A sionista socialista de Byten chegou à Palestina — seu sonho havia muito adiado. Foi como se ela tivesse ressuscitado dos mortos por um milagre, sobretudo depois de tantos obituários terem sido publicados, mas a vida não era fácil. Zivia vivia em uma cabana em um kibutz a partir do qual os britânicos faziam incursões contra os líderes do Yishuv — episódios que a lembravam das *Aktions* no gueto.[42] Os kibutzim, ela achava, não faziam o suficiente para acolher os sobreviventes. Embora sua irmã estivesse lá, ela não tinha tempo de ver a família e os amigos por causa do trabalho no movimento, e sentia falta de Antek, ao que parece, temendo que sua natureza galanteadora o levasse a se envolver com outras mulheres.[43] A depressão e a culpa se avolumavam dentro dela. *Deveria ter estado no número 18 da rua Miła. Deveria ter morrido.*[44]

Zivia foi enviada de imediato em uma turnê de conferências — "um circo", como ela chamava.[45] Recebeu convites de inúmeros grupos e sentia que não poderia recusar nenhum deles; muitas organizações queriam seu apoio, ansiavam pelo fulgor de seu heroísmo.

Em junho de 1946, 6 mil pessoas se reuniram no kibutz Yagur para ouvir Zivia proferir um eloquente e firme testemunho em hebraico; ela falou durante oito horas sem recorrer a qualquer anotação, os pensamentos articulados fluindo de sua mente e de seu coração. Todos ficaram fascinados, aturdidos. "Ela ficou lá, como uma rainha",[46] observou mais tarde alguém que estava na audiência, notando que ela irradiava uma sensação de santidade. Em suas palestras, ela falava sobre a guerra, o movimento, a ŻOB, mas nunca a respeito de seus sentimentos ou de sua vida pessoal. Zivia defendia as massas de judeus dos guetos e pedia empatia com os sobreviventes, mas a maioria dos ouvintes queria escutá-la falar sobre o levante. Sua história de combatente do gueto foi usada por alguns políticos de esquerda para promover as respectivas agendas; a atuação de Zivia como combatente ecoava as filosofias militantes do Estado emergente. Conforme lhe fora pedido, ao que parece, ela suavizou suas críticas ao Yishuv por não ter enviado mais ajuda a Varsóvia. Apelando às mulheres, promovendo a importância das armas e do heroísmo, Zivia era adorada e ajudava o partido a ganhar apoio, mas essa exposição e suas políticas a exauriam. Cada discurso tocava em feridas ainda abertas, despertando novamente seu sofrimento e sua culpa. Ela queria ficar sozinha, respirar.

No ano seguinte, Zivia foi selecionada para desempenhar um papel importante no Congresso Sionista na Basileia. Ela e Antek se encontraram na Suíça, onde um rabino os casou em segredo. Ela voltou para Israel grávida — com o mesmo vestido que usara no Yagur, mas agora mais apertado.[47] Antek foi a seu encontro alguns meses depois. No entanto, apesar da reputação heroica do casal — eles foram os únicos sobreviventes do comando sionista do levante do gueto de Varsóvia —, os dois nunca ocuparam cargos políticos importantes em Israel, possivelmente porque os políticos do Yishuv se sentiam ameaçados por seu status mítico. Antek trabalhava nos campos; Zivia, no galinheiro. Ela passou a evitar os olhos do público. Segundo pessoas próximas, não se julgava nada de especial, apenas alguém que fazia o que tinha que ser feito.

Em seus escritos, Zivia enfatiza que fora treinada para isso. A maioria dos judeus simplesmente não sabia *o que fazer*, mas a juventude judaica era educada para definir seus próprios objetivos e realizá-los. Quando perguntaram à filha de Chasia que fatores teriam motivado o comportamento da mãe durante a guerra, a resposta imediata foi que ela herdara a tolerância do pai[48] e a força da Guarda Jovem. Como a própria Chasia refletiria seis décadas depois: "Aprendíamos a compartilhar, trabalhar juntos, respeitar as opiniões uns dos outros, superar obstáculos, nos superar. Àquela altura, não sabíamos o quanto precisaríamos [dessas habilidades] nos anos seguintes." Os movimentos juvenis emergiram em um contexto no qual os judeus se sentiam ameaçados. Os participantes, portanto, aprendiam a lidar com os problemas existenciais e, ao mesmo tempo, a viver e trabalhar juntos, a colaborar em todos os níveis.

Sentindo a necessidade de ter uma comunidade que os compreendesse e de imortalizar seu passado, Zivia e Antek decidiram fundar seu próprio kibutz — o que não era tarefa fácil. O movimento temia que esse kibutz se concentrasse nos traumas do passado; os combatentes do gueto tinham que provar o tempo todo que não sofreriam um colapso mental. Depois de alguma luta, os dois fundaram o kibutz Casa dos Combatentes do Gueto, composto sobretudo por sobreviventes. Zivia se voltava para o trabalho e a maternidade — um exercício de equilíbrio constante — para abafar o passado e seguir em frente. Como muitos outros sobreviventes que viviam com a sensação de que "uma catástrofe poderia se abater sobre nós sem aviso",[49] com medo de trovões e de relâmpagos (que os faziam lembrar dos bombardeios), integrantes do kibutz sofriam de estresse pós-traumático e terrores noturnos. No geral, todavia, trabalhavam arduamente para se tornar uma entidade produtiva. Mais tarde, Antek fundou no kibutz o primeiro museu memorial e arquivo do Holocausto de Israel, em um elegante prédio brutalista com teto alto e curvo. Surgiram controvérsias a respeito da natureza da narrativa que apresentavam,[50] mesmo entre membros do kibutz. As discórdias com a Guarda Jovem e o Yad Vashem se dissiparam com o tempo, mas ainda é possível senti-las logo abaixo da superfície.

Zivia continuou a ser uma mulher de princípios, contida, e permaneceu impulsionada pelos ideais de movimento. Era rigorosa com o dinheiro, ferrenhamente contrária à reconciliação com a Alemanha e às indenizações (exceto quando seu lado prático se impunha), e teve que ser forçada por Leon Uris a comprar um vestido novo para um evento importante.[51] Os únicos presentes que os filhos tinham permissão para aceitar eram livros; eles foram os últimos no kibutz a ter bicicletas. (Antek, o visionário romântico e *bon vivant*, apreciava mais as coisas materiais.) Quando quis uma nova varanda em sua casa, Zivia juntou pedras e marretas e a construiu. Sempre fora da opinião de que as ações cotidianas eram a marca do valor de cada pessoa. Não se debruçava sobre as questões, mas acreditava que uma pessoa tinha que tomar uma decisão e levá-la até o fim. "Dê uma palmada no seu próprio traseiro!"[52] era o seu lema.

Zivia trabalhava, viajava, administrava as finanças do kibutz, lia livros novos com avidez, recebia hóspedes e foi mãe de dois filhos.[53] Como a maioria dos sobreviventes do Holocausto, ela e Antek eram superprotetores e zelosos. Muitos pais e mães sobreviventes escondiam dos filhos seu passado, desejando desesperadamente que eles tivessem uma vida normal, mas isso acabava causando fissuras. Em kibutzim por toda Israel, as crianças viviam em alojamentos comunitários separados e passavam apenas as tardes com os pais, o que acentuava o distanciamento e dificultava o desenvolvimento de intimidade física. No kibutz Casa dos Combatentes do Gueto, as crianças tinham problemas específicos com pesadelos e incontinência urinária noturna, e Zivia concordou em contratar uma psicóloga — uma extravagante despesa com mão de obra externa que ela normalmente não aprovaria. Também ficava perturbada com o fato de que seu filho chorava copiosamente, e ela tinha que deixá-lo aos berros porque o tempo dos pais na ala das crianças havia acabado.

Zivia manteve-se longe dos holofotes. Em 1961, testemunhou no julgamento do nazista Adolf Eichmann e, em algumas raras ocasiões, concordou com relutância em integrar a lista de candidatos do Partido Trabalhista para o Parlamento israelense. Queria apoiar o partido, e só concordou em se candidatar porque sabia que ia perder.[54] Foi nomeada para um cargo político no governo, mas renunciou, pois queria trabalhar no kibutz, estar com a família. Preferia cozinhar e criar galinhas às cansativas encenações a que teria de se submeter caso fosse uma figura eminente. Quando, na década de 1970, intelectuais se concentraram na resistência cotidiana, em vez de destacar figuras heroicas de combatentes, e também devido a sua aversão aos holofotes, o nome de Zivia foi aos poucos desaparecendo da consciência dos israelenses. Seu livro sobre a guerra baseava-se em suas palestras e foi editado por Antek. Apesar da insistência dela para que seus escritos fossem publicados postumamente, eles não contêm qualquer revelação pessoal. "É possível saber muito a respeito de uma pessoa", dizia ela, "pela quantidade de vezes que ela diz 'eu' em uma frase."[55]

Mesmo na casa dos heroicos Zivia e Antek, o passado era um segredo. Como era comum entre os primeiros descendentes de sobreviventes, que sentiam que não era seguro sondar, os filhos de Zivia faziam poucas perguntas sobre a história dos pais. Yael, que é psicóloga, se perguntava: *Como é possível que eu não os tenha obrigado a se sentar e feito perguntas?*[56] Quando criança, ela desejava ter pais mais jovens, que falassem hebraico e fossem nascidos em Israel. Já Shimon sentia-se pressionado pelo fato de ser filho de lendas, e incapaz de corresponder às expectativas: "O que devo fazer, atirar um coquetel molotov, matar um alemão, o quê?"[57]

Muitos filhos de sobreviventes sentiam a pressão oposta: alcançar o que o pai e a mãe não conseguiram e atingir objetivos em nome de toda a família, e ao mesmo tempo estarem sempre felizes, justificando a sobrevivência dos pais.[58] Outros se sentiam pressionados simplesmente a ser "normais" — e se rebelavam ao não se casar. Outros ainda se sentiam impelidos a escolher determinada carreira, como medicina. ("Um filósofo [é] inútil na floresta",[59] disse um guerrilheiro sobrevivente a seus filhos californianos.) Muitos se tornaram profissionais na área da saúde mental ou do serviço social.

Pouco antes de Zivia morrer, sua nora lhe deu uma neta: Eyal, que é o nome hebraico da ŻOB.[60] Zivia segurou a bebê e chorou em público pela primeira vez desde as florestas da Polônia. Eyal fala abertamente sobre a história da família, atribuindo sua tagarelice ao avô, de quem era próxima quando criança. Embora confesse que desejaria saber mais sobre a vida interior da avó, Eyal tem o livro de Zivia — a história de uma cuidadora, uma realizadora, alguém que colocava os outros em primeiro lugar, que exigia muito de todos, incluindo ela mesma — como uma fonte de força.[61]

E também Eyal dá mostras de ter uma severa autocrítica; um legado da filosofia do Liberdade. Em um documentário israelense sobre a família, ela se pergunta se teria tido forças para lutar como Zivia. Quando outras pessoas criticam os poloneses por terem sido testemunhas passivas, ela comenta que também já se sentou em restaurantes próximos a zonas de guerra, se divertindo.[62]

Enquanto Eyal trabalha com recursos humanos, organizando pessoas assim como sua avó fazia, sua irmã, Roni, seguiu os passos combatentes de Zivia. Roni foi a primeira mulher a tornar-se piloto de caça do Exército israelense, destacando-se em formação com uma longa trança pendendo nas costas. Roni raramente fala em público — em parte por causa de seu status militar, mas principalmente porque herdou da avó a postura reservada. Com a sua própria "hipermoralidade",[63] vive para a avó, que nunca conheceu mas cuja "liderança serena" ela admira.[64] O estilo dos Zuckerman, brincam as irmãs, era manter tudo apenas para si; responder a qualquer pergunta com uma única palavra. Acima de tudo, "os Zuckerman não choram".[65] A coisa mais importante que aprendeu com os avós, disse Eyal, foi que "uma pessoa nunca tem controle total sobre as circunstâncias, mas tem controle sobre como reage a elas. É preciso confiar em si para encarar a vida."[66]

"Tudo que fiz foi tentar morrer, mas sobrevivi" era o refrão de Zivia. "O destino determinou que eu sobreviveria, e não me restou alternativa."[67] Apesar de sua vida vitoriosa, Zivia era atormentada pela culpa.[68] Poderia ter salvado mais, feito mais, feito as coisas mais cedo. O remorso que começou em Varsóvia — a sensação de oportunidade desperdiçada, os combatentes que ela perdeu — nunca desapareceu; pelo contrário, cresceu com a sobrevivência. *Por que eu consegui escapar?* era uma reflexão constante.

Outra constante para Zivia era seu hábito de fumar. Por volta dos 60 anos, com o tabaco e o remorso corroendo-a por dentro, ela desenvolveu um nódulo no pulmão e, apesar de todas as suas tentativas de continuar trabalhando normalmente, morreu em 1978, aos 63 anos. A pedido de Antek, apenas seu primeiro nome ficou gravado na lápide. "Zivia é uma instituição", explicou o filho. Não é preciso mais nenhuma palavra.[69]

Sem ela, a frágil existência que Antek reconstruíra se despedaçou. Ele não queria viver em um mundo sem Zivia. Contrariando as ordens dos médicos, bebia. "Ele se esforçou para morrer", disse Eyal.[70] Apesar do charme e da natureza alegre, Antek era profundamente assombrado, incapaz de esquecer o passado, culpando-se por não ter salvado a família e atormentado pelas decisões que tomara durante a guerra. Nunca deixara de pensar no assassinato de um potencial informante. E se o homem fosse inocente? O remorso de Antek só aumentou com o tempo, "como lava brotando do solo e esguichando para cima",[71] disse ele, refletindo sobre como seu passado e seu presente se entrelaçavam. Liderar o levante do gueto de

Varsóvia e depois colher frutas em um kibutz não era um percurso de vida fácil. Muitos combatentes nunca conseguiram reencontrar a si mesmos depois de seus traumáticos e hiperdramáticos 20 anos.[72] Antek morreu três anos depois de Zivia, em um táxi a caminho de uma cerimônia em homenagem a ela.

"Zivia era o ramo, e Antek era o tronco", disse Yael. "Se o ramo verga, o tronco cai, não importa quão forte pareça."[73]

*

O ambiente em Israel era árduo, mas a vida também não foi fácil para os combatentes da resistência polonesa na Polônia do pós-guerra, governada pela União Soviética durante décadas. Em um clima de vigilância e medo, qualquer um que tivesse demonstrado lealdade ao Exército Nacional durante a guerra poderia ser considerado um "nacionalista polonês" e, portanto, um rebelde contrário ao regime soviético — por isso mesmo, correndo risco de morte.[74] Muitos poloneses que ajudaram os judeus esconderam suas ações heroicas por medo de serem acusados de estar do lado errado do Estado. Uma polonesa que abrigara uma família que se mudou para Israel teve que pedir-lhes que parassem de enviar presentes de agradecimento com bandeiras israelenses porque esses artigos despertavam suspeitas entre os vizinhos.[75]

Na Polônia, até mesmo alguns judeus reprimiram o próprio passado e cortaram todos os seus laços. "Halina", que ajudara a salvar Renia da prisão, era na verdade Irena Gelblum.[76] Depois da guerra, ela e Kazik, seu namorado, foram para a Palestina. Mas ela deixou a região pouco depois, estudou medicina, trabalhou como jornalista e se tornou uma poeta famosa na Itália, onde mudou seu nome para Irena Conti. Acabou voltando para a Polônia, mas estava sempre mudando de identidade e de amigos, seu passado um segredo cada vez mais profundo.

Outros viveram mais abertamente. Irena Adamowicz,[77] a escoteira católica, trabalhou na Biblioteca Nacional Polonesa. Nunca se casou. Em vez disso, cuidava da mãe e passava o tempo com os amigos dos tempos de guerra. Irena manteve uma correspondência com as judias com quem havia trabalhado, e visitou Israel em 1958 — um ponto alto de sua vida. Vivia com um medo terrível de morrer sozinha e, no entanto, à medida que envelhecia, foi se tornando cada vez mais reclusa. Um dia, em 1973, morreu subitamente na rua, aos 63 anos. Em 1985, foi nomeada Justa Entre as Nações no Yad Vashem.

*

Para outras pessoas, o sofrimento da sobrevivência foi simplesmente insuportável. Chajka Klinger chegou à Palestina[78] no mesmo trem que Renia, mas sofria de uma depressão cada vez mais profunda. Ela e Benito se instalaram no kibutz Gal On, da Guarda Jovem, onde tentaram se integrar à vida comunitária. Chajka discursou em várias assembleias e conferências. Entretanto, surgiram conflitos com o movimento. A Guarda Jovem publicou trechos de seus diários, mas os textos foram bastante editados, omitindo e até revertendo suas críticas ao Yishuv (que ela acusava de não ter feito o suficiente) e suprimindo suas dúvidas de que a resistência fosse um dia produzir algum resultado. Chajka não fora silenciada, mas censurada. Suas palavras e seus pensamentos — para uma intelectual como ela, sua identidade — tinham sido adulterados pelo próprio movimento pelo qual dera a vida.

Os pensamentos mórbidos que começaram quando vivia na clandestinidade iam e vinham, mas nunca a deixaram de todo. Ela e Benito se mudaram para um novo kibutz, Ha'Ogen, onde havia menos amigos do passado. O casal vivia em um quarto feito de caixotes de laranja, mas Chajka se concentrava em aproveitar a vida em família. Começou a editar seus diários em forma de livro e se sentia finalmente feliz, apesar da culpa que a felicidade lhe provocava. Ela encontrava dificuldades para conseguir um emprego permanente no kibutz — sobretudo algo que envolvesse sua atividade favorita: cuidar de crianças —, já que não tinha prioridade para desempenhar essas funções. Depois de tudo por que passara, teve que recomeçar do zero. "Aquela mulher que havia liderado um movimento durante a guerra, que havia enfrentado a Gestapo", escreveu seu filho, Avihu, "era agora apenas Chajka R." (O sobrenome de Benito, que ela havia adotado, era Ronen, anteriormente Rosenberg.) Então, Chajka engravidou. Durante a gestação, acordava no meio da noite tendo alucinações, e Benito começou a entender que aqueles episódios faziam parte de uma "doença mental", o termo abrangente que se usava na época. Nem o transtorno de estresse pós-traumático nem o trauma coletivo eram compreendidos ainda. No Ha'Ogen, sobreviventes não tinham tratamento diferenciado e não falavam de seu passado. As regras do kibutz, o papel de cada integrante na força de trabalho e o presente eram as únicas coisas que contavam.

Ela chamou seu filho de Zvi, em homenagem a Zvi Brandes.

Chajka não tinha uma comunidade de sobreviventes que a compreendesse, pessoas com quem pudesse relembrar o passado ou até mesmo fantasiar a respeito de vingança. Não tinha muitos amigos. (A maioria dos camaradas do kibutz falava húngaro.) Além disso, a antiga namorada de Benito também vivia lá. Chajka foi designada para aprender a trabalhar no galinheiro em vez de estudar para obter um diploma de pós-graduação, como ela queria. Os trabalhos importantes eram reservados aos homens. Seus objetivos de carreira — os objetivos de um intelecto ousado — tornaram-se sonhos frustrados.

Chajka descobriu que uma de suas irmãs estava viva, o que lhe deu alguma esperança e estabilidade. Mas então o coordenador da Guarda Jovem decidiu que Benito, que ainda trabalhava na ajuda aos refugiados, devia voltar para a Europa. Chajka estava diante do pedido de que abrisse mão de todos os pequenos confortos que havia criado para si mesma e voltasse para o continente encharcado de sangue de onde havia escapado por pouco.

Ela não ficou muito tempo, voltando logo depois para Israel para dar à luz seu segundo filho, Avihu, o acadêmico. Sofreu uma depressão pós-parto severa, incapaz de sair da cama por semanas, recusando-se a tomar os remédios por receio de estar sendo envenenada. Foi hospitalizada contra sua vontade. Depois disso, ninguém discutiu sua doença — o assunto era um tabu.

De volta ao kibutz, Chajka se distanciou dos amigos de Będzin e não encontrou uma maneira de dar vazão a seus talentos. Então, durante a terceira gravidez, seus diários foram usados sem sua permissão em um artigo que criticava a liderança da Guarda Jovem, colocando-a no centro de uma controvérsia acalorada que mais uma vez a obrigou a lidar com o conflito entre sua verdade e a lealdade ao movimento. Novamente, ela sofreu de depressão pós-parto e foi hospitalizada.

Como parte do tratamento, fizeram Chajka falar sobre a tortura da Gestapo. Traumatizada por essa intervenção, recusou qualquer outra ajuda médica.

Avihu rememorou momentos felizes da mãe, mas também de episódios em que ela se sentava em silêncio com uma toalha enrolada na cabeça. Havia sobrevivido e queria cumprir o papel que a Guarda Jovem lhe designara: contar às pessoas o que havia testemunhado. Mas, no fim das contas, sentia que estava "condenada a viver". Por fim, depois de uma série de episódios depressivos muito severos, aos 42 anos, Chajka concordou em voltar para o hospital. Uma noite, apareceu no alojamento das crianças vestindo um casaco longo; tinha ido se despedir.

Na manhã seguinte, em abril de 1958, no décimo quinto aniversário do levante do gueto de Varsóvia, Chajka Klinger se enforcou em uma árvore, não muito longe da creche do kibutz onde seus três filhos brincavam.

Nem todo mundo sobrevive à sobrevivência.[79]

31. FORÇA ESQUECIDA

1945

Renia pode não ter tido sorte ao falar com aquele grupo específico no kibutz, mas seus ciclos de palestras resultaram em outras revelações. Um dia, em um campo de refugiados, algumas mensageiras mencionaram seu nome. Diante delas, um homem desmaiou.

Era irmão de Renia.[1]

Zvi Kukiełka fugira para a Rússia e se alistara no Exército Vermelho. O irmão mais novo de ambos, Aaron, também estava vivo, tendo sobrevivido aos campos de trabalho graças a seus cabelos loiros e sua bela figura, seu charme e a voz melodiosa de quem cantava no coro de uma igreja. Agora Zvi estava detido, com outros sobreviventes, em um esquálido campo de refugiados na ilha de Chipre. Os dois irmãos acabariam conseguindo emigrar para a Palestina.[2]

Apesar de suas premonições, Renia havia alimentado esperanças em relação a Sarah — ninguém tinha certeza de nada. Mas, depois de chegar à Palestina, ela descobriu que a irmã tinha sido pega em Bielsko, perto da fronteira com a Eslováquia, junto com um grupo de camaradas e órfãos.[3] "Por favor, cuidem da minha irmã Renia" foi seu último pedido.[4]

Em 1945, Renia encontrou leitores de seu livro. Incentivada pelo poeta e político Zalman Shazar,[5] concluiu suas memórias em polonês. A Hakibbutz

Hameuchad, uma organização que publicou muitas histórias de sobreviventes do movimento, encomendou a tradução de sua obra para o hebraico a Chaim Shalom Ben-Avram,[6] um renomado tradutor israelense. A edição hebraica foi bem recebida; os primeiros combatentes do Palmach, a brigada de elite do exército clandestino do Yishuv, levavam o livro na mochila.[7]

Excertos da obra de Renia foram traduzidos para o iídiche e impressos em *Freuen in di Ghettos* pela Organização das Mulheres Pioneiras (a atual Na'amat). Em 1947, o texto integral foi publicado em inglês, com o título *Escape from the Pit*, pela Sharon Books, editora que, no centro de Manhattan, compartilha um mesmo endereço com a Organização das Mulheres Pioneiras. A introdução foi escrita por Ludwig Lewisohn, tradutor de importantes obras europeias e fundador da Brandeis University.

Escape from the Pit foi mencionado por ensaístas no final dos anos 1940: em um dos ensaios, a propósito da (excessiva) proliferação de publicações sobre o Holocausto nos Estados Unidos; em outro, como leitura recomendada para estudantes.[8] O livro foi mencionado no testemunho de pelo menos mais um sobrevivente,[9] que criticou o fato de a história se concentrar apenas no Liberdade. Renia contribuiu para um livro memorial de Zaglembie[10] publicado por sobreviventes, bem como para uma antologia sobre Frumka e Hantze. Escrever era terapêutico. Canalizava seu tormento em palavras. Depois dessa catarse, Renia se sentiu livre para seguir em frente.[11]

A versão em inglês de seu livro, no entanto, se perdeu com o tempo. Talvez engolida pela enxurrada de publicações americanas sobre o Holocausto ou, como sugerem alguns, pela "fadiga do trauma" que muitos judeus experimentaram nos anos 1950, sua história deixou de ser popular.[12] O relato também pode ter perdido força porque, ao contrário de Hannah Senesh e Anne Frank, Renia sobreviveu. É mais difícil celebrizar os vivos. Ela não o promoveu nem se tornou uma porta-voz dos escritos; acima de tudo, o objetivo de sua publicação era deixar a Polônia para trás.

A renovação era muito importante.[13] "Aconteceu e *passou*" era seu lema. Renia manteve-se próxima dos irmãos e dos camaradas, sobretudo de Chawka. Mas também mergulhou na vida no kibutz, fazendo trabalhos manuais, participando de atividades sociais e, pela primeira vez, aprendendo hebraico.

Então Renia foi apresentada a Akiva Herscovitch, um homem de Jędrzejów que fizera a *aliyah* em 1939, antes da guerra. Renia tinha sido amiga da irmã e do abastado pai dele na Polônia. Akiva se lembrava dela como uma bela adolescente. Não demoraram a se apaixonar. Ela não estava mais sozinha e, em 1949, tornou-se oficialmente Renia Herscovitch.

Akiva não queria viver em um kibutz e, embora Renia tenha ficado triste por perder a camaradagem e a vida em comunidade em seu adorado kibutz Dafna, ela permaneceu junto ao seu amor. Os dois se mudaram para Haifa, o principal porto do país, uma pitoresca cidade costeira aninhada nas encostas do monte Carmelo. Ela trabalhou na Agência Judaica, recebendo os imigrantes que chegavam de navio, até dois dias antes do nascimento de seu primeiro filho, em 1950. Depois de tudo por que tinha passado, Renia se viu diante de outro desafio: Yakov — nomeado em homenagem ao irmão mais novo dela, Yankeleh, assassinado pelos alemães — nasceu parcialmente paralisado. Renia parou de trabalhar e se dedicou a curá-lo, com sucesso.

Cinco anos depois, deu à luz a filha Leah, que recebeu o nome da avó, cuja aparência e cujo comportamento severo ela compartilhava; mais tarde, Renia a apelidou, de brincadeira, de Klavta, que em iídiche significa "megera". Renia havia rezado muito por uma filha, sentindo que dar à criança o nome da avó era a única maneira de honrar sua memória. Muitos filhos de sobreviventes falam sobre se sentirem como "substitutos" de parentes mortos,[14] sobretudo avós que nunca conheceram. Os "parentes desaparecidos" têm um forte impacto nas famílias de sobreviventes. Com frequência sem avós, tias, tios ou primos, os membros da família tinham que assumir papéis incomuns, alterando as estruturas de parentesco por gerações.[15]

Renia ficou em casa enquanto seus filhos eram pequenos. Era divertida e cheia de vida,[16] de raciocínio aguçado e boa julgadora de caráter. Ainda carismática, continuava a gostar de se vestir bem. Tinha dezenas de *tailleurs*, cada um para ser usado com determinados sapatos, bolsa e acessórios. Quando seus cabelos começaram a ficar brancos, ela entrou em pânico, embora tivesse 72 anos. (Claro, não tinha testemunhado o envelhecimento da própria mãe.)[17] De acordo com seu filho Yakov, as principais discussões que teve com Renia enquanto crescia estavam relacionadas à aparência que ele mantinha. Ela o considerava muito desleixado.

Quando Yakov e Leah ficaram mais velhos, Renia foi trabalhar como assistente em uma pré-escola, onde as crianças a adoravam. Depois disso, foi administradora em uma clínica de saúde. Autodidata, permaneceu ativa no Partido Trabalhista. Akiva foi diretor de uma empresa de mármore nacional e depois de uma companhia de eletricidade. Homem de conhecimentos enciclopédicos, ele também era um artista, criando mosaicos e xilogravuras em madeira que decoravam as sinagogas locais. Embora tivesse crescido em uma família religiosa, Akiva não acreditava mais em Deus. A maior parte de sua extensa família tinha sido assassinada. Recusava-se a dizer uma palavra que fosse em polonês e usava o iídiche apenas quando não queria que os filhos soubessem o que estava dizendo. Em casa, a família falava hebraico.

Embora Renia fizesse palestras para os alunos da Casa dos Combatentes do Gueto, permanecesse em contato com os camaradas do Liberdade[18] e dedicasse horas à analise do passado com seu sensível irmão Zvi, ela raramente falava sobre o Holocausto com sua nova família. Queria mostrar aos filhos a alegria, encorajar a exploração. A vida deles era repleta de livros, palestras, concertos, música clássica, biscoitos caseiros, *gefilte fish* caseiro (receita da avó Leah), viagens e otimismo. Renia adorava batons e brincos. Nas noites de sexta-feira, a casa ficava cheia com um grupo de cinquenta pessoas. Discos tocando: tango e outras danças de salão. O adolescente Yakov havia aderido à Guarda Jovem e, portanto, não tinha permissão para participar das festas com dança e bebida que a mãe promovia. "A vida é curta", dizia ela. "Saboreie tudo, aprecie tudo."

Apesar do lar alegre em que viviam, Yakov e Leah sempre tiveram consciência da escuridão do passado. Sentiam que estavam absorvendo a história de Renia, embora não a compreendessem.[19] Leah leu as memórias da mãe quando tinha 13 anos, mas não entendeu a maior parte. Yakov mudou seu sobrenome de Herscovitch para o israelense Harel, a fim de se distanciar da velha terra. Um autodeclarado pessimista, leu pela primeira vez o livro da mãe quando tinha 40 anos.

"Meu pai a tratava como se ela fosse um *etrog*", disse Leah, referindo-se à fruta cítrica incomum e muito cara usada na celebração do Sucot, protegida em uma pequena caixa forrada com algodão macio ou crina de cavalo. "Ela era forte, mas ao mesmo tempo frágil."[20] Renia foi convidada a testemunhar no julgamento de Eichmann, mas Akiva não deixou, temendo que a experiência fosse muito estressante para ela. Renia nunca pediu compensação financeira à Alemanha, porque não queria *ser obrigada* a contar sua história. Por que deveria a eles o que quer que fosse, seu tempo ou sua narrativa? No Dia da Memória do Holocausto, a família desligava a televisão. Todos temiam que as recordações de Renia fossem demasiado difíceis de enfrentar; tinham medo de que ela não suportasse. Ou será que o temor era de eles mesmos não suportarem? "Eu tinha medo de que a história dela me fizesse sofrer", revelou Yakov, franco como a mãe.

Yakov, engenheiro aposentado formado pelo Technion — Instituto de Tecnologia de Israel, assistiu pela primeira vez à programação do Dia da Memória apenas em 2018. Havia anos que nenhum dos dois filhos de Renia lia suas memórias; os detalhes eram nebulosos. Já na casa dos 60 anos, Renia leu o próprio livro e não conseguiu acreditar: Como fora possível ela ter feito todas aquelas coisas? Tudo de que se lembrava daquele período eram sua confiança e seu incrível desejo de vingança. Sua vida adulta foi muito diferente: feliz, apaixonada, repleta de beleza.

Renia virou uma nova folha, mil folhas, uma árvore inteira.

*

Renia falava com os irmãos ao telefone todas as manhãs. Os cinco sobreviventes do círculo de Białystok, incluindo Chaika Grossman, que se tornou uma conhecida integrante da ala liberal do Parlamento israelense,[21] se falavam todas as noites, às dez em ponto.[22] Fania manteve contato com várias mulheres da Union Factory, aquelas que assinaram o cartão de aniversário em forma de coração, e visitava suas respectivas famílias, espalhadas pelo mundo.[23] Muitos dos guerrilheiros de Vilna permaneceram próximos ao longo dos anos; seus filhos ainda se reúnem para eventos comemorativos anuais. Incontáveis romances que tiveram início na floresta, entre judeus que arriscaram a vida um pelo outro, duraram décadas.

Hoje, há 25 mil[24] descendentes dos judeus salvos no grupo de Bielski, os "bebês de Bielski". "Irmãs" de campos, guetos e florestas tornaram-se famílias substitutas; as únicas pessoas que lhes restavam de sua vida anterior.[25]

No entanto, nem todos compartilharam essa camaradagem pós-guerra. Talvez por ter ficado sozinha, vivendo uma vida falsa durante grande parte do Holocausto, a experiência de Bela Hazan no pós-guerra também foi solo, suas recordações guardadas para si mesma enquanto forjava um mundo novo. "Criei meus filhos e mergulhei na vida cotidiana. Procurei conter minha história pessoal", escreveu ela. "Não queria que meus filhos crescessem à sombra do Holocausto." Mas, é claro, a história permaneceu "viva dentro de mim com a mesma força".[26]

Em 18 de janeiro de 1945, quando os russos se aproximavam de Auschwitz, onde ela trabalhava na enfermaria, Bela foi enviada em uma marcha da morte para a Alemanha. Em farrapos, sem sapatos, arrastou-se pela neve por três dias e três noites sem comer nem beber. Quem marchasse fora do ritmo, parasse por um momento ou se abaixasse para pegar neve e matar a sede insuportável era morto a tiros no mesmo instante. Milhares morreram pelo caminho. Como uma suposta não judia, Bela, muito doente, foi enviada para o subcampo de Ravensbrück e, de lá, para um campo de trabalhos forçados perto de Leipzig, onde se voluntariou para trabalhar como enfermeira e de onde fugiu enquanto levava prisioneiros doentes para o lado americano. Seu livro de memórias, escrito de um fôlego em 1945, tem início com o capítulo "Da marcha da morte — para a vida".

Os americanos, que choraram com ela ao ver seu corpo emaciado, a ajudaram a chegar à seção sionista em Paris, onde ela finalmente descartou a identidade ariana de Bronisława Limanowska, anos de um horrível disfarce finalmente desfeito. Ela se encontrou com soldados da Brigada Judaica da Palestina, que a levaram para a Itália. Um deles, o jornalista Haim Zaleshinsky, a entrevistou e escreveu sua história. Bela passou três meses na Itália trabalhando como conselheira, orientando e ouvindo as angustiantes histórias de 43 meninas sobreviventes com idades entre 6 e 14 anos, vindas sobretudo dos acampamentos familiares dos guerrilheiros. O grupo era chamado de "Grupo de Frumka",[27] em homenagem a Frumka Płotnicka, que foi condecorada postumamente com a Ordem da Cruz polonesa.[28]

(Da mesma forma, Chasia, mensageira de Białystok, fundou um lar para crianças em Łódź, onde, sem qualquer treinamento formal, aconselhava um grupo de 73 órfãos judeus traumatizados[29] que tinham ficado escondidos em conventos, lares poloneses, campos de guerrilheiros, no território soviético, em campos de extermínio, armários e florestas. Anos mais tarde, vários "reclamantes" questionaram essas ações: tinha sido correto desenraizar aquelas crianças que já estavam tão traumatizadas, que ansiavam por estabilidade, que desejavam ser parte de uma família, não parte de um povo? Mas, de acordo com Chasia, na época, eles temiam pela segurança das crianças e de seus protetores na Polônia, e parecera moralmente inaceitável permitir que os poucos remanescentes dos judeus poloneses fossem assimilados pelo cristianismo. Ao fim de uma jornada que durou dois anos, Chasia chegou à Palestina com seus órfãos, e manteve-se em contato com eles por toda a vida.)

Em 1945, Bela, junto com seu grupo de meninas, emigrou para a Palestina, onde se casou com o jornalista Haim, mudou de nome, para o mais israelense Yaari, e criou dois filhos. Apesar de seu passado no Liberdade, ela nunca sentiu uma conexão com os combatentes do movimento, e achava que a Casa dos Combatentes do Gueto era uma sociedade fechada. Guardou sua história para si — mas nunca a esqueceu.

Um dia, Bela foi contatada por Bronka Kilbanski, uma das mensageiras de Białystok que foram trabalhar no Yad Vashem. Na época do gueto, Bronka tivera um envolvimento romântico com Mordechai Tenenbaum, que fora noivo de Tema antes de ela ser morta. Bronka havia escondido os arquivos do gueto de Białystok compilados por Mordechai, que também dera a ela uma cópia da incriminadora fotografia na festa de Natal da Gestapo, na qual estavam Bela, Lonka e Tema, para que ela a guardasse. Bronka entregou a foto para Bela, que pôs esse tesouro em sua mesa de cabeceira, onde o manteve pelo resto da vida.[30]

Quando, em 1990, foi abordada pela Casa dos Combatentes do Gueto sobre a publicação de uma edição comemorativa de 45 anos de suas memórias, Bela inicialmente recusou, com medo de enfrentar aquelas lembranças terríveis. Mas acabou decidindo aceitar a proposta, para contar sua história em nome dos inocentes e corajosos que não sobreviveram. Ela fez isso porque Lonka, em seu leito de morte, pedira que o fizesse. Fez isso por seus filhos, que haviam crescido em segurança, e por seus netos, e pelas gerações futuras.

O filho de Bela, Yoel,[31] a descreveu como uma pessoa profundamente modesta, que nunca havia se considerado uma heroína, nunca pedira indenizações nem reconhecimento; ela recebeu uma medalha de uma organização de guerrilheiros nos anos 1990, apenas porque Yoel fizera uma inscrição em seu nome. No fundo, Bela era atormentada pela culpa por não ter salvado sua família. Como muitos combatentes para os quais agir como *mensch* e ajudar os menos afortunados era o mais importante, Bela dedicou a vida a ajudar pessoas pobres e doentes: trabalhou como voluntária em hospitais, e ajudou pessoas com deficiência visual. (Anna Heilman tornou-se assistente social na Children's Aid Society, no Canadá, onde fez *lobby* junto ao governo a propósito da crise humanitária em Darfur.)[32] Enquanto o marido de Bela era um intelectual, ela era prática e sociável e tinha dezenas de amigas. "Cada vez que tomava um ônibus", brincava o filho, "ela saía com um novo número de telefone."[33] Em uma fase mais tardia da vida, ela preferiu ir morar em um lar de idosos a ficar sozinha. Apaixonou-se por poesia e teatro quando já estava com 80 anos. Era otimista, esperançosa, sempre surgindo com uma solução.

Depois da morte da mãe, o neurobiólogo Yoel encontrou a foto que fora feita em Auschwitz naquele primeiro dia chuvoso e terrível. Na imagem, Bela sorri, linda, destemida e forte. Como muitos filhos de sobreviventes, seu conhecimento sobre a história da mãe era fragmentado, e ele se debatia com recordações nebulosas e episódios emocionantes desconexos em vez de uma narrativa completa.[34] Ficou obcecado pelo passado da mãe, assombrado pelos detalhes que nunca havia procurado saber, e passou vários anos pesquisando e escrevendo sobre ela, transmitindo seu nobre legado.

*

Dias depois da libertação, nos arredores de Vilna, Ruzka viu uma mãe carregando um menino pequeno e esquelético. O menino chorava e murmurava para a mãe — em iídiche. Ruzka nunca havia chorado no gueto, nem na floresta. Mas, naquele momento, irrompeu em lágrimas e começou a soluçar. Tinha certeza de que nunca mais ouviria a voz de uma criança judia.[35]

Assim como tinham feito durante a guerra, Vitka e Ruzka permaneceram juntas ao longo da maior parte da vida depois do conflito. Isto é, depois de uma curta separação. Imediatamente após a libertação, Abba enviou Vitka a Grodno para analisar a situação dos refugiados judeus, procurar sionistas e elaborar um relatório. Vitka teve que pular de um trem, temendo patrulhas cada vez mais rígidas. Apenas as pessoas que vinham de campos de concentração podiam cruzar a fronteira livremente, e muitos dos sobreviventes que não tinham passado por nenhum campo optaram por se tatuar.

Ruzka foi enviada para Kovno, na Lituânia, e depois para Bucareste, na Romênia, a fim de atuar como uma "embaixadora" dos guerrilheiros, se encontrar com os oficiais do Yishuv e convencê-los a levar todos os sobreviventes para Israel. Kovner sabia que sua presença e sua personalidade eram ideais para esse trabalho — as pessoas acreditariam nela. A viagem foi difícil. Depois da guerra, aquela era uma região devastada e perigosa e, além disso, a liberdade de andar pelas ruas sem ser morta imediatamente era algo que a confundia. A história de Ruzka pareceu tão fascinante aos emissários do Yishuv — os relatos de uma combatente em vez de uma tragédia — que o chefe da delegação ordenou que ela fosse de imediato para a Palestina e compartilhasse sua narrativa.

Ela viajou com documentos falsos, como esposa de alguém. A viagem de navio foi solitária e a deixou totalmente desorientada. Fazer a *aliyah* tinha sido seu sonho, mas agora ela se sentia sem amarras. Desembarcou no Atlit, o campo para imigrantes judeus ilegais, e ficou horrorizada com as terríveis condições do lugar. Ninguém foi recebê-la; ela se sentiu esquecida, abandonada, até que sua história se espalhou. De repente, os líderes e suas esposas começaram a visitá-la em um fluxo interminável; ela se sentiu como uma "curiosidade em exibição". Por fim, um dos líderes conseguiu documentos médicos falsos atestando que ela tinha tuberculose, e ela foi liberada. Foi enviada para fazer um ciclo de palestras, contando sua história, e por onde passava todos ficavam impressionados com seu estilo e sua narrativa. Uma narrativa de horrores, mas vistos através dos olhos de uma combatente. Muitos recordariam que ela foi "a primeira mensageira".

Nada disso foi fácil para Ruzka. Ela sentia que muitos dos líderes do Yishuv não a compreendiam e, em vez disso, estavam apenas obcecados com a novidade. David Ben-Gurion, então um líder trabalhista sionista que logo se tornaria o primeiro chefe do governo de Israel, certa vez subiu ao palco após um de seus testemunhos emocionados e criticou seu uso do iídiche, dizendo que era uma "língua áspera".[36] Ruzka ingressou em um kibutz e começou a escrever suas memórias, mas se sentia desesperadamente solitária e enviava cartas suplicantes a Vitka, que ainda estava "na guerra".

Vitka tinha ficado chateada com a partida de Ruzka — uma parte de sua vida havia acabado. Não sabia como responder às cartas, então não respondia. Ela e Abba se casaram formalmente em Vilna. Mas Abba teve que partir porque os russos estavam atrás dele por ser um sionista. Um dia, Vitka decidiu que era hora de se juntar a ele — pegou um voo para Lublin, que ela chamava de uma "cidade de bêbados e assassinos".[37] Lá, os sionistas ficavam em um apartamento, conversando, compartilhando histórias, chorando, rindo dia e noite. Estabeleceram a Bricha, e Vitka trabalhou na rota clandestina, conduzindo os judeus até a fronteira a pé.

Abba, no entanto, ainda estava firmemente determinado a se vingar. Ele e Vitka reuniram combatentes judeus e se tornaram líderes de uma nova brigada de Vingadores. Com base na Itália, obcecados com a ideia de retaliação e destruição, eles posicionaram combatentes por toda a Europa e perto de campos onde havia nazistas detidos. Depois de ser enviada para encontrar sobreviventes e ajudar judeus a sair do país, Zelda Treger foi recrutada para trabalhar na missão de vingança, transferindo fundos, ajudando os ativistas, arranjando-lhes esconderijos. Abba viajou à Palestina com o objetivo de obter veneno para seu plano, enquanto Vitka visitava as brigadas, preocupada com a estabilidade mental de seus integrantes. Abba foi capturado na viagem de volta e preso no Cairo. Enviou o veneno para Vitka, que, com documentos falsos e depois de diversas detenções, conseguira chegar a Paris. O bilhete de Abba dizia a ela para executar o plano B. Ela o fez, "a diretora-executiva da Vingança".[38] O pão que seria enviado para um campo perto de Nuremberg, onde americanos mantinham ex-nazistas presos, foi envenenado, fazendo com que milhares de alemães adoecessem. Abba decidiu que os Vingadores deveriam continuar sua luta na Palestina. Isso causou muito conflito; alguns voltaram para a Europa em missões de vingança, mas, no fim das contas, Ruzka convenceu muitos a permanecer na Palestina e defender a terra.

Vitka chegou à Palestina em 1946, no último barco que os britânicos permitiram que atracasse; logo depois, estabeleceu-se no kibutz Ein HaHoresh, em uma casa que ficava a 20 metros da de Ruzka. Apesar da breve separação pós-guerra, Ruzka e Vitka se mantiveram próximas durante a maior parte da vida adulta; seus filhos cresceram juntos. Ruzka, casada com um austríaco que havia feito a *aliyah* antes da guerra, foi a primeira a saber da gravidez de Vitka. Todas elas tinham parado de menstruar na floresta e presumiram que fossem estéreis. A fertilidade foi uma surpresa incrível.

Zelda e o marido, Sanka, um combatente da floresta, também foram para a Palestina. Decidiram não se estabelecer em um kibutz, optando por morar em Netanya e depois em Tel-Aviv. Zelda teve dois filhos, aos quais fez questão de contar as histórias do Holocausto, apesar do desejo de Sanka de esquecer o passado.[39] Ela retomou a carreira que tinha antes da guerra e trabalhou como educadora em um jardim de infância. Também abriu uma *delicatessen* no centro de Tel-Aviv.[40] Do combate ao nazismo a sanduíches — uma trajetória nada incomum para esses sobreviventes.

Ruzka e Vitka, contudo, trabalhavam ambas no kibutz — a princípio nos campos, uma atividade social tremendamente catártica. Mais tarde, Ruzka se tornou educadora e secretária do kibutz. Com o tempo, ambas desenvolveram carreiras paralelas. Ruzka não teve permissão para estudar, pois o kibutz tinha como prioridade que todos os sobreviventes fossem "reeducados", mas ela e Abba acabaram por fundar o Moreshet, um centro da Guarda Jovem dedicado ao estudo do Holocausto e da resistência, que pretendia se distinguir da Casa dos Combatentes do Gueto em seu desejo de considerar a guerra a partir de diferentes perspectivas, incluindo um forte foco nas mulheres, bem como na complexa e dinâmica vida judaica na Polônia antes de 1939.[41] Ruzka estava à frente do centro. Editora, escritora, historiadora e ativista, ela demonstrava empatia, incentivava e ensinava. Passou anos doente, mas escondeu os sintomas, inclusive da família. Em 1988, menos de um ano depois da morte de Abba, Ruzka morreu de câncer.

Um de seus três filhos, Yonat, professor do ensino médio, começou a trabalhar no Moreshet, levando adiante os "negócios da família".

Vitka, que se tornou o pano de fundo tranquilo da vida muito pública do marido, direcionou suas paixões para outro lugar. Ao contrário de Abba e Ruzka, ela nunca falava do passado[42] — muito menos da antiga vida na Polônia. Quando seu primeiro filho tinha 3 anos, Vitka contraiu tuberculose. O médico lhe disse que ela teria quatro meses de vida; Vitka respondeu: "Eu vou viver."[43] E viveu. Foi colocada em isolamento, sem poder ver o filho de perto por quase dois anos. Enquanto se recuperava, se matriculou em cursos por correspondência de história, inglês e francês. Embora tenha sido orientada a não ter mais filhos, ela deu à luz uma menina vários anos depois. Esse acontecimento também foi repleto de dificuldades: teve de manter distância da bebê e não pôde amamentá-la por medo de lhe transmitir a doença.

Vitka não se adaptou à vida de cozinha e costura das mulheres do kibutz; em vez disso, ajudava na educação das crianças. Aos 45 anos,[44] foi para a universidade e formou-se como psicóloga clínica, concluindo o bacharelado em artes e fazendo pós-graduações. Foi discípula do dr. George Stern,[45] um terapeuta impetuoso e incomum, que se especializara no uso do instinto — o forte dela — para trabalhar com crianças pequenas. Vitka desenvolveu um método pelo qual crianças perturbadas se expressavam por meio das cores, a mente pré-linguística infantil navegando da mesma forma que ela fizera na floresta, sem um mapa. Vitka abriu um consultório bem-sucedido e concorrido, e treinou muitos terapeutas interessados em sua técnica. Se aposentou aos 85 anos.

A filha de Vitka, Shlomit, com quem ela tinha um vínculo complexo,[46] escreveu poemas dedicados à mãe para um livro sobre ela, publicado pelo Moreshet após sua morte. O filho, Michael, artista em Jerusalém, criou histórias em quadrinhos e escreveu textos sobre a vida dos pais. Quando questionado sobre a personalidade da mãe, sua resposta imediata foi: "Ela tinha um temperamento gói. Apesar da aparência muito judaica, tinha uma personalidade não judaica, no sentido de que era uma pessoa que ia *de encontro* ao perigo." Ele explicou que Vitka sentia atração por pessoas intimidadoras, de Abba a Stern; gravitava na direção do fogo, ousava tocá-lo, figurativa e literalmente. "Ela não se importava com as regras. Tinha verdadeira ousadia."[47]

*

Vladka Meed chegou aos Estados Unidos[48] no segundo navio que levou sobreviventes para o país. Lá, ela se estabeleceu em Nova York com o marido, Benjamin, o homem que a ajudava a fazer compartimentos ocultos em suas malas. Logo após o desembarque, foi enviada pelo Comitê Trabalhista Judaico — que havia mandado fundos para Varsóvia — para dar palestras sobre suas experiências. Vladka e Ben se envolveram profundamente no estabelecimento de organizações de sobreviventes do Holocausto, memoriais e museus, incluindo o Museu Memorial do Holocausto dos Estados Unidos, em Washington, DC. Vladka era formalmente reconhecida como uma das líderes do país nesta área. Ela organizou exposições sobre o levante do gueto de Varsóvia, bem como elaborou e dirigiu seminários internacionais sobre a pedagogia do Holocausto. Manteve-se ligada às suas raízes cultivadas no Bund e tornou-se vice-presidente do JLC, instituição para a qual trabalhou como comentarista semanal na WEVD, estação de rádio em iídiche de Nova York. A filha e o filho se tornaram médicos. Ela se aposentou e foi viver no Arizona, onde morreu em 2012, poucas semanas antes de seu aniversário de 91 anos.

*

Renia sempre foi pequena e magra, fisicamente frágil. No entanto, nunca deixou de ser uma força. "Quando ela adentrava um ambiente", explicou o filho, "era como se uma chama se acendesse."[49] Seu comportamento alegre e sua maneira otimista de encarar as coisas enganavam até sua própria família. "Como alguém pode ter passado pelo que ela passou e ser tão feliz?", perguntava-se sua neta mais velha, Merav. "Normalmente, são os pessimistas que sobrevivem, mas não no caso dela", disse ao relembrar o quanto sua *savta* amava o mar, caminhadas na praia, passeios pela cidade.[50] Aos 74 anos, Renia chegou a viajar até o Alasca.[51]

Seu marido, Akiva, morreu em 1995, e mesmo com quase 90 anos, Renia era constantemente cortejada por novos pretendentes. Nunca deixou de ter uma aparência bem-cuidada e elegante. Mas aos poucos foi ficando claro que precisava de ajuda no dia a dia. Então convenceu *as amigas* a se mudarem para um lar para idosos, para testar as instalações, estabelecer-se, e então, quando seu mundo social já estava assentado, ela também se mudou para lá. Continuou a ser engraçada, viva, a figura central, hipnotizando as pessoas com sua aparência e energia. Aos 87, saía com frequência do lar para idosos e só voltava à meia-noite. Seus filhos entravam em um estado de pânico todas as noites.

— O que estou fazendo aqui com todos esses velhos? — perguntava ela, exasperada, teatral como sempre.

— Mãe, eles têm a mesma idade que você.

Mas eram velhos de corpo e alma, enquanto Renia continuava alegre e cheia de vida.

Muitas das combatentes eram decididas, movidas pelo instinto, focadas em seu objetivo e otimistas; muitas das que sobreviveram foram abençoadas com energia e longevidade. Hela Schüpper, que também se estabeleceu em Israel, morreu aos 96 anos, deixando três filhos e dez netos. Vladka morreu aos 90, Chasia, aos 91, e Vitka, aos 92.[52] No momento em que este livro foi escrito, Fania Fainer, Faye Schulman e várias outras guerrilheiras de Vilna ainda estavam vivas, todas com idade entre 95 e 99 anos.[53]

Renia nunca aceitou os avanços de seus aspirantes a pretendente. Durante os vinte anos de viuvez, não teve nem um namorado. Sua dedicação ao marido foi um modelo de lealdade para seus filhos e netos. "A família é o mais importante", ela não cansava de lhes dizer, certamente uma lição aprendida com suas dolorosas perdas. "Sempre fiquem juntos."[54]

Os netos (e o bisneto) eram seus maiores tesouros, mas os nascimentos também a faziam lembrar de tudo o que havia desaparecido. Ela organizava com zelo os jantares de sexta à noite e de feriados, e comparecia aos casamentos com vestidos brilhosos e sorrisos enormes.[55] Mas também lhes contava suas histórias: histórias da guerra, de seus irmãos que tinham sido assassinados, transmitindo o máximo de sua herança que podia. Muitos sobreviventes formaram conexões mais fáceis com os netos, que não eram uma "família substituta" e com quem tinham uma dinâmica menos tensa. Eram menos protetores com os netos, e seus próprios sentimentos de medo de intimidade — decorrente da perda de parentes próximos — iam diminuindo ao longo das décadas. Renia pode não ter levado os próprios filhos, mas levou os netos à Casa dos Combatentes do Gueto no Dia da Memória do Holocausto, reconhecendo a importância de projetar sua história no futuro. Como muitas crianças da terceira geração, seus netos — que aprenderam sobre o Holocausto na escola e tinham uma resposta intelectual ao tema — faziam-lhe muitas perguntas, que ela respondia de bom grado.[56] Isso acabou lhe dando abertura para falar de seu passado também com Leah. A adolescência de Renia podia estar enterrada bem fundo, mas não tinha desaparecido.

No dia 4 de agosto de 2014, uma segunda-feira, quase noventa anos depois de seu nascimento naquela véspera de Shabat em Jędrzejów, Renia faleceu. Foi enterrada no Cemitério Neve David, em Haifa, em um relvado com árvores exuberantes, perto do mar e ao lado de Akiva, exatamente onde queria estar. Vivera mais que a maioria de seus amigos, mas seu funeral contou com a presença de setenta pessoas do lar de idosos e da clínica onde ela havia trabalhado, bem como de muitos dos amigos de seus filhos, que conviveram com a família por décadas e nos quais ela deixara uma impressão para toda a vida. Mas, sobretudo, lá estava a forte unidade familiar que ela havia cultivado a partir do nada, os novos galhos de uma árvore decapitada. Seu neto Liran fez um elogio fúnebre, relembrando suas conversas animadas e, em particular, seu senso de humor. Com um gesto, apontou os familiares de Renia e disse: "Você sempre lutou como uma verdadeira heroína."

EPÍLOGO
OS JUDEUS DESAPARECIDOS

Primavera de 2018. Mais de uma década depois de encontrar o exemplar de *Freuen* pela primeira vez na mal iluminada Biblioteca Britânica, embarquei em um voo para Israel. Aquelas mulheres que tinham vivido na minha cabeça por anos… bem, agora eu tomaria café com seus filhos. Vasculharia suas caixas de cartas e fotografias. Veria o que havia acontecido com elas, como tinham vivido a fase seguinte de sua vida, como tinham morrido. Mascava dois chicletes por vez, tomada pela ansiedade. Tinha desenvolvido um forte medo de avião e estava nervosa com a ideia de ir para Israel, que não visitava havia dez anos e onde nunca estivera sozinha. Aquela semana tinha sido particularmente dura, mesmo para os padrões israelenses: bombardeios na Síria, protestos do Dia de Nakba em Gaza, conflito com o Irã, a embaixada dos Estados Unidos se mudando para Jerusalém e uma onda de calor. Eu era uma medrosa indo direto para o olho do furacão.

Não havia muitos livros sobre aquelas mulheres combatentes, mas levei comigo no avião tudo o que tinha conseguido encontrar, estudando para minhas entrevistas como se fosse fazer uma prova. Tinha que lembrar a mim mesma o tempo todo que meu projeto não era mais sobre personagens abstratas. Eu ia me encontrar com os filhos daquelas camaradas, as pessoas que aquelas mulheres tinham dado à luz e criado. Então minha preocupação se voltou mais uma vez para minhas próprias filhas pequenas, que eu estava deixando em Nova York por dez dias — o período mais longo e a maior distância que já haviam me separado deles.

Eu tinha ficado chocada com o silenciamento dessa história de judias na resistência, mas a verdade era que eu também me mantivera em silêncio. Levaria doze anos inteiros para finalmente terminar este livro, um período equivalente ao do nascimento ao *bat-mitzvah* de uma pessoa. Parte de todo o tempo que levei se devia às dificuldades impostas pelo projeto. Meu iídiche estava enferrujado, para dizer o mínimo, e traduzir a prosa dos anos 1940 de *Freuen*, repleta de palavras germânicas (que não se pareciam quase nada com o dialeto polonês que eu ouvia em casa e o inglês canadense que estudei na escola), foi um trabalho árduo. *Freuen* era um livro de recortes de escritos por e sobre uma série de personagens com nomes difíceis de pronunciar. Não havia comentários, notas de rodapé nem explicações; não havia contexto algum, o que é especialmente desafiador para uma leitora da era pré-smartphone.

Mas a outra razão para esse longo intervalo foi emocional. Embora pudesse encarar algumas horas de tradução aqui e ali, eu não estava pronta nem disposta a mergulhar exclusivamente no Holocausto dia e noite por meses e anos a fio — o comprometimento necessário para concluir um livro. Eu tinha 30 anos quando encontrei *Freuen*, era solteira, estava desesperada por reconhecimento profissional, inquieta até os ossos, naquela época mais densos. Já naquele tempo, eu sabia como esse projeto seria difícil em termos emocionais, intelectuais, éticos e políticos. A ideia de passar meus dias em 1943 me dava a impressão de que eu me desligaria por completo do mundo contemporâneo, de estar presente na minha própria vida.

Parte disso certamente tinha a ver com minha história familiar. Minha *bubbe* havia fugido, fora aprisionada nos *gulags* siberianos e sobrevivera, mas nunca havia sobrevivido de verdade ao fato de ter permanecido viva. Não ficava em silêncio, pelo contrário: todas as tardes uivava de dor pela morte de suas irmãs — a mais jovem, de apenas 11 anos. Xingava nosso vizinho alemão em voz alta (e os funcionários da quitanda que ela achava que a estavam ludibriando), recusava-se a usar elevadores, porque eram fechados, e acabou tendo de tomar medicamentos para amenizar a paranoia. Minha mãe, nascida em 1945 na rota de minha avó "asiática" de volta à Polônia — uma refugiada antes mesmo de saber o que era ter um lar —, também sofria de extrema ansiedade. Tanto minha mãe quanto minha avó eram acumuladoras, preenchendo as fissuras em seu íntimo com vestidos baratos, pilhas de jornais e pães doces velhos. Não há dúvida de que os membros da minha família se amavam, mas esse amor era intenso — às vezes quase profundo demais. As emoções eram explosivas. Minha vida doméstica era tensa e frágil; o clima pesado dissipado apenas pelas gargalhadas enquanto assistíamos às séries *Um é pouco, dois é bom e três é demais* e *Yes Minister*, graças ao seu tom de comédia.

E assim, passei a maior parte da minha infância buscando construir muros, manter tudo limpo, escapar. Fugi para diferentes países e continentes, desenhando minha carreira de forma que passasse o mais longe possível do Holocausto. Comédia, teoria da arte. *Curadora* era a palavra menos iídiche que eu conhecia, e era isso que eu desejava.

Apenas quando eu tinha 40 anos, uma hipoteca, um livro de memórias (justamente sobre a questão da transmissão geracional do trauma na minha família) e filhas nas costas (arqueadas por causa da meia-idade), me senti estável o suficiente para mergulhar nesse assunto. Mas isso significava que eu teria que enfrentar o Holocausto a partir de uma nova perspectiva. Eu não estava mais nem mesmo alinhada com as combatentes em termos de idade. Tinha a idade das pessoas contra as quais elas se rebelaram, das pessoas que não eram mandadas para a fila da esquerda, para os campos de trabalho, e sim para a fila da direita, para a morte. Eu era mais forte, mas, ao mesmo tempo, muito mais mortal em minha condição de mãe de meia-idade, profundamente consciente de como é impossível julgar as respostas ao terror, de como a "fuga" também era uma forma de resistência. Agora eu teria de encher minha vida não apenas com relatos terríveis dos horrores do Holocausto, mas também das torturas específicas infligidas a pais e mães, incapazes de proteger seus filhos famintos; histórias de meninas de 7 anos, como minha filha, cuja família tinha sido morta a tiros bem diante delas, e que não tiveram escolha a não ser vagar sozinhas pelas florestas, se alimentando de frutas silvestres e gramíneas. Não foi fácil ler histórias horrendas sobre crianças sendo arrancadas dos braços da mãe enquanto eu trabalhava em um café em frente à pré-escola da sinagoga onde estava a minha filha mais nova, sobretudo depois que o berçário intensificou as medidas de segurança devido a ataques armados de supremacistas brancos a sinagogas nos Estados Unidos. Eu tinha que me abrir quase todos os dias, sozinha, para esses testemunhos cruéis, ainda tão dolorosos, 75 anos depois. E agora eu estava viajando para o outro lado do mundo, deixando minhas filhas, para chegar ainda mais perto deles.

Felizmente, a aterrissagem tranquila no Aeroporto Internacional Ben-Gurion de Tel-Aviv — sim, o mesmo Ben-Gurion que repreendera Ruzka por seu ídiche áspero — desviou minha atenção dos meus pensamentos sombrios e a fez pousar em Israel, essa terra tão cheia de conflitos, tão cheia de vida. De imediato, as mudanças políticas e paisagísticas me impressionaram: o desenvolvimento das construções, os outdoors, os hotéis butique. Fiz uma longa caminhada pela costa salgada de Jaffa para aliviar o jet lag (não ajudou) e me preparar para estar disposta às seis da manhã do dia seguinte, quando começaria a trabalhar.

O encontro que mais empolgava e que deixava os nervos à flor da pele era o que eu havia conseguido marcar com o filho de Renia e, quem sabe, com a filha também. Com base em seu "Renia K." em *Freuen* e na menção, presente no livro, de que ela tinha vivido no kibutz Dafna (em 1946), pesquisei em arquivos online e localizei uma Renia Kokelka cujos dados coincidiam com os trechos. Encontrei sua ficha de imigração nos Arquivos do Estado de Israel — com fotos! Tive acesso a seu livro de memórias em hebraico. Descobri um relatório genealógico, que incluía a menção a um filho, e o link para uma nota de condolências após sua morte — era da empresa de ônibus Egged e estava endereçada a um Yakov Harel. Será que era o filho dela? Harel era nome ou sobrenome?

Depois de checar alguns Yakov Harel no Facebook (com bigodes hipster, não pareciam ter a idade certa), consegui, por intermédio do meu maravilhoso faz-tudo israelense, entrar em contato com a empresa de ônibus. Era ele mesmo! Yakov concordou em me receber em sua casa em Haifa. Ao que parecia, ele inclusive tinha uma irmã, e talvez ela se interessasse em participar do nosso encontro. Eu conheceria os filhos da escritora com quem sentira durante anos uma conexão íntima. Sem falar que ela era a pessoa que conduziria toda a minha narrativa.

Mas, antes de conhecer a família de Renia, havia muitas. Eu percorri o país, de norte a sul. De cafés sofisticados e elegantes nos subúrbios a salas de estar em estilo Bauhaus em Tel-Aviv. De um restaurante em Jerusalém que por acaso ficava em uma das esquinas da Haviva Reich Street à Biblioteca Nacional de Israel, onde os livros de obituários e ensaios literários dos anos 1940, materiais que haviam sido usados como fontes para *Freuen*, estavam com acesso livre, ao meu dispor em salas onde eu podia conversar. (Não exatamente a mesma atmosfera da British Library.) Da ampla e elegante Casa dos Combatentes do Gueto, com suas paredes revestidas de painéis de madeira, aos vastos arquivos do Yad Vashem (cuja entrada estava bloqueada por uma pilha de metralhadoras dos soldados que tinham ido almoçar). Do porão do Moreshet, onde uma galeria que foi aberta e iluminada especialmente para mim exibia abrangentes exposições sobre as mulheres da resistência e o judaísmo polonês antes da guerra, ao porão em estilo internacional do Museu Yad Mordechai, projetado pelo renomado arquiteto Arieh Sharon. Encontrei-me com acadêmicos, curadores, arquivistas e os filhos e netos de Ruzka, Vitka, Chajka, Bela, Chasia e Zivia.

Já havia visitado museus e arquivos do Holocausto nos Estados Unidos, e tinha entrevistado muitos filhos de guerrilheiros do Bund e iídichistas de Nova York à Califórnia e ao Canadá. Mas as famílias israelenses eram diferentes. O idioma, os maneirismos, a etiqueta — o mundo deles era mais político, mais eletrizado, com sentimentos fortes e apostas altas. Muitas vezes, me encontrava com o "porta-voz do Holocausto" da família, o parente que, por profissão ou diletantismo, se dedicava apaixonadamente ao assunto. Fui submetida a um rigoroso interrogatório por parte de um desses descendentes, receoso de que meu interesse fosse superficial; outra temia que eu roubasse o trabalho que seu grupo havia compilado; outro não quis revelar nada, a menos que eu concordasse em escrever um filme com ele; outro ainda me contou sobre as batalhas legais motivadas pela maneira como seu parente havia sido retratado em publicações acadêmicas. Cada arquivo — todos de sionistas trabalhistas — fazia questão de reiterar sua especialidade e por que sua visão fazia mais sentido do que as outras.

De todos os encontros daquela semana, a reunião com os filhos de Renia foi a que me deixou mais nervosa; mal consegui comer meu *schnitzel* gourmet antes.

Eu tinha apostado meu projeto naquela mulher, por quem eu sentira empatia, com quem tinha um vínculo literário. E se a família dela não gostasse de mim, e se eles se recusassem a me dizer qualquer coisa, se mostrassem frios ou difíceis ou tivessem seus próprios planos?

Mas quando entrei na casa do filho dela, em um condomínio em uma colina com vista para a cor azulada e o frescor de Haifa, me deparei com o oposto. Pessoas gentis e acolhedoras, que não estavam no "negócio de sobreviventes profissionais", ficaram gratas pelas coisas que eu sabia a respeito de Renia e que poderia compartilhar. Sentei-me no sofá, a filha de Renia, Leah, em uma poltrona — a poltrona de Renia, que, ela me disse, ninguém jogaria fora. O rosto nas fotografias da minha heroína, que eu havia desenterrado em sites e arquivos, me encarava em encarnações diferentes: a linha da mandíbula forte, os olhos intensos. Era como reencontrar uma amiga de infância em seus filhos, a genética me atingindo como um soco. Estávamos todos admirados por termos nos encontrado.

E então fiquei admirada com o que eles me contaram. Sim, claro, Renia era engraçada, afiada, sarcástica, teatral.

Mas também uma fashionista que viajou o mundo. Uma bola de fogo e risadas. Um turbilhão social. Uma lufada de alegria.

Enquanto os ouvia falar da mãe, que claramente adoravam e cuja ausência lamentavam profundamente, percebi que, durante toda a minha busca, na verdade, eu não estava procurando pela minha alma gêmea. Olhei para as colinas e para os vales, para o pôr do sol dourado sobre Haifa, e me dei conta de que Renia não era uma companheira de escrita na mesma página que eu, mas o oposto. Minha heroína era a antepassada substituta que eu desejava: a "parente feliz" que tinha sobrevivido, prosperado e celebrado a vida.

*

Um mês depois, eu estava em um voo de Londres, onde estivera realizando algumas pesquisas, para Varsóvia. Ou, pelo menos, pensava que meu destino era Varsóvia. Eu não tinha me dado conta de que o voo atrasado da companhia aérea de baixo custo que eu tinha escolhido me deixaria em um antigo campo de aviação militar uma hora ao norte da cidade. No meio da noite. Sozinha. *Bem-vinda de volta à Polônia.*

Fiz minha primeira viagem à Polônia logo depois de ter descoberto *Freuen in di Ghettos*, em 2007. Acompanhada do meu então noivo, do meu irmão e de uma amiga, embarquei em uma peregrinação outonal às "raízes", na qual cruzei o país em uma semana, visitando todas as quatro *shtetls* onde cada um dos meus avós crescera, bem como locais históricos judaicos em várias cidades maiores. Naquela época, eu podia escolher dentre uma infinidade de guias turísticos que estavam ansiosos para me mostrar tudo, para me contar sua versão da história. Certa noite, meu telefone tocou à meia-noite: era o vice-prefeito de Łódź, que ficara sabendo que eu estava na cidade. Podíamos nos encontrar para um café no dia seguinte? Será que ele poderia organizar uma excursão para mim? Novas organizações judaicas estavam surgindo para preservar cemitérios e servir almoços *kosher*. Um Centro Comunitário Judaico estava prestes a ser inaugurado em Cracóvia. Conheci jovens de 20 e 30 e poucos anos que tinham descoberto recentemente que eram judeus; seus avós tinham mantido segredo durante os anos de domínio soviético. Um dos meus guias tinha exatamente a minha idade, um avô que era da mesma cidade que o meu e crescera do outro lado da rua do campo de concentração de Majdanek. Ele havia ficado obcecado com a guerra e conversou comigo noite adentro. Eu tinha ido para a Polônia em busca das minhas raízes perdidas, mas encontrei uma Polônia que estava em busca de seus judeus desaparecidos.

Por outro lado, em Cracóvia jantei em um restaurante com "temática judaica" onde músicos tocavam canções do musical *Um violinista no telhado*, os garçons serviam *hamantaschen* de sobremesa e os outros comensais eram um bando de turistas alemães que não paravam de aplaudir. Conheci meus parentes distantes que haviam permanecido na Polônia depois da guerra por causa de suas convicções comunistas e que tiveram de conviver com o domínio soviético e os ataques antissemitas. Um deles me contou como, quando menino, seus pais agarraram sua mão e os três fugiram do gueto para a floresta; ele sobrevivera à guerra em um acampamento guerrilheiro. Ficava lívido quando falava da "nova cultura judaica" na Polônia, furioso com os almoços *kosher* que, na sua opinião, não atendiam às necessidades da comunidade judaica já tão sofrida, e estava convencido de que aquilo não passava de uma maneira de os poloneses explorarem as doações americanas.

Eu não sabia o que pensar dessas duas perspectivas conflitantes. Reconheço que também encarei com ceticismo o desenvolvimento de uma consciência judaica e de um filossemitismo em um país encharcado de sangue judeu.

Agora, voltando sozinha para a Polônia no verão de 2018 a fim de realizar pesquisas para este livro sobre mulheres combatentes, ainda não tinha certeza. Mas o que quer que eu tivesse vivenciado uma década antes já não existia. Por um lado, Varsóvia havia se tornado uma megalópole; fiquei hospedada no quadragésimo primeiro andar de um hotel de onde se descortinava uma paisagem urbana futurista que um dia fora a área do gueto e, antes disso, onde moravam todos os meus avós. O hotel estava cheio de turistas israelenses; aparentemente, Varsóvia é um destino popular para viagens de compras e, como não têm dinheiro para investir em seu próprio mercado imobiliário, os jovens israelenses começaram a investir no velho país. Andei pelas ruas da cidade, passei por monumentos dedicados a pessoas como Frumka Płotnicka e pelo canal de esgoto da história de Zivia; pelo Polin, o novo e impressionante museu da história dos judeus poloneses, com exposições sobre o Holocausto, mas também sobre os mil anos de rica história judaica que o precederam, bem como sobre as décadas seguintes a ele.

Dessa vez, Cracóvia estava apinhada de ônibus de turismo, sorveterias e avisos sobre batedores de carteira; eu a confundia o tempo todo com Veneza, com a diferença de que sua cultura de cafés me parecia mais atual. Era difícil conseguir um guia turístico, a maioria estava com a agenda ocupada por meses. O Centro Comunitário Judaico de Cracóvia, agora bem estabelecido, abrira uma creche para os filhos de judeus. (O diretor, o americano Jonathan Ornstein, referia-se aos antigos restaurantes com temática judaica de Cracóvia como "Parques Jurássicos".)[1*] Em várias cidades, havia organizações judaicas destinadas a atender as necessidades da população mais velha e dos jovens "novos judeus".

---

* No original, "*Jew-rassic Park*", em uma brincadeira com a conhecida sequência de filmes *Jurassic Park* e a palavra inglesa para judeu — *jew*. [*N. da T.*]

Fui ao vigésimo oitavo Festival Anual de Cultura Judaica de Cracóvia, criado e dirigido por um homem não judeu. O festival ficava sediado no elegante e artístico Kazimierz, o antigo bairro judaico, onde ainda há sete sinagogas, a mais antiga datada de 1407. O festival atraía judeus e não judeus de todo o mundo. Além de arte e música *klezmer*, eram oferecidas palestras, visitas guiadas e seminários destinados a investigar as relações contemporâneas entre judeus e poloneses e a discutir as razões por que a Polônia precisa, deseja e sente falta de seus judeus.

Almocei com um grupo de escritores poloneses da minha idade, que me surpreenderam com seu grande interesse pelo meu trabalho; quando descobriram que meus quatro avós eram poloneses, brincaram comigo dizendo que eu era mais polonesa do qualquer um deles. Uma vez, em uma faixa de pedestres movimentada, parei e olhei: eu me parecia com todas as pessoas à minha volta. Recebi um desconto em um passeio turístico porque, com base na minha aparência, presumiram que eu fosse uma residente local. Desde os meus tempos em Londres, eu estava convencida de que tinha uma aparência obviamente judia, mas hoje em dia, ali, era difícil dizer... talvez porque haja tão poucos judeus na Polônia.

Por um lado, eu me sentia estranhamente em casa. Por outro, como já mencionado, o governo havia acabado de aprovar uma lei tornando ilegal culpar a Polônia por quaisquer crimes cometidos no Holocausto; seu descumprimento poderia resultar em prisão. Depois de décadas de repressão soviética, e de ocupação nazista antes disso, os poloneses estavam em uma nova fase nacionalista. Seu próprio status de vítimas da Segunda Guerra Mundial era importante. O movimento clandestino polonês era extremamente popular, seu símbolo de âncora grafitado em edifícios por toda a Varsóvia. As pessoas usavam camisetas com um detalhe na manga imitando a braçadeira da resistência. Um legado familiar associado ao Exército Nacional tinha grande valor. Em Cracóvia, uma duradoura exposição sobre os combatentes judeus no gueto foi substituída por uma história da guerra de um ponto de vista mais amplo e não judaico. Os poloneses queriam sentir seu heroísmo contra o grande inimigo.

E ali estava eu, escrevendo justamente sobre esse assunto. Sentia conexão e, ao mesmo tempo, um novo nível de alienação e medo. Era, mais uma vez, uma Polônia de dois extremos, assim como muitas das mulheres descreveram em suas memórias.

É profundamente preocupante elaborar leis sobre o que as narrativas históricas podem ou não contar — isso mostra um governo interessado na propaganda, não na verdade. Mas também entendia o fato de os poloneses se sentirem incompreendidos. Varsóvia fora dizimada. O regime nazista escravizou, aterrorizou, bombardeou e matou muitos cristãos poloneses — Renia, no fim das contas, fora presa e torturada como polonesa, não como judia. Carregar a responsabilidade pelo Holocausto de fato parecia injusto, sobretudo porque o governo polonês não colaborou com os nazistas e tentou organizar uma facção de resistência — embora uma que fosse apenas moderadamente simpática aos judeus. Certamente, é uma afirmação injusta com as pessoas que arriscaram a vida para ajudar judeus — um número que pode ser muito maior do que temos conhecimento. Sob o domínio soviético, esses poloneses permaneceram em silêncio quanto ao assunto, mas o historiador Gunnar S. Paulsson argumentou que, apenas em Varsóvia, de 70 mil a 90 mil poloneses ajudaram a esconder judeus; o que significa uma proporção de 3 a 4 poloneses para cada judeu escondido.[2] Alguns estudiosos observaram que os judeus se sentiram particularmente magoados e traídos por seus vizinhos poloneses e, portanto, os relatos sobre o comportamento antijudaico por parte de poloneses são enfatizados em seus depoimentos.[3] Por outro lado, houve muitos poloneses que não fizeram nada e, pior, muitos que se voltaram contra os judeus e os denunciaram, vendendo-os à Gestapo por centavos ou um pouco de açúcar, chantageando-os, lucrando com sua tragédia, roubando sem pudor suas propriedades; muitos eram antissemitas e eles próprios perpetradores de crimes contra judeus. Tentei compreender o sentimento de vitimização dos poloneses sem ignorar o antissemitismo, sem entrar no jogo de "quem sofreu mais".[4]

Inspirada pelas memórias daquelas combatentes, comecei a enxergar a importância de apresentar relatos que fossem multifacetados, contando histórias que não eram preto no branco, que doíam em sua ambivalência. A história precisa levar em conta as complexidades; todos e todas devemos enfrentar nosso passado com honestidade, encarar o fato de que somos tanto vítimas quanto agressores. Do contrário, ninguém vai acreditar em quem conta a história, e nós mesmos nos deixaremos de fora de qualquer diálogo verdadeiro. Compreender não significa perdoar, mas é um passo necessário para ter domínio de si e crescer.

*

— *Carefulski!* — eu disse à motorista, tentando não soar rude, sem falar do meu polonês ligeiramente capenga, mas o caminhão de fato parecia estar vindo em nossa direção. Rápido.

Enquanto fazia pesquisas para este livro, eu me vi em uma viagem pelo mundo, em uma miríade de situações inusitadas, como costuma acontecer a autores. Comendo *burekas* com as filhas de combatentes do gueto que me interrogavam na cozinha de seu local de trabalho, em um kibutz na Galileia; em encontros comemorativos em Nova York com integrantes do Bund que ficavam de pé para entoar a "Canção do Guerrilheiro" como se fosse seu hino; debruçada sobre fotos de *ziemiankas* na floresta em um café francês em Montreal, tomando cuidado para não manchá-las com minhas mãos engorduradas com a manteiga de um *croissant*; carregando minha sonolenta filha de 3 anos escada abaixo por causa do alarme de incêndio que soara em um hotel em Cracóvia às cinco da manhã, tendo como pano de fundo estrondosas ordens gritadas em polonês.

E agora isto: em um dos meus últimos dias, uma peregrinação para ir até o local de nascimento de Renia. A viagem me deixara enjoada, sentada no banco de trás de um Škoda com décadas de uso, tomado pela fumaça de cigarro, sem vidros elétricos, direção hidráulica ou ar-condicionado, ensopada depois de uma excursão matinal pelo gueto de Kamionka debaixo de um temporal, durante a qual caminhei pela relva encharcada para chegar bem no local do bunker de combate de Frumka. Depois, tínhamos comido qualquer coisa em um "café judaico" em Będzin, repleto de memorabilia judaica e onde se servia o que era supostamente *a* sobremesa judaica, feita com queijo doce, raspas de laranja, xarope e passas — uma sobremesa da qual eu nunca tinha ouvido falar. (O restaurante tinha a reputação de ser um bom local para encontros.) Também paramos para ver uma casa de orações privada de antes da guerra, reformada, com paredes douradas cintilantes adornadas com afrescos de tribos judaicas descobertos acidentalmente alguns anos antes, por crianças, durante uma brincadeira[5] — por décadas, a sala havia sido usada para armazenamento de carvão. Então a motorista parou bem no meio da estrada. No meio do nada. Cinco horas de viagem naquele dia, muitas mais pela frente enquanto eu refazia o caminho das histórias de Renia. A motorista estava gritando em polonês ao celular; minha guia, originária da Lituânia, estava no banco do passageiro, acendendo o próximo cigarro para entregar a ela antes que o último terminasse.

Felizmente, a buzina barulhenta e raivosa do caminhão convenceu a motorista a parar no acostamento. Ela prontamente desligou o motor e saiu do carro, andando de um lado para o outro, fumando e gritando ao telefone.

— É alguma coisa com o divórcio — explicou minha guia, virando-se para o banco de trás. — A filha dela está com o ex-marido, e ela está muito chateada. Peço desculpas pela demora.

Como também sou mãe de duas meninas, não podia reclamar, especialmente porque tanto a motorista quanto a guia estavam me cobrando a tarifa mínima por um dia tão intenso de peregrinação — elas também estavam interessadas nas histórias de Renia e das outras combatentes, e queriam fazer parte daquela jornada. Fiquei sentada no banco traseiro bebendo Coca Diet, na esperança de que aliviasse minha náusea, e pensando sobre os problemas que mulheres que pesquisavam sobre mulheres eram obrigadas a enfrentar. O fato de ser mãe havia afetado meu trabalho inúmeras vezes. Ofereceram-me financiamento para uma residência em pesquisa que eu tive de recusar; não podia me mudar com minha família por alguns meses para uma cidade diferente. Em vez disso, realizei muitas pequenas viagens, todas as quais foram façanhas administrativas, pois eu tinha que arranjar alguém para cuidar de minhas filhas, levá-las e buscá-las em suas atividades, além de presentinhos para minhas filhas, para que marcassem cada dia da minha ausência. A porta da minha geladeira era um mosaico de horários de atividades, cardápios de almoço e lembretes dos dias de sessões de foto da escola, tudo organizado até o último minuto. Precisei até levar minhas filhas para a Polônia por alguns dias (daí a cena do alarme de incêndio). Em outros dias, caminhei por tantos quilômetros que a velha dor no ciático, resultado das minhas gestações, piorava, e eu passava as noites na banheira do quarto de hotel.

Além disso, é claro, havia sempre a questão da segurança. As noites em que a pesquisa se estendia até tarde e eu queria sair para jantar em uma nova cidade, e cada passo era ansioso, precedido por uma olhada ao redor enquanto eu me mantinha atenta aos perigos. A cautela era uma relíquia do meu passado judaico e uma realidade do meu presente como mulher. Eu não podia andar por aí ouvindo música — meus ouvidos e olhos tinham de estar sempre bem abertos. E ali estava eu, na Polônia rural, perto demais de um caminhão, em uma rota praticamente impossível de rastrear, sem que ninguém soubesse minha localização exata, dependente de uma tênue conexão sem fio. No que eu tinha me metido? Pelo menos estava com mulheres, consolei-me enquanto ouvia os sons de uma mãe irritada que não parava de fumar e de andar de um lado para o outro. Por puro acaso, eu havia contratado uma guia local que, por sua vez, contratara a motorista.

Três mulheres trabalhadoras no meio do nada. Pensei nas histórias de mulheres, narrativas que também ficaram perdidas no meio do nada, que desapareceram. Por fim, nossa motorista desligou o telefone, entrou no carro e arrancou e, como já era de costume naquele dia, todo o meu material de pesquisa escorregou para o chão molhado do Škoda.

— Desculpe — disse ela, virando-se para trás. — Estou morrendo de fome.

Embora minhas frágeis entranhas não estivessem totalmente preparadas, concordei em pararmos para um jantar antecipado no próximo restaurante que encontrássemos — elas me avisaram que, naquelas estradas rurais, os restaurantes eram poucos e distantes entre si. Não havia nenhuma grande rodovia por aquelas bandas, motivo pelo qual tínhamos levado cinco horas para percorrer 240 quilômetros; eu não parava de imaginar quanto tempo teriam levado as mensageiras, disfarçadas, em 1943. O café à beira da estrada ficava em um magnífico campo aberto, que cintilava em tons de laranja e dourado sob o sol de verão. Ali, no meio de nada além da beleza pastoral, houvera judeus, e um eficiente sistema de guetos e de assassinatos colocado em prática para matá-los. Os nazistas estavam por toda parte. Não havia para onde fugir.

No interior do café, esperei minha equipe fumar e retocar o batom. Então, enquanto beliscava meu prato cheio de *pierogis* de cogumelo (a única opção vegetariana disponível), e elas comiam rapidamente um ensopado de carne e costeletas de porco fritas, perguntei-lhes como haviam se tornado amigas. Aquelas duas mulheres, mais ou menos da minha idade, tinham se conhecido havia pouco tempo. Ambas eram feministas autoproclamadas, um rótulo que ostentavam com orgulho, desafiadoramente. Tinham se conhecido em uma marcha feminista.

— Em defesa do quê? — perguntei.

— De tudo.

O governo polonês queria criminalizar todos os tipos de aborto e proibir a fertilização *in vitro* porque esta produzia "sementes desperdiçadas". A todo-poderosa Igreja administrava os principais hotéis de Cracóvia, mas não pagava impostos, disseram-me. Minhas duas companheiras estavam indignadas com a misoginia e com o tratamento injusto que o governo dispensava às mulheres. Eu definitivamente as compreendia.

— Parece que a Polônia sobre a qual escrevo, dos anos 1930 e 1940, era mais feminista do que a de agora — comentei.

— De certa forma, era! — concordaram elas, batendo os punhos na mesa de madeira.

Por fim, chegamos à minha última parada naquele dia, em Jędrzejów, no endereço que Leah me dera como sendo o da casa da infância de Renia — a casa onde ela nascera naquela sexta-feira em 1924, o começo de tudo. A rua Klasztorna foi fácil de encontrar, mas o número 16 parecia não existir. Ao contar os lotes, demarcados por árvores centenárias, no entanto, chegávamos em uma pequena estrutura de pedra, cinza, com telhado triangular. Havia várias casas parecidas em torno de um jardim verde, onde um cachorro latia. Minha guia foi à frente e encontrou uma das moradoras. Não compreendi a rápida troca de palavras em polonês, mas entendi o aceno negativo que a mulher fez com a cabeça.

— Ela disse que os endereços mudaram — explicou a guia. — O número dezesseis devia ser uma casa de madeira que pegou fogo. Disse que nunca ouviu falar da família. Perguntou se eles eram judeus.

— Você contou a ela?

— Tentei fugir da pergunta — disse ela, tentando solucionar aquele problema. — Aqui, eles ficam com medo — sussurrou ela —, receosos de que os judeus voltem para reclamar suas propriedades.

Não fui convidada a entrar.

Tirei algumas fotografias do exterior, depois voltamos para o Škoda para atravessar a região de Kielce ao entardecer, o sol sangrento, os campos férteis, um bolsão ainda secreto de beleza entre Varsóvia e Cracóvia. O local em nada parecia com a Polônia acinzentada da minha imaginação. As coisas avançam e retrocedem, mas ali estávamos nós, três mulheres de origens muito diferentes — uma polonesa, uma lituana e uma judia — reunidas por Renia e pelas combatentes, todas nós prontas para reivindicar, para lutar, todas nos sentindo fortes, atuantes e, por um breve momento, seguras.

NOTA DA AUTORA SOBRE A PESQUISA

Não surpreende que a realização de uma pesquisa de alcance mundial, recorrendo a fontes que abrangem diferentes décadas, continentes e alfabetos, tenha me colocado diante de diversos desafios e dilemas.

As principais fontes para este projeto consistem, sobretudo, em memórias e testemunhos.[1] Alguns foram orais e gravados em vídeo ou áudio, outros foram escritos — em hebraico, iídiche, inglês, polonês, russo, alemão. Alguns já estavam traduzidos, outros eram traduções de traduções, outros ainda eu mesma traduzi. Alguns foram compostos em privado, outros, para um entrevistador. Alguns foram verificados, editados e até mesmo escritos em parceria com acadêmicos e publicados (geralmente por editoras pequenas e acadêmicas); outros eram diários, testemunhos crus, cheios de paixão, a fúria como combustível da escrita. Alguns foram escritos imediatamente após a guerra ou mesmo durante a guerra, na clandestinidade, e contêm erros, detalhes contraditórios e omissões — coisas que os autores simplesmente não conheciam ou que foram alteradas por razões de segurança ou emocionais. (Alguns sobreviventes achavam demasiado difícil escrever sobre a morte de certas pessoas.) Alguns foram escritos às pressas, os dedos queimando, em uma tentativa desesperada de não esquecer, a purgação de uma experiência acrescida do medo de ser apanhado.[2] Renia costumava usar iniciais em vez de nomes (sua assinatura era "Renia K."), o que acredito que fosse uma medida de segurança — uma vez que estava escrevendo em tempos de guerra sobre operações clandestinas que ainda representavam um grande perigo. Ela também estava escrevendo em uma época em que, na verdade, não sabia como as histórias das outras pessoas terminariam; ela própria esperava notícias de parentes e amigos, sem saber se estavam vivos ou mortos. Como muitos dos primeiros cronistas, Renia escreveu movida pelo desejo de contar ao mundo o que havia acontecido de maneira objetiva, tentando se afastar de sua posição pessoal. Usa, de maneira característica, a palavra "nós",[3] e às vezes é difícil saber se está se referindo a si mesma, a sua família, a sua comunidade ou ao povo judeu em geral.

Outros testemunhos surgiram mais tarde, especialmente na década de 1990, e embora muitas vezes tenham sido elaborados com a profundidade de perspectiva adquirida com o tempo, as recordações podem ter sido alteradas por tendências contemporâneas, por lembranças de outras pessoas ouvidas ao longo dos anos e pelos objetivos e as preocupações do sobrevivente no momento da escrita. Algumas pessoas argumentam que aqueles que foram traumatizados suprimiram muitas lembranças, e que os combatentes que não foram torturados nos campos têm lembranças mais vívidas — "um excedente de memória",[4] segundo Antek. Outras defendem que as memórias traumáticas são as mais pungentes, precisas e duradouras. Também examinei documentos primários efêmeros (artigos, cartas, cadernos) e entrevistei dezenas de familiares — cada um dos quais com suas próprias versões das histórias, muitas vezes contradizendo uns aos outros.

A memória dá voltas e mais voltas; recordações não são "dados frios".[5] Muitas diferenças surgiram entre essas dezenas de relatos: os detalhes dos acontecimentos muitas vezes estavam em desacordo e as datas eram as mais variadas. Às vezes, uma mesma pessoa forneceu testemunhos pessoais em várias ocasiões ao longo dos anos, e suas próprias narrativas diferiram dramaticamente; por vezes, encontrei inconsistências dentro do mesmo texto. Deparei-me com discrepâncias entre as fontes primárias e secundárias; por exemplo, biógrafos acadêmicos e historiadores compartilharam relatos dessas mulheres que diferiam das histórias contadas por elas mesmas. Às vezes, as diferenças entre fontes primárias eram intrigantes — tinham a ver com assumir responsabilidades, com a quem atribuir a culpa. Quando isso era relevante, tentei destacá-lo, de modo geral, nas notas finais. Tentei entender de onde vinham essas diferenças e comparar relatos com análises históricas. Meu objetivo foi apresentar as versões que parecessem mais razoáveis e ricas. Por vezes, fundi detalhes de muitos relatos para construir um quadro completo, para apresentar a história mais emocionalmente autêntica e factualmente precisa que pudesse. Por fim, em caso de dúvida, acatei os testemunhos e as verdades das mulheres.

Retransmiti o mais diretamente possível as cenas apresentadas em minhas fontes. Minhas reconstruções por vezes realçam sentimentos que estavam implícitos no texto original. Para traçar esses retratos levei em consideração múltiplas perspectivas do mesmo acontecimento, mas todos são não ficcionais, baseados em pesquisa.

Embora as diferenças nos relatos sejam intrigantes, de modo geral, fiquei mais impressionada com a enorme quantidade de sobreposições. Fontes de diferentes épocas e lugares contam os mesmos episódios obscuros, descrevem situações e pessoas semelhantes. Além de me ajudar a estabelecer a veracidade, isso era comovente e emocionante. A cada vez que revisitava a mesma história através de outras lentes, aprendia mais, ia mais fundo, sentia que estava realmente entrando em seu universo. Aquelas jovens e suas paixões estavam conectadas, figurativa e literalmente.

Outra questão complexa neste tipo de estudo multilíngue são os nomes, tanto de pessoas quanto de lugares. Muitas cidades polonesas ostentam vários títulos — eslavos, alemães, iídiches —, tendo sido renomeadas continuamente com a alternância dos regimes. Usar um nome em vez de outro costuma ser uma escolha política — mas não foi minha intenção explícita aqui. Recorri quase sempre aos topônimos contemporâneos, como são escritos em inglês.

Quanto aos nomes de pessoas, as mulheres da minha história, como a maioria dos judeus poloneses, tinham nomes e apelidos em polonês, hebraico e iídiche.[6] Algumas adotaram um pseudônimo nos tempos de guerra. Ou vários. Às vezes, usavam identidades falsas adicionais em documentos de emigração. (De modo geral, era mais fácil para uma mulher deixar a Europa se fingisse ser casada.) Por fim, elas trocavam de nome para se adequar ao idioma oficial dos países onde acabavam indo viver. (Por exemplo: Vladka Meed começou como Feigele

Peltel. Vladka era seu codinome polonês na clandestinidade; ela se casou com um homem de sobrenome Miedzyrzecka, que foi alterado para Meed quando eles se mudaram para Nova York.) Além disso, pesquisei esses nomes eslavos e hebraicos em ferramentas de busca em inglês, com base em combinações de caracteres latinos. Encontrei Renia como Renia, Renya, Rania, Regina, Rivka, Renata, Renee, Irena e Irene. Kukiełka tem infinitas grafias em inglês, assim como Kukelkohn, em iídiche. Ademais, havia os nomes dos tempos de guerra que constavam de seus vários documentos falsificados: Wanda Widuchowska, Gluck, Neuman. (Passei pelo menos metade de um dia tentando determinar se Astrit, a mensageira, era a mesma pessoa que Astrid, Estherit, A. e Zosia Miller — acredito que sim.) Além de tudo isso, há uma camada adicional que muitas vezes complica a tarefa de seguir o rastro de uma mulher: o nome de casada. "Renia Kukiełka Herscovitch" (ou será Herskovitch, ou Herzcovitz...) tem permutações infinitas — ela poderia facilmente ter escapado por entre as malhas, passado despercebida, ter se tornado impossível de encontrar em um arquivo, perdida para sempre.

Talvez o exemplo definitivo da complexidade de nomes seja o dos irmãos Kukiełka sobreviventes: os três acabaram em Israel como Renia Herscovitch; Zvi Zamir, que tem uma sonoridade israelita (*Zamir* significa "cuco" em hebraico); e Aaron Kleinman — alterado porque ele lutou na Palestina nos anos 1940 e era procurado pelos britânicos. Mesmo dentro do núcleo primário de uma família, as discrepâncias são infinitas.

Uma palavra final sobre as palavras:

Para facilitar, imitando Renia, usei o termo *polonês* para me referir a um cidadão polonês não judeu (cristão); no entanto, os judeus da Polônia também eram cidadãos poloneses, e assim reforço uma distinção que não pretendo necessariamente corroborar. Influenciada pelos estudiosos do Museu Polin da História dos Judeus Poloneses, usei *antissemitism* [antissemitismo, em português] como uma única palavra; usar um hífen implica que *semitism* [semitismo, em português] existe como uma categoria racial.[7] As mulheres da minha história referem-se aos nazistas como "alemães", o que mantive, visto que esses eram os alemães com quem estavam em contato; claro que também havia alemães antinazistas.

Muitos estudiosos criticaram o uso do termo "mensageiras". *Mensageiras*, argumentam, minimiza sua importância. Parece trivial, passivo, como um carteiro entregando cartas. Essas mulheres eram tudo menos isso. Elas eram coletoras e contrabandistas de armas, agentes de inteligência e, como em sua denominação hebraica, *kasharyiot*, conectoras. As missões que realizavam no Holocausto eram tão arriscadas quanto participar da luta armada. Toda vez que uma judia era encontrada fora de um gueto ou de um campo, ela era punida com a morte. E essas mulheres passavam meses, às vezes anos, cruzando o país, escapando de gueto em gueto. Encontrei o relato de uma mensageira que aparentemente fazia 240 viagens — por semana.[8] Continuei a usar o termo, entre outros, para descrever o trabalho que realizavam, a fim de estar de acordo com as pesquisas existentes sobre o assunto.

A palavra *garotas* também é considerada depreciativa. Eram mulheres jovens, com cerca de 20 anos, algumas delas casadas. Mais uma vez, usei o termo, entre muitos outros, para descrever Renia e suas companheiras. Também usei a palavra *rapazes* para me referir aos homens jovens do movimento. Para começar, queria enfatizar sua juventude. Além disso, escrevo em um contexto no qual a palavra *garotas* foi reapropriada e é amplamente empregada nas discussões sobre o empoderamento feminino.

POSFÁCIO

"Espero muito poder encontrá-la o mais breve possível", escreveu Michael Katz no e-mail enviado para mim. "Tenho 93 anos, sobrevivi ao Holocausto, escapei de Janowska, vivi em Varsóvia com documentos falsos, realizei missões secretas para o AK e vim para os Estados Unidos no mesmo navio que Vladka Meed."

É claro que se tratava de um encontro que eu não poderia deixar passar. Examinei freneticamente minha agenda e sugeri a data mais próxima que consegui encontrar, dali a cerca de quatro semanas. "Pode ser?", perguntei.

"Para citar o falecido Claude Pepper, um senador democrata da Flórida", respondeu Michael, "na minha idade, eu nem sequer compro bananas verdes. Mas vamos tentar." Ele acrescentou: "Quero lhe contar minha história."

Ao longo dos anos que passei escrevendo este livro, lutei continuamente contra minha própria culpa: havia muitas histórias que simplesmente não conseguiria incluir. Mal sabia eu o que estava por vir. O fim da escrita foi um novo começo. Depois que a publicação tornou esta história pública, uma infinidade de relatos chegou até mim, vindos de pessoas de todo o mundo, de todas as faixas etárias, origens e orientações políticas. Fui contactada por vários parentes próximos das mulheres sobre as quais escrevi — cuja existência eu desconhecia antes — e por diversas outras pessoas com histórias pessoais e perguntas sobre a resistência judaica. *Já ouviu falar de uma combatente que foi pelos ares em uma explosão num ônibus em Varsóvia? Era minha prima. Ouviu falar de uma mulher em Białystok que ajudava os judeus a escapar do gueto? Era minha tia. Minha mãe foi uma combatente da resistência judaica na Holanda que sempre se recusou a chamar atenção para seus feitos. Minha mãe levava as correspondências que Hanna Senesh e sua mãe trocavam na prisão. Meu pai tinha 13 anos e lutou durante todo o tempo. Conheci Lottie em um avião quando estava indo para a faculdade, no fim dos anos 1960, e nos tornamos amigas. Ela me contou que tinha sido mensageira durante a guerra, mas não sei muito mais do que isso...* A diretora de teatro Sammi Cannold, prima do agente duplo da ŻOB Israel Kanal, foi ao meu apartamento a fim de fazer uma pesquisa em minha biblioteca pessoal, em busca de qualquer informação que conseguisse encontrar sobre seu parente. "Minha avó de 95 anos afixava impressos na parede", me contou ela por e-mail, lembrando-me de como nós, descendentes de sobreviventes, temos árvores genealógicas decapitadas, enchendo nossas coleções de retratos com fotocópias de obituários, com qualquer coisa que consigamos encontrar. A fome de informações sobre parentes perdidos era palpável, assim como o desejo de narrar, contar e preservar resquícios do passado.

Fui me encontrar com Michael em seu apartamento em Manhattan em uma tarde quente de julho. "Li no epílogo do seu livro que você não come carne", disse ele, me mostrando uma mesa posta com saladas. Ele não era apenas chef de cozinha, mas, como deduzi a partir de sua assinatura de e-mail, professor e/ou presidente de nada menos que quatro institutos de pesquisa científica de renome internacional. Eu estava tão nervosa quanto no dia em que fui conhecer a família de Renia; nunca tinha estado cara a cara com um combatente da resistência. As histórias de Michael eram tão surpreendentes e fortes quanto eu imaginava. Nascido em uma família assimilada de classe média-alta, ele tinha 14 anos quando seus pais foram mortos, deixando-o sozinho no mundo. Fugiu para Varsóvia, viveu com documentos arianos (sua educação e aparência permitiam que ele se passasse por gentio) e se tornou um mensageiro da resistência polonesa. Em seu trabalho em uma fábrica nazista, foi seduzido por uma secretária alemã de 22 anos; ah, como o adolescente nele desejava poder embarcar naquela sedução, mas, é claro, tratava-se de sexo *versus* vida. ("Para uma família que não seguia nenhum dos preceitos judaicos, o único costume que meus pais observaram tinha sido a circuncisão — por quê!?", lamentou ele.) Michael avançou nos estudos apesar da guerra, dos campos de refugiados e da imigração; conseguiu ser aceito em uma universidade da Ivy League e é um aclamado pesquisador na área médica, marido amoroso e pai orgulhoso de um piloto. Ele não gosta da palavra "sobrevivente", que parece passiva — "Eu *trabalhei* para viver", me disse.

"O que o motivava a seguir em frente?", perguntei. Ele fez uma pausa, em seguida respondeu: "Minha raiva me levava adiante. Minha raiva salvou minha vida." Ele citou o Talmud: "Nascemos com os punhos cerrados e morremos com as mãos espalmadas." Agora, já na casa dos 90 anos, Michael se sente mais aberto. Ele sabe que precisa escrever sua história.

Embora *A luz dos dias* ainda não tenha sido publicado na Polônia, alguns artigos sobre o livro saíram na imprensa polonesa e, mais uma vez, me deparei com uma Polônia de dois extremos. De um lado, um jornalista defendeu a criação de monumentos para heróis de guerra como Niuta Teitelbaum, determinado a preencher as lacunas na narrativa do país. Do outro, um artigo publicado na mídia de direita afirmava que eu — junto com outras pessoas que escrevem sobre a resistência — estava mentindo sobre essa história. Isso resultou em uma tempestade nas mídias sociais (de apoio ao artigo, não a mim). Postagens no Twitter me exortavam a contar "a verdadeira história" sobre como a Gestapo tinha sido parcialmente dirigida por judeus. Meses depois, um meio de comunicação alemão fez uma resenha de *A luz dos dias* e se referiu aos "guetos poloneses". Isso resultou em outra enxurrada no Twitter de um odioso sentimento antialemão e de críticas à Alemanha por transferir a culpa: os guetos não eram poloneses, e sim alemães. Uma das postagens sugeria que passássemos a nos referir ao gueto como "gueto da Varsóvia ocupada pelos alemães". É verdade que os guetos não foram estabelecidos pelos poloneses, que eram de fato um povo sob ocupação. O veículo de notícias alemão se desculpou. O pedido de desculpas, de modo geral, não foi aceito. O furor nas mídias sociais reflete os interesses envolvidos na história.

Nessa esfera politizada, a terminologia é importante. Alguns apontaram quando fui inconsistente (*i.e.*, às vezes usava sobrenomes de casada, às vezes, denominações em iídiche para cidades), e isto é verdade: muitas vezes optei pelos termos mais conhecidos em detrimento da padronização. Os leitores também apontaram minhas falhas. Refiro-me a todos os personagens pelo primeiro nome, exceto Anilevitz e Kovner — dois homens. Mais uma vez, são os nomes pelos quais eles ficaram conhecidos, mas eu mesma não tinha me dado conta de que estava usando sobrenomes para os homens e não para as mulheres.

Então, há sempre surpresas.

"Será que podemos conversar? Minha família é Kukiełka", escreveu Sharon Marcus, de 48 anos, em uma mensagem enviada pelo Instagram. Ela era americana e morava bem perto de mim em Nova York. "Será que somos parentes de Renia?" Comecei a receber cartas de vários parentes dela — alguns que atendiam pelo sobrenome Cook —, todos em busca de conexão.

Uma enxurrada de trocas de e-mails e fotos revelou que o falecido tio de Sharon já havia viajado para Israel, onde visitara o primo Aaron Kleinman — irmão de Renia. Então era verdade! Aquele clã baseado nos Estados Unidos nunca tinha ouvido falar de Renia, e não sabia nada sobre a própria linhagem de bravura. "Pode nos apresentar?", pediu Sharon.

E assim conectei os descendentes de Renia, promovendo o contato de seus netos israelenses com Sharon e seus primos. Com olhos marejados, eles fizeram uma chamada pelo Zoom, todos juntos pela primeira vez. "Finalmente sinto que tenho uma família", me disse Sharon enquanto tomávamos um café. Seu rosto, notei, era redondo como o de Renia, como o de Leah, como o de Koby... Seus olhos azuis brilharam. "Sempre acreditei que tão poucos haviam sobrevivido e, com o tempo, estávamos diminuindo ainda mais em número, mas, em vez disso, crescemos. Somos a prova de que Hitler não venceu. Nós desafiamos os nazistas."

"Renia adorava conexões, e a família era muito importante para ela", escreveu um de seus netos em um bate-papo em grupo, "tenho certeza de que ela está orquestrando tudo isso lá de cima."

Eu só espero que esse *shidduch* conte como uma das três uniões que supostamente preciso promover a fim de alcançar o mais alto nível do paraíso, de acordo com a antiga tradição judaica... Ter conectado esses familiares foi importante para mim, sobretudo porque minha própria narrativa se entrelaça à deles. Sei consideravelmente mais sobre Renia e as garotas do gueto do que sobre meus amados avós, que não deixaram testemunhos.

Quando desenterrei *Freuen* na Biblioteca Britânica, em 2007, fiquei impressionada com suas histórias de ação e fúria, de jovens judeus que enxergaram a verdade de seu tempo, trabalharam juntos e arriscaram a vida na luta por justiça e liberdade. Seus "pequenos atos" importaram — para eles, para as pessoas ao seu redor e para nós, agora. Da mesma maneira, os relatos que surgiram após a publicação não param de me surpreender por seu volume e sua bravura. O "mito da passividade judaica" no Holocausto é absurdo: a história dos judeus na Polônia foi de lutas, desafios, rebeliões e ajuda mútua constante. Quatorze anos atrás, me propus a compreender como o trauma é passado adiante, de geração em geração. Foi por meio das mulheres que atuaram na resistência e de seus descendentes que compreendi que não é apenas o sofrimento que é transmitido através de nossos genes, mas também a força e a coragem, a paixão e a compaixão.

ANEXO
GUIA PARA GRUPOS DE LEITURA

1. Chaika Grossman disse: "As garotas judias eram o centro nervoso do movimento." O que ela quis dizer com isso? Alguma das mulheres lhe pareceu particularmente vital para a resistência?

2. Renia, a princípio, parece uma combatente improvável: "Como tantas outras judias no país, ela não se considerava uma pessoa politizada. Não fazia parte de nenhuma organização e, no entanto, ali estava ela, arriscando a vida em ação." Como alguém que "não se considera uma pessoa politizada" acaba arriscando a vida repetidas vezes? Em sua opinião, as pessoas não politizadas que você conhece poderiam se transformar como Renia se transformou?

3. O que deu às combatentes uma vantagem sobre os homens que atuaram na resistência? Como elas conseguiram transformar seu gênero em uma vantagem?

4. Um refrão frequente no livro é "Lutar ou fugir?". Se você tivesse a oportunidade de deixar a Polônia em segurança — como algumas lideranças de grupos de jovens tiveram —, você teria ido? Por que você acha que os outros ficaram?

5. Por que a amizade feminina era tão vital para a vida e para o trabalho das mulheres deste livro? Pense em amizades como as de Bela e Lanka, Ruzka e Vitka, Frumka e Zivia.

6. Há muitas histórias em *A luz dos dias* sobre como as judias que atuavam na resistência se disfarçavam de polonesas católicas, fosse recorrendo a recursos físicos, como descolorir o cabelo, fosse assumindo um comportamento polonês mais estereotipado. O que o sucesso delas diz sobre a ideia de haver pessoas "de aparência judaica"? Como você contrasta isso com a história da autora, que narra ter ouvido durante toda a vida que sua aparência era tradicionalmente judaica, mas ao mesmo tempo comenta ter sentido que se encaixava facilmente nas ruas da Varsóvia atual?

7. Houve alguma mulher em *A luz dos dias* que você tenha admirado em particular? Com quais histórias você se identificou mais, e por quê?

8. Muitas resistentes judias — Renia, Bela, Lanka — estavam se passando por arianas e por isso foram presas e torturadas como polonesas, não como judias. O que isso diz sobre o regime nazista e sua ocupação da Polônia? Por que elas se sentiam tão em conflito ao testemunhar a situação das prisioneiras judias enquanto se passavam por polonesas? Você teria sentido o mesmo?

9. Discuta as histórias que no livro são exemplos de "resistência branda" aos nazistas, bem como as de resistência armada: mulheres cuidando de órfãos, criando bibliotecas, salvando documentos importantes e tesouros culturais, até mesmo apenas abraçando umas às outras em Auschwitz para transmitir conforto e calor. Como essas histórias se comparam às narrativas de mulheres assassinando alemães e explodindo linhas de abastecimento?

10. Ao descrever a morte de Chajka Klinger por suicídio, Judy Batalion escreve: "Nem todo mundo sobrevive à sobrevivência." O que isso significa para você, especialmente no que se refere às sobreviventes retratadas neste livro? Seria possível dizer o mesmo de sobreviventes de outras guerras, desastres ou traumas?

11. O lema de Renia depois da guerra foi: "Aconteceu e *passou*." Como essa atitude moldou sua nova vida em Israel? Quais são os prós e os contras dessa abordagem?

12. No epílogo, Judy Batalion fala sobre sua pesquisa na Polônia e escreve: "Mas também entendia o fato de os poloneses se sentirem incompreendidos. (...) Carregar a responsabilidade pelo Holocausto de fato parecia injusto, sobretudo porque o governo polonês não colaborou com os nazistas (...). Certamente, é uma afirmação injusta com as pessoas que arriscaram a vida para ajudar judeus (...). Por outro lado, houve muitos poloneses que não fizeram nada e, pior (...). Tentei compreender o sentimento de vitimização dos poloneses sem ignorar o antissemitismo, sem entrar no jogo de 'quem sofreu mais'." Você concorda? Como se sentiu em relação ao papel dos católicos poloneses e da sociedade polonesa enquanto seus vizinhos judeus e comunidades judaicas inteiras eram exterminados?

13. O que você achou das fotos deste livro? Como elas afetaram seus sentimentos em relação às narrativas, ou sua compreensão da história?

14. Antes de ler este livro, você já tinha ouvido falar da resistência organizada dos judeus aos nazistas? O que você leu mudou sua compreensão da Segunda Guerra Mundial ou do Holocausto?

AGRADECIMENTOS

Este livro não existiria sem o gracioso apoio de uma miríade de pessoas. Devo minha mais profunda gratidão:

A Alia Hanna Habib, por ter sido a primeira a enxergar o potencial deste projeto, e a Rachel Kahan, por ter nutrido esse potencial com sabedoria e generosidade, paciência e paixão. Eu não poderia ter sonhado com guias mais inteligentes e dedicadas.

À equipe da William Morrow, por sua verve, criatividade e compaixão: Andrea Molitor e Pamela Barricklow, Sharyn Rosenblum e Kelly Rudolph, Kayleigh George e Benjamin Steinberg, Ploy Siripant, Alivia Lopez e Philip Bashe. A Jaclyn Hodson, Sandra Leef e Lauren Morocco, da HarperCollins Canadá.

A Rebecca Gardner e Anna Worrall, por sua compreensão e incentivo infindáveis. A Will Roberts, Ellen Goodson Coughtrey, e o restante da equipe da Gernert. A Lennie Goodings, Michelle Weiner, Holly Barrio, Peter Sample, Susan Solomon-Shapiro e Nicole Dewey, por seu generoso apoio e entusiasmo.

Ao Instituto Hadassah-Brandeis, incluindo Shulamit Reinharz, Joanna Michlic e Debby Olins, por terem financiado a tradução de *Freuen in di Ghettos* e por terem acreditado na importância desse material desde o primeiro dia. A Antony Polonsky, por ter me apresentado ao Instituto Hadassah-Brandeis e pelas inúmeras apresentações adicionais.

A todos os parentes de resistentes que compartilharam generosamente comigo suas recordações e impressões, vários dos quais são especialistas no assunto: Rivka Augenfeld, Ralph Berger, Sandy Fainer, Yoram Kleinman, Michael Kovner, Jacob Harel, Elliott Palevsky, Yonat Rotbain, Avihu Ronen, Lilian Rosenthal, Elaine Shelub, Holly Starr, Leah Waldman, Merav Waldman, Yoel Yaari, Racheli Yahav, Stan Yahav e Eyal Zuckerman.

A todos os estudiosos que dedicaram seu tempo a se reunir comigo e compartilhar seus conhecimentos: Havi Dreifuss, Barbara Harshav, Emil Kerenji, Agi Legutko, Daniela Ozaky-Stern, Katarzyna Person, Rochelle Saidel, David Silberklang, Anna Shternshis e Michał Trębacz. A Sharon Geva, Bella Gutterman, Samuel Kassow, Justyna Majewska, Dina Porat, Eddy Portnoy, e os muitos acadêmicos que responderam aos meus e-mails, me recomendando fontes e especialistas.

A todos os bibliotecários, arquivistas e fotoarquivistas, pela ajuda indispensável. A Arielle Berger, da Fundação Azrieli; Anat Bratman-Elhalel e seus colegas do Museu Casa dos Combatentes do Gueto; Misha Mitsel e Michael Geller, do Arquivo JDC; Eddie Paul, Penny Fransblow e seus colegas da Montreal Jewish Public Library; Janice Rosen, do Arquivo Judaico-Canadense Alex Dworkin. Aos funcionários da biblioteca e do arquivo do Yivo/Centro Histórico Judaico, do Museu Memorial do Holocausto dos Estados Unidos, do Yad Vashem, da Jewish Partisan Education Foundation, do Instituto Histórico Judaico Emanuel Ringelblum, do Museu Polin, do kibutz Dafna, do Museu do Holocausto de Montreal, e tantas outras instituições. A Jonathan Ornstein, do JCC de Cracóvia, e a todos os guias que me ajudaram a navegar pela Polônia. A Naomi Firestone-Teeter e ao Jewish Book Council.

A meus assistentes de pesquisa, tradutores e "reparadores". A Elisha Baskin, por seu entusiasmo e sua perspicácia, sua engenhosidade e sua graça vitais. A Ewa Kern-Jedrychowska e Lana Dadu, por terem superado as expectativas. A Paulina Blaszczykiewicz, Kuba Wesołowski, Eyal Solomon e Yishai Chamudot.

A Sara Batalion, Nicole Bokat, Amy Klein e Leigh McMullan Abramson, pela leitura dos capítulos com diligência e cuidado.

A Eleanor John, Mignon Nixon, Susan Shapiro e meus muitos mentores, por terem me ensinado a verificar três vezes cada detalhe, a construir novas histórias de mulheres e escrever sem pedir desculpas.

A meus "colegas" da The Wing e aos cuidadores dos meus filhos, por terem tornado meus dias de trabalho possíveis e até agradáveis.

A todos aqueles que compartilharam comigo suas histórias de família, me enviaram links de artigos sobre a resistência e canções dos combatentes, e me ouviram falar sobre mulheres judias que enganaram a Gestapo por mais de uma década. A todos aqueles — e tenho certeza de que são muitos — que esqueci de incluir aqui devido aos caprichos da memória.

A Zelda e Billie, por me inspirarem e me permitirem ter esperança. A Bram, por ter chegado exatamente na hora certa.

A Jon, por tudo.

Por fim, a Chayele Palevsky, guerrilheira de Vilna que entrou em contato comigo via Skype em 2019 e me pediu que transmitisse sua mensagem: "Não podemos deixar que isso volte a acontecer, nunca mais. O ódio é nosso maior inimigo. Sejam pacíficos, sejam amorosos e trabalhem para criar um mundo de felicidade."

NOTAS

Epígrafe

1. Conforme descrito na música, "a batalha no gueto de Varsóvia" provavelmente se refere ao levante do gueto de Varsóvia; no entanto, após o levante, o gueto foi arrasado e não houve mais competições artísticas. Talvez "A Chapter of Prayer" tenha vencido um concurso fora do gueto. Uma alternativa é que os atos descritos na música se refiram à minirrevolta de janeiro ou, de maneira mais geral, aos atos de desobediência no gueto.

Introdução — Duras na queda

1. Leib Spizman (org.), *Women in the Ghettos.* O livro é uma compilação de memórias, cartas e poemas de e sobre mulheres judias que atuaram na resistência, a maioria no movimento sionista trabalhista polonês, e inclui trechos de obras mais longas. O texto está em iídiche e se destina a judeus americanos, embora grande parte de seu conteúdo tenha sido publicado originalmente em hebraico. O organizador, Leib Spizman, fugiu da Polônia ocupada para o Japão, depois para Nova York, onde se tornou historiador do sionismo trabalhista.
2. Para discussões sobre a definição de "resistência", ver, por exemplo: Brana Gurewitsch (org.), *Mothers, Sisters, Resisters: Oral Histories of Women Who Survived the Holocaust*, p. 221-22; Yehudit Kol Inbar, "'Not Even for Three Lines in History': Jewish Women Underground Members and Partisans During the Holocaust", in Barton Hacker e Margaret Vining (orgs.), *A Companion to Women's Military History*, p. 513-46; Yitchak Mais, "Jewish Life in the Shadow of Destruction", e Eva Fogelman, "On Blaming the Victim", in Yitzchak Mais (org.), *Daring to Resist: Jewish Defiance in the Holocaust*, ca-

tálogo da exposição, p. 18-25 e 134-37; Dalia Ofer e Lenore J. Weitzman, "Resistance and Rescue", in Dalia Ofer e Lenore J. Weitzman (orgs.), *Women in the Holocaust*, p. 171-74; Gunnar S. Paulsson, *Secret City: The Hidden Jews of Warsaw 1940-1945*, p. 7-15; Joan Ringelheim, "Women and the Holocaust: A Reconsideration of Research", in Carol Rittner e John K. Roth (orgs.), *Different Voices: Women and the Holocaust*, p. 383, 390; Nechama Tec, *Resistance: Jews and Christians Who Defied the Nazi Terror*, em especial as p. 12-13; Lenore J. Weitzman, "Living on the Aryan Side in Poland: Gender, Passing, and the Nature of Resistance", in Dalia Ofer e Lenore J. Weitzman (orgs.), *Women in the Holocaust*, p. 187-222. Paulsson e Weitzman enfatizam que o ato de se esconder deve ser considerado uma forma de resistência; Paulsson diz o mesmo a respeito da fuga.

3. Para discussões a respeito dos judeus que realizavam resgates, ver Mordechai Paldiel, *Saving One's Own: Jewish Rescuers During the Holocaust.* Segundo Paldiel, os resgates em larga escala foram menos proeminentes na Polônia do que em outros países.
4. Testemunho de Vera Slymovicz, p. 27, Arquivo Judaico-Canadense Alex Dworkin, Montreal.
5. Renia Kukiełka, *Underground Wanderings.*
6. Ver, por exemplo, a descrição do livro de Renia em: <https://images.shulcloud.com/1281/uploads/Documents/Narayever-News/news-jan-feb-2014.pdf>.
7. Renya Kulkielko, *Escape from the Pit.* A editora Sharon Books compartilhava seu endereço com a Organização de Mulheres Pioneiras. (Em 2018, a família de Renia não tinha ideia da existência dessa edição em inglês.)
8. Embora as histórias da resistência judaica não tivessem alcançado minha esfera cultural judaica, elas são contadas em comunidades de sobreviventes e discutidas em círculos acadêmicos em Israel. Alguns sustentam que esses esforços foram tão irrisórios que não merecem atenção; outros afirmam que houve uma "significativa" atividade de resistência.

   Vale ressaltar que muitas estatísticas em relação a essa história são estimativas, com frequência contestadas. Grande parte dos "dados" do Holocausto é extraída dos registros nazistas e, no que diz respeito à resistência, esses registros eram tendenciosos. Do lado dos judeus, apesar de algumas tentativas bem-sucedidas de criar e preservar arquivos, muitas informações foram perdidas ou tiveram de ser mantidas em segredo — não foram registradas ou foram escritas em código. Muitos números vêm de memórias pessoais.
9. Mais, "Jewish Life in the Shadow of Destruction", p. 24. Outras fontes fornecem números ligeiramente diferentes. De acordo com a *USHMM Encyclopedia*, disponível em: <https://encyclopedia.ushmm.org/content/en/article/jewish-uprisings-in-ghettos-and-camps-1941-44>, havia movimentos clandestinos em aproximadamente cem guetos. (Essa fonte não especifica se eram movimentos armados.) De acordo com Agnes Grunwald-Spier, *Women's Experiences in the Holocaust: In Their Own Words*, p. 180-81, dezessete guetos na Polônia e na Lituânia tinham cada um seu grupo de resistência

organizada, e cerca de 65 guetos na região da Bielorrússia tinham grupos armados que mais tarde combateram nas florestas.

10. Texto na parede, "Fighting to Survive: Jewish Resistance", Museu do Holocausto de Montreal. O texto na parede do Museu Polin da História dos Judeus Poloneses, em Varsóvia, também inclui: Będzin, Braslaw, Brzesc, Kobryn, Krzemieniec, Mir, Nieswiez, Tuczyn e Vilna. A *USHMM Encyclopedia*, disponível em: <https://encyclopedia.ushmm.org/content/en/article/jewish-uprisings-in-ghettos-and-camps-1941-44>, também inclui: Lachva, Kremenets, Nesvizh. Mark Bernard, em "Problems Related to the Study of the Jewish Resistance Movement in the Second World War", *Yad Vashem Studies*, p. 45, menciona que atos de resistência judaica também ocorreram em: Kazimierz, Biała Podlaska, Puławy, Radzyn, Jasło, Sandomierz; ele menciona que unidades guerrilheiras foram formadas em guetos em Łukow, Puławy, Biała Podlaska, Minsk Mazowiecki, Brest, Lublin e Pinsk; também faz referência a uma insurreição no campo de Trawniki. De acordo com o Yad Vashem, <https://www.yadvashem.org/odot_pdf/Microsoft%20Word%20%206316.pdf>, combatentes em Grodno também tentaram, sem sucesso, assassinar dirigentes do gueto.
11. Tec, *Resistance*, p. 148.
12. *Jewish Partisan Educational Foundation*, <http://www.jewishpartisans.org>.
13. O número de judeus apoiados por essas organizações é contestado. Ver as notas do Capítulo 20.
14. Em *Women's Experiences in the Holocaust*, p. 228-29, Grunwald-Spier observa que quando a neta de Zivia se tornou piloto de caça, o jornal *Daily Telegraph*, do Reino Unido, escreveu um artigo sobre ela no qual consta que seu avô havia sido um combatente em Varsóvia, mas Zivia não é nem ao menos mencionada. No livro de Matthew Brzezinski *Isaac's Army: A Story of Courage and Survival in Nazi-Occupied Poland*, as mulheres são listadas abaixo dos homens no elenco de personagens, e referidas como "namorada de". Os homens não são descritos como "namorado de".
15. Ziva Shalev, *Tossia Altman: Leader of Hashomer Hatzair Movement and of the Warsaw Ghetto Uprising*, p. 32-33. Para saber mais sobre "garotas desajuizadas", ver Anna Legierska, "The Hussies and Gentlemen of Interwar Poland", *Culture.pl*, disponível em: <https://culture.pl/en/article/the-hussies-and-gentlemen-of-prewar-poland>, publicado em 16 de outubro de 2014.
16. Chaika Grossman, "For Us the War Has Not Ended", em *Women in the Ghettos*, p. 180-82.
17. De uma anotação no diário de Emanuel Ringelblum feita em maio de 1942. Uma tradução [para o inglês] pode ser encontrada em: Emanuel Ringelblum, *Notes from the Warsaw Ghetto: The Journal of Emanuel Ringelblum*, organizado e traduzido por Jacob Sloan.

    Muitos líderes fizeram elogios semelhantes à época. Jan Karski, o famoso líder da resistência polonesa, também homenageou as mensageiras, enfatizando que elas se expunham mais do que os organizadores e executores e realizavam o trabalho mais difícil em troca da menor recompensa. Citado em Vera Laska (org.), *Different Voices*, p. 255.

18. Ruzka Korczak, "Women in the Vilna Ghetto", em *Women in the Ghettos*, p. 126.
19. Gusta Davidson Draenger, *Justyna's Narrative*, tradução para o inglês de Roslyn Hirsch e David H. Hirsch, p. 33. Como ela escreveu: "Desta cela de prisão da qual nunca sairemos com vida, nós, jovens combatentes que estamos prestes a morrer, os saudamos. Oferecemos voluntariamente a vida por nossa causa sagrada e pedimos apenas que nossas ações sejam inscritas no livro da eterna memória."

Prólogo — Um salto no tempo: Defesa ou resgate?

1. As informações sobre Będzin são provenientes de "Będzin", *Virtual Shtetl*, disponível em: <https://sztetl.org.pl/en/towns/b/406-bedzin/99-history/137057-history-of-community>; Bella Gutterman, "The Holocaust in Będzin", em *Rutka's Notebook: January-April 1943*; Aleksandra Namyslo, *Before the Holocaust Came: The Situation of the Jews in Zaglembie During the German Occupation*; Anna Piernikarczyk, "Będzin", *Polskie Dzieje*, disponível em: <https://polskiedzieje.pl/dzieje-miast-polskich/bedzin.html>; Avihu Ronen, "The Jews of Będzin", em Kersten Brandt *et al.* (orgs.), *Before They Perished... Photographs Found in Auschwitz*, p. 16-27; Marcin Wodziński, "Będzin", *The Yivo Encyclopedia of Jews in Eastern Europe*, disponível em: <http://www.yivoencyclopedia.org/article.aspx/Będzin>; Ruth Zariz, "Attempts at Rescue and Revolt; Attitude of Members of the Dror Youth Movement in Będzin to Foreign Passports as Means of Rescue", *Yad Vashem Studies* 20 (1990), p. 211-36.
2. "Będzin", *The Yivo Encyclopedia of Jews in Eastern Europe*, disponível em: <https://yivoencyclopedia.org/article.aspx/Będzin>. Outras fontes fornecem estatísticas que vão de 45 a 80%.
3. Fontes variadas fornecem números que vão de 40 a 200. De acordo com a *Yivo Encyclopedia of Jews in Eastern Europe*, 44 judeus foram mortos.
4. Judeus em diferentes regiões foram forçados a usar braçadeiras diferentes. Em muitas áreas da Polônia, os judeus tinham que usar braçadeiras brancas com uma estrela de Davi azul; em outras, as estrelas eram amarelas. Ver: "Holocaust Badges", *Holocaust Memorial Center*, disponível em: <https://www.holocaustcenter.org/visit/library-archive/holocaust-badges>.
5. Os nazistas usavam eufemismos para seus planos assassinos. A "Solução Final" é uma referência ao plano de aniquilar todos os judeus da Europa. "Liquidação" é um código para a eliminação de um gueto, deportando sua população para um campo de extermínio ou para locais de assassinato em massa.
6. Esta é uma cena elaborada, e tem como base uma menção presente nas memórias de Renia. Kukiełka, *Underground Wanderings*, p. 74-75.

7. Essa descrição de Hershel está em Chajka Klinger, *I Am Writing These Words to You: The Original Diaries, Będzin 1943*, p. 69.
8. "Generalgouvernement", *Yad Vashem Shoah Resource Center*, disponível em: <http://www.yadvashem.org/odot_pdf/Microsoft%20Word%20-%206246.pdf>.
9. Com base nas fotos de Sarah guardadas no arquivo da Casa-Museu dos Combatentes do Gueto.
10. Zariz, "Attempts at Rescue and Revolt", p. 211-36. Para discussões sobre outros esquemas de passaporte, ver, por exemplo, Vladka Meed, *On Both Sides of the Wall*, trad. de Steven Meed, p. 175-80; Paldiel, *Saving One's Own*, p. 361-62; Avihu Ronen, *Condemned to Life: The Diaries and Life of Chajka Klinger*, p. 234-94.

PARTE 1 — GAROTAS DO GUETO

1. Lemberg era o nome em iídiche para Lvov (em polonês), cidade que atualmente se chama Lviv (na Ucrânia).
2. Ringelbaum, *Notes from the Warsaw Ghetto*, p. 273-74.

1. Po-Lin

1. A data de nascimento de Renia varia em diferentes documentos, mas essa é a data reconhecida pelo catálogo do Yad Vashem e por seus filhos.
2. Construí essa cena do nascimento com base no testemunho de Renia que consta dos arquivos do Yad Vashem e no contexto histórico. Todas as informações sobre Renia e sua família contidas neste capítulo foram obtidas de seu testemunho no Yad Vashem, a menos que haja indicação em contrário.
3. De acordo com o testemunho de Renia no Yad Vashem, a família falava iídiche em casa, e ela falava polonês com os amigos. De acordo com seu testemunho oral arquivado na Casa dos Combatentes do Gueto, ela falava polonês em casa. Seu sobrinho afirmou que eles falavam iídiche e polonês em casa; entrevista pessoal com Yoram Kleinman, pelo telefone, em 11 de fevereiro de 2019.
4. Conforme me disse um morador de Jędrzejów em junho de 2018.
5. O *Jędrzejów Yizkor Book* (Tel-Aviv: Irgun Ole Yendzéyov be-Yiśra'el, 1965) lista cinco ramos da família "Kokielka" que teriam sido mortos pelos nazistas.
6. "Food and Drink", *The Yivo Encyclopedia of Jews in Eastern Europe*, disponível em: <http://www.yivoencyclopedia.org/article.aspx/Food_and_Drink>. Ver também: Magdalena Kasprzyk-Chevriaux, "How Jewish Culture Influenced Polish Cuisine", *Culture.pl*, disponível em: <https://culture.pl/en/article/how-jewish-culture-influenced-polish-cuisine>.
7. As informações sobre Jędrzejów neste capítulo são principalmente de: "Jędrzejów", *Virtual Shtetl*, disponível em: <https://sztetl.org.pl/en/towns/j/40-Jędrzejów/99-history/137420-

history-of-community#footnote23_xgdnzma>; "Jędrzejów", Beit Hatfutsot: My Jewish Story, *The Open Databases of the Museum of the Jewish People*, disponível em: <https://dbs.bh.org.il/place/Jędrzejów>; "Jędrzejów", Holocaust Historical Society, disponível em: <https://www.holocausthistoricalsociety.org.uk/contents/ghettosj-r/Jędrzejów.html>; "Jędrzejów", *JewishGen*, disponível em: <https://www.jewishgen.org/yizkor/pinkas_poland/pol7_00259.html>, publicado originalmente em Pinkas Hakehillot: *Encyclopedia of Jewish Communities*, Polônia, Volume VII (Jerusalém: Yad Vashem), p. 259-62.

8. Essas datas de nascimento são estimativas, mas ao que parece Aaron nasceu em 1925, Esther, em 1928, e Yaacov, em 1932.
9. Texto na parede, Museu Polin da História dos Judeus Poloneses, em Varsóvia.
10. "Jędrzejów", *Virtual Shtetl*.
11. Anna Legierska, "The Hussies and Gentlemen of Interwar Poland". Esse era o modo de se vestir comumente adotado na época, que eu extrapolo para Renia.
12. Entrevista pessoal com Merav Waldman, pelo Skype, em 23 de outubro de 2018.
13. Como citado em "Jędrzejów", *Virtual Shtetl*.
14. De acordo com o testemunho de Renia no Yad Vashem, ela frequentou a escola Beit Yakov por um breve período; como ficava longe de sua casa, foi transferida para uma escola pública polonesa.
15. Em seu testemunho no Yad Vashem, Renia relata que uma professora insistia em chamá-la de "Kukielchanka" porque Kukiełka soava demasiado polonês para uma judia.
16. As informações neste capítulo a respeito da história da Polônia e dos judeus poloneses vêm principalmente de "Poland", *The Yivo Encyclopedia of Jews in Eastern Europe*, disponível em: <https://yivoencyclopedia.org/article.aspx/Poland>; Samuel D. Kassow, "On the Jewish Street, 1918-1939", in Barbara Kirshenblatt-Gimblett e Antony Polonsky (orgs.), *POLIN, 1000 Year History of Polish Jews — Catalogue for the Core Exhibition*, p. 227-85; Jerzy Łukowski e Hubert Zawadzki, *A Concise History of Poland*.
17. Adriel Kasonata, "Poland: Europe's Forgotten Democratic Ancestor", *The National Interest*, 5 de maio de 2016, disponível em: <https://nationalinterest.org/feature/poland-europes-forgotten-democratic-ancestor-16073>.
18. Palestra dada por Paul Brykczynski na série "In Dialogue: Polish Jewish Relations During the Interwar Period", em 15 de novembro de 2018, na Fordham University, com a Columbia University e o Yivo.
19. Relatos fornecidos em "Jędrzejów", *Virtual Shtetl*.
20. Shimen Dzigan e Yisroel Schumacher se conheceram como integrantes de uma trupe de performances de humor em Łódź. Na década de 1930, eram tão populares que fundaram sua própria companhia de cabaré em Varsóvia.
21. Samuel D. Kassow chamou minha atenção para esse esquete em sua palestra proferida na série "In Dialogue: Polish Jewish Relations During the Interwar Period". Discussões

sobre o esquete podem ser encontradas no livro de Ruth R. Wisse *No Joke: Making Jewish Humor* (Princeton, NJ: Princeton University Press, 2015), p. 145-46.

22. O Bund se tornou o maior partido em 1938 porque a imigração para a Palestina parecia impossível, devido aos Livros Brancos britânicos, e o governo polonês ignorava os pedidos dos partidos religiosos. Antes disso, a população se dividia igualmente entre os três partidos.
23. Os filhos de Renia contam que, ao passo que Moshe foi sua influência intelectual, Sarah foi sua influência em termos de liderança. No entanto, considerando que Sarah era mais velha e viveu em vários kibutzim *hachshara*, é possível que Renia também acompanhasse Bela. Em seu testemunho no Yad Vashem, Renia afirma que antes da guerra, quando tinha menos de 15 anos, estava focada em sua vida escolar e não muito interessada nos movimentos jovens.
24. "Ela usava uma saia bem ampla de lã azul-marinho, extremamente curta — tanto que via-se o sapato inteiro por baixo dela (...). As pessoas vão apontar o dedo para você!" Como citado em Legierska, "The Hussies and Gentlemen of Interwar Poland".
25. As fotos de Sarah Kukiełka são do arquivo da Casa-Museu dos Combatentes do Gueto.
26. O Yivo, prestigioso instituto judaico em Vilna, notou essa crise e organizou um concurso de memórias, pedindo a jovens judeus que escrevessem sobre sua vida na esperança de compreendê-los melhor e ajudar a melhorar seu ânimo.
27. A Guarda Jovem não era filiada a nenhum partido político, mas era formada por sionistas socialistas.
28. As fotos do *hachshara* em Jędrzejów são de "Jędrzejów", Beit Hatfutsot: My Jewish Story.
29. O "Dror" (Liberdade) teve como base a fusão ocorrida em 1938 entre o Hechalutz HaTsair (Jovem Pioneiro) e o Freiheit (Liberdade, em iídiche), grupo de base iídiche que atraía integrantes da classe trabalhadora. O Liberdade, portanto, era um grupo sionista no qual se falava iídiche lado a lado com o hebraico, e que incluía mais trabalhadores jovens. Era filiado ao partido político Poalei Zion e ainda está ativo. Os camaradas do Liberdade tinham a reputação de serem mais velhos, menos pretensiosos e mais realistas do que os membros da Guarda Jovem (Bella Gutterman, *Fighting for Her People: Zivia Lubetkin, 1914-1978*, p. 132).
30. Por exemplo: "Eu mesmo nunca fui muito de participar de movimentos. Acabei ficando com o nome Akiba, uma vez que todos na ŻOB adotavam o nome de seu movimento como parte do seu próprio nome, como se fosse mais um sobrenome." Simha "Kazik" Rotem, *Memoirs of a Ghetto Fighter*, p. 22. Havia rivalidade entre os grupos, e alguns promoviam ataques à sede de outros.
31. As mulheres, no entanto, não podiam votar no conselho da comunidade judaica.
32. Para discussões tanto sobre mulheres judias quanto sobre mulheres polonesas na Polônia entreguerras, ver, por exemplo, Gershon Bacon, "Poland: Interwar", *The Encyclopedia of Jewish Women*, disponível em: <https://jwa.org/encyclopedia/article/poland-interwar>;

Judith Taylor Baumel-Schwartz e Tova Cohen (orgs.), *Gender, Place and Memory in the Modern Jewish Experience: Re-Placing Ourselves*; Anna Czocher, Dobrochna Kałwa *et al.*, *Is War Men's Business? Fates of Women in Occupied Kraków in Twelve Scenes*, trad. de Tomasz Tesznar e Joanna Bełch-Rucińska; Nameetha Matur, "'The New Sportswoman': Nationalism, Feminism and Women's Physical Culture in Interwar Poland", *The Polish Review* 48 (2003), n. 4, p. 441-62; Jolanta Mickute, "Zionist Women in Interwar Poland", in *The Macmillan Report*, disponível em: <https://www.youtube.com/watch?v=TrYt4oI4Mq4>; Lenore J. Weitzman e Dalia Ofer, "Introduction to Part 1", Paula E. Hyman, "Gender and the Jewish Family in Modern Europe", Gershon Bacon, "The Missing 52 Percent: Research on Jewish Women in Interwar Poland and Its Implications for Holocaust Studies", e Daniel Blatman, "Women in the Jewish Labor Bund in Interwar Poland", todos em *Women in the Holocaust*; Puah Rakovsky, *My Life as a Radical Jewish Woman: Memoirs of a Zionist Feminist in Poland*; Avihu Ronen, "Poland: Women Leaders in the Jewish Underground in the Holocaust", *The Encyclopedia of Jewish Women*, disponível em: <https://jwa.org/encyclopedia/article/poland-women-leaders-in-jewish-underground-during-holocaust>; Jeffrey Shandler (org.), *Awakening Lives: Autobiographies of Jewish Youth in Poland Before the Holocaust*; Anna Zarnowska, "Women's Political Participation in Inter-War Poland: Opportunities and Limitations", *Women's History Review* 13 (n. 1, 2004), p. 5768.

33. A maioria das "feministas" polonesas da época se autodenominava "radical" ou "revolucionária".
34. Avihu Ronen, "Young Jewish Women Were Leaders in the Jewish Underground During the Holocaust", Jewish Women's Archive: *The Encyclopedia of Jewish Women*, disponível em: <https://jwa.org/encyclopedia/article/Poland-women-leaders-in-jewish-underground-during-holocaust>. Por outro lado, Kol-Inbar, em "Three Lines in History", p. 514, afirma que as mulheres não tiveram um papel significativo nos movimentos jovens na Polônia.
35. A primeira justificativa está no prólogo de Renia em *Escape from the Pit*; a segunda, no testemunho que deu ao Yad Vashem.
36. Ver, por exemplo, os testemunhos das mulheres no Arquivo Judaico-Canadense Alex Dworkin, em Montreal.

2. Do fogo ao fogo

1. A estratégia de *blitzkrieg* de Hitler envolveu amplos bombardeios para destruir os meios de transporte e as linhas de comunicação do inimigo, seguidos de uma invasão por terra em larga escala. O exército polonês, mal equipado e antiquado (sua liderança tentou conter o avanço dos alemães com soldados montados), não era páreo para o exército alemão, moderno e mecanizado.

2. Kukiełka, *Underground Wanderings*, p. 4. Este capítulo é baseado em Kukiełka, *Underground Wanderings*, p. 3-8, e em seu testemunho ao Yad Vashem.
3. *Ibidem*, p. 4.
4. No testemunho de Renia ao Yad Vashem, ela diz que eles se esconderam no porão.
5. "Chmielnik", Beit Hatfutsot: My Jewish Story, *The Open Databases of the Museum of the Jewish People*, disponível em: <https://dbs.bh.org.il /place/chmielnik>.
6. Um relato alternativo daquela primeira noite com detalhes diferentes é oferecido em "Chmielnik", *Virtual Shtetl*.
7. Naomi Izhar, *Chasia Bornstein-Bielicka, One of the Few: A Resistance Fighter and Educator, 1939-1947*, p. 133.
8. Testemunho de Renia ao Yad Vashem.

3. Inaugurando a luta feminina

1. Todas as cenas deste capítulo envolvendo Zivia são baseadas em Zivia Lubetkin, *In the Days of Destruction and Revolt*. As informações adicionais são oriundas principalmente de: Zvi Dror, *The Dream, the Revolt and the Vow: The Biography of Zivia Lubetkin-Zuckerman (1914-1978)*; Chana Gelbard, "In the Warsaw Ghetto", in *Women in the Ghettos*, p. 3-16; Gutterman, *Fighting for Her People*; Yitzhak "Antek" Zuckerman, *A Surplus of Memory: Chronicle of the Warsaw Ghetto Uprising*.
2. Lubetkin, *Days of Destruction*, p. 16.
3. Gutterman, *Fighting for Her People*, p. 9.
4. Elas incluíam Frumka Płotnicka, Hantze Płotnicka, Leah Pearlstein e Tosia Altman.
5. De acordo com *The Zuckerman Code*, dirigido por Ben Shani e Noa Shabtai, Israel, 2018, Antek era seu "apelido interno". Ele usava diferentes nomes ao lidar com alemães e poloneses.
6. Lubetkin, *Days of Destruction*, p. 14.
7. *Ibidem*, p. 14.
8. De acordo com o relato de Eyal Zuckerman, Tel-Aviv, Israel, 15 de maio de 2018, é possível que ela tenha ido para Varsóvia em busca de Shmuel. Gutterman, em *Fighting for Her People*, p. 107, por outro lado, sugere que ela teria adiado a ida a Varsóvia por causa da captura de Shmuel.
9. Lubetkin, *Days of Destruction*, p. 13.
10. Gutterman, *Fighting for Her People*, p. 110. De acordo com Lubetkin, *Days of Destruction*, p. 14, foi "na noite seguinte". Lubetkin não menciona Antek em seu relato.
11. Lubetkin, *Days of Destruction*, p. 15.
12. *Ibidem*, p. 17.
13. "The History of the Great Synagogue", *Jewish Historical Institute*, disponível em: <http://www.jhi.pl/en/blog/2013-03-04-the-history-of-the-great-synagogue>.

14. "Warsaw", *The Yivo Encyclopedia of Jews in Eastern Europe*. Dalia Ofer, "Gender Issues in Diaries and Testimonies of the Ghetto: The Case of Warsaw", in *Women in the Holocaust*, p. 144-45, relata uma população pré-guerra de 359 mil e inclui uma análise demográfica detalhada.
15. 1,1 milhão de judeus de um total de 8,6 milhões. As estatísticas são de 2016, conforme a reportagem de Uriel Heilman "7 Things to Know About the Jews of New York for Tuesday's Primary", *Jewish Telegraphic Agency*, 18 de abril de 2016, disponível em: <https://www.jta.org/2016/04/18/politics/7-things-to-know-about-the-jews-of-new-york-for-tuesdays-primary>.
16. Imagens da Varsóvia pré-guerra podem ser vistas em: <https://www.youtube.com/watch?v=igv038Pqr34>; <https://www.youtube.com/watch?v=CQVQQQDKyoo>; <https://www.youtube.com/watch?v=Zk_8lTLGLTE>.
17. Lubetkin, *Days of Destruction*, p. 19.
18. *Ibidem*, p. 21.
19. Eliezer, "In the Movement", in *Women in the Ghettos*, p. 87-91.
20. Lutke, "Frumka", in *Hantze and Frumka*, p. 169.
21. Y. Perlis, "In the Hachshara and the Movement", in *Hantze and Frumka*, p. 155.
22. Zruvevel, "Meeting and Separation", in *Women in the Ghettos*, p. 91-95.
23. Eliyahu Plotnicki, "Childhood Home", in *Hantze and Frumka*, p. 10.
24. Yudka, "Catastrophe", in *Women in the Ghettos*, p. 95-102. De acordo com esse relato, parece que seu zelo pode ter sido estimulado por um falso rumor de que Hantze tinha sido morta na Polônia ocupada.
25. Gelbard, "Warsaw Ghetto", p. 5-7.
26. Zuckerman, *Surplus of Memory*, p. 104. Leah Pearlstein foi uma líder da resistência em uma fazenda do movimento, assim como em Łódź e em Varsóvia. Ela provavelmente morreu na *Aktion* promovida em Varsóvia em janeiro de 1943.
27. Zuckerman, *Surplus of Memory*, p. 244.
28. Kukiełka, *Underground Wanderings*, p. 12. Em outras ocasiões, Renia reconhece que alguns membros da milícia tentaram usar sua posição para ajudar outros judeus.
29. Bernard, "Problems Related to the Study", p. 61-62. Segundo Ronen, "The Jews of Będzin", p. 21, o Judenrat de Zaglembie contava com quinhentos oficiais. Documentos nos arquivos do JDC relatam que 2 mil policiais judeus serviram em Varsóvia.
30. Ver, por exemplo, Tec, *Resistance*, p. 14, para uma revisão da literatura sobre a complexidade dos Judenrats. Outros relatos de Judenrats que apoiaram a resistência, assim como discussões ponderadas sobre seu papel, podem ser encontrados, por exemplo, em, Izhar, *Chasia Bornstein-Bielicka*, p. 124-25, 140; Rotem, *Memoirs of a Ghetto Fighter*, p. 15; Don Levin e Zvie A. Brown, *The Story of an Underground: The Resistance of the Jews of Kovno (Lithuania) in the Second World War* (Jerusalém: Gefen, 2018); Mira Shelub e Fred Rosenbaum, *Never the Last Road: A Partisan's Life*, p. 78. Há discussões

similares sobre a polícia judaica. Ver Bernard Goldstein, *The Stars Bear Witness*, trad. de Leonard Shatzkin, p. 34-36, para uma abordagem do desenvolvimento do Judenrat e das forças de trabalho.

31. Zivia escreveu longamente sobre seu desprezo pelo Judenrat, pela polícia judaica e pelos colaboradores judeus. Lubetkin, *Days of Destruction*, p. 39-42.
32. Chana Gelbard, "Life in the Ghetto", *The Pioneer Woman*, n. 97, abril de 1944, p. 11.
33. Zuckerman, *Surplus of Memory*, p. 44-45.
34. Entrevista pessoal com Eyal Zuckerman, Tel-Aviv, Israel, 15 de maio de 2018.
35. Naomi Shimshi, "Frumka Plotniczki", Jewish Women's Archive, *The Encyclopedia of Jewish Women*, disponível em: <https://jwa.org/encyclopedia/article/plotniczki-frumka>.
36. Zuckerman, em *Surplus of Memory*, p. 130, menciona rumores sobre o triângulo amoroso. Gutterman, em *Fighting for Her People*, p. 101, 127, 134, 135, especula a respeito.
37. *Ibidem*, p. 132. De acordo com *The Zuckerman Code*, de Sharon Geva, e *Blue Bird*, dirigido por Ayelet Heller (Israel, 1998), "Zivia" era um codinome para toda a Polônia.

4. Ver mais uma manhã — Terror no gueto

1. De acordo com o testemunho de Renia ao Yad Vashem, um vizinho ofereceu a ela um emprego como secretária em um tribunal, e ela prontamente aceitou.
2. Salvo indicação em contrário, as cenas neste capítulo, bem como as descrições e informações oferecidas, são baseadas em Kukiełka, *Underground Wanderings*, p. 9-36. Informações adicionais sobre o gueto de Jędrzejów podem ser encontradas nas fontes citadas no Capítulo 1.
3. Renia Kukiełka, testemunho ao Yad Vashem. De acordo com Renia, eles nunca mais viram o vizinho ou seus itens de valor. Informações adicionais sobre o gueto de Jędrzejów podem ser encontradas nas fontes citadas no Capítulo 1.
4. Ver, por exemplo, Izhar, *Chasia Bornstein-Bielicka*, p. 104, 133.
5. Ver, por exemplo, *ibidem*, p. 104-15.
6. Barbara Kuper, "Life Lines", in *Before All Memory Is Lost: Women's Voices from the Holocaust*, Myrna Goldenberg (org.), p. 198.
7. Myrna Goldenberg, "Camps: Forward", in Before *All Memory Is Lost*, p. 272.
8. Renia Kukiełka, testemunho ao Yad Vashem.
9. Ver, por exemplo, Faye Schulman, *A Partisan's Memoir: Woman of the Holocaust*, p. 77.
10. Tec, *Resistance*, p. 52-54.
11. Izhar, *Chasia Bornstein-Bielicka*, p. 108-10.
12. Tec, *Resistance*, p. 52.
13. Essa cena sobre contrabando foi baseada em uma menção feita em um testemunho dado por Renia à Biblioteca Nacional de Israel em 1985 e mantido nos arquivos da biblioteca. Não está claro se o contrabando ocorreu antes ou depois de o gueto ser "fe-

chado". Construí essa cena com base nas histórias de muitas contrabandistas judias; por exemplo, ver o capítulo "Women", in *Warsaw Ghetto: Everyday Life*, The Ringelblum Archive, Volume 1, org. de Katarzyna Person, p. 232-55.

14. No relato de Renia, ela afirma ter saído pela manhã, mas, na maioria dos relatos, as contrabandistas saíam dos guetos à noite.
15. Os exemplos são tirados de "Women", *Warsaw Ghetto: Everyday Life*.
16. Lenore J. Weitzman, "Resistance in Everyday Life: Family Strategies, Role Reversals, and Role Sharing in the Holocaust", in *Jewish Families in Europe, 1939-Present: History, Representation and Memory*, org. de Joanna Beata Michlic, p. 46-66.
17. Tec, *Resistance*, p. 59. Nos guetos maiores, havia ambas.
18. Schulman, *Partisan's Memoir*, p. 78.
19. Izhar, *Chasia Bornstein-Bielicka*, p. 120-22.
20. *Ibidem*, p. 111.
21. Chasia Bielicka explica que elas entravam no gueto de diversas formas, às vezes escondidas em caminhões de lixo. Izhar, *Chasia Bornstein-Bielicka*.
22. Kukiełka, *Underground Wanderings*, p. 21.
23. Ver discussões em Ofer, "Gender Issues in Diaries and Testimonies of the Ghetto", p. 143-67; Ringelheim, "Women and the Holocaust", p. 378-79; Tec, *Resistance*, p. 55-57; Michael Unger, "The Status and Plight of Women in the Łódź Ghetto", in *Women in the Holocaust*, p. 123-42.
24. Dalia Ofer, "Parenthood in the Shadow of the Holocaust", in *Jewish Families in Europe*, p. 3-25.
25. Ver, por exemplo, Brana Gurewitsch, "Preface", in *Mothers, Sisters, Resisters*, p. xi-xxi; Esther Katz e Joan Miriam Ringelheim (orgs.), *Proceedings of the Conference on Women Surviving the Holocaust*, p. 17-19; Ringelheim, "Women and the Holocaust", p. 373-418; Tec, *Resistance*, p. 50, 55.
26. Agi Legutko, visita ao Gueto de Cracóvia, Festival da Cultura Judaica, Cracóvia, junho de 2018.
27. Izhar, *Chasia Bornstein-Bielicka*, p. 111.
28. *Ibidem*, p. 112, e Shelub e Rosenbaum, *Never the Last Road*, p. 80-81.
29. *Who Will Write Our History*, dirigido por Roberta Grossman, Estados Unidos, 2019. Números semelhantes são registrados nos relatórios do JDC mantidos no arquivo do JDC e em *Warsaw Ghetto, Everyday Life* (arquivo Ringelblum), capítulo sobre as mulheres. De acordo com esse capítulo, em Varsóvia, no ano de 1940, as operárias ganhavam 3 złotys por dia; trabalhadoras qualificadas ganhavam 6 złotys por dia. Uma tigela de sopa custava 1 złoty. Os preços eram altíssimos em comparação com os ganhos na economia inconstante dos tempos de guerra. De acordo com um relatório do JDC, em Varsóvia, em 1942, a tarifa do ônibus judeu custava 60 groszy e um copo de água, 18 groszy.

De modo geral, 1 złoty em 1940 equivaleria a cerca de 3,30 dólares em 2020. A correspondência não é exata porque as conversões não conseguem levar em conta a grande flutuação da cotação das moedas durante a guerra — que ocorria por muitas razões —, tampouco as taxas de inflação nos Estados Unidos. Além disso, diferentes moedas eram usadas em diferentes áreas ocupadas da Polônia, embora, ao que parece, correspondessem ao valor do złoty, que na verdade era fixado pelos nazistas em relação ao reichsmark, a fim de impulsionar a economia da Alemanha. Alguns guetos tinham sua própria moeda.

30. É difícil estimar o preço dos produtos contrabandeados naquela parte da Polônia na época. Renia pode ter negociado com bens em vez de dinheiro.
31. "Janowska", *USHMM Encyclopedia*, disponível em: <https://encyclopedia.ushmm.org/content/en/article/janowska>. Esse campo foi estabelecido em setembro de 1941. Não fica claro, pelo relato de Renia, quando Aaron foi levado.
32. Goldenberg, "Camps: Forward", p. 267. "Nazi Camps", *The USHMM Encyclopedia* relata que os nazistas montaram mais de 40 mil campos e outros locais de aprisionamento (incluindo guetos). Zuckerman, *Surplus of Memory*, p. 340, afirma que havia 8 mil campos na Polônia. De acordo com Dalia Ofer e Lenore J. Weitzman, "Labor Camps and Concentration Camps: Introduction to Part 4", in *Women in the Holocaust*, p. 267, os nazistas estabeleceram ao menos 437 campos de trabalhos forçados para judeus na Polônia ocupada.
33. Goldenberg, "Camps: Forward", p. 266-67. A SS foi a organização paramilitar nazista responsável pela Solução Final.
34. Ofer e Weitzman, "Labor Camps and Concentration Camps", p. 268. De acordo com Felicja Karay, "Women in the Forced Labor Camps", in *Women in the Holocaust*, p. 285, o campo de trabalho de Skarżysko-Kamienna pagava à SS 5 złotys por dia por cada homem e apenas 4 złotys por cada mulher.
35. Dyna Perelmuter, "Mewa (Seagull)", in *Before All Memory Is Lost*, p. 179.
36. A maneira como Renia escreve sobre isso em suas memórias torna difícil discernir se sua família estava incluída; no entanto, de acordo com o testemunho que deu ao Yad Vashem, sua família foi transferida para Wodizłow.
37. Kukiełka, *Underground Wanderings*, p. 18.
38. Jon Avnet mencionou essa "regra do gueto" em um debate sobre seu filme *Insurreição*, na Directors Guild, em Nova York, no dia 22 de abril de 2018.
39. Izhar, *Chasia Bornstein-Bielicka*, p. 112.
40. Kukiełka, *Underground Wanderings*, p. 28.
41. Schulman, *Partisan's Memoir*, p. 79-80.
42. Um pequeno percentual de ucranianos colaborou com o regime nazista; alguns deles eram prisioneiros de guerra obrigados a executar o "trabalho sujo" para os alemães. Esse assunto vai além do escopo deste livro, mas várias das memórias das mulheres descrevem

a colaboração ucraniana. Assim como aconteceu com os poloneses, é provável que as mulheres tenham ficado profundamente magoadas com essa traição por parte de seus vizinhos.

43. Em seus diários, Gusta Davidson tentou analisar a psicologia dos violentos: "Os *Schupo* [policiais responsáveis pela ordem pública e pela segurança da população civil], que ocupam o escalão mais baixo, são os que têm mais contato com os prisioneiros. Eles são mais propensos do que os outros a demonstrar misericórdia e até compaixão. Na presença de seus superiores, no entanto, se tornam carrascos, os mais cruéis carcereiros (...). Não é o alemão ou o ucraniano que tortura o judeu ou o polonês. É a besta sob forma humana que manipula as engrenagens do poder, infligindo-nos sofrimento. E, ainda assim, nem todos são iguais. Nem todos têm a selvageria tão enraizada em si que ocasionalmente não possa ser posta de lado. Há pessoas no SD [*Sicherheitsdienst*, serviço de inteligência da SS] que, apesar de seu antissemitismo ideológico ou do ódio aos poloneses, são incapazes de torturar ou infligir sofrimento (...)." Draenger, *Justyna's Narrative*, p. 20-21.
44. Kukiełka, *Underground Wanderings*, p. 27.

5. O gueto de Varsóvia — Educação e a palavra

1. Zuckerman, *Surplus of Memory*, p. 65.
2. Todas as informações a respeito de Hantze nesta seção são provenientes de *Hantze and Frumka*.
3. Lubetkin, em *Days of Destruction*, p. 37, escreve sobre como ficou comovida com o discurso de Hantze.
4. Rachel Katznelson-Shazar, "Meeting Hantze", in *Hantze and Frumka*, p. 153.
5. Zuckerman, *Surplus of Memory*, p. 104. Antek a descreve como um frágil e delicado "botão de flor" que nasceu na época errada.
6. De uma carta a ZL, Łódź, junho de 1939, arquivo da Casa-Museu dos Combatentes do Gueto.
7. Eliezer, em "In the Movement", p. 87-91, descreve detalhadamente essa relação.
8. Yudka, "Catastrophe", p. 95-102.
9. Irene Zoberman, em "The Forces of Endurance", in *Before All Memory Is Lost*, p. 221, afirma que 460 mil foram amontoados em uma área de 2,5 quilômetros quadrados. Isso significa que entre oito e dez judeus tinham de partilhar um único cômodo. Os muros do gueto, que mudavam à medida que a população crescia e, em seguida, era assassinada, consistiam em estruturas já existentes e muros de 3 metros de altura construídos com o propósito específico de encarceramento.
10. Chaya Ostrower, *It Kept Us Alive: Humor in the Holocaust*, p. 237. Ostrower incluiu um capítulo sobre cabarés e apresentações, p. 229-30. *Women in the Ghettos*, p. 160,

menciona Miriam Eisenstat, filha do diretor do renomado coro da sinagoga de Varsóvia. Em Varsóvia, ainda antes de completar 20 anos, ela se tornou rapidamente conhecida como o "rouxinol do gueto". Seus concertos esgotavam sempre os mil lugares do teatro Femina, localizado no térreo de um edifício de apartamentos não muito distante da Grande Sinagoga.

11. Sobre a atividade social do Bund no gueto, ver, por exemplo, Goldstein, *Stars Bear Witness*, p. 41-42, 45, 82-84, 102-3. Segundo Vladka Meed, havia 85 escolas ilegais no gueto de Varsóvia (Katz e Ringelheim, *Proceedings of the Conference on Women*, p. 80).
12. De acordo com alguns relatos, os judeus não tinham permissão de se reunir para rezar, sob o pretexto de evitar a disseminação de doenças. Segundo outros relatos, todas as reuniões de judeus foram proibidas; por exemplo, em Gelbard, "Life in the Ghetto", p. 7: "Era estritamente proibido, a quem quer que fosse, promover reuniões ou encontros." Ela continua explicando que, com o tempo, as reuniões voltaram. De acordo com vários relatos, quando se reuniam para dar aulas e aprender, os judeus cobriam as janelas e guardavam as portas. Alguns afirmam que, embora as reuniões de judeus fossem proibidas no gueto, os nazistas estavam muito mais preocupados com o contrabando (eles não acreditavam que os judeus pudessem se reunir para discutir a resistência).
13. Os programas sociais e educacionais do Liberdade são discutidos em Gelbard, "Warsaw Ghetto", p. 3-16; Lubetkin, *Days of Destruction*, p. 58-72; Zuckerman, *Surplus of Memory*, p. 52-64, 114-25.
14. Rotem, *Memoirs of a Ghetto Fighter*, p. 21.
15. Gelbard, "Warsaw Ghetto", p. 3-16.
16. *Who Will Write Our History.*
17. Para mais sobre a imprensa judaica, ver Lubetkin, *Days of Destruction*, p. 66-67; Zuckerman, *Surplus of Memory*, p. 55-56.
18. O primeiro, em 1940; o último, em 1942.
19. Texto de parede, Museu Polin da História dos Judeus Poloneses, Varsóvia.
20. A informação sobre essas publicações é proveniente de Barbara Engelking e Jacek Leociak, *The Warsaw Ghetto: A Guide to the Perished City*, p. 683-88.
21. Gelbard, "Warsaw Ghetto", p. 3-16.
22. Goldstein, *Stars Bear Witness*, p. 49-50, sobre como salvaram uma biblioteca do Bund. Antek também salvou e criou bibliotecas.
23. Henia Reinhartz, *Bits and Pieces*, p. 24-30.
24. Análise de Rachel Feldhay Brenner, *Writing as Resistance: Four Women Confronting the Holocaust.*
25. Artistas visuais também criaram obras para combater a desumanização e manter a sanidade mental, a identidade e uma razão para viver. Por exemplo, a pintora Halina Olomucki, nascida em Varsóvia, retratou suas experiências no gueto, contrabandeando suas obras para conhecidos poloneses enquanto era levada para realizar trabalhos for-

çados. Seu talento artístico lhe rendeu um status especial nos campos de concentração: ela recebia alimentação melhor e davam-lhe materiais de pintura para que retratasse as instalações e os oficiais que atuavam no campo. Halina usava esses materiais para fazer desenhos secretos de suas companheiras de barracão. Seu impressionante desenho *Women of Birkenau Camp* [Mulheres do Campo de Birkenau] é um retrato pungente de três mulheres emaciadas, vestidas com uniforme listrado, os olhos negros de horror, exaustão, desespero. Ela usou um lápis macio que havia roubado. Ver: Rochelle G. Saidel e Batya Brudin (orgs.), *Violated!: Women in Holocaust and Genocide*, catálogo da exposição.

26. Mordechai Tenenbaum, um líder do Liberdade em Białystok, também criou um arquivo, que permaneceu escondido e agora está acessível. Antek tentou compilar um arquivo do Liberdade.
27. Texto de parede, Instituto Histórico Judaico Emanuel Ringelblum, Varsóvia.
28. Gelbard, "Warsaw Ghetto", p. 3-16.
29. Lubetkin, *Days of Destruction*, p. 38-39. Gelbard diz que os judeus com dinheiro para comprar pão podiam adquirir "um oitavo de quilo três vezes por semana". Em 1941, a ração de comida para os judeus do gueto de Varsóvia era de 184 calorias por dia. Segundo Tec, *Resistance*, p. 60, 20% da população dos guetos na Polônia morreu de fome.
30. Ver Tec, *Resistance*, p. 62-65, sobre como o JDC e outras organizações ajudavam as cozinhas comunitárias, muitas delas geridas por mulheres. Para mais sobre mulheres, ver: *Women in the Ghettos*; Meilech Neustadt (org.), *Destruction and Rising*; Katarzyna Person (org.), *Warsaw Ghetto: Everyday Life*, capítulo "Women".
31. De acordo com Vladka Meed, em Katz e Ringelheim, *Proceedings of the Conference on Women*, p. 34, 80.
32. Ver, por exemplo, "A Bit Stubborn: Rachela Auerbach", *Jewish Historical Institute*, disponível em: <http://www.jhi.pl/en/blog/2018-05-30-a-bit-stubborn-rachela-auerbach>, e Ofer, "Gender Issues in Diaries and Testimonies of the Ghetto", p. 143-67.
33. Yakov Kenner, "Paula Elster", *Women in the Ghettos*, p. 148-50. Era uma mensageira e morreu lutando no levante do gueto de Varsóvia, em 1944.
34. Durante certos períodos, a atividade dos movimentos da juventude — sobretudo os de tendência comunista — foi ilegal na Polônia. Ver Ido Bassok, "Youth Movements", trad. Anna Barber, *The Yivo Encyclopedia of Jews in Eastern Europe*, disponível em: <https://yivoencyclopedia.org/article.aspx/Youth_Movements>.
35. Informação obtida em Paldiel, *Saving One's Own*, p. 32-42. Mais tarde na guerra, ela se envolveu profundamente em missões de resgate. Seu livro de memórias *City Within a City* foi publicado em 2012.
36. Goldstein, *Stars Bear Witness*, p. 82.
37. Informações obtidas em *Women in the Ghettos*, p. 162-163.
38. Gutterman, *Fighting for Her People*, p. 150.
39. Lubetkin, *Days of Destruction*, p. 57.

40. Ela se casou com Yitzhak Fiszman. Chana e Renia se tornaram amigas no kibutz Dafna, depois da guerra. Mais a respeito dela em Zuckerman, *Surplus of Memory*, p. 47.
41. Gelbard, "Warsaw Ghetto", p. 3-16. Literalmente, "as filhas de Zivia".
42. De acordo com Goldstein, *Stars Bear Witness*, p. 47, o Bund também contava com uma rede de mensageiras de âmbito nacional, cobrindo sessenta pequenas cidades.

6. Do espírito ao sangue — O surgimento da ŻOB

1. As informações sobre Tosia Altman constantes deste capítulo são oriundas primariamente de Shalev, *Tosia Altman*.
2. Anna Legierska, "The Hussies and Gentlemen of Interwar Poland".
3. Shalev, *Tosia Altman*, p. 215.
4. *Ibidem*, p. 163.
5. Izhar, *Chasia Bornstein-Bielicka*, p. 157.
6. Chaika Grossman, *The Underground Army: Fighters of the Białystok Ghetto*, p. 42.
7. Ruzka Korczak, "Men and Fathers", in *Women in the Ghettos*, p. 28-34.
8. Grossman, *Underground Army*, p. 42.
9. Korczak, "Men and Fathers", p. 28-34.
10. De acordo com Kovner, em *Partisans of Vilna*, tratava-se de uma menina de 11 anos (o nome dela não é mencionado). Segundo Rich Cohen, *The Avengers: A Jewish War Story*, p. 38, a garota tinha 17 anos. Há diversos relatos a respeito de sobreviventes de Ponary que eram muitas vezes desacreditados quando voltavam para o gueto e narravam as histórias vividas. Este relato é de Cohen, p. 43-45.
11. Cerca de 75 mil judeus e 25 mil não judeus foram mortos a tiros no local ao longo de três anos.
12. Do panfleto em iídiche que Abba leu na reunião, como se pode conferir em *Partisans of Vilna*.
13. As duas seções seguintes são baseadas em Lubetkin, *Days of Destruction*, p. 83-99.
14. Alguns de seus escritos foram preservados no arquivo Ringelblum e são mantidos nos arquivos do Instituto Histórico Judaico.
15. Gutterman, *Fighting for Her People*, p. 159, lista as mensageiras. De acordo com Shimshi, "Frumka Plotniczki", Frumka foi "a primeira a trazer notícias do alcance do extermínio de judeus poloneses nos distritos orientais".
16. Lenore J. Weitzman, "Kashariyot (Couriers) in the Jewish Resistance During the Holocaust", in *The Encyclopedia of Jewish Women*, disponível em: <https://jwa.org/encyclopedia/article/kashariyot-couriers-in-jewish-resistance-during-holocaust>. Para mais razões que levavam judeus a não suspeitar nem acreditar: Izhar, *Chasia Bornstein-Bielicka*, p. 114; Mais, "Jewish Life in the Shadow of Destruction", p. 18-25; Meed, *Both Sides of the Wall*, p. 31, 47; Zuckerman, *Surplus of Memory*, p. 68, 72.

17. Ziva Shalev, "Tosia Altman", *The Encyclopedia of Jewish Women*, disponível em: <https://jwa.org/encyclopedia/article/altman-tosia>.
18. Testemunho de Vera Slymovicz, p. 23-24, Arquivo Judaico-Canadense Alex Dworkin, Montreal.
19. Lubetkin, *Days of Destruction*, p. 88.
20. *Ibidem*, p. 92-93 (líderes do JDC na p. 108). Ver também Zuckerman, *Surplus of Memory*, p. 194. Em Ronen, *Condemned to Life*, p. 186-207, outros argumentam que a resistência armada era proibida pela lei judaica.
21. Lubetkin, *Days of Destruction*, p. 93.
22. Citado em Gutterman, *Fighting for Her People*, p. 163.
23. Lubetkin, *Days of Destruction*, p. 92.
24. Citado em Gutterman, *Fighting for Her People*, p. 161. De acordo com alguns relatos, eles tinham uma única arma. Não está claro de onde essas armas iniciais vieram.
25. Bela Hazan e Ruzka Korczak escrevem sobre ter aulas de autodefesa nas quais aprenderam a usar armas enquanto integravam o Liberdade e a Guarda Jovem, respectivamente. A autodefesa fazia parte do treinamento para a vida na Palestina. Ronen, no entanto, em uma entrevista pessoal, enfatizou que o Bund e os revisionistas estavam muito mais bem preparados. Antes da guerra, o Bund havia estabelecido a "Tsukunft Shturem" (Tempestade do Futuro), uma milícia para proteger a comunidade de ataques antissemitas (o Polin conserva seu cartaz de 1929).

    O Bund participou de um esforço de resistência "armado a frio" no início da guerra, usando canos de ferro e soqueiras para enfrentar um enorme pogrom no qual os nazistas pagavam aos poloneses 4 złotys por dia para atacar judeus. Esse foi o único partido que lutou e o primeiro a argumentar a favor da defesa armada no gueto. Seus integrantes também montaram uma força de proteção que patrulhava as ruas judaicas durante o caos de pessoas que se mudavam para o gueto. Ver Marek Edelman, *The Ghetto Fights*, p. 3; Goldstein, *Stars Bear Witness*, p. 45-65.
26. Marek Edelman, *The Last Fighters*, dirigido por Ronen Zaretsky e Yael Kipper Zaretsky, Israel, 2006. De acordo com outros membros do Bund, eles não eram antissionistas; simplesmente não viam sentido em lutar sem o apoio polonês. Zuckerman, *Surplus of Memory*, p. 166, 173, 221, 249, descreve essa frustração com o Bund.
27. Zivia liderava uma célula especial de assistência junto com Paula Alster. Gutterman, *Fighting for Her People*, p. 167.
28. Isso aconteceu em uma noite de sexta-feira. De acordo com Gutterman, *Fighting for Her People*, p. 167, a data foi chamada de "Shabat Sangrento". Outras fontes se referem ao acontecimento como "Sexta-feira Sangrenta". Para Zuckerman, *Surplus of Memory*, p. 178, era "A Noite do Sangue". Shalev, p. 141, chama-o de "O Dia do Sangue".
29. O relatório de Frumka de 15 de junho de 1942 estava exposto no Instituto Histórico Judaico, em Varsóvia.

30. Esta seção é baseada em Meed, *Both Sides of the Wall*, p. 9-67.
31. *Ibidem*, p. 22.
32. Tec, *Resistance*, p. 68.
33. *Ibidem*, p. 67.
34. Klinger, "The Pioneers in Combat", in *Women in the Ghettos*, p. 23-28. Uma tradução literal: "Mais tarde, os nazistas declararam que o preço de um judeu capturado era meio quilo de pão e um quarto de quilo de geleia. Foi assim que a vida do judeu se tornou barata."
35. "The Liquidation of Jewish Warsaw", relatório redigido pelo grupo Oneg Shabbat em novembro de 1942, em exposição no Instituto Histórico Judaico, em Varsóvia.
36. Meed, *Both Sides of the Wall*, p. 65.
37. O hebraico Eyal é a sigla para Irgun Yehudi Lochem.
38. O texto do cartaz está em Lubetkin, *Days of Destruction*, p. 112. Há vários relatos sobre quem foi responsável pelo primeiro relato sobre Treblinka, incluindo fugitivos (que desenharam mapas do local), um mensageiro do Bund e uma mensageira do Liberdade.
39. Lubetkin, *Days of Destruction*, p. 115.
40. Meed, *Both Sides of the Wall*, p. 70; Tec, *Resistance*, p. 72-73. Lubetkin, *Days of Destruction*, p. 116, conta que, depois do primeiro tiro, a arma emperrou, mas ele ameaçou matar qualquer um que se aproximasse. Foi a primeira vez que Kanal disparou uma arma.
41. Para uma discussão sobre judeus levando armas para o gueto de Varsóvia, ver, por exemplo, Shalev, *Tosia Altman*, p. 155, 174-75.
42. Zuckerman, *Surplus of Memory*, p. 213.
43. Citado em Gutterman, *Fighting for Her People*, p. 183.
44. Segundo "Warsaw", verbete em *United States Holocaust Memorial Museum: Holocaust Encyclopedia*, disponível em: <https://encyclopedia.ushmm.org/content/eu/article/warsaw>, havia 400 mil judeus no gueto de Varsóvia em seu auge; 300 mil foram deportados para a morte no verão de 1942. Restaram cerca de 70 mil.
45. Esta citação mistura relatos do discurso reproduzido em Gutterman, *Fighting for Her People*, p. 189; Lubetkin, *Days of Destruction*, p. 122; Zuckerman, *Surplus of Memory*, p. 214.

7. Dias de errância — De sem-teto a governanta

1. Kukiełka, *Underground Wanderings*, p. 37. Este capítulo é baseado nas memórias de Renia e em seu testemunho ao Yad Vashem.
2. Kukiełka, *Underground Wanderings*, p. 38.
3. *Ibidem*, p. 42.
4. *Ibidem*, p. 43.
5. "Jędrzejów", *Virtual Shtetl*.

6. "Polícia" pode se referir tanto à polícia alemã quanto à polonesa. Os nazistas assumiram a força policial polonesa para criar a "Polícia Azul". A polícia alemã era conhecida como Orpo, ou "Polícia Verde". Nas cidades havia mais oficiais alemães, nas áreas rurais, mais policiais poloneses. "Gendarme" parece geralmente se referir a um policial alemão. A questão da colaboração da polícia polonesa com os nazistas é abordada em Jan Grabowski, "The Polish Police: Collaboration in the Holocaust", palestra no USHMM, 17 de novembro de 2016, texto acessado online.
7. De acordo com Grunwald-Spier, *Women's Experiences in the Holocaust*, p. 245, o custo ficava entre 3 mil e 10 mil złotys. Ver também Zoberman, "Forces of Endurance", p. 248; Weitzman, "Living on the Aryan Side", p. 201-5.
8. Paulsson, *Secret City*, p. 4.
9. Ver Zuckerman, *Surplus of Memory*, p. 482-83, para uma discussão sobre tipos.
10. Weitzman, "Living on the Aryan Side", p. 188.
11. Kukiełka, testemunho no Yad Vashem.
12. As duas seções a seguir, incluindo diálogos, são extraídas das memórias de Renia, p. 45-47, e de seu testemunho no Yad Vashem; os detalhes diferem em cada relato.
13. De acordo com Kukiełka, *Underground Wanderings*, p. 45, ela o conheceu em um campo em Sędziszów. Não encontrei muita informação sobre esse campo em particular, mas há outro relato pessoal que menciona um campo de trabalho nos arredores de Sędziszów: <https://njjewishnews.timesofisrael.com/dor-ldor-a-polish-town-remembers-its-holocaust-victims/>. Segundo "Jędrzejów", na página *Holocaust Historical Society*, disponível em: <https://www.holocausthistoricalsociety.org.uk/contents/ghettosj-r/Jędrzejów.html>, homens de Jędrzejów eram enviados para um campo de trabalho na estação ferroviária de Sędziszów, então é provável que homens de Wodisłow também fossem enviados para lá.

    De acordo com registros do arquivo do ITS (International Tracing Service), no entanto, Aaron esteve no campo de trabalho de Skarżysko-Kamienna de março de 1942 a julho de 1943, no campo de trabalho de Czenstochau de julho de 1943 a abril de 1944, e em Buchberg de abril de 1944 até maio de 1945. O campo de Skarżysko-Kamienna, no entanto, era muito grande e não parece corresponder à descrição de Renia. Partindo de Skarżysko, Renia teria que caminhar por dias para chegar a Charsznica, a cidade onde encontra os conhecidos ferroviários em uma cena posterior. De Sędziszów, eram apenas 30 quilômetros. Dos registros do ITS também consta uma data de nascimento discutível para Aaron, então, de modo geral, estou inclinada a acreditar que ele estivesse em Sędziszów naquele momento e, mais tarde, em Skarżysko-Kamienna.

    Renia inclui uma história mais longa sobre o irmão e os campos de trabalho em seu testemunho no Yad Vashem, no qual ela menciona que ele foi enviado para construir trilhos de trem; o campo de Sędziszów ficava em um entreposto ferroviário.

14. Renia descreve a jornada dele em seu testemunho no Yad Vashem.
15. Esta cena é baseada em uma combinação de relatos ligeiramente diferentes de Renia em *Underground Wanderings* e em seu testemunho no Yad Vashem.
16. Kukiełka, *Underground Wanderings*, p. 47.
17. *Ibidem*, p. 47.
18. O testemunho de Renia no Yad Vashem oferece um relato diferente.
19. A história de Renia e seu conhecido, bem como o diálogo, são baseados nos relatos de Renia em *Underground Wanderings*, p. 48-50, e em seu testemunho no Yad Vashem, que diferem ligeiramente um do outro.
20. Kukiełka, *Underground Wanderings*, p. 48.
21. De acordo com o testemunho de Kukiełka no Yad Vashem. Zuckerman, *Surplus of Memory*, p. 485-86, explica que padres patriotas coletavam nomes e documentos de mortos e os entregavam à resistência polonesa, que os vendia aos judeus.
22. Ver Meed, *Both Sides of the Wall*, p. 226-27; Paldiel, *Saving One's Own*, p. 37, 218-19; Weitzman, "Living on the Aryan Side", p. 213-15; Zuckerman, *Surplus of Memory*, p. 485-86.
23. Esta seção e o diálogo são baseados em Kukiełka, *Underground Wanderings*, p. 49-51.
24. Renia dá um relato diferente de como ela o conheceu em seu testemunho no Yad Vashem.
25. Esta cena e o diálogo são baseados em Kukiełka, *Underground Wanderings*, p. 52.
26. Kukiełka, *Underground Wanderings*, p. 53.
27. *Ibidem*, p. 53.

8. Tornar-se pedra

1. Renia apresenta datas conflitantes para essa cena, mesmo em *Underground Wanderings*. A grande liquidação do gueto de Sandomierz ocorreu em outubro. Os acontecimentos narrados neste capítulo parecem ter se dado no fim de outubro ou no início de novembro.
2. Este capítulo, incluindo citações e diálogos, é baseado em Kukiełka, *Underground Wanderings*, p. 56-62. Em seu testemunho ao Yad Vashem, Renia conta uma história diferente sobre como a atravessadora chegou à casa dos Hollander.
3. A arquitetura de Będzin era uma mistura idiossincrática de *beaux-arts*, *art nouveau*, neoclássico polonês, *art déco*, fascista italiano (a estação de trem) e estilos do revivalismo holandês, o que indicava que a cidade tinha sido rica entre as décadas de 1870 e 1930.
4. De acordo com o testemunho de Kukiełka ao Yad Vashem, Leah e Moshe tinham 45 e 48 anos, respectivamente, quando foram mortos.
5. "Skarżysko-Kamienna", *Yad Vashem Shoah Resource Center*, disponível em <https://www.yadvashem.org/odot_pdf/Microsoft%20Word%20%206028.pdf>.
6. Draenger, *Justyna's Narrative*, p. 111-12. Weitzman, "Living on the Aryan Side", p. 192-93, explica que as jovens ficavam particularmente motivadas após a mãe ser

morta. De acordo com um relato sobre guerrilheiras judias no JPEF, "Quando minha mãe morreu, endureci."

9. Os corvos negros

1. De acordo com o filho, ela não queria que ficassem curtos demais, porque isso lhe daria um aspecto burguês americano hollywoodiano. Entrevista pessoal, Avihu Ronen, Tel--Aviv, Israel, 16 de maio de 2018.
2. Essa cena de Chajka distribuindo panfletos é baseada em uma menção em seus diários, na qual há uma ambiguidade quanto a quem estava realizando essa atividade. As cenas deste capítulo são baseadas em Klinger, *Writing These Words*, e adaptações "Girls in the Ghettos" e "Pioneers in Combat", em *Women in the Ghettos*. Informações adicionais são sobretudo de Ronen, *Condemned to Life*, bem como o testemunho oferecido por Fela Katz (nos arquivos IHJ) e em Jerzy Diatłowicki (org.), *Jews in Battle, 1939-1945* (Varsóvia: Associação de Combatentes Judeus e vítimas da Segunda Guerra e Instituto Histórico Judaico, 2009-2015). Também me baseei nas fontes sobre Będzin mencionadas acima.
3. De acordo com Ronen, *Condemned to Life*, p. 29-38, uma das primeiras células da Guarda Jovem foi estabelecida em Będzin.
4. Klinger, *Writing These Words*, p. 167.
5. *Ibidem*, p. 167.
6. *Ibidem*, p. 81.
7. Rutka Laskier, *Rutka's Notebook: January-April 1943*, p. 54.
8. Ver, por exemplo, Ronen, *Condemned to Life*, p. 125-43. De acordo com alguns relatos, os passes Zonder eram amarelos; em outros, eram azuis.
9. Klinger, *Writing These Words*, p. 84. Ronen, *Condemned to Life*, p. 104-24, fala de uma celebração semelhante, mas diz que foi para o feriado do Hanucá.
10. Klinger, *Writing These Words*, caderno de imagens.
11. As fotos de 1943 estão no arquivo do Museu Casa dos Combatentes do Gueto.
12. Ronen, *Condemned to Life*, p. 104-24.
13. Klinger, *Writing These Words*, p. 131-32.
14. Esta seção é baseada em Klinger, *Writing These Words*, p. 136-43, mas as cenas aparecem em uma ordem diferente. Partes aparecem em *Women in the Ghettos*.
15. Em um relato, foi Leah; em outro, Nacia.
16. Esses nomes são de Klinger, "Girls in the Ghettos", em *Women in the Ghettos*; não está claro a que se referem. *Writing These Words*, p. 138, diz apenas "campo de trabalho".
17. Houve uma época em Zaglembie em que o líder nazista responsável pela operação de trabalho forçado era mais influente do que o responsável pela operação de extermínio (Operação Reinhard).
18. Esta seção é baseada em Ronen, *Condemned to Life*, p. 162-85.

19. Das descrições em Rutka Laskier, *Rutka's Notebook*, p. 36-39. Rutka foi selecionada para o trabalho forçado, mas pulou por uma janela e fugiu.
20. Detalhes ligeiramente diferentes dessa história são fornecidos em Klinger, *Writing These Words*, p. 139; Klinger, "Girls in the Ghettos", *Women in the Ghettos*; Ronen, *Condemned to Life*, p. 162-85.
21. Existem diferentes versões dessa história. Esta versão é de Klinger, "Girls in the Ghettos", *Women in the Ghettos*, em que se afirma que várias centenas de pessoas foram libertadas. Em Ronen, *Condemned to Life*, p. 162-85, a pessoa que liderou a fuga pelo sótão foi David. Klinger, *Writing These Words*, p. 139-40, diz apenas que uma "passagem foi encontrada" e afirma que 2 mil pessoas foram libertadas.
22. Shalev, *Tosia Altman*, p. 134.
23. Klinger, *Writing These Words*, p. 98.
24. *Ibidem*, p. 15. De acordo com os testemunhos de Fela Katz, havia entre duzentos e trezentos camaradas.
25. Essas mensagens e suas explicações são de *Women in the Ghettos*. Zuckerman, *Surplus of Memory*, p. 89, explica que eles usavam códigos diferentes para se corresponder como zonas diferentes. Em alguns casos, usavam as iniciais em vez de palavras; outros códigos se baseavam na Bíblia. As cartas para o leste usavam um "código de maiúsculas" no qual a mensagem oculta era transmitida por meio do uso de letras maiúsculas.
26. Klinger, *Writing These Words*, p. 98.
27. *Ibidem*, p. 7.
28. *Ibidem*, p. 177. Uma forma alternativa do nome é Cwi.
29. De acordo com Lubetkin, *Days of Destruction*, p. 83, essas unidades foram concebidas quando os russos e os alemães combateram (em 1941), como grupos de autodefesa judeus formados por cinco pessoas. Os grupos jovens acreditavam que os russos venceriam, e essas unidades se destinavam a protegê-los de ataques de poloneses durante os dias caóticos entre os regimes. Eles não imaginavam que esses grupos se tornariam a base de sua milícia antinazista.
30. Salvo indicação em contrário, as próximas seções são baseadas em Kukiełka, *Underground Wanderings*.
31. Kukiełka, testemunho no Yad Vashem.
32. Hantze, na verdade, se mudou de Grochów para Będzin no verão de 1942. Renia, no entanto, escreve sobre sua chegada como se ela mesma estivesse lá (Kukiełka, "The Last Days", *Women in the Ghettos*). É possível que Renia esteja escrevendo sobre a chegada de Hantze com base nas impressões de outras pessoas, ou, alternativamente, que Hantze tenha saído brevemente em uma missão e retornado quando Renia estava em Będzin. Seja como for, Renia ficou fascinada pelo espírito positivo de Hantze.
33. Kukiełka, "Last Days", p. 102-6.
34. *Idem*, *Underground Wanderings*, p. 65.

35. *Idem*, "Last Days", p. 102-06. Esta seção é baseada nesse ensaio.
36. *Idem*, *Underground Wanderings*, p. 67.
37. Ronen, *Condemned to Life*, p. 186-207.
38. A JTA, fundada em 1917, é uma organização mundial de coleta de notícias que atende jornais da comunidade judaica. O relatório foi publicado em 8 de janeiro de 1943; o incidente ocorreu em 4 de outubro de 1942. A revolta das mulheres é descrita tanto no relatório da JTA quanto em *Women in the Ghettos*, ainda que com pormenores diferentes em cada um. Fonte: JTA.org.

10. Três linhas na história — Uma surpresa de Natal cracoviana

1. Draenger, *Justyna's Narrative*, p. 141. (Eles usam a grafia "Akiba.")
2. Com base nos escritos de Gusta, era o outono de 1942; talvez fosse setembro.
3. As cenas neste capítulo são baseadas principalmente no diário de Gusta Davidson Draenger, *Justyna's Narrative*. Informações sobre Gusta e a resistência de Cracóvia também vêm de: Anna Czocher, Dobrochna Kałwa *et al.*, *Is War Men's Business? Fates of Women in Occupied Kraków in Twelve Scenes*, trad. Tomasz Tesznar e Joanna Bełch-Rucińska, catálogo da exposição; Sheryl Silver Ochayon, "Armed Resistance in the Kraków and Białystok Ghetthos", página *Yad Vashem*, disponível em: <https://www.yadvashem.org/articles/general/armed-resistance-in-Kraków-and-Białystok.html>; Yael Margolin Peled, "Gusta Dawidson Draenger", *The Encyclopedia of Jewish Women*, disponível em <https://jwa.org/encyclopedia/article/draenger-gusta-dawidson>.
4. Como a sede do Governo-Geral ficava em Cracóvia, os alemães queriam "limpar" a cidade de seus judeus e expulsaram a maioria para o campo. Quando o gueto foi liquidado, em 20 de março de 1941, restavam na cidade apenas 20 mil judeus.
5. Draenger, *Justyna's Narrative*, p. 46.
6. *Ibidem*, p. 46.
7. *Ibidem*, p. 33.
8. *Ibidem*, p. 50.
9. *Ibidem*, p. 37-38.
10. *Ibidem*, p. 39.
11. *Ibidem*, p. 43.
12. *Ibidem*, p. 48.
13. *Ibidem*, p. 48.
14. Wojciech Oleksiak, "How Kraków Made it Unscathed Through WWII", *Culture.pl*, 22 de maio de 2015, disponível em: <https://culture.pl/en/article/how-Kraków-made-it-unscathed-through-wwii>. Ao que parece, os nazistas criaram o mito saxônico para justificar o fato de terem feito dessa localização estratégica a capital. Os nazistas também

investiram no desenvolvimento da infraestrutura urbana de Cracóvia. Ver: <http://www.krakowpost.com/8702/2015/02/looking-back-70-years-wawel-under-occupation>.

15. Draenger, *Justyna's Narrative*, p. 61.
16. *Ibidem*, p. 62.
17. *Ibidem*, p. 64-67.
18. *Ibidem*, p. 101.
19. A descrição das publicações clandestinas de Cracóvia está no testemunho de Kalman Hammer (coletado em Budapeste, Hungria, em 14 de setembro de 1943), mantido no arquivo do Museu Casa dos Combatentes do Gueto.
20. Draenger, *Justyna's Narrative*, p. 103.
21. As informações sobre Hela são de Hella Rufeisen-Schüpper, *Farewell to Miła 18*; Yael Margolin Peled, "Hela Rufeisen Schüpper", *The Encyclopedia of Jewish Women*, disponível em: <https://jwa.org/encyclopedia/article/schupper-hella-rufeisen>; Tec, *Resistance*, p. 171-77.
22. Draenger, *Justyna's Narrative*, p. 94-95.
23. *Ibidem*, p. 71.
24. *Ibidem*, p. 72.
25. As informações sobre Gola Mire (nome de batismo Miriem Golda Mire), que também é conhecida como Mire Gola e Gola Mira, são principalmente de Grunwald-Spier, *Women's Experiences in the Holocaust*, p. 207-11; Kol-Inbar, "Three Lines in History", p. 520-21, e Yael Margolin Peled, "Mire Gola", *The Encyclopedia of Jewish Women*, disponível em: <https://jwa.org/encyclopedia/article/gola-mire>.
26. Draenger, *Justyna's Narrative*, p. 84.
27. *Ibidem*. Uma foto com a legenda "Líderes do Akiba 1941" mostra seis mulheres e três homens.
28. *Ibidem*, p. 112.
29. *Ibidem*, p. 112.
30. Renia escreveu sobre camaradas do sexo masculino que usaram disfarces para resgatar judeus presos no gueto de Varsóvia em chamas. Dois combatentes vestiram uniformes alemães de soldados mortos, ou uniformes que tinham sido roubados de oficinas de trabalho forçado, e, fazendo-se passar por nazistas, gritavam para que os judeus entrassem em um ônibus. Os nazistas que assistiam à cena presumiram que estivessem cumprindo ordens e que enviariam os judeus para a floresta, onde seriam mortos; na realidade, eles os estavam libertando. Em outro incidente semelhante, um judeu disfarçado de nazista gritou para que judeus escondidos saíssem de um túnel. Alguns não perceberam que se tratava de um ardil e se recusaram a sair. O judeu disfarçado arrastou várias pessoas para fora — em seguida, disse-lhes para fugirem. Outros judeus disfarçados de gendarmes conseguiram se aproximar de nazistas desavisados e matá-los a tiros. De acordo com "The Battle of the Warsaw Ghetto", *The Pioneer Woman*, 5.500 judeus disfarçados de nazistas atacaram a prisão de Pawiak.

31. Lubetkin, *Days of Destruction*, p. 138-39. Tanto Lubetkin quanto Zuckerman, este em *Surplus of Memory*, escrevem sobre a resistência em Cracóvia em seus livros. (Zuckerman estava em Cracóvia.)
32. Katz e Ringelheim, *Proceedings of the Conference on Women*, p. 36-38.
33. Draenger, *Justyna's Narrative*, p. 115.
34. *Ibidem*, p. 117.
35. *Ibidem*, p. 125.
36. *Ibidem*, p. 126.
37. Kol-Inbar, "Three Lines in History", p. 520.
38. De acordo com Ochayon, "Armed Resistance in Kraków and Białystok", foram mortos entre sete e doze nazistas; Lubetkin, *Days of Destruction*, fala em treze mortos e quinze gravemente feridos. Kol-Inbar, "Three Lines in History", p. 519, afirma que sete nazistas foram mortos e muitos ficaram feridos.
39. História em Draenger, *Justyna's Narrative*, p. 6-7.

11. 1943, um novo ano — A minirrebelião em Varsóvia

1. As seções deste capítulo vistas da perspectiva de Zivia são baseadas em Lubetkin, *Days of Destruction*, p. 125-36 (preparação para o levante) e p. 145-59 (levante de janeiro). Diferentes relatos sobre o levante de janeiro são oferecidos por Goldstein, *Stars Bear Witness*; Gutterman, *Fighting for Her People*; Meed, *Both Sides of the Wall*; Ronen, *Condemned to Life*; Zuckerman, *Surplus of Memory*.
2. O líder nazista Heinrich Himmler foi considerado um dos arquitetos do Holocausto.
3. Betar era o grupo de jovens afiliado ao movimento sionista revisionista. Eles desejavam instaurar um Estado judaico na Palestina com uma "muralha de aço" de força militar entre os judeus e seus inimigos. O Betar não era socialista, mas sim organizado com base no comportamento e na estrutura militar (títulos, desfiles, patentes); no fim da década de 1930, seus graduados criaram "batalhões" militares. Eles eram afiliados a organizações militares polonesas. Havia desentendimentos frequentes entre o Betar e a juventude sionista de esquerda e, em Varsóvia, essa situação se manteve ao longo da guerra.

   No gueto, os dois grupos de jovens não conseguiam colaborar. (Em *The Last Fighters*, Marek Edelman conta a história de quando foi tentar contactar o Betar, e o líder do grupo disparou contra ele.) A esquerda e a direita não conseguiam chegar a um acordo sobre quem deveria liderar a resistência ou como recrutar combatentes. O Betar queria que um dos seus comandasse a luta, porque eles tinham treinamento militar, mas os sionistas trabalhistas não podiam aceitar isso. (O Betar achava que a esquerda fazia exigências irracionais.) Tendo perdido muitas pessoas nas *Aktions*, o Betar tinha uma política de portas abertas para o recrutamento de combatentes, o que os outros grupos consideravam muito perigoso — e se aparecessem colaboracionistas? Para o Liberdade e a Guarda Jovem, era importante que todos se conhecessem e confiassem uns nos outros. O Betar deixava suas armas expostas, o que Antek achava estúpido (ele tinha experiência com as revistas dos nazistas), além de "arrogante e exibicionista" (Zuckerman, *Surplus of Memory*, p. 226-27, 412). Os revisionistas, Zivia acreditava (p. 134), estavam mergulhados no caos depois de terem perdido tantas pessoas nas deportações. Incapaz de chegar a um acordo, o Betar criou sua própria facção de combate, a ŻZW. Por causa de sua história e de suas ligações com grupos de combate poloneses, estava mais bem armado e, aparentemente, a ŻZW era constituída por trezentos combatentes bem armados. Ver Lubetkin, *Days of Destruction*, p. 128, 133-36, e Tec, *Resistance*, p. 72-77.

4. De acordo com Tec, *Resistance*, p. 72, o Bund concordou em aderir quando percebeu que a resistência polonesa não iria colaborar com eles.
5. Tec, *Resistance*, p. 42-45, 78-80. Da perspectiva de Zuckerman, *Surplus of Memory*, p. 219-20, 349, 360-63. Bernard, *Problems Related to the Study*, p. 52-59, salienta que o AK "não era um conceito único", mas um vasto e diversificado exército clandestino.
6. De acordo com Zuckerman, *Surplus of Memory*, p. 252-55, antes do levante de janeiro, a ŻOB tinha menos de vinte pistolas e nenhum rifle ou coquetel molotov. Tinha granadas e lâmpadas elétricas.
7. Esta seção sobre Vladka é baseada em Meed, *Both Sides of the Wall*, p. 68-85. Os testemunhos orais de Vladka podem ser encontrados nas coleções da USHMM e da USC Shoah Foundation.
8. A maioria dos judeus que restavam no gueto trabalhava como mão de obra escrava.
9. Edelman, *The Ghetto Fights*, p. 30.
10. Zuckerman, *Surplus of Memory*, p. 230, 251.
11. Meed, *Both Sides of the Wall*, p. 120. No relato de Zivia, a maior parte dos judeus ficou confusa e não lutou.
12. Tradução de Gutterman, *Fighting for Her People*, p. 199.
13. Lubetkin, *Days of Destruction*, p. 151.
14. *Ibidem*, p. 154.
15. *Ibidem*, p. 155.
16. *Ibidem*, p. 57.
17. *Ibidem*, p. 158.
18. A Schultz (Tobbens e Schultz) e a Hallman eram duas das fábricas do gueto de Varsóvia onde milhares de judeus trabalhavam como mão de obra escrava.
19. Meed, *Both Sides of the Wall*, p. 120-21.
20. Klinger, *Writing These Words*, p. 152.
21. De acordo com o Tec, *Resistance*, p. 79, originalmente, eles enviaram duzentos policiais alemães, mas a soma de homens enviados chegou a oitocentos. Pensavam que a operação levaria algumas horas, mas, no fim das contas, estendeu-se por alguns dias. Segundo

Ronen, *Condemned to Life*, p. 208-33, quarenta alemães foram mortos (ele cita Chajka), e apenas 4 mil da cota de 8 mil judeus foram deportados.

22. Kukiełka, "Last Days", p. 102-6.
23. A maioria das fontes concorda que não havia guetos na área de Będzin até o outono de 1942. De acordo com "Będzin", *Virtual Shtetl*, até essa data, os judeus viviam em um gueto aberto.
24. Laskier, *Rutka's Notebook*, p. 34.
25. Gutterman, "Holocaust in Będzin", p. 63. O USHMM possui inúmeras fotos do gueto de Kamionka. Ver, por exemplo, as fotografias 20.745 e 19.631.
26. Renia diz que estava cercado e fechado, mas outras fontes afirmam que não era fechado, apenas vigiado. Ver Gutterman, "Holocaust in Będzin", p. 63.
27. Kukiełka, *Underground Wanderings*, p. 73.
28. De acordo com uma entrevista pessoal concedida a Jacob Harel e Leah Waldman, Haifa, Israel, 14 de maio de 2018, Renia disse ter visto isso acontecer ao irmão.

PARTE 2 — DEMÔNIOS OU DEUSAS

1. Dito ao companheiro de cela, depois da guerra. Citado em Witold Bereś e Krzysztof Burnetko, Marek Edelman: Being on the Right Side, p. 170. Tec, Resistance, p. 81, salienta que Stroop ficou particularmente impressionado com as mulheres judias que lutavam como iguais ao lado dos homens.

12. Preparação

1. As descrições desses preparativos foram retiradas das memórias de Renia, dos testemunhos de Fela Katz, do diário de Chajka, de *Condemned to Life*, escrito por Ronen, e do catálogo de Namyslo. Colaboraram o Liberdade, o Gordonia e a Guarda Jovem, e mais tarde o HaNoar HaTzioni e o Hashomer HaDati. A liderança do Gordonia também incluía mulheres, como Szloma Lerner e Hanka Bornstein, que era uma líder da ŻOB. Não está claro qual era o comando conjunto em Będzin na época; no geral, a resistência se via como um satélite da ŻOB de Varsóvia e sob seu comando. Em Zaglembie, os partidos adultos não estavam envolvidos.
2. Kukiełka, *Underground Wanderings*, p. 76.
3. *Ibidem*, p. 77.
4. Ahron Brandes, "In the Bunkers", trad. de Lance Ackerfeld, do Będzin Yizkor Book, disponível em: <https://www.jewishgen.org/Yizkor/bedzin/bed363.html>.
5. Tec, *Resistance*, p. 90.
6. Esse episódio é baseado em Kukiełka, *Underground Wanderings*, p. 77-82. De acordo com Ronen, *Condemned to Life*, p. 208-33, houve vários incidentes semelhantes.

7. Kukiełka, *Escape from the Pit*, p. 78, sugere que Renia também pode ter sido espancada. Pouco antes, no gueto de Varsóvia, Frumka se envolveu em uma altercação com a polícia judaica. Durante uma *Aktion*, ela, Zivia, Antek e outro líder se viram subitamente cercados. Frumka insultou um policial. Ele respondeu com obscenidades. Ela lhe deu um tapa na cara. Um grupo de policiais a jogou em uma carroça, seu nariz sangrando profusamente, enquanto Antek dava pontapés como um selvagem. Uma multidão de transeuntes advertiu a polícia por deter os líderes do Hechalutz, e um camarada ajudou a libertá-los. Antek e Frumka cuspiram no rosto do miliciano. Ver Lubetkin, *Days of Destruction*, p. 41-44; Zuckerman, *Surplus of Memory*, p. 190-91.
8. Salvo indicação em contrário, o restante deste capítulo, incluindo citações e diálogos, é baseado em Kukiełka, *Underground Wanderings*, p. 82-88.
9. As informações sobre Irena são de: "Adamowicz Irena", *Polin Polish Righteous*, disponível em: <https://sprawiedliwi.org.pl/en/stories-of-rescue/story-rescue-adamowicz-irena>; Izhar, *Chasia Bornstein-Bielicka*, p. 155; Anka Grupińska, *Reading the List* (Wołowiec: Czarne, 2014), p. 21; Lubetkin, *Days of Destruction*, p. 131; Zuckerman, *Surplus of Memory*, p. 96, 146-47. Apesar do trabalho arriscado, Antek afirmava que seus esforços tinham, em última análise, motivação missionária. Ver Zuckerman, *Surplus of Memory*, p. 421.
10. As informações sobre Idzia são extraídas de vários relatos, incluindo Klinger, *Writing These Words*, p. 112-13, 140-41.
11. Klinger, "Girls in the Ghettos", *Women in the Ghettos*, p. 17-23.
12. Essas são todas de Klinger, *Writing These Words*, p. 141. De acordo com o testemunho de Fela Katz, Idzia foi reconhecida por causa de sua parceira.
13. As informações sobre Astrid são extraídas de vários relatos, incluindo Klinger, *Writing These Words*, p. 112-13, 140-41; Kukiełka, *Underground Wanderings*, p. 85; Aaron Brandes, "The Underground in Będzin", in *Daring to Resist*, p. 27-28. Parece que Idzia foi a Varsóvia para obter armas e, embora nunca tenha retornado a Będzin, Astrid chegou com pistolas e granadas.
14. Klinger, *Writing These Words*, p. 113.
15. Era Astrid.

13. As mensageiras

1. Draenger, *Justyna's Narrative*, p. 1-57.
2. As duas seções a seguir são baseadas em Kukiełka, *Underground Wanderings*, p. 88-91, incluindo diálogos e citações. As cenas são reforçadas por descrições de Varsóvia na época.
3. Sheryl Silver Ochayon, "The Female Couriers During the Holocaust", disponível em: <https://www.yadvashem.org/articles/general/couriers.html>. Informações gerais sobre as

mensageiras vêm de Lubetkin, *Days of Destruction*, p. 73-81; Ochayon, "Female Couriers During the Holocaust"; Weitzman, "Kashariyot (Couriers) in the Jewish Resistance".
4. Lubetkin, *Days of Destruction*, p. 73.
5. Izhar, *Chasia Bornstein-Bielicka*, p. 167.
6. Weitzman, "Kashariyot (Couriers) in the Jewish Resistance".
7. Korczak, "Men and Fathers", *Women in the Ghettos*, p. 28-33.
8. Zuckerman, *Surplus of Memory*, p. 153.
9. De acordo com Kol-Inbar, "Three Lines in History", p. 517, cerca de 70% dos mensageiros eram mulheres; havia cerca de cem no total. A idade média delas era de 20 anos.
10. Shalev, *Tosia Altman*, p. 165.
11. Myrna Goldenberg, "Passing: Foreword", in *Before All Memory Is Lost*, p. 131-34.
12. Aliza Vitis-Shomron, *Youth in Flames: A Teenager's Resistance and Her Fight for Survival in the Warsaw Ghetto*, p. 176.
13. Entrevista pessoal, Havi Dreifuss, Tel-Aviv, Israel, 16 de maio de 2018.
14. Weitzman, "Living on the Aryan Side in Poland", p. 213.
15. *Ibidem*, p. 208.
16. Diane Ackerman, *The Zookeeper's Wife: A War Story*, p. 220.
17. Shalev, *Tosia Altman*, p. 134.
18. Chasia, uma das mensageiras, sabia fazer genuflexões, mas não fazia ideia de que Halina era o nome de duas santas — em homenagem a qual delas havia sido batizada?
19. Bronka Klibanski, uma mensageira de Białystok, escreveu: "Em comparação com os homens, parece-me que nós, mulheres, éramos mais leais à causa, mais sensíveis ao nosso entorno, mais sensatas — ou talvez mais generosamente dotadas de intuição." Klibanski, "In the Ghetto and in the Resistance", in *Women in the Holocaust*, p. 186.
20. Também eram determinadas. De acordo com Vladka Meed (in Katz e Ringelheim, *Proceedings of the Conference on Women*, p. 82), algumas mensageiras eram competitivas, sempre querendo mais missões.
21. História de Shalev, *Tosia Altman*, p. 150.
22. Draenger, *Justyna's Narrative*, p. 99.
23. Izhar, *Chasia Bornstein-Bielicka*, p. 237.
24. Meed, *Both Sides of the Wall*, p. 90-92.
25. Draenger, *Justyna's Narrative*, p. 56.

14. Dentro da Gestapo

1. Essa seção, incluindo diálogos e citações, é baseada principalmente no livro de memórias de Bela, *Bronisława Was My Name*, p. 24-67. Fontes adicionais incluem: Sara Bender, "Bela Ya'ari-Hazan", *The Encyclopedia of Jewish Women*, disponível em: <https://jwa.org/encyclopedia/article/hazan-bela-yaari>; M. Dvorshetzky "From Ghetto to Ghetto",

Women in the Ghettos; e entrevista pessoal com Yoel Yaari, Jerusalém, Israel, 17 de maio de 2018. Os testemunhos escritos de Bela podem ser encontrados no Museu Casa dos Combatentes do Gueto (dois documentos) e nos arquivos do Yad Vashem.

2. Grunwald-Spier, *Women's Experiences in the Holocaust*, p. 251. As informações sobre Lonka são sobretudo de: Diatłowicki (org.), *Jews in Battle, 1939-1945*; Itkeh, "Leah Kozibrodska", *Women in the Ghettos*, p. 129-31; Lubetkin, *Days of Destruction*, p. 76-78; Zuckerman, *Surplus of Memory*, p. 106-7, 121, 176-77 etc. Ela foi a primeira mensageira principal de Antek.
3. As informações sobre Tema Schneiderman são provenientes sobretudo de: Bronia Klibanski, "Tema Sznajderman", *The Encyclopedia of Jewish Women*, disponível em: <https://jwa.org/encyclopedia/article/sznajderman-tema>. Tema Schneiderman, Leah Pearlstein e Sarah Granatshtein foram todas mortas na liquidação do gueto de Varsóvia em janeiro.
4. A história desta foto (aqui e em capítulos posteriores) é de Yoel Yaari, "A Brave Connection", *Yedioth Ahronoth*, Passover Supplement, 5 de abril de 2018, e de uma entrevista pessoal, Yoel Yaari, Jerusalém, Israel, 17 de maio de 2018. Em seu testemunho no Yad Vashem, Bela diz que convidou a Gestapo para uma festa em sua casa.
5. Como vi na visita que fiz ao local.
6. Zuckerman, *Surplus of Memory*, p. 242. Ele explica como a Dzielna ficou sabendo; eu extrapolo que Irena contou isso a Renia.
7. Izhar, *Chasia Bornstein-Bielicka*, p. 155.

15. O levante do gueto de Varsóvia

1. As três seções deste capítulo que são contadas a partir da perspectiva de Zivia são baseadas em Lubetkin, *Days of Destruction*, p. 160-89.
2. Havia telefones no gueto de Varsóvia — por exemplo, nas oficinas — e as pessoas podiam ligar para fora e receber ligações. Assim como faziam com as cartas, eles se comunicavam em código. Zuckerman, *Surplus of Memory*, p. 354, relata como ligou para a oficina de um restaurante e se comunicou em código. Na página 368 há referência aos relatórios noturnos feitos por telefone durante o levante. (Tosia ligava para a mensageira Frania Beatis.) Vladka usava o telefone para organizar seu contrabando de armas. De acordo com Paulsson, *Secret City*, p. 237, esses telefones provavelmente funcionavam apenas devido a um descuido dos nazistas.
3. Baseado em uma conversa relatada em Lubetkin, *Days of Destruction*, p. 178.
4. Tec, *Resistance*, p. 79.
5. De acordo com Kol-Inbar, "Three Lines in History", p. 522, a deportação foi restringida por outros motivos que não a resistência, mas os judeus acreditaram na associação.

6. Tec, *Resistance*, p. 67.
7. De acordo com Vitis-Shomron, *Youth in Flames*, p. 174-75, ela vendia roupas a trabalhadores forçados (que, por sua vez, as comercializavam fora do gueto) e economizava para comprar armas de um contrabandista polonês. Com a demanda por armas por parte de judeus, desenvolveu-se um mercado clandestino.
8. Por outro lado, de acordo com o testemunho de Marysia Warman em *Mothers, Sisters, Resisters*, ela não tinha ideia sobre o levante, recebendo-o como uma surpresa total — mesmo sendo uma mensageira do Bund.
9. Meed, *Both Sides of the Wall*, p. 123. Segundo Zuckerman, *Surplus of Memory*, p. 292, uma pistola foi roubada durante a viagem, e apenas 49 chegaram ao gueto.
10. Zuckerman, *Surplus of Memory*, p. 344-45, afirma que ele usava "calças três-quartos". (Ao que parece, tinham sido tiradas de um homem mais baixo; ele descobriu mais tarde que as pessoas o reconheciam por elas.) A página 235 descreve sua aparência quando estava em Cracóvia para a rebelião: "Parecia um nobre rural polonês. Usava um paletó três-quartos, um chapéu, calças de brim enfiadas no cano das botas e bigode."
11. Meed, *Both Sides of the Wall*, p. 135-38.
12. As informações sobre armas são provenientes sobretudo de Zuckerman, *Surplus of Memory*, p. 292-95. Segundo Tec, *Resistance*, p. 80, no total, a ŻOB tinha 2 mil coquetéis molotov, dez rifles, duas metralhadoras roubadas dos alemães e muita munição.
13. Lubetkin, *Days of Destruction*, p. 166. Diversas pequenas rebeliões ocorreram no gueto durante este período.
14. De acordo com *Blue Bird* e Zuckerman, *Surplus of Memory*, p. 318, a ŻOB forçava os padeiros a ajudar (embora alguns o fizessem por vontade própria).
15. Zuckerman, *Surplus of Memory*, p. 318.
16. David M. Schizer, "The Unsung, Unfinished Legacy of Isaac Giterman", *Tablet*, 18 de Janeiro de 2018, disponível em: <https://www.tabletmag.com/scroll/253442/the-unsung-unfinished-legacy-of-isaac-giterman>.
17. Gutterman, *Fighting for Her People*, p. 196.
18. Lubetkin, *Days of Destruction*, p. 166-67.
19. Rotem, *Memoirs of a Ghetto Fighter*, p. 25-30.
20. Zuckerman, *Surplus of Memory*, p. 378, alega que eles tinham joias e milhões de złotys, dólares e libras esterlinas.
21. As informações sobre Miriam Heinsdorf são oriundas de Grupińska, p. 70; Zuckerman, *Surplus of Memory*, p. 78, 229, 259 etc. Ela era muitas vezes lembrada por seu canto. Era mais velha que as demais, tinha cerca de 30 anos.
22. Os relatos divergem no que diz respeito à posição das mulheres nas organizações. Em alguns, Zivia era uma líder da ŻOB, escolhida via eleição; outros sugerem que ela renunciou voluntariamente porque tinha consciência de suas limitações.
23. Zuckerman, *Surplus of Memory*, p. 228-29.

24. Obtido de Gutterman, *Fighting for Her People*, p. 205-15, e Lubetkin, *Days of Destruction*, p. 170-77.
25. Como observou Gusta, p. 80-81: "A eficácia dos guerrilheiros depende não tanto de sua força pura quanto do elemento-surpresa (...) [de] sua capacidade de manter o inimigo em desequilíbrio."
26. Muitos membros do Liberdade eram de fora de Varsóvia e um pouco mais velhos.
27. De acordo com Lubetkin, *Days of Destruction*, p. 176-77, havia quatro grupos da Guarda Jovem, um do Gordonia, um do Akiva, um do Hanoar Hatzioni, cinco do Liberdade, um do Poalei-Zion ZS, um da ala esquerda do Poalei Zion, quatro do Bund e quatro comunistas. A ŻZW também tinha uma unidade grande e forte.

    A maioria das fontes concorda com Zivia que havia aproximadamente 500 combatentes da ŻOB e 250 da ŻZW. Algumas, no entanto (como *The Last Fighters*), afirmam que havia apenas 220 integrantes da ŻOB. Grupińska, *Reading the List*, lista 233 combatentes no total, com base sobretudo na compilação feita por lideranças da ŻOB em 1943, mas estas reconhecem que a lista não estava completa.

    Nem todos eram aceitos na ŻOB; alguns rejeitados formaram seus próprios grupos "selvagens", que também combateram. Outros combatentes não afiliados se juntaram à ŻZW.
28. Kol-Inbar, "Three Lines in History", p. 522.
29. Rufeisen-Schüpper, *Farewell to Miła 18*, p. 99.
30. Rotem, *Memoirs of a Ghetto Fighter*, p. 22.
31. Zuckerman, *Surplus of Memory*, p. 304.
32. Lubetkin, *Days of Destruction*, p. 178.
33. Obtido em Gutterman, *Fighting for Her People*, p. 215, e Zuckerman, *Surplus of Memory*, p. 313. De acordo com *Blue Bird*, cada combatente tinha um revólver e uma granada; cada grupo tinha dois rifles e alguns explosivos caseiros.
34. Lubetkin, *Days of Destruction*, p. 181.
35. *Ibidem*, p. 181.
36. *Ibidem*, p. 182.
37. Citado em Gutterman, *Fighting for Her People*, p. 218.
38. A descrição daquela primeira noite é baseada em Gutterman, *Fighting for Her People*.
39. *Ibidem*, p. 216.
40. Citado em *ibidem*, p. 220.
41. Goldstein, *Stars Bear Witness*, p. 190, fornece descrições detalhadas desses levantes a partir de sua perspectiva de membro do Bund.
42. Rotem, *Memoirs of a Ghetto Fighter*, p. 34.
43. Lubetkin, *Days of Destruction*, p. 34-35, 187.
44. Gleitman era seu nome de solteira. Em *The Last Fighter*, ela descreve um elemento adicional de seu ataque: "Fui até a varanda e vi um alemão; não tinha mais munição, e

estávamos preparando *cholent*. Então decidi jogar a panela, e ela o acertou. Na panela havia *kishke*, e a tampa se abriu e o *kishke* caiu em sua cabeça, e ele começou a lutar para se livrar daquilo."

45. Masha Futermilch em *Pillar of Fire* (versão hebraica, provavelmente episódio 13), assistido no Museu Yad Mordechai, dirigido por Asher Tlalim, Israel, 1981.
46. Esta seção, incluindo citações, é de Kukiełka, "Last Days", p. 102-6. Em outros relatos, o movimento mandou Hantze de volta a Będzin.
47. Da versão em iídiche, *Women in the Ghettos*.
48. Essa descrição do gueto em chamas visto do lado ariano foi extraída de Kukiełka, *Underground Wanderings*, p. 92-94; Mahut, p. 144; Meed, *Both Sides of the Wall*, p. 140-46; Vitis-Shomron, *Youth in Flames*, p. 191.
49. Kukiełka, *Underground Wanderings*, p. 92.
50. Alguns relatos afirmam que trezentos nazistas foram mortos; os relatos nazistas afirmam que foi um número muito menor, mas é natural que o fizessem, sobretudo porque o general Stroop estava desesperado para mostrar resultados. De acordo com Ackerman, *Zookeeper's Wife*, p. 211-13, 16 nazistas foram mortos e 85 ficaram feridos.
51. In Meed, *Both Sides of the Wall*, encarte.
52. Kukiełka, *Underground Wanderings*, p. 94.
53. *Ibidem*, p. 94.
54. *Ibidem*, p. 94.
55. *Ibidem*. Para relatos similares, ver Kuper, "Life Lines", p. 201-2, e Meed, *Both Sides of the Wall*, p. 141.

16. Bandidas de tranças

1. Salvo indicação em contrário, este capítulo é baseado principalmente em Lubetkin, *Days of Destruction*, p. 190-259.
2. *Ibidem*, p. 199-200.
3. *Ibidem*, p. 200-201.
4. Citado em Gutterman, *Fighting for Her People*, p. 222.
5. Tec, *Resistance*, p. 174-76.
6. Lubetkin, *Days of Destruction*, p. 190-92.
7. Citado em Meed, *Both Sides of the Wall*, p. 155.
8. Lubetkin, *Days of Destruction*, p. 206-7.
9. *Ibidem*, p. 205-8, inclui uma discussão sobre aqueles dias no gueto em chamas.
10. *Ibidem*, p. 209.
11. "Kazik" era o nome de guerra de Simcha Rotem (nascido Simcha Rathajzer).
12. Lubetkin, *Days of Destruction*, p. 239-40; Zuckerman, *Surplus of Memory*, p. 412.
13. Citado em Gutterman, *Fighting for Her People*, p. 230.

14. A geografia era importante. Varsóvia tinha um sistema de esgoto, que podia ser usado para contrabando e fuga. No Leste, a proximidade da floresta possibilitava o estabelecimento de acampamentos de guerrilheiros. Łódź, no entanto, ficava isolada e não tinha sistema de esgoto.
15. Lubetkin, *Days of Destruction*, p. 220-24.
16. A história da fuga de Hela é baseada em Rufeisen-Schüpper, *Farewell to Miła 18*, p. 113.
17. Lubetkin, *Days of Destruction*, p. 229.
18. Shalev, *Tosia Altman*, p. 208-11. O Museu Casa dos Combatentes do Gueto conserva em seus arquivos um recorte do artigo do *Davar* de 1º de junho de 1943.
19. Dror, *The Dream, the Revolt*, p. 3.
20. Shalev, *Tosia Altman*, p. 208.
21. Gutterman, *Fighting for Her People*, p. 244.
22. Lubetkin, *Days of Destruction*, p. 233.
23. *Ibidem*, p. 234.
24. *Ibidem*, p. 236.
25. Essa história é de Pnina Grinshpan Frimer em *The Last Fighters*.
26. Lubetkin, *Days of Destruction*, p. 244.
27. Shalev, *Tosia Altman*, p. 189.
28. Lubetkin, *Days of Destruction*, p. 247.
29. Os pormenores dessa operação de resgate diferem conforme a fonte, com detalhes que divergem do relato de Zivia. Ver, por exemplo, Gutterman, *Fighting for Her People*, p. 244-57; Rotem, *Memoirs of a Ghetto Fighter*, p. 48-58; Shalev, *Tosia Altman*, p. 189.
30. Lubetkin, *Days of Destruction*, p. 247.
31. Trata-se de um momento controverso. Kazik afirma que disse a todos para ficarem perto do bueiro, o que implica que Zivia não deveria ter deixado que eles se dispersassem. (Rotem, *Memoirs of a Ghetto Fighter*, p. 53.)
32. *Ibidem*, p. 55.
33. Lubetkin, *Days of Destruction*, p. 252.
34. Kazik, no entanto, escreveu sobre isso, em *Memoirs of a Ghetto Fighter*, p. 53-56. Gutterman, *Fighting for Her People*, p. 251-53, fornece alguns relatos desse incidente, principalmente da perspectiva de Kazik; ela explica que Zivia ameaçou atirar em Kazik enquanto eles estavam no caminhão. Em suas memórias, Kazik relata que Zivia ameaçou matá-lo quando estavam na floresta.
35. Entrevista pessoal, Barbara Harshav, Nova York, 9 de março e 13 de abril de 2018.
36. Lubetkin, *Days of Destruction*, p. 252.
37. Os obituários de várias dessas mulheres podem ser encontrados em Grupińska, *Reading the List*; Spizman, *Women in the Ghettos*; Neustadt (org.), *Destruction and Rising*.
38. Kol-Inbar, "Three Lines in History", p. 522.
39. Essa descrição é reiterada ao longo de *Women in the Ghettos*.

40. *Women in the Ghettos*, p. 164.
41. Lubetkin, *Days of Destruction*, p. 81.
42. Rotem, *Memoirs of a Ghetto Fighter*, p. 26. Para mais sobre Dvora Baran, ver Lubetkin, *Days of Destruction*, p. 214-15.
43. Informações de: Grupińska, *Reading the List*, p. 132-33; Vera Laska, *Different Voices*, p. 258; Jack Porter, "Jewish Women in the Resistance", *Jewish Combatants of World War 2*, n. 3 (1981); Katrina Shawver, "Niuta Teitelbaum, Heroine of Warsaw", disponível em: <https://katrinashawver.com/2016/02/niuta-teitelbaum-aka-little-wanda-with--the-braids.html>.
44. Gutterman, *Fighting for Her People*, p. 258.
45. Lubetkin, *Days of Destruction*, p. 256.
46. Gutterman, *Fighting for Her People*, p. 260-61. Isso não é mencionado em Lubetkin, *Days of Destruction*.
47. Ele fazia reuniões até mesmo enquanto nadava na piscina; ia a pé para toda parte para evitar bondes. Zuckerman, *Surplus of Memory*, p. 352, 377.
48. Meed, *Both Sides of the Wall*, p. 156-62.
49. Zuckerman, *Surplus of Memory*, p. 390. Quem ficava com qual esconderijo era uma questão controversa.
50. Existem vários relatos conflitantes sobre o incêndio na fábrica e a morte de Tosia, alguns dos quais podem ser encontrados em Shalev, *Tosia Altman*, p. 194, 206. Ver também Lubetkin, *Days of Destruction*, p. 257, e Zuckerman, *Surplus of Memory*, p. 394-96.

17. Armas, armas, armas

1. Ruzka Korczak, "The Revenge Munitions", in *Women in the Ghettos*, p. 81.
2. Essa seção, incluindo citações e diálogo, é baseada em Kukiełka, "Last Days", p. 102-6.
3. Klinger, *Writing These Words*, p. 129.
4. Essa seção, incluindo diálogo e citações diretas, é baseada em Kukiełka, *Underground Wanderings*, p. 96-98.
5. Da Guarda Jovem de Sosnowiec, nascida em 1923. Informação baseada no testemunho de Fela Katz; Ronen, *Condemned to Life*, p. 311.
6. Renia tem vários nomes para ele. É chamado de "Tarłów" em Ronen, *Condemned to Life*, p. 256-76, e Brandeis, "The Underground in Będzin", p. 128.
7. Kukiełka, *Underground Wanderings*, p. 97.
8. Ver, por exemplo, Chaya Palevsky, "I Had a Gun", in *Daring to Resist*, p. 120-21; Riezl (Ruz'ka) Korczak, *Flames in Ash*, p. 109; Tec, *Resistance*, p. 92.
9. Zuckerman, *Surplus of Memory*, p. 252-55, 292, para aquisição de armas.
10. Não fica claro que cemitério era esse, mas, em geral, o cemitério judaico era um local importante para a resistência. De acordo com Lubetkin, *Days of Destruction*, p. 160,

os irmãos Landau, judeus que ajudaram muitos membros da Guarda Jovem durante as deportações, eram proprietários de uma fábrica de artigos em madeira. Eles pediram autorização aos nazistas para fazer uma horta perto do cemitério judaico, a parte mais tranquila de Varsóvia, Zivia achava, porque os alemães raramente iam lá. Com sua vegetação remanescente, o cemitério era ironicamente o lugar mais vivo do gueto. Trabalhadores judeus munidos de enxadas e forcados se dirigiam àquele pedaço de terra fora do gueto, onde faziam contato com camaradas do lado ariano e tentavam conseguir armas. Antek usava o túmulo do renomado autor iídiche I. L. Peretz como ponto de encontro, enviando e recebendo cartas por meio de coveiros e trabalhadores encarregados de transportar os cadáveres. Mais em Zuckerman, *Surplus of Memory*, p. 260, 356.

11. Weitzman, "Kashariyot (Couriers) in the Jewish Resistance". Essa seção se baseia nesse artigo, bem como em Ochayon, "Female Couriers During the Holocaust".
12. Cohen, *The Avengers*, p. 59.
13. As histórias de Hela são baseadas em Rufeisen-Schüpper, *Farewell to Miła 18*.
14. Hela em uma fotografia com Shoshana Langer, datada de junho de 1943. Do arquivo do Museu Casa dos Combatentes do Gueto.
15. Draenger, *Justyna's Narrative*, p. 70.
16. O contrabando de armas feito por Vladka é baseado em Meed, *Both Sides of the Wall*, p. 9-109, 123-32.
17. Shalev, *Tosia Altman*, p. 174.
18. Zuckerman, *Surplus of Memory*, p. 125-26, 153.

    Em Vilna, eles usavam placas de trânsito falsas para desviar os carros para uma rua onde houvesse um bueiro e transportavam as armas longas para dentro do esgoto em caixas de ferramentas.

    Paulsson, *Secret City*, p. 61-65, explica as diferentes maneiras pelas quais as mercadorias eram transportadas para dentro e para fora do gueto, começando pelo contrabando de comida. Esses métodos incluíam: rede de esgoto e túneis; veículos (bondes, caminhões, caminhões de lixo, carros funerários, ambulâncias); grupos de trabalho; passes legais; departamentos municipais e uma farmácia (em Varsóvia); telhados e calhas de edifícios que margeavam o muro; escalada; o mercado de rua Gęsia (em Varsóvia); usar o portão mediante suborno ou conquistando a simpatia de um guarda.
19. Uma das principais mensageiras de Antek, Havka Folman foi mandada para Auschwitz e sobreviveu à guerra. Seu livro de memórias, *They Are Still with Me*, foi publicado em 2001.
20. Existem algumas versões diferentes dessa história. Ver, por exemplo, o testemunho de Havka Folman em Diatlowicki (org.), *Jews in Battle, 1939-1945*; Lubetkin, *Days of Destruction*, p. 80; Ochayon, "Female Couriers During the Holocaust"; Yaari, "A Brave Connection". De acordo com um texto de parede no Museu Casa dos Combatentes do Gueto, o general nazista Stroop relatou que as judias "frequentemente escondiam pistolas nas roupas íntimas".

21. As informações sobre Chasia e as mensageiras de Białystok vêm principalmente de Izhar, *Chasia Bornstein-Bielicka*, bem como de Liza Chapnik, "The Grodno Ghetto and its Underground", in *Women in the Holocaust*, p. 109-19; Chaika Grossman, *Underground Army*; Klibanski, "In the Ghetto and in the Resistance", p. 175-86.
22. Chaika Grossman ("Halina Woranowicz") era loira, tinha olhos azuis e vinha de uma família de industriais ricos. Em 1938, ela adiou seus estudos na Universidade Hebraica para se juntar à Guarda Jovem. Quando Hitler atacou, ela foi mandada às pressas para Varsóvia. Em seguida, dirigiu o movimento em Vilna ao lado de Kovner, com seu estilo comedido e sem sentimentalismos. Viveu no lado ariano e viajou para Varsóvia e outros guetos levando informações sobre Ponary, depois retornou a Białystok para organizar o movimento clandestino, estabelecendo sua base dentro do gueto. Ela e o namorado, Edek Borks, trabalharam para unir os movimentos juvenis em uma única unidade de combate — que viria a ser comandada por Mordechai Tenenbaum. Chaika sempre insistiu em lutar de dentro do gueto em vez de se juntar aos guerrilheiros. Próxima do chefe do Judenrat, ela fez muitos apelos para que ele apoiasse os esforços de resistência. "A loucura dos bravos faz o mundo ir adiante", era o que ela ensinava aos seus jovens camaradas. Ela lutou na resistência de Białystok e depois escapou da deportação correndo contra a multidão, entrando furtivamente em uma fábrica e fingindo trabalhar lá.
23. A história de Leah é baseada em Tec, *Resistance*, p. 159-71. Seu testemunho está no arquivo do USHMM.
24. Essa seção foi extraída dos testemunhos de Renia na Biblioteca Nacional de Israel, no Yad Vashem e em *Underground Wanderings*, p. 98. De acordo com Gelbard, "Life in the Warsaw Ghetto", p. 11, cada arma custava a eles 7 mil marcos.
25. Kukiełka, *Underground Wanderings*, p. 98.
26. Mais tarde, em *Underground Wanderings*, Renia explica que usou essa tática.
27. Izhar, *Chasia Bornstein-Bielicka*, p. 206-7. Faye sempre tinha uma granada extra presa ao cinto para se explodir caso fosse capturada viva. Como outra guerrilheira explicou: "Uma para o inimigo, outra para mim."
28. Kukiełka, *Underground Wanderings*, p. 97.

18. Carrascos

1. Em *Underground Wanderings*, Renia escreve que isso se passa no início de maio de 1943, mas não faz muito sentido que ela tenha visto o gueto de Varsóvia incendiado e tenha realizado viagens com o objetivo de contrabandear armas, tudo ainda no início de maio. Houve uma deportação em Będzin em 22 de junho de 1943, e acho que talvez seja a isso que ela estivesse se referindo. Há vários conflitos de data no livro, e este parece ser um deles.
2. Esse capítulo, incluindo citações e diálogos, é baseado em Kukiełka, *Underground Wanderings*, p. 98-107.

3. Segundo Ronen, *Condemned to Life*, o grupo não teve coragem de tomar a iniciativa. Esperavam ordens de Varsóvia.
4. Seu testemunho na Casa dos Combatentes do Gueto sugere que ele esteve envolvido no estabelecimento do Atid.
5. Por vezes referida como Aliza Hoysdorf.
6. Ronen, *Condemned to Life*, p. 277-94, citando Max Fischer.
7. Embora dificilmente parecesse um momento para rir, as piadas em si eram uma forma de resistência. O humor existia, e era até prevalente nos guetos e nos acampamentos. Muitas mulheres se dedicavam a um tipo particular de humor centrado no corpo, na aparência, na comida e na culinária. Há uma discussão mais extensa sobre isso em Ostrower, *It Kept Us Alive*.
8. Esse é o número fornecido por Renia. De acordo com "Będzin, Poland", *Encyclopedia Judaica, Jewish Virtual Library*, disponível em: <https://www.jewishvirtuallibrary.org/Będzin>, em 22 de junho de 1943, 4 mil judeus foram levados de Będzin.

19. Liberdade nas florestas — Os guerrilheiros

1. Fela Katz descreve-o como bem-apessoado. Junto com Aliza Zitenfeld, ele educou e cuidou das crianças órfãs. Folman havia organizado a escola do Liberdade no gueto de Varsóvia.
2. Existem discrepâncias nos relatos sobre quem foi incluído em qual grupo. Renia afirma que Irka e Leah Pejsachson saíram com um grupo, mas de acordo com Klinger, *Writing These Words*, p. 122-23, elas foram mortas de outras maneiras. De acordo com Ronen, *Condemned to Life*, p. 295-312, David, que se tornou comandante da Guarda Jovem, saiu com o primeiro grupo; Chajka ficou chateada porque só homens foram autorizados a ir. Em seu testemunho, Fela Katz disse que David integrava o primeiro grupo, que tinha algumas armas; o grupo era composto apenas de homens, e cada um tinha uma faca e alguma munição. Tanto Ronen, *Condemned to Life*, p. 295-312, quanto Katz concordam que apenas duas mulheres saíram da segunda vez, junto com dez homens.
3. Klinger, "Girls in the Ghettos", p. 17-23.
4. Testemunho de Fela Katz.
5. As informações sobre os guerrilheiros se baseiam sobretudo na página *Jewish Partisan Education Foundation*, <http://www.jewishpartisans.org>; Kol-Inbar, "Three Lines in History", p. 513-46; Nechama Tec, "Women Among the Forest Partisans", in *Women in the Holocaust*; Tec, *Resistance*, p. 84-121; Tamara Vershitskaya, "Jewish Women Partisans in Belarus", *Journal of Ecumenical Studies* 46, n. 4 (outono de 2011), p. 567-72. Também me baseei em relatos pessoais, incluindo: Shelub e Rosenbaum, *Never the Last Road*; Schulman, *Partisan's Memoir*; nas fontes listadas referentes aos combatentes de Vilna, nas páginas a seguir.

6. Soldados soviéticos e prisioneiros de guerra que não queriam cair nas mãos dos nazistas, unidades lituanas compostas por dissidentes e comunistas, bielorrussos fugindo do recrutamento para campos de trabalhos forçados alemães, poloneses apoiados pela resistência polonesa, e assim por diante.
7. Da página *Jewish Partisan Education Foundation*, <http://www.jewishpartisans.org>. Esses números incluem todas as brigadas de guerrilheiros, judeus ou não. Schulman, *Partisan's Memoir*; Tec, *Resistance*; Vershitskaya, "Jewish Women Partisans" oferecem uma variedade de estatísticas.
8. O sexo era proibido para os guerrilheiros, e os que infringiam essa proibição eram punidos com a morte. Apesar disso, alguns guerrilheiros iam às aldeias próximas atrás de garotas. Há rumores de que os nazistas sabiam disso e contaminavam as mulheres com doenças venéreas, que depois eram transmitidas aos guerrilheiros. Tec, *Resistance*, p. 107.
9. Tec, "Women Among the Forest Partisans", p. 223, fala de 77%.
10. Fanny Solomian-Lutz, citada em Kol-Inbar, "Three Lines in History", p. 527.
11. Do documentário em vídeo *Everyday the Impossible: Jewish Women in the Partisans, Jewish Partisan Education Foundation*, disponível em: <http://www.jewishpartisans.org/content/jewish-women-partisans>.
12. Vitka Kempner, entrevistada em Yigal Wilfand (org.), *Vitka Fights for Life*, p. 49.
13. Shelub e Rosenbaum, *Never the Last Road*, p. 111-14.
14. Como ressalta Kol-Inbar, "Three Lines in History", p. 526, os guerrilheiros podiam ser antiautoritários, mas, no que dizia respeito às mulheres, adotavam o modelo mais conservador da sociedade tradicional.
15. Fanny Solomian-Lutz, *A Girl Facing the Gallows*, p. 113-14.
16. Entrevista pessoal, Holly Starr, por telefone, em 13 de novembro de 2018, a respeito de sua mãe, Sara Rosnow. A guerrilheira de Vilna Liba Marshak Augenfeld era cozinheira e alfaiate, fazendo botas com o couro que os guerrilheiros levavam para ela.
17. Nascida Faye Lazebnik. A história de Faye é baseada em Schulman, *Partisan's Memoir* e *Daring to Resist: Three Women Face the Holocaust*, dirigido por Barbara Attie e Martha Goell Lubell, Estados Unidos, 1999.
18. Schulman, *Partisan's Memoir*, p. 17.
19. *Ibidem*, p. 149.
20. Por exemplo, Fruma Berger (com o destacamento de Bielski); Mira e Sara Rosnow.
21. Baseei a minha história da resistência em Vilna em relatos que incluíram: *Partisans of Vilna: The Untold Story of Jewish Resistance During World War II*, dirigido por Josh Waletsky, Estados Unidos, 1986; Neima Barzel, "Rozka Korczak-Marla" e "Vitka Kempner-Kovner", *The Encyclopedia of Jewish Women*; Cohen, *Avengers*; Grossman, *Underground Army*; Moshe Kalchheim (org.), *With Proud Bearing 1939-1945: Chapters in the History of Jewish Fighting in the Narotch Forests*; página *Michael Kovner*, <www.michalkovner.com>; Korczak, *Flames in Ash*; Roszka Korczak, Yehuda

Tubin e Yosef Rab (orgs.), *Zelda the Partisan*; Ruzka Korczak, "In the Ghettos and in the Forests", "The Revenge Munitions" e "Women in the Vilna Ghetto", in *Women in the Ghettos*; Dina Porat, *The Fall of a Sparrow: The Life and Times of Abba Kovner*; Ziva Shalev, "Zelda Nisanilevich Treger", *The Encyclopedia of Jewish Women*; Yehuda Tubin, Levi Deror *et al.* (orgs.), *Ruzka Korchak-Marle: The Personality and Philosophy of Life of a Fighter*; Wilfand, *Vitka Fights for Life*. Também fiz entrevistas pessoais com: Rivka Augenfeld, Montreal, 10 e 17 de agosto de 2018; Michael Kovner, Jerusalém, 17 de maio de 2018; Daniela Ozacky-Stern e Yonat Rotbain, Givat Haviva, Israel, 14 de maio de 2018; Chayele Palevsky, Skype, 20 de novembro de 2018.

22. A história sobre como Ruzka e Vitka se conheceram é baseada em Cohen, *Avengers*, p. 18-19. Ao longo deste capítulo, usei o exato diálogo apresentado por Cohen, caso ele estivesse se baseando em citações diretas. O passado de cada uma delas foi colhido de muitas fontes, incluindo *ibidem*, p. 13-23.
23. Michael Kovner, "In Memory of My Mother", disponível em: <https://www.michaelkovner.com/said04eng>. Cohen, *Avengers*, p. 19, também menciona esse encontro.
24. Cohen, *Avengers*, p. 27. A história do retorno de Vitka a Vilna vem de *ibidem*, p. 26-27.
25. Tubin, Deror *et al.* (orgs.), *Ruzka Korchak-Marle*, p. 22.
26. Cohen, *Avengers*, p. 38.
27. Korczak, "Women in the Vilna Ghetto", p. 113-27.
28. Cohen, *Avengers*, p. 37.
29. *Ibidem*, p. 38.
30. *Ibidem*, p. 49. Na página 7, Cohen escreve sobre como os outros especulavam a respeito de seu triângulo amoroso. Vitka fala sobre esse romance em Tubin, Deror *et al.*, (orgs.), *Ruzka Korchak-Marle*, p. 63.
31. Conforme me foi relatado por um membro do grupo de jovens Dror no Reino Unido, em 2018.
32. Segundo Cohen, *Avengers*, p. 61, nos movimentos clandestinos europeus, o comandante enviava "sua namorada" para liderar as missões mais perigosas, como um reflexo de sua força.
33. Esta missão, sua preparação e suas quase capturas são baseadas em Cohen, *Avengers*, p. 62-64; Korczak, "Women in the Vilna Ghetto", p. 113-27; Wilfand, *Vitka Fights for Life*, p. 29-31. Os detalhes diferem ligeiramente em cada relato.
34. Uma vez, Chasia foi pega enquanto levava armas para a floresta nos arredores de Białystok. Ela chorou e alegou que estava perdida. O nazista deu-lhe instruções e disse a ela para ter cuidado, pois poderia ter sido morta pelos guerrilheiros! Izhar, *Chasia Bornstein-Bielicka*, p. 251.
35. Cohen, *Avengers*, p. 62.
36. De acordo com Vitka em *Partisans of Vilna*, a bomba era primitiva e enorme. Um camarada da FPO que pertencia à polícia judaica tirou-a do gueto escondida debaixo do casaco.

37. Os relatos sobre Ruzka e o livro finlandês que ensinava a fabricar bombas variam. Ver, por exemplo, David E. Fishman, *The Book Smugglers: Partisans, Poets, and the Race to Save Jewish Treasures from the Nazis*, e Wilfand, *Vitka Fights for Life*, p. 29-31.
38. Cohen, *Avengers*, p. 64.
39. Korczak, "Women in the Vilna Ghetto", p. 113-27.
40. Cohen, *Avengers*, p. 88.
41. Wilfand, *Vitka Fights for Life*, p. 46; Ruzka in Tubin, Deror *et al.* (orgs.), *Ruzka Korchak-Marle*, p. 42: "Fato: Vitka Kovner Kempner era a principal comandante na floresta. Não se limitava a participar de todo o patrulhamento, ela era a comandante!"
42. Wilfand, *Vitka Fights for Life*, p. 41. Vitka também discute isso no filme *Everyday the Impossible: Jewish Women in the Partisans*. De acordo com Ruzka (Katz e Ringelheim, *Proceedings of the Conference on Women*, p. 93), as mulheres participavam de quase todas as missões de abastecimento, sabotagem, emboscada e combate.
43. Cohen, *Avengers*, p. 123. A história está nas p. 122-25.
44. Korczak, "In the Ghettos and in the Forests", *Women in the Ghettos*, p. 74-81. Esse relato provavelmente se refere a outro incidente.
45. Tubin, Deror *et al.* (orgs.), *Ruzka Korchak-Marle*, p. 67.
46. *Ibidem*, p. 42.
47. De acordo com diversos relatos, incluindo Aida Brydbord, *Women of Valor*, p. 16.
48. Izhar, *Chasia Bornstein-Bielicka*, p. 247.
49. Como Fruma mais tarde escreveu em um poema, "Oculto na terra, um buraco profundo/ Hoje se tornou minha casa." Ralph S. Berger e Albert S. Berger (orgs.), *With Courage Shall We Fight: The Memoirs and Poetry of Holocaust Resistance Fighters Frances "Fruma" Gulkowich Berger and Murray "Motke" Berger*, p. 82-83.
50. Wilfand, *Vitka Fights for Life*, p. 46.
51. As informações e as cenas sobre Zelda, assim como o diálogo, são baseados sobretudo em Korczak, Tubin e Rab, *Zelda the Partisan*.
52. Cohen, *Avengers*, p. 125. A história dessa missão é relatada em *ibidem*, p. 125-28; Korczak, "Women in the Vilna Ghetto", p. 113-27; Wilfand, *Vitka Fights for Life*, p. 42. De acordo com Abba em *Partisans of Vilna*, foi dele a ideia de realizar missões de sabotagem em Vilna para mostrar aos alemães que havia uma unidade clandestina operando lá. Ele esperava combinar essa missão com o resgate de judeus e levá-los para a floresta.
53. Citado em Cohen, *Avengers*, p. 128.
54. Wilfand, *Vitka Fights for Life*, p. 48.
55. Vitka Kempner in *Partisans of Vilna: The Untold Story of Jewish Resistance During World War II*, dirigido Josh Waletsky, Estados Unidos, 1986.
56. Korczak, "Women in the Vilna Ghetto", p. 113-27.
57. Cohen, *Avengers*, p. 129-30.

58. Cohen, *Avengers*, p. 139. A história a seguir é baseada em *ibidem*, p. 139-42, e Tubin, Deror *et al.* (orgs.), p. 73. Há várias versões dessa história. De acordo com Korczak, "Women in the Vilna Ghetto", p. 113-27, Vitka esperou por um momento de distração de seus captores, se libertou e fugiu. De acordo com Vitka em Wilfand, *Vitka Fights for Life*, p. 42, esse incidente está ligado à sua missão de explodir o fornecimento de energia elétrica de Vilna. No caminho de volta, ela foi encurralada em uma ponte por nazistas em motocicletas, mas convenceu seus captores a deixá-la ir e disse a eles que testemunharia em seu favor depois da guerra; Vitka levou fugitivos de Ponary consigo.
59. Citado em Cohen, *Avengers*, p. 142.
60. De acordo com o testemunho de Fela Katz, os líderes o esconderam em um bunker para que seu aspecto não causasse pânico. Fela dá detalhes ligeiramente diferentes em seu relato.
61. A citação é retirada de Kulielka, *Underground Wanderings*, p. 110-11 e Ronen, *Condemned to Life*, p. 295-312.

20. *Melinas*, dinheiro e resgate

1. Salvo indicação em contrário, esta seção é baseada em Kukiełka, *Underground Wanderings*, p. 112-13.
2. Klinger, *Writing These Words*, p. 119-20.
3. *Ibidem*, p. 120-21.
4. As informações nesta seção são principalmente de Meed, *Both Sides of the Wall*; Ochayon, "Female Couriers During the Holocaust"; Weitzman, "Kashariyot (Couriers) in the Jewish Resistance".
5. Ackerman, *Zookeeper's Wife*, p. 173, faz referência a um "covil de ladrões".
6. Rotem, *Memoirs of a Ghetto Fighter*, p. 96-98, descreve os desafios e as estratégias das mensageiras.
7. De acordo com Schulman, *Partisan's Memoir*, p. 89, os nazistas não desperdiçavam balas com crianças, enterrando-as vivas.
8. Trata-se de um testemunho oral conservado nos arquivos da Biblioteca do Holocausto de Wiener.
9. Lubetkin, *Days of Destruction*, p. 260, para discussão sobre como os alemães torturaram os poloneses.
10. Ver Paulsson, *Secret City*, p. 3-4, 201-210, para detalhes sobre diferentes organizações.
11. Paldiel, *Saving One's Own*, p. 32-42.
12. *Ibidem*, p. 25.
13. Samuel D. Kassow, conferência, em "In Dialogue: Polish Jewish Relations During the Interwar Period".

14. As informações sobre o JDC vêm de várias fontes, que incluem: "American Jewish Joint Distribution Committee and Refugee Aid", *USHMM Holocaust Encyclopedia*, disponível em: <https://encyclopedia.ushmm.org/content/en/article /american-jewish--joint-distribution-committee-and-refugee-aid>; Yehuda Bauer, "Joint Distribution Committee", in *Encyclopedia of the Holocaust*, org. de Israel Guttman (Nova York: Macmillan, 1990), p. 752-56.
15. Nathan Eck, "The Legend of the Joint in the Ghetto", relatório inédito, arquivos do JDC.
16. Antek acusou grupos do movimento clandestino polonês de reter quantias. Rotem, *Memoirs of a Ghetto Fighter*, p. 98-99; Zuckerman, *Surplus of Memory*, p. 419.
17. Bauer, "Joint Distribution Committee", p. 752-56; Zuckerman, *Surplus of Memory*, p. 43 n. 15.
18. Michael Beizer, "American Jewish Joint Distribution Committee", trad. de I. Michael Aronson, *The Yivo Encyclopedia of Jews in Eastern Europe*, disponível em: <https://yivoencyclopedia.org/article.aspx/American_Jewish_Joint_Distribution_Committee>.
19. Paldiel, *Saving One's Own*, p. 32-42.
20. *Ibidem*, p. 33. Ver também Lubetkin, *Days of Destruction*, p. 263; Meed, *Both Sides of the Wall*, p. 226-29; Zuckerman, *Surplus of Memory*, p. 486-87.
21. Não há registros abrangentes, e esses números são estimativas; fontes diferentes apresentam números diferentes. Lubetkin, *Days of Destruction*, p. 262, afirma que havia 20 mil judeus transitando ou escondidos na área de Varsóvia, e 12 mil recorreram à sua organização em busca de ajuda. Zuckerman, *Surplus of Memory*, p. 449, concorda e afirma que tinha 3 mil nomes (em código) em seu arquivo de cartões. De acordo com Kol-Inbar, "Three Lines in History", p. 531, o Żegota salvou 4 mil judeus (e 4 mil crianças). Para Paldiel, *Saving One's Own*, p. 34, os grupos de resgate ajudaram no total cerca de 11 mil ou 12 mil judeus. Paldiel, p. 26, diz que dos estimados 15 mil a 20 mil judeus que se esconderam na área de Varsóvia, cerca de metade recebeu ajuda da Żegota e das organizações judaicas. Paulsson, *Secret City*, p. 3-4, 207, 229-30, calcula que cerca de 9 mil judeus foram ajudados por essas organizações.
22. Zuckerman, *Surplus of Memory*, p. 435, 496, explica que, em registros escritos, eles usavam apenas nomes judeus que não seriam reconhecíveis. Um recibo do Żegota em exposição no museu Polin mostra 1/100 da quantia entregue e foi datado de dez anos antes para mascarar a operação. Paulsson, *Secret City*, p. 232-33, fornece uma discussão sobre todos esses registros e recibos.
23. As fontes apresentam números variados — algumas chegam a 40 mil. De acordo com Paldiel, *Saving One's Own*, p. 26, estima-se que haveria de 15 mil a 20 mil judeus escondidos na área de Varsóvia. De acordo com o estudo de Paulsson, o número de judeus escondidos em Varsóvia chegou a cerca de 28 mil em dado momento (ver *Secret City*, p. 2-5, para um resumo).
24. Zuckerman, *Surplus of Memory*, p. 496.

25. De acordo com um texto de parede no Polin, essa quantia mal cobria a alimentação; as doações ajudavam, pois ofereciam esperança e conexão.
26. A história desse bunker está em Meed, *Both Sides of the Wall*, p. 200.
27. Goldstein, *Stars Bear Witness*, p. 229.
28. Warman, *Mothers, Sisters, Resisters*, p. 285-86.
29. Izhar, *Chasia Bornstein- Bielicka*, p. 230.
30. Weitzman, "Living on the Aryan Side", p. 189, sugere que 10% dos judeus que sobreviveram o fizeram "se passando pelo que não eram".
31. Essa discussão sobre "se passar por" é de Weitzman, *Living on the Aryan Side*.
32. Citado em Paldiel, *Saving One's Own*, p. 35.
33. Para mais relatos e detalhes sobre essas *melinas*, ver Rotem, *Memoirs of a Ghetto Fighter*, p. 86; Zuckerman, *Surplus of Memory*, p. 474; Warman, "Marysia Warman".
34. Rotem, *Memoirs of a Ghetto Fighter*, p. 76-77. No caso de Zivia, as pessoas com quem ela se escondeu eram integrantes do Bund e quase uma década mais novos do que ela.
35. Zuckerman, *Surplus of Memory*, p. 501.

21. Flor de sangue

1. Ronen, *Condemned to Life*, p. 256-76.
2. As informações sobre Rivka são de Grupińska, p. 96, e Neustadt (org.), *Destruction and Rising*.
3. Draenger, *Justyna's Narrative*, p. 54.
4. Ele na verdade se refere à "Silésia", que é uma região fronteiriça com muitas semelhanças culturais e históricas.
5. Rotem, *Memoirs of a Ghetto Fighter*, p. 69, explica como o movimento clandestino costumava ter planos de contingência no caso de um contato não aparecer. Por exemplo, integrantes eram instruídos a retornar ao mesmo local no dia seguinte.
6. Em uma versão da história de Renia, ela encontrou essa mulher por acaso; em seu testemunho na Casa dos Combatentes do Gueto, ela afirma que Antek lhe deu esse endereço.

   No geral, Renia descreve suas missões a Varsóvia de maneira bastante diversa em seus diferentes testemunhos (Casa dos Combatentes do Gueto, Biblioteca Nacional de Israel, Yad Vashem, *Underground Wanderings*). Em seu testemunho dado à Biblioteca Nacional de Israel, ela afirma que levou dinheiro para Zivia e Antek. Em seu testemunho à Casa dos Combatentes do Gueto, ela afirma ter conhecido Kazik (o que ela alegou ter acontecido antes de ver o gueto incendiado), mas ele não é mencionado nos outros testemunhos. Neste, ela afirma não se lembrar de como encontrou Antek e alega ter recebido as armas de um polonês. Seu encontro com Antek é descrito de forma diferente em cada testemunho. A ordem cronológica das missões também difere de um relato para outro. Em alguns, ela afirma ter participado de seis ou sete missões; em outros, foram quatro.

Ao longo de toda a segunda parte, selecionei seus variados (e às vezes contraditórios) relatos a fim de construir a narrativa que me pareceu mais precisa.

7. Em testemunhos orais e escritos guardados no arquivo da Casa dos Combatentes do Gueto, Renia relata que houve um susto no hotel e que as autoridades estavam procurando por judeus, o que a forçou a vagar pelas ruas durante várias horas.
8. Grunwald-Spier, *Women's Experiences in the Holocaust*, p. 254-55; Zuckerman, *Surplus of Memory*, p. 97, 242 (a mãe estava na casa dos 50 anos). No arquivo do Museu Casa dos Combatentes do Gueto, ela está listada como "Shoshana-Rozalia".
9. Kukiełka, *Underground Wanderings*, p. 115.
10. *Ibidem*, p. 115. Como Havi Dreifuss diz em *The Zuckerman Code*: "Era preciso ter uma coragem e uma astúcia infinitas, e nessas coisas, Antek era mestre. Em parte devido à sua aparência, mas também à sua capacidade de se comportar como um jovem polonês, de modo que, se alguém lhe dissesse alguma coisa, Antek sabia como calar o interlocutor."
11. Salvar uma gaita era um ato de resistência em um regime no qual os nazistas controlavam os bens dos judeus. Os alemães estabeleceram uma infinidade de leis sobre o que os judeus podiam ou não possuir. Por exemplo, no início da guerra, tiveram de entregar aos nazistas todo o ouro, todas as peles e todas as armas que possuíssem. A comida era racionada. Ter mais do que o permitido poderia resultar em execução. Quando transportavam judeus de um local para outro, os nazistas lhes diziam exatamente o que poderiam levar consigo. Mas muitos judeus desafiavam as leis e escondiam objetos — joias de família escondidas na parede de um barracão, dinheiro e um broche de diamantes dentro de uma escova de sapatos, a capa de matzá ornamentada da avó. Os objetos davam uma sensação de segurança e esperança.
12. A história do levante do gueto de Częstochowa é de Kukiełka, *Underground Wanderings*, p. 117-18; Brandeis, "Rebellion in the Ghettos", in *Daring to Resist*, p. 128-29; Binyamin Orenstayn, "Częstochowa Jews in the Nazi Era", *Czenstochov; A New Supplement to the Book "Czenstochover Yidn"*, trad. de Mark Froimowitz (Nova York: 1958), disponível em: <https://www.jewishgen.org/yizkor/Częstochowa/cze039.html>.
13. Brandeis, "Rebellion in the Ghettos", in *Daring to Resist*, p. 128-29.
14. Kukiełka, *Underground Wanderings*, p. 118.
15. Esse relato da captura de Ina foi obtido dos testemunhos de Katz e Ronen, *Condemned to Life*, p. 311.

22. A Jerusalém de Zaglembie em chamas

1. Salvo indicação em contrário, este capítulo, incluindo diálogos e citações, é baseado em Kukiełka, *Underground Wanderings*, p. 118-22.
2. Ronen, *Condemned to Life*, p. 349.

3. Ver Rochelle G. Saidel e Batya Brudin (orgs.), *Violated! Women in Holocaust and Genocide*, catálogo de exposição; Rochelle G. Saidel e Sonja M. Hedgepeth (orgs.), *Sexual Violence Against Jewish Women During the Holocaust*. Fontes adicionais desta seção: Karay, "Women in the Forced Labor Camps", e Laska, *Different Voices*, p. 261-67; Ostrower, *It Kept Us Alive*, p. 139-46; Gurewitsch, *Mothers, Sisters, Resisters*.
4. Ringelheim, "Women and the Holocaust", p. 376-77.
5. Ver *Women of Valor: Partisans and Resistance Fighters*, Center for Holocaust Studies Newsletter 3, n. 6, p. 8.
6. Grunwald-Spier, *Women's Experiences in the Holocaust*, p. 174.
7. Ringelheim, "Women and the Holocaust", p. 376-77.
8. Izhar, *Chasia Bornstein-Bielicka*, p. 147-48.
9. Babey Widutschinsky Trepman, "Living Every Minute", in *Before All Memory Is Lost*, p. 383.
10. Zuckerman, *Surplus of Memory*, p. 108, sobre Rivka; Reinhartz, *Bits and Pieces*, p. 33, para uma noção de sua personalidade.
11. Draenger, *Justyna's Narrative*, p. 98-99.
12. A sobrevivente pediu que eu usasse um pseudônimo. Encontrei seu testemunho inédito na coleção da Fundação Azrieli.

PARTE 3 — "NENHUMA FRONTEIRA DETERÁ SEU AVANÇO"

1. Chaika Grossman, "For Us the War Has Not Ended", *Women in the Ghettos*, p. 180-82.

23. O bunker e além

1. Kukiełka, *Underground Wanderings*, p. 123. Esta seção é baseada nas memórias de Renia, p. 123-24.
2. As informações adicionais são de Ronen, *Condemned to Life*, p. 256-76.
3. As seções seguintes a respeito de Chajka são todas baseadas em Klinger, "The Final Deportation", in *Writing These Words to You*, p. 33-79; as citações diretas também foram tiradas dessas páginas. O relato de Chajka é semelhante ao que aparece nas memórias de Renia, contadas por Meir Schulman, p. 124-28. Fela Katz, integrante da Guarda Jovem de Sosnowiec, também conta uma história semelhante em seus testemunhos (mantidos no arquivo do Instituto Histórico Judaico e publicados em Jerzy Diatłowicki (org.), *Jews in Battle, 1939-1945*, embora sua história inclua referências a vários tiroteios). Os detalhes diferem ligeiramente em cada versão.
4. Kazik, o combatente do gueto de Varsóvia, escreveu sobre seu romance com Dvora Baran, ao lado de quem lutara no levante do gueto de Varsóvia até ela ser morta. Eles tentaram manter suas interações amorosas em segredo, por receio de ofender os camaradas que

haviam aderido aos códigos de pureza do movimento. "Era difícil dizer quem eram os casais: os líderes do movimento Chalutz se mantinham leais à 'pureza sexual', e os casos amorosos eram sobretudo platônicos", escreveu ele mais tarde, referindo-se à sua unidade de combate. "Os casais conversavam muito, falavam de seus sentimentos, sonhavam." O comandante da unidade de Kazik, no entanto, ficou aborrecido por ele não ter contado sobre seu romance com Dvora — queria celebrá-lo. Muitos abriram exceções naqueles tempos fatais. Sexo e morte eram uma combinação inevitável.

Uma noite, no bunker, em seu próprio colchão em um beliche, o casal decidiu não se conter. "Você tem preservativo?", perguntou Dvora, como se a vida estivesse normal. Kazik não tinha. Então eles ficaram deitados juntos e conversaram a noite toda. Depois que Dvora foi morta, Kazik perdeu a virgindade com uma polonesa e se apaixonou pela mensageira Irena Gelblum "com todo o ardor da minha juventude". Enquanto viviam do lado ariano, costumavam namorar no parque, para não ofender os líderes do movimento.

5. Chajka escreve que, no bunker do kibutz, não havia armas, e dá a entender que as únicas armas existentes entre eles eram as duas que os combatentes da Guarda Jovem haviam levado consigo. De acordo com o relato de Meir, eles tinham várias armas, que esconderam.
6. As informações sobre Chawka são de seu testemunho guardado nos arquivos do Yad Vashem e de Ronen, *Condemned to Life*, p. 91-103. Chawka chegou a Będzin como parte de um esquema de emigração que correu mal. No gueto, era paramédica e ajudava a resgatar órfãos. Falava polonês fluentemente e tinha uma "boa" aparência.
7. A presença de Sarah no bunker está registrada em David Liwer, *Town of the Dead: The Extermination of the Jews in the Zaglembie Region*.
8. Ronen, *Condemned to Life*, e Meir (em seu relato nas memórias de Renia) contam versões ligeiramente diferentes desse acordo. Segundo Ronen, o camarada que saiu foi Max Fischer; para Meir, foi Moshe Marcus.
9. Em seu testemunho no Instituto Histórico Judaico, Fela Katz afirma que, em dado momento, a Guarda Jovem, o Liberdade e o Gordonia compartilhavam cerca de 70 mil reichsmarks (que podem ter sido destinados a reassentar camaradas com os guerrilheiros). Hershl Springer tinha um cofre no bunker.
10. Do relato de Meir em Kukiełka, *Underground Wanderings*, p. 126.
11. *Ibidem*, p. 127. Essa cena é baseada em *ibidem*, p. 127-28.
12. A história do bunker dos combatentes foi extraída de Kukiełka, *Underground Wanderings* (contada por Ilza), p. 128-30; Klinger, *Writing These Words*, p. 159-65 (ela ficcionalizou parcialmente o relato para imaginar o que teria acontecido aos camaradas em seus últimos momentos), e no testemunho do policial judeu Abram Potasz, publicado em Klinger, *Writing These Words*, p. 181-84. Em vários relatos adicionais, esse bunker é referido como "bunker da lavanderia".

13. Kukiełka, *Underground Wanderings*, p. 129.
14. *Ibidem.*
15. Klinger, *Writing These Words*, p. 182-83.
16. *Ibidem*, p. 183.
17. *Ibidem*, p. 164.
18. Essa seção do campo de extermínio se baseia em Klinger, *Writing These Words*, p. 71-79, incluindo as citações diretas.

24. A rede da Gestapo

1. Salvo indicação em contrário, este capítulo, incluindo diálogos e citações, é baseado em Kukiełka, *Underground Wanderings*, p. 130-52.
2. Um grupo juvenil sionista trabalhista menos político e mais preocupado com a pluralidade e a unidade judaicas, aberto ao debate e a qualquer um que se considerasse judeu. Eles promoviam o resgate.
3. Do testemunho de Renia no Yad Vashem. "Eu também sou muito teimosa na vida. Faço tudo o que posso para conseguir o que quero."
4. Rotem, *Memories of a Ghetto Fighter*, p. 63.
5. De acordo com Ronen, *Condemned to Life*, p. 357-70, Bolk manteve sua palavra e os ajudou. De acordo com Namyslo, *Before the Holocaust Came*, p. 25, o nome dele era Boleslaw Kozuch.
6. Segundo Liwer, *Town of the Dead*, p. 18, após esse resgate, Sarah relatou que havia 23 camaradas e duas crianças escondidos em vários lugares do lado ariano.
7. Renia conta uma versão diferente dessa história em seu testemunho no Yad Vashem: um vendedor de sapatos escondeu dinheiro no sapato dela, que, no entanto, não consegue se lembrar do endereço da sapataria. Nesse relato, Renia disse à Gestapo que era de Varsóvia porque sabia que mensageiras vinham sendo capturadas em Białystok e Vilna.
8. No testemunho de Renia no Yad Vashem, ela afirma ter ameaçado estrangular Ilza se contasse a alguém que ela era judia.
9. Para o relato de um prisioneiro sobre a brutalidade que enfrentou, ver "Escape from a Polish Prisoner of War Camp", *WW2 People's War*, disponível em: <https://www.bbc.co.uk/history/ww2peopleswar/stories/63/a3822563.shtml>.
10. Grunwald-Spier, *Women's Experiences in the Holocaust*, p. 173-74.

25. O cuco

1. Esta seção, incluindo todos os diálogos e citações, é baseada em Ya'ari-Hazan, *Bronisława Was My Name*, p. 68-93. Também me baseei no testemunho de Bela em "From Ghetto to Ghetto", *Women in the Ghettos*, p. 134-39.

2. Citado em “From Ghetto to Ghetto”, *Women in the Ghettos*, p. 134-39.
3. Nos relatos de Bela, Shoshana foi presa como judia; de acordo com *Women in the Ghettos*, ela foi morta. Mas Lubetkin, *Days of Destruction*, p. 305, e Zuckerman, *Surplus of Memory*, p. 472, dizem que ela foi confundida com uma polonesa, sobreviveu a vários campos e fez a *aliyah*. Eles listam seu nome de casada como Klinger. A Casa dos Combatentes do Gueto conserva várias fotos dela da década de 1940.
4. Bela não fala “de postes de luz”, mas Zuckerman, *Surplus of Memory*, p. 429, menciona que esse era um método comum de enforcar prisioneiros de Pawiak.
5. Paldiel, *Saving One's Own*, p. 382-84; Tec, *Resistance*, p. 124.
6. “Official Camp Orchestras in Auschwitz”, *Music and the Holocaust*, disponível em: <http://holocaustmusic.ort.org/places/camps/death-camps/auschwitz/camp-orchestras.
7. *Ostrower*, p. 149.
8. Josef Mengele conduziu experimentos médicos desumanos com prisioneiros e enviou muitos para câmaras de gás.
9. Esta citação é uma amálgama de diferentes versões nos depoimentos de Bela em *Women in the Ghettos* e *Bronisława Was My Name*.
10. Yaari, “A Brave Connection”.
11. Esta seção, incluindo diálogos e citações, é baseada em Kukiełka, *Underground Wanderings*, p. 152-60.

26. Vingança, irmãs!

1. Data estimada com base na história de Renia.
2. Salvo indicação em contrário, este capítulo, incluindo diálogos e citações, é baseado em Kukiełka, *Underground Wanderings*, p. 160-73.
3. *Idem*, testemunho no Yad Vashem.
4. A descrição de Mirka também é do testemunho de Renia no Yad Vashem.
5. Em seu testemunho no Yad Vashem, Renia conta uma história diferente: a certa altura, revelou a Mirka que era judia e disse a ela seu nome verdadeiro, caso morresse e alguém fosse procurá-la. Mirka não conseguia acreditar que uma mulher que rezava tão fluentemente com as mulheres cristãs fosse judia. Renia não podia deixar que ninguém notasse que estava fazendo amizade com uma judia e alertou Mirka sobre nunca se aproximar dela.

   Anos mais tarde, em Israel, Renia estava a caminho do casamento do irmão em Jaffa, levando consigo a aliança. Enquanto corria para a cerimônia, avistou uma desgrenhada Mirka na rua, com uma criança nos braços. Renia ficou exultante e surpresa, mas não podia ficar e conversar. Mirka disse a ela que morava ali perto com o marido e o filho — apontou para o prédio — e pediu a Renia que a procurasse. Renia passou muito tempo tentando localizá-la, indo de porta em porta, falando com os vizinhos. Chegou a fazer um apelo em um programa de rádio israelense que rastreava sobreviventes. Nunca a encontrou.

6. Goldenberg, "Camps: Foreword", p. 273; Rebekah Schmerler-Katz, "If the World Had Only Acted Sooner", in *Before All Memory Is Lost*, p. 332.
7. Brandeis, "Rebellion in the Ghettos", in *Daring to Resist*, p. 127. Ver Tec, *Resistance*, p. 124-27, para o início da resistência em Auschwitz.
8. Nascida Hannah (Hanka) Wajcblum. Sua história é baseada em suas memórias: Anna Heilman, *Never Far Away: The Auschwitz Chronicles of Anna Heilman*, bem como em seu testemunho em *Mothers, Sisters, Resisters*, p. 295-98. Seu testemunho oral está no acervo da USC Shoah Foundation.

   Embora eu tenha contado essa história em grande parte do ponto de vista de Anna, outras fontes oferecem versões diferentes, com detalhes conflitantes a respeito de quais pessoas estavam envolvidas, quem iniciou o contrabando de pólvora, como o contrabando funcionava, como foram capturadas, como se deu o levante e quem sobreviveu. Integrei informações de diversas fontes em meu relato, incluindo: a história oral de Noach Zabludovits, "Death Camp Uprisings", in *Daring to Resist*, p. 133; *In Honor of Ala Gertner, Róza Robota, Regina Safirztajn, Ester Wajcblum: Martyred Heroines of the Jewish Resistance in Auschwitz Executed on January 5, 1945*; "Prisoner Revolt at Auschwitz Birkenau", *USHMM*, disponível em: <https://www.ushmm.org/learn/time-line-of-events/1942-1945/auschwitz-revolt>; "Revolt of the 12th Sonderkommando in Auschwitz", página *Jewish Partisan Educational Foundation*, disponível em: <http://jewishpartisans.blogspot.com/search/label/Roza%20Robota>; Ronen Harran, "The Jewish Women at the Union Factory, Auschwitz 1944: Resistance, Courage and Tragedy", *Dapim: Studies in the Holocaust* 31, n. 1 (2017): p. 45-67; Kol-Inbar, *Three Lines in History*, p. 538-39; Rose Meth, "Rose Meth", in *Mothers, Sisters, Resisters*, p. 299-305; Paldiel, *Saving One's Own*, p. 384; Tec, *Resistance*, p. 124-44. Na página 136 de *Resistance* é discutida a falta de detalhes e números precisos para essa história.
9. De acordo com as imagens do filme *The Heart of Auschwitz*, dirigido por Carl Leblanc, Canadá, 2010. Segundo Harran, *Jewish Women at the Union Factory*, p. 47, a Union era originalmente uma fábrica de peças de bicicleta, mas, em 1940, montou uma subsidiária que fabricava armas.
10. Segundo as memórias de Anna, alguns "amantes" tinham relações sexuais; outros, não. Esses homens, que tinham passes para entrar no campo de trabalho das mulheres, levavam para elas itens como comida.
11. Além das fontes listadas acima no que diz respeito à resistência em Auschwitz, as informações sobre Roza são de: Jack Porter, "Jewish Women in the Resistance", *Jewish Combatants of World War 2*, n. 3 (1981); Na'ama Shik, "Roza Robota", *The Encyclopedia of Jewish Women*, disponível em: <https://jwa.org/encyclopedia/article/robota-roza>.

12. A maioria dos relatos concorda que foram os homens que iniciaram o movimento. Muitos afirmam que foram eles que pediram a Roza que recolhesse a pólvora de suas companheiras de prisão. Roza é muitas vezes apresentada como a líder feminina dessa operação.
13. Existem muitos relatos a respeito de Franceska Mann; por vezes ela é chamada de Katerina Horowicz. Em alguns relatos, ela fez propositalmente um provocante strip-tease, em outros, notou que estava sendo cobiçada pelos guardas nazistas. Em alguns, atirou-lhes roupas; em outros, um sapato. Em alguns, outras mulheres se juntaram a ela para atacar os nazistas. Ver, por exemplo: *Women of Valor*, p. 44; Grunwald-Spier, *Women's Experiences in the Holocaust*, p. 266-71; Kol-Inbar, "Three Lines in History", p. 538. De acordo com Vitis-Shomron, *Youth in Flames*, p. 200, ela era uma colaboracionista.
14. Reinhartz, *Bits and Pieces*, p. 42.
15. Goldenberg, "Camps: Foreword", p. 269.
16. No levante de Sobibor, os judeus mataram onze guardas da SS e policiais auxiliares, e incendiaram o campo. Cerca de trezentos judeus fugiram através de buracos na cerca de arame farpado; quase duzentos conseguiram escapar sem serem recapturados. Para esconder seu trabalho na clandestinidade, o líder da resistência em Sobibor fingiu que estava tendo um caso com uma mulher, "Lyuka" (Gertrude Poppert-Schonborn). Como parte de seu disfarce, ela ouviu todo o planejamento e deu ao líder uma "camisa da sorte" na véspera de sua fuga. Ver "Jewish Uprisings in Ghettos and in Camps", *USHMM Encyclopedia*, disponível em: <https://encyclopedia.ushmm.org/content/en/article/jewish-uprisings-in-ghettos-and-camps-1941-44>; Paldiel, *Saving One's Own*, p. 371-82; Tec, *Resistance*, p. 153-57.
17. *Ibidem*, p. 155.
18. As informações sobre Mala foram retiradas de várias fontes, cada uma com detalhes diferentes sobre seu passado, sua fuga e seu assassinato. Ver Grunwald-Spier, *Women's Experiences in the Holocaust*, p. 271-75; Jack Porter, "Jewish Women in the Resistance"; Na'ama Shik, "Mala Zimetbaum", *The Encyclopedia of Jewish Women*, disponível em: <https://jwa.org/encyclopedia/article/zimetbaum-mala>; Ya'ari-Hazan, *Bronisława Was My Name*, p. 109-13.
19. Em seu relato em *Women in the Ghettos*, p. 134-39, Bela afirma que contrabandearam catorze meninas de Łódź e Theresienstadt para o campo.
20. Olga Lengyel, "The Arrival", *Different Voices*, p. 129.
21. Ver, por exemplo, Karay, "Women in the Forced Labor Camps", p. 293-94, e Laska, "Vera Laska", *Different Voices*, p. 254; Suzanne Reich, "Sometimes I Can Dream Again", in *Before All Memory Is Lost*, p. 315.
22. Nascida Fania Landau. Originalmente de Białystok, Fania foi deportada para um campo de trabalhos forçados e depois para Auschwitz, onde trabalhou na Union.

23. Nascida Snajderhauz. Essa história sobre o cartão de coração é de *The Heart of Auschwitz*, dirigido por Carl Leblanc, Canadá, 2010; entrevista pessoal, Sandy Fainer, por telefone, 27 de novembro de 2018; texto de parede, Museu do Holocausto de Montreal.
24. São elas: Hanka, Mania, Mazal, Hanka W., Berta, Fela, Mala, Ruth, Lena, Rachela, Eva Pany, Bronia, Cesia, Irena, Mina, Tonia, Gusia e Liza. Em *The Heart of Auschwitz*, Anna afirma que não assinou esse cartão e que "Hanka W." não era ela.
25. O coração foi deixado na bancada de trabalho de Fania, no dia de seu aniversário, 12 de dezembro de 1944. Ela escondeu o precioso presente envolto em um punhado de palha no teto de seu barracão. Em uma marcha da morte em janeiro de 1945, Fania escondeu o coração na axila, carregando-o durante todo o trajeto. Ela sobreviveu, assim como o coração, a única relíquia dos primeiros vinte anos de sua vida, que ela escondeu em sua gaveta de roupas íntimas até que sua filha o encontrou, muitas décadas depois.

    Em *The Heart of Auschwitz*, uma mulher que esteve na Union afirma que essa história é impossível, que não havia como as mulheres terem contrabandeado aqueles materiais, ou que Fania tivesse conseguido guardá-lo durante uma marcha da morte, na qual as pessoas eram mortas por pisar um centímetro fora da linha. Outras mencionam que nunca ninguém tinha ouvido falar da comemoração de um aniversário em Auschwitz.
26. De acordo com Harran, *Jewish Women at the Union Factory*, p. 51-52, mais de trinta mulheres estavam envolvidas; a maioria delas eram judias polonesas. Cinco eram de Varsóvia e cinco de Będzin; algumas eram integrantes da Guarda Jovem. Ele lista outros nomes: Haya Kroin, Mala Weinstein, Helen Schwartz, Genia Langer. Outras mulheres envolvidas incluem: Faige Segal, Mala Weinstein, Hadassah Zlotnicka, Rose Meth, Rachel Baum, Ada Halpern, Hadassah Tolman-Zlotnicki e Luisa Ferstenberg.
27. Ver Tec, *Resistance*, p. 139-41, para a história sobre Roza usar aventais com camadas ocultas.
28. Agora atende pelo nome Kitty Hart Moxon. Grunwald-Spier, *Women's Experiences in the Holocaust*, p. 275-77.
29. Em alguns relatos, foi o crematório número 3; em outros, o número 4.
30. Em alguns relatos, a pólvora da Union não estava realmente ligada a essa explosão, ao passo que outros afirmam que toda a pólvora tinha vindo da Union e que as mulheres foram parte essencial desse caso único de resistência armada em Auschwitz.
31. Harran, *Jewish Women at the Union Factory*, p. 53-56, e Tec, *Resistance*, p. 138.
32. De acordo com Harran, *Jewish Women at the Union Factory*, p. 60-64, elas na verdade foram condenadas por sabotagem de produtos, e não por seus esforços de resistência. Os nazistas ficaram irritados com a extensão da sabotagem em suas fábricas de trabalho forçado. O enforcamento público dessas quatro jovens judias tinha como objetivo dissuadir outras pessoas de praticar atos de sabotagem e provar às autoridades em Berlim que o problema estava sob controle.

27. A luz dos dias

1. Salvo indicação em contrário, este capítulo se baseia em Kukiełka, *Underground Wanderings*, p. 173-79, incluindo as citações diretas.
2. Renia o descreve, assim como o relacionamento entre os dois, de maneira um pouco diferente em seu testemunho no Yad Vashem.
3. Kukiełka, testemunho no Yad Vashem.

28. A grande fuga

1. Em seu testemunho no Yad Vashem, Renia fala de salsicha e vodca.
2. Esta seção é baseada em: "Montelupich Prison", *Shoah Resource Center*, disponível em: <https://www.yadvashem.org/odot_pdf/Microsoft%20Word%20%206466.pdf>; Draenger, *Justyna's Narrative*, p. 9-15, 27-29; Grunwald-Spier, *Women's Experiences in the Holocaust*, p. 209-10; Kol-Inbar, "Three Lines in History", p. 520-21; Margolin Peled, "Gusta Dawidson Draenger", Margolin Peled, "Mike Gola".
3. Draenger, *Justyna's Narrative*, p. 29.
4. Citado em Kol-Inbar, "Three Lines in History", p. 521.
5. Versões ligeiramente diferentes da história de sua fuga são oferecidas em: Draenger, *Justyna's Narrative*, p. 18-19; Grunwald-Spier, *Women's Experiences in the Holocaust*, p. 209-10; Peled, "Gusta Dawidson Draenger", e Peled, "More Gola", ambas na *Encyclopedia of Jewish Women.*
6. Em outra versão, Halina deu a Renia seu facilmente reconhecível casaco de couro.
7. Zuckerman, *Surplus of Memory*, p. 406.
8. O restante deste capítulo é baseado em Kukiełka, *Underground Wanderings*, p. 191-200, incluindo as citações diretas.
9. Ronen, *Condemned to Life*, p. 357-70.
10. O título de "Justo entre as Nações" do Yad Vashem inclui aqueles que aceitaram pagamento, desde que o valor não fosse extorsivo e que os judeus não fossem maltratados ou explorados. Ver Paulsson, *Secret City*, p. 129.
11. Paulsson, *Secret City*, p. 382-83.
12. Kukiełka, testemunho no Yad Vashem.
13. Ronen, *Condemned to Life*, p. 341-70.
14. De uma foto do grupo em Budapeste conservada no arquivo do Museu Casa dos Combatentes do Gueto.

29. "*Zag nit keyn mol az du geyst dem letstn veg*"

1. Essa canção em iídiche foi escrita por Hirsh Glick no gueto de Vilna, e é uma das mais conhecidas da resistência judaica.

2. As informações sobre Gisi, bem como sobre a Eslováquia, são principalmente de: "Slovakia", *Shoah Resource Center*, disponível em: <http://www.yadvashem.org/odot_pdf/Microsoft%20Word%20%206104.pdf>; Yehuda Bauer, "Gisi Fleischmann", *Women in the Holocaust*, p. 253-64; Gila Fatran, "Gisi Fleischmann", *The Encyclopedia of Jewish Women*, disponível em: <https://jwa.org/encyclopedia/article/fleischmann-gisi>; Paldiel, *Saving One's Own*, p. 100-136.
3. *Ibidem*, p. 101-2.
4. O restante deste capítulo é baseado em Kukiełka, *Underground Wanderings*, p. 147-218, incluindo as citações diretas.
5. De uma fotografia nos arquivos do Museu Casa dos Combatentes do Gueto.
6. A história de Chajka e Benito, incluindo citações diretas, é de Ronen, *Condemned to Life*, p. 384-402.
7. Segundo Ronen, *Condemned to Life*, p. 384-402, a operação de contrabando terminou quando o contrabandista traiu o grupo e os refugiados foram capturados e enviados para Auschwitz.
8. Os escritos de Renia a respeito de Sarah são vagos. Minha impressão é de que ela não tinha certeza de que nunca mais veria a irmã, mas tinha um pressentimento.
9. Kukiełka, *Underground Wanderings*, p. 211.
10. Rotem, *Memoirs of a Ghetto Fighter*, p. 90, menciona que havia fotógrafos de rua em Varsóvia que tiravam fotos das pessoas, depois as avisavam quando a fotografia ficava pronta. A pessoa, então, ia buscá-la e pagar por ela. Pode ter sido assim que as fotografias de Vladka, Hela e Shoshana e de Renia foram tiradas. (Ver o caderno de imagens.)
11. De acordo com Renia. O arquivo da JDC não confirma isso.
12. Segundo Zariz, "Attempts at Rescue and Revolt", p. 23, Renia começou a escrever seu diário em Budapeste.
13. A foto é do arquivo do Museu Casa dos Combatentes do Gueto.
14. Os documentos de imigração de Renia na Palestina informam que a data de sua chegada foi 7 de março. Duas semanas depois, Hitler invadiu a Hungria.

PARTE 4 — O LEGADO EMOCIONAL

1. Testemunho em vídeo, arquivo do Yad Vashem #4288059, 20 de junho de 2002.
2. Citado em Paldiel, *Saving One's Own*, p. 394.

30. Medo da vida

1. Klinger, *Writing These Words*, p. 49.
2. Testemunho de Renia na Biblioteca Nacional de Israel.
3. Avinoam Patt, "A Zionist Home: Jewish Youths and the Kibbutz Family After the Holocaust", in *Jewish Families in Europe*, p. 131-52.

4. Kukiełka, *Underground Wanderings*, p. 218.
5. Essa discussão sobre a narrativa do Holocausto em Israel se baseia em: Gutterman, *Fighting for Her People*, p. 12-19, 352-79, 455-67; Paldiel, *Saving One's Own*, p. xvii-xxi; Sharon Geva, *To the Unknown Sisters: Holocaust Heroines in Israeli Society* (Tel-Aviv, Israel: Hakibbutz Hameuchad, 2010). Em *The Last Fighters*, Marek Edelman afirma que Israel tem uma postura antissemita em relação aos judeus da Europa. Em Klinger, *Writing These Words*, p. 21, Ronen sugere que os diários de Chajka nunca se popularizaram porque não se enquadravam nem na narrativa de vítima nem na de combatente armada.
6. Kol-Inbar, "Three Lines in History", p. 523-24, sobre como a narrativa heroica de Zivia era mais popular em Israel em 1946, pois era mais palatável do que as histórias de vítimas.
7. *The Last Fighters*.
8. Ver, por exemplo, Gutterman, *Fighting for Her People*, p. 473-74.
9. Entrevista pessoal, Eyal Zuckerman, Tel-Aviv, Israel, 15 de maio de 2018.
10. Diner também aponta que o levante do gueto de Varsóvia aconteceu na Páscoa; o tema da libertação ligado ao *seder*. Os judeus americanos organizavam muitos eventos comemorativos nessa época do ano. Mas eram eventos de luto, e o levante em si nunca foi uma questão central.
11. Tec, *Resistance*, p. 1-15.
12. Schulman, *Partisan's Memoir*, p. 10. Ver Eva Fogelman, "On Blaming the Victim", in *Daring to Resist*, p. 134-37.
13. Ostrower, *It Kept Us Alive*, p. 14, 20, 64, 231, reconhece que certas linhas de investigação podem, involuntariamente, deturpar a gravidade e a brutalidade do Holocausto.
14. De acordo com um estudo realizado em 2018 pela Conference on Jewish Material Claims Against Germany, dois terços dos *millennials* americanos entrevistados em uma pesquisa recente não sabiam identificar o que era Auschwitz.
15. Um dos lemas desses combatentes era "Não nos deixemos levar como ovelhas para o abate", o que representava uma significativa fonte de força para eles, mas depois passou a ser visto como um ataque às vítimas. A maioria dos combatentes — mesmo aqueles que mataram nazistas atirando neles à queima-roupa — morreu; dos 3,3 milhões de judeus poloneses, apenas 300 mil sobreviveram. Uma infinidade de fatores determinava como uma pessoa escolhia e era capaz de responder à tortura do Holocausto, sem falar que havia muitas maneiras de resistir. Os exércitos mais poderosos do mundo não conseguiam derrotar Hitler, então faz sentido que judeus famintos não tenham ido para o combate. Em *The Last Fighters*, Marek Edelman enfatiza que os verdadeiros heróis eram os judeus que iam parar nas câmaras de gás: "Era mais fácil empunhar uma arma do que caminhar nu ao encontro da morte."
16. Fatores adicionais incluem um constrangimento pelo fracasso, bem como o receio de que os esforços de resistência possam ter sido contraproducentes e até mesmo causado mais mortes. Segundo Gutterman, "Holocaust in Będzin", p. 63, alguns historiadores

afirmam que o levante do gueto de Varsóvia fez com que os nazistas acelerassem seu plano de matar todos os judeus.

Para o ponto de vista de que a resistência foi ineficaz e até prejudicial, ver Eli Gat, "The Warsaw Ghetto Myth" e "Myth of the Warsaw Ghetto Bunker: How It Began", *Ha'aretz*, 19 de dezembro de 2013 e 13 de janeiro de 2014, disponível em: <https://www.haaretz.com/jewish/.premium-fiction-of-warsaw-ghetto-bunkers-1.5310568> e <https://www.haaretz.com/jewish/.premium-warsaw-ghetto-myths-1.5302604>.

De acordo com Mark, p. 41-65, a suposição de que os judeus não revidam está tão enraizada em nossa mente que a resistência judaica é muitas vezes considerada "um milagre", em vez da ocorrência comum que de fato foi. Ele ressalta que os judeus desvalorizam a resistência, afirmando que uma pequena fração da população não conta como luta nacional; mas a verdade é que o combate de fato, em qualquer luta nacional, é sempre travado por apenas alguns poucos combatentes.

17. A introdução de "mulheres e o Holocausto" como campo de investigação foi um movimento controverso, levando anos para ser institucionalizado como uma área de estudo legítima; isso se deve ao desconforto causado pela possibilidade de o sofrimento acabar sendo usado a serviço de um ponto de vista político. Até mesmo as autodeclaradas estudiosas feministas do Holocausto tiveram dificuldades em se concentrar nas mulheres quando esse foco se prestava a celebrações acríticas de amizades e vida doméstica. Mesmo algumas exposições recentes e fontes online especificamente sobre mulheres e o Holocausto ainda incluem o "alerta" de que todos os judeus sofreram igualmente.
18. Ronen, "Women Leaders in the Jewish Underground During the Holocaust".
19. Weitzman, "Living on the Aryan Side", p. 217-19. Weitzman afirma que o combate armado (levado a cabo por homens) era notório, enquanto as atividades de resgate (realizadas por mulheres) eram secretas; as mulheres, de modo geral, não eram afiliadas a uma organização, mas se engajavam em atos individuais de resistência; os papéis das mulheres eram definidos como auxiliares, embora fossem os mais perigosos; as ações das mulheres (em particular o resgate de crianças) eram desvalorizadas; as mulheres não registraram suas atividades nem buscaram reconhecimento público depois da guerra. Sua discussão sobre por que as *kashariyot* se perderam na história está em "Kashariyot (Couriers) in the Resistance During the Holocaust".
20. Berger e Berger (orgs.), *With Courage Shall We Fight*, p. 45. Vários desses fatores também se aplicavam aos sobreviventes do sexo masculino.
21. Em entrevista pessoal, realizada em Nova York em 9 de abril de 2018, Anna Shternshis contou a história de uma guerrilheira cuja irmã nunca a perdoou por ter abandonado a mãe, embora todas tenham sobrevivido.
22. Helen Epstein, *Children of the Holocaust: Conversations with Sons and Daughters of Survivors*, p. 23.
23. Entrevista pessoal, Rivka Augenfeld, Montreal, 10 de agosto de 2018.

24. A mãe de Liba Marshak Augenfeld dera à filha sua bênção para fugir do gueto e se juntar aos guerrilheiros, o que permitiu que ela se reconciliasse, de certa maneira, com a decisão de deixar a família. Muitas outras, contudo, não receberam essa bênção e eram esmagadas pela culpa. Entrevista com Augenfeld.
25. Izhar, *Chasia Bornstein-Bielicka*, sobre o silêncio de Chasia: p. 294, 309, 310, 313. Chasia não falava muito sobre sua experiência na guerra, em parte porque não considerava que tivesse sido tão ruim em comparação com as de outros sobreviventes, e em parte por causa das filhas. Mais tarde, quando as filhas adultas lhe perguntaram sobre seu passado, ela lhes contou sua incrível história. Só então ficaram sabendo que a mãe nunca mais havia dormido uma noite inteira.
26. Por exemplo, entrevistas pessoais, Daniela Ozacky-Stern e Yonat Rotbain, Givat Haviva, Israel, 14 de maio de 2018.
27. Esta seção é baseada em Schulman, *Partisan's Memoir*.
28. *Ibidem*, p. 192-93.
29. *Ibidem*, p. 188-89.
30. Entrevista de Starr.
31. Schulman, *Partisan's Memoir*, p. 206.
32. *Ibidem*, p. 224.
33. Esta seção sobre Zivia e o levante de Varsóvia é baseada em Gutterman, *Fighting for Her People*, p. 280-90; Lubetkin, *Days of Destruction*, p. 260-74; Zuckerman, *Surplus of Memory*, p. 526-29, 548-49, 550-56.
34. Por exemplo, Irene Zoberman foi encarregada de distribuir panfletos. Helen Mahut lecionou em escolas polonesas clandestinas e ingressou no AK, a serviço do qual passou horas em um terminal de ônibus, memorizando as insígnias dos caminhões do exército alemão, além de traduzir a Rádio Londres para o polonês. Mina Aspler, ou "Maria Louca", cuidava de combatentes feridos e era mensageira, levando mensagens entre os grupos. Zofia Goldfarb-Stypułkowska era sargento da resistência polonesa.
35. Grupińska, *Reading the List*, p. 96.
36. As estatísticas diferem dependendo do tipo de edifício considerado. Ver Micholaj Glinski, "How Warsaw Came Close to Never Being Rebuilt", *Culture.pl*, 3 de fevereiro de 2015, disponível em: <https://culture.pl/en/article/how-warsaw-came-close-to-never-being-rebuilt>.
37. Essa história de resgate tem muitas versões. Ver, por exemplo, Gutterman, *Fighting for Her People*, p. 291-99; Lubetkin, *Days of Destruction*, p. 272-74; Warman, em *Mothers, Sisters, Resisters*, p. 288-94; Zuckerman, *Surplus of Memory*, p. 552-56.
38. Lubetkin, *Days of Destruction*, p. 274. Zuckerman, *Surplus of Memory*, p. 558, 565, também descreve a libertação como algo deprimente.
39. Entrevista com Zuckerman.

40. Em 1946, mais de quarenta judeus foram mortos por soldados, oficiais e civis poloneses em um pogrom em Kielce.
41. Este parágrafo é baseado em Gutterman, *Fighting for Her People*, p. 303-45.
42. *Ibidem*, p. 381. Esta seção sobre Zivia na Palestina é baseada em *ibidem*, p. 349-487.
43. Gutterman, *Fighting for Her People*, p. 386, 389. Não está claro onde Gutterman obteve essa informação pessoal.
44. Entrevista com Zuckerman.
45. Gutterman, *Fighting for Her People*, p. 361.
46. *Blue Bird*.
47. Entrevista com Zuckerman.
48. Como é mencionado na história, Renia e Bela buscavam força nos pais. Faye também sentia que a competência da mãe e a natureza terna do pai a haviam dotado de independência e força pessoal. "Nós nos sentíamos muito amadas por nossos pais", escreveu Faye mais tarde. "Acredito que foi esse amor que me deu a segurança e os recursos que me serviram tão bem mais tarde na vida."
49. Shelub e Rosenbaum, *Never the Last Road*, p. 174. Liba Marshak Augenfeld e o marido sempre viajavam em voos separados. Fruma Berger tinha pavor de trovões, que a faziam lembrar de ataques militares.
50. Discutido em Gutterman, *Fighting for Her People*, p. 418-23.
51. *Ibidem*, p. 452.
52. Entrevista com Zuckerman.
53. De acordo com *The Zuckerman Code*, algumas pessoas se referiam à sua casa como uma "shiva perpétua". Epstein, *Children of the Holocaust*, p. 176, tematiza sobreviventes que lidavam com isso recorrendo ao trabalho constante; isso lhes garantia segurança financeira e não lhes dava tempo para pensar.
54. Entrevista com Zuckerman.
55. *Idem*. Zuckerman, *Surplus of Memory*, p. IX, também menciona esse lema.
56. *The Zuckerman Code*.
57. *Ibidem*.
58. Epstein, *Children of the Holocaust*, p. 170-71, 195-96, 207-10.
59. Shelub e Rosenbaum, *Never the Last Road*, p. 186.
60. De acordo com *The Zuckerman Code*, trata-se apenas de uma coincidência, e ela não recebeu esse nome por causa da ŻOB.
61. Entrevista com Zuckerman.
62. *The Zuckerman Code*.
63. Eyal Zuckerman em *The Zuckerman Code*.
64. Em *The Zuckerman Code*, Roni se recusa a se divertir em Varsóvia. Epstein, *Children of the Holocaust*, p. 201, 230, dá exemplos de filhos de sobreviventes que se colocam em situações perigosas apenas para provar que podem sobreviver a elas.

65. *The Zuckerman Code.*
66. *Ibidem.*
67. Lubetkin, *Days of Destruction*, p. 275.
68. Entrevista com Zuckerman.
69. *Blue Bird.*
70. Entrevista com Zuckerman.
71. Zuckerman, *Surplus of Memory*, p. 677.
72. Entrevista pessoal, Barbara Harshav, Nova York, 9 de março e 23 de abril de 2018. Harshav enfatizava que muitos líderes da defesa judaica no gueto de Varsóvia se tornaram pessoas sem nenhuma importância em Israel; vários tiveram dificuldades para se reposicionar. (Mas não todos — Kazik se tornou o feliz proprietário de uma rede de supermercados.)
73. Citado na entrevista com Zuckerman.
74. Tec, *Resistance*, p. 31, inclui uma história sobre um polonês que só admitiu seu papel na resistência no fim dos anos 1970. Alguns afirmam que a ŻZW do Betar nunca era mencionada na Polônia por causa de sua ligação com a facção nacionalista do movimento clandestino polonês.
75. Agi Legutko, visita ao gueto de Cracóvia, Festival de Cultura Judaica, Cracóvia, junho de 2018.
76. Em vários relatos, Renia se refere a essa mulher como "Halina". Ela até afirma que ficou frustrada por nunca ter conseguido localizá-la depois da guerra. No entanto, de acordo com uma nota de rodapé em Regina Kukielka, "In the Gestapo Net", *Memorial Book of Zaglembie*, org. de J. Rapaport, p. 436, "Halina" era Irena Gelblum.

    Irena se envolveu romanticamente com Kazik e era uma agente destemida em Varsóvia. Ela havia sido enviada a Zaglembie, presumivelmente por Zivia, para procurar mensageiras desaparecidas e judeus escondidos em Będzin e dar-lhes dinheiro para se juntarem aos guerrilheiros. De acordo com um relato, enquanto estava lá, ela ouviu falar de Renia e convenceu Sarah a ir com ela para Mysłowice. Depois da guerra, Irena foi para a Itália, mudou seu sobrenome para Conti e tornou-se poeta, distanciando-se de seu passado. Ela é mencionada em Zuckerman, *Surplus of Memory*, p. 389, e referida como "Irka". Ver: Joanna Szczesna, "Irena Conti", *Wysokie Obcasy*, 21 de abril de 2014.
77. Grupińska, *Reading the List*, p. 21.
78. O resto da história é baseado em Ronen, *Condemned to Life*, p. 403-79.
79. Entrevista com Harshav. Em uma entrevista pessoal com Avihu Ronen, Tel-Aviv, Israel, 16 de maio de 2018, ele discutiu o legado de Chajka, dizendo que ela sempre foi alguém que ia "contra a corrente", e seus netos — vários dos quais são *refusniks* — mantiveram essa tradição. Avihu se considera um acadêmico fora da curva.

31. Força esquecida

1. Encontrei relatos conflitantes sobre os irmãos de Renia; é possível que tenha sido Aaron quem descobriu sobre ela em um campo de refugiados ou que estivesse em Chipre. Parece que, a princípio, o irmão pensou que tinha sido Sarah quem havia sobrevivido. Ver o testemunho de Renia na Biblioteca Nacional de Israel e entrevista pessoal, Yoram Kleinman, ao telefone, 11 de fevereiro de 2019.
2. Enquanto Renia adotou uma vida secular, seus irmãos continuaram sendo religiosos por toda a vida em Israel. Aaron vivia em Haifa, perto de Renia. Era investigador da autoridade alfandegária e um cantor que se apresentava internacionalmente. De acordo com seu filho Yoram, Aaron era como Renia: "guiado pelo ego, dominante, duro e preocupado com questões de respeito". Ele mudou seu sobrenome para Kleinman porque, como combatente do Irgun, era procurado pelos britânicos. Zvi era o suave, o calmo. Ele se estabeleceu em Jerusalém, era judeu praticante e trabalhou como funcionário do Ministério da Justiça. Renia e Zvi passavam muitas horas analisando seu passado e falando da guerra e da família. Ele mudou seu sobrenome para Zamir, uma versão hebraica do nome Kukiełka, o pássaro cuco.
3. De acordo com uma nota de rodapé em Kukiełka, "In the Gestapo Net", p. 436. Conforme seu testemunho no Yad Vashem, Renia descobriu a notícia por intermédio dos Zuckerman depois que eles chegaram a Israel, talvez em 1946.
4. Liwer, *Town of the Dead*, p. 23.
5. A família de Renia relatou que foi Zalman Shazar quem lhe disse para escrever suas memórias; outras fontes mencionadas acima indicam que ela começou a escrever na Hungria. Entrevista pessoal, Jacob Harel e Leah Waldman, Haifa, Israel, 14 de maio de 2018.
6. Segundo seu filho, Renia discordou de algumas partes da tradução. Entrevista com Harel e Waldman. Não consegui localizar o manuscrito original em polonês, embora tenha pesquisado nos seguintes arquivos e organizações: Lavon, Yad Tabenkin, Kibutz Dafna, Instituto Histórico Judaico, Hakibbutz Hameuchad e Naamat USA.
7. Geva, *To the Unknown Sisters*, p. 275.
8. Hasia R. Diner, *We Remember with Reverence and Love: American Jews and the Myth of Silence After the Holocaust, 1945-1962*, p. 96-109, 134.
9. Fredka Mazia, testemunho no USHMM, 1991, disponível em: <https://collections.ushmm.org/search/catalog/irn502790>. Fredka (Oxenhandler) Mazia era uma líder do Hanoar Hatzioni, um grupo que Renia critica em sua narrativa.
10. Sua contribuição foi uma tradução editada e comentada de um trecho de *Underground Wanderings*. Os livros memoriais (Yizkor), escritos originalmente em iídiche e/ou hebraico por sobreviventes, documentam as comunidades judaicas destruídas durante o Holocausto. Mais de dois mil livros memoriais foram publicados.
11. Entrevista com Harel e Waldman.

12. Entrevistas pessoais, Anna Shternshis, Nova York, 9 de abril de 2018, e Avihu Ronen, Tel-Aviv, Israel, 16 de maio de 2018.
13. O restante desta seção é baseado em entrevistas pessoais com a família de Renia.
14. Uta Larkey, "Transcending Memory in Holocaust Survivors' Families", in *Jewish Families in Europe*, p. 216.
15. Ver, por exemplo, Michlic (org.), *Jewish Families in Europe*, e Epstein, *Children of the Holocaust*.
16. De acordo com seu sobrinho Yoram Kleinman, ela era "sarcástica, direta, e você podia conversar com ela sobre qualquer coisa". Entrevista com Kleinman.
17. Tampouco tinham cuidado de pais idosos. Rivka Augenfeld, filha de guerrilheiros de Vilna, falou sobre como sua geração teve que aprender a fazer isso por conta própria. Entrevista pessoal, Rivka Augenfeld, Montreal, 10 e 17 de agosto de 2018.
18. Chawka Lenczner, Chana Gelbard e Yitzhak Fiszman.
19. Ver Larkey, "Transcending Memory in Holocaust Survivors' Families", p. 209-32.
20. Epstein, *Children of the Holocaust*, p. 168-69, 178, 251, conta histórias de como pais e mães sobreviventes eram vistos como "frágeis"; seus filhos tinham que protegê-los.
21. Chaika Grossman dedicou a vida ao serviço público, desde ajudar os sobreviventes poloneses até ser eleita deputada no Knesset israelense, onde se destacou na defesa dos jovens, dos idosos e da igualdade para as mulheres e a população árabe.
22. Izhar, *Chasia Bornstein-Bielicka*, p. 272.
23. Entrevista pessoal, Sandy Fainer, ao telefone, 27 de novembro de 2018.
24. Vershitskaya, p. 572.
25. Gurewitsch, "Preface", *Mothers, Sisters, Resisters*, p. xi-xxi.
26. Ya'ari-Hazan, *Bronisława Was My Name*. Esta seção é baseada em *Bronisława Was My Name* e em minha entrevista pessoal com Yoel Yaari, Jerusalém, 17 de maio de 2018. Em uma correspondência por e-mail em 23 de dezembro de 2019, Yoel me informou que a história da libertação em *Bronisława Was My Name* estava incorreta e me forneceu detalhes atualizados.
27. Yoseph Baratz, "The Frumka Group", *Women in the Ghettos*, p. 182-84, diz que o grupo era formado por Bela e trinta meninas com idade entre 18 e 22 anos.
28. A documentação sobre essa condecoração (a Ordem da Cruz de Grunwald Terceira Classe) é mantida no arquivo do Museu Casa dos Combatentes do Gueto na forma de uma carta de Isaac Schwarzbart, em Londres, para Moshe Klinger, no Mandato da Palestina, em 26 de abril de 1945. (Arquivo HeHalutz na Inglaterra.) Há alguma confusão em relação a quem ganhara essa medalha, Frumka ou Hantze. Rivka Glanz também foi homenageada com uma condecoração militar polonesa. Faye, Chasia e as mensageiras de Białystok receberam medalhas do governo soviético.
29. Sem formação em psicologia, aos 25 anos Chasia concebeu seu próprio sistema para administrar esse grupo traumatizado. Ela criou "papéis familiares" para todos eles,

nomeando a si mesma como a "irmã mais velha". Izhar, *Chasia Bornstein-Bielicka*, p. 319-20.

30. Yaari, "A Brave Connection".
31. O resto desta seção é baseado em minha entrevista pessoal com Yoel Yaari, Jerusalém, 17 de maio de 2018.
32. "About Anna Heilman", disponível em: <http://www.annaheilman.net/About%20 Anna%20Heilman.htm>.

    De acordo com sua família, Chasia era perspicaz, mas calada, ponderada e generosa, uma humanista. Em um recente debate político sobre refugiados, a família teve que decidir como votar. "O que Chasia teria dito?", eles se perguntaram. A resposta foi clara: "pensem sempre no elo mais fraco da cadeia", seja qual for a situação. A família votou para ajudar os refugiados — o legado de empatia de Chasia.

    A guerrilheira de Vilna Liba Marshak Augenfeld sempre acolhia pessoas em sua casa; os *seders* da família ficavam sempre cheios de convidados que eram "refugiados de suas respectivas famílias". Rivka dava aos pais o crédito por terem lhe transmitido um legado de "como ser um *mentsch* por excelência". Entrevista pessoal, Rivka Augenfeld, para mais detalhes.
33. Entrevista pessoal, Yoel Yaari, Jerusalém, 17 de maio de 2018.
34. Epstein, *Children of the Holocaust*, p. 179, por exemplo, fornece exemplos de filhos de sobreviventes para os quais era difícil montar as peças da história, uma vez que a narrativa era mais desconexa e emocional em vez de cronológica.
35. Cohen, *Avengers*, p. 148-49. Ruzka oferece uma versão ligeiramente diferente em *Partisans of Vilna*, na qual também tinha certeza de que ela mesma nunca mais ia rir ou chorar outra vez. Esta seção é baseada em Neima Barzel, "Rozka Korczak-Marla" e "Vitka Kempner-Kovner", *The Encyclopedia of Jewish Women*; Cohen, *Avengers*; *Michael Kovner*, <www.michalkovner.com>; Korczak, *Flames in Ash*; Korczak, Tubin e Rab, *Zelda the Partisan*; Ziva Shalev, "Zelda Nisanilevich Treger", *The Encyclopedia of Jewish Women*; Yehuda Tubin, Levi Deror *et al.* (orgs.), *Ruzka Korchak-Marle: The Personality and Philosophy of Life of a Fighter*; Wilfand, *Vitka Fights for Life*; e entrevistas pessoais com Michael Kovner, Jerusalém, 17 de maio de 2018, e Daniela Ozacky-Stern e Yonat Rotbain, Givat Haviva, Israel, 14 de maio de 2018.
36. Entrevista pessoal, Daniela Ozacky-Stern e Yonat Rotbain, Givat Haviva, Israel, 14 de maio de 2018.
37. Citado em Cohen, *Avengers*, p. 172.
38. Entrevista pessoal, Michael Kovner, Jerusalém, 17 de maio de 2018.
39. Korczak, Tubin e Rab, *Zelda the Partisan*, p. 150.
40. De um artigo escrito por Ruth Meged para o *Haaretz* em 19 de abril de 1971, reimpresso em *Zelda the Partisan*, p. 136.
41. Entrevista com Ozacky-Stern e Rotbain.

42. Entrevista com Kovner.
43. Entrevista pessoal, Kovner.
44. Algumas fontes dizem que foi com 40 anos.
45. Para mais sobre Stern, ver "Color Psychotherapy", <http://www.colorpsy.co.il/colorPsyEng.aspx>. Para o trabalho de psicoterapia de Vitka, ver Michael Kovner, "In Memory of My Mother", <https://www.michaelkovner.com/said04eng>.
46. *Ibidem.*
47. Entrevista pessoal, Michael Kovner, Jerusalém, 17 de maio de 2018.
48. Leisah Woldoff, "Daughter of Survivors Continues Parents' Legacy", *Jewish News*, 23 de abril de 2014, disponível em: <http://www.jewishaz.com/community/valley_view/daughter-of-survivors-continues-parents-legacy/article_7249bb6ecafb11e382080017a43b2370.html>.
49. Entrevista pessoal, Jacob Harel e Leah Waldman, Haifa, Israel, 14 de maio de 2018. Esta seção é baseada em entrevistas pessoais com a família de Renia.
50. Entrevista pessoal, Merav Waldman, Skype, 23 de outubro de 2018.
51. Em seu testemunho no Yad Vashem, Renia enfatiza que viajou pelo mundo inteiro, mas nunca voltou à Polônia.
52. A data de nascimento de Vitka varia dependendo da fonte, mas a maioria concorda que ela morreu aos 92 anos.
53. A guerrilheira Mira Rosnow ainda estava viva, com 99 anos, no momento em que este texto foi escrito. Sua irmã, Sara, também uma guerrilheira, morreu aos 92 anos. Chayele Porus Palevsky, guerrilheira de Vilna, ainda estava viva. Liba Marshak Augenfeld, guerrilheira de Vilna, morreu aos 95 anos.
54. Epstein, *Children of the Holocaust*, p. 182, 310, menciona que a lealdade familiar é um valor imenso entre os sobreviventes.
55. Foto da coleção de Merav Waldman.
56. Ver a discussão sobre a 3G em Uta Larkey, "Transcending Memory in Holocaust Survivors". Como explica Dina Wardi, as mulheres da 2G e da 3G costumam ser as "velas memoriais" da família. Conforme Irit Felsen explicou em uma palestra sobre trauma intergeracional no The Wing, Nova York, 27 de janeiro de 2020, a 2G sentia raiva e vergonha do passado dos pais, enquanto a 3G tinha orgulho de suas raízes de sobreviventes. (A segunda geração tinha uma "parede dupla" que a separava dos pais, cada geração querendo proteger a outra e, portanto, nunca falavam da guerra.)

Epílogo — Os judeus desaparecidos

1. Entrevista pessoal, Jonathan Ornstein, Cracóvia, Polônia, 25 de junho de 2018.
2. Paulsson, *Secret City*, p. 5, 129-130. Paulsson menciona outra estimativa, de acordo com a qual 160 mil poloneses ajudaram a esconder judeus. Na página 247, ele explica que

ajuda não é o mesmo que resgate, destacando que havia muitas maneiras pelas quais os poloneses ajudavam os judeus.

3. Paulsson, *Secret City*, p. 21-25, também enfatiza que as pessoas costumam registrar o inesperado em suas memórias, e não necessariamente a norma. Ele sugere que a maioria dos poloneses que escondiam judeus não os traiu, mas os que o fizeram deixaram uma impressão mais forte e, por isso, escreveu-se sobre eles.
4. Sou grata a Samuel J. Kassow (conferência "In Dialogue: Polish Jewish Relations During the Interwar Period"), por ter inspirado as ideias deste parágrafo e, em particular, o sentimento final a respeito de não "encobrir" o antissemitismo e não entrar no mérito de quem sofreu mais.
5. Uma explicação diferente: Marisa Fox-Bevilacqua, "The Lost Shul of Będzin: Uncovering Poland's Once-vibrant Jewish Community", *Haaretz*, 7 de setembro de 2014, disponível em: <https://www.haaretz.com/jewish/.premium-the-lost-shul-of-Będzin-1.5263609>.

Nota da autora — Sobre a pesquisa

1. Para discussões sobre o uso de memórias e testemunhos como fontes, ver, por exemplo: Michlic (org.), *Jewish Families in Europe*; Mervin Butovksy e Kurt Jonassohn, "An Exploratory Study of Unpublished Memoirs by Canadian Holocaust Survivors", in Paula J. Draper e Richard Menkis (orgs.), *New Perspectives on Canada, the Holocaust and Survivors: Canadian Jewish Studies*, Special Issue, p. 147-61; Frumi Shchori, *Voyage and Burden: Women Members of the Fighting Underground in the Ghettos of Poland as Reflected in Their Memoirs (1945-1998)*, tese, Universidade de Tel-Aviv, 2006.
2. Ronen, *Condemned to Life*, p. 52-63, explica as condições em que Chajka escreveu seu diário: às pressas, com medo de esquecer suas emoções, com medo de ser pega.
3. O uso do pronome coletivo "nós" por cronistas na tentativa de enfatizar a subjetividade é abordado em Rita Horvath, "Memory Imprints: Testimony as Historical Sources", in *Jewish Families in Europe*, p. 173-95.
4. Zuckerman, *Surplus of Memory*, p. viii.
5. De acordo com Zuckerman, *Surplus of Memory*, p. 371, os documentos da ŻOB nem sempre eram precisos. Eles não estavam escrevendo para um arquivo histórico; muitas vezes escreviam para despertar simpatia, na esperança de receber alguma ajuda.
6. Neste livro, tendi a usar a forma do nome com o qual a mulher publicou ou ficou conhecida. Tentei usar grafias mais simples para os leitores da versão em inglês. Muitas vezes, incluí versões adicionais de nomes nas notas finais.
7. Ver a introdução a Barbara Kirshenblatt-Gimblett e Antony Polonsky (orgs.), *Polin, 1000 Year History of Polish Jews — Catalogue for the Core Exhibition*. Paulsson, *Secret City*, p. ix-xv, estuda as complexidades da terminologia nesse campo.
8. Citado em Laska, *Different Voices*, p. 255.

BIBLIOGRAFIA

Esta é uma bibliografia selecionada que inclui minhas fontes mais significativas. Fontes adicionais aparecem nas notas finais. Usei nomes próprios como estão grafados na própria fonte, embora essa grafia nem sempre esteja de acordo com a que adotei ao longo do livro.

Fontes de arquivo

Arquivo Judaico-Canadense Alex Dworkin, Montreal.

Arquivo Ringelblum. (Acessado em vários locais e formatos.)

Arquivos do Estado de Israel, Jerusalém, Israel.

Documentos de imigração de Renia Kukiełka.

Arquivos JDC, Nova York, Estados Unidos.

Biblioteca do Holocausto de Wiener, Londres, Reino Unido.

Biblioteca Nacional de Israel, Jerusalém, Israel.

Testemunho escrito de Renia Kukiełka.

Instituto Histórico Judaico Emanuel Ringelblum, Varsóvia, Polônia.

Instituto Internacional Massuah para Estudos do Holocausto, Tel Yitzhak, Israel.

Kibbutz Dafna, Israel.

Memorial do Holocausto e Centro de Estudos e Pesquisa Mordechai Anielevich, Givat Haviva, Israel.

Museu da Casa dos Combatentes do Gueto, Israel.

Uma fonte importante de testemunhos escritos e orais, reportagens contemporâneas e históricas, fotografias, correspondências, transcrições de palestras, tributos e outros documentos não publicados relacionados com a maior parte das personagens deste livro, incluindo vários testemunhos de Renia Kukiełka.

Museu Memorial do Holocausto dos Estados Unidos, Washington, DC.

Registros de sobreviventes, livros raros, panfletos, história oral e transcrições de conferências, arquivo digitalizado do gueto de Białystok, versão digitalizada do Arquivo Ringelblum, objetos, fotografias, vídeos e testemunhos escritos.

Yad Vashem, Jerusalém, Israel.

Importante fonte de testemunhos escritos e orais, incluindo os de Renia Kukiełka, Bela Hazan e Chawka Lenczner.

Yivo, Nova York, Estados Unidos.

Fontes online

A seguir estão fontes *online* usadas com frequência; incluí a *home page*, mas não cada artigo individual.

Arolsen Archives — International Center on Nazi Persecution: Online Archive
<www.arolsenarchives.org/en/search-explore/search-online-archive>

Beit Hatfutsot: My Jewish Story, The Open Databases of the Museum of the Jewish People
<www.dbs.bh.org.il>

Brama Cuckermana Foundation
<www.bramacukermana.com>

Centropa
<www.centropa.org>

Culture.pl
<www.culture.pl/en>

Emanuel Ringelblum Jewish Historical Institute
<www.jhi.pl/en>

Exposição “Before They Perished”
<www.artsandculture.google.com/exhibit/QRNJBGMI>

Geni
<www.geni.com/family-tree/html/start>

Historic Films Stock Footage Archive (canal do YouTube)
<www.youtube.com/channel/UCPbqb1jQ7cgkUqX2m33d6uw>

The Hebrew University of Jerusalem: Holocaust Oral History Collection
<www.multimedia.huji.ac.il/oralhistory/eng/index-en.html>

Holocaust Historical Society
<www.holocausthistoricalsociety.org.uk>

JewishGen
<www.jewishgen.org/new>

Jewish Partisan Education Foundation
<www.jewishpartisans.org>

Jewish Records Indexing — Poland
<www.jri-poland.org>

Jewish Virtual Library
<www.jewishvirtuallibrary.org>

Jewish Women's Archive: The Encyclopedia of Jewish Women
<www.jwa.org/encyclopedia>

Michael Kovner
<www.michaelkovner.com>

Modern Hebrew Literature — a BioBibliographical Lexicon
<www.library.osu.edu/projects/hebrew-lexicon/index.htm>

Museum of the History of Polish Jews Polin: *Virtual Shtetl*
<www.sztetl.org.pl/en>

Museum of the History of Polish Jews Polin: Polish Righteous
<www.sprawiedliwi.org.pl/en>

Narodowe Archiwum Cyfrow (Arquivo Digital Nacional)
<www.audiovis.nac.gov.pl>

The New York Public Library: Yizkor Book Collection
<www.digitalcollections.nypl.org/collections/yizkor-book-collection#/?tab=navigation>

Organization of Partisans, Underground Fighters and Ghetto Rebels in Israel
<www.eng.thepartisan.org/> e <www.archive.c3.ort.org.il/Apps/WW/page.aspx?ws=496fe4b2-4d9a-4c28-a845-510b28b1e44b&page=8bb2c216-624a-41d6-b396-7c7c161e78ce>

Polish Center for Holocaust Research: Warsaw Ghetto Database
<www.warszawa.getto.pl>

Sarah and Chaim Neuberger Holocaust Education Center: In Their Own Words
<www.intheirownwords.net>

Sharon Geva
<www.sharon-geva.blogspot.com/p/english.html>

Silesiaheritage (canal no YouTube)
<www.youtube.com/user/silesiaheritage/featured>

United States Holocaust Memorial Museum: Holocaust Encyclopedia
<www.encyclopedia.ushmm.org>

USC Shoah Foundation: Visual History Archive
<www.sfi.usc.edu/vha>

Warsaw Before WW2, canal no YouTube
<www.youtube.com/channel /UC_7UzhH0KCna70a5ubpoOhg>

The World Society of Częstochowa Jews and Their Descendants
<www.czestochowajews.org>

Yad Vashem: Articles
<www.yadvashem.org/articles/general.html>

Yad Vashem: Exhibitions
<www.yadvashem.org/exhibitions.html>

Yad Vashem: Shoah Resource Center
<www.yadvashem.org>

Yiddish Book Center: Oral Histories
<www.jhi.pl/en>

Yivo Digital Archive on Jewish Life in Poland
<www.polishjews.yivoarchives.org>

The Yivo Encyclopedia of Jews in Eastern Europe
<www.yivoencyclopedia.org>

Zaglembie World Organization
<www.zaglembie.org>

Exposições e monumentos

Exposição permanente, Casa de Oração Mizrachi, Museu de Zagłębie, Będzin, Polônia.

Exposição permanente, Fábrica de Esmalte de Oskar Schindler, Museu de Cracóvia, Cracóvia, Polônia.

Exposição permanente, Instituto Histórico Judaico Emanuel Ringelblum, Varsóvia, Polônia.

Exposição permanente, Mausoléu de Luta e Martírio, Varsóvia, Polônia.

Exposição permanente, Museu Casa dos Combatentes do Gueto, Lohamei HaGeta'ot, Israel.

Exposição permanente, Moreshet, Givat Haviva, Israel.

Exposição permanente, Museu do Holocausto de Montreal, Montreal, Canadá.

Exposição permanente, Museu Judaico da Galícia, Cracóvia, Polônia.

Exposição permanente, Museu do Levante de Varsóvia, Varsóvia, Polônia.

Exposição permanente, Museu Memorial do Holocausto dos Estados Unidos, Washington, DC.

Exposição permanente, Museu Polin da História dos Judeus Poloneses, Varsóvia, Polônia.

Exposição permanente, Museu da Prisão Pawiak, Varsóvia, Polônia.

Exposição permanente, Museu de Varsóvia, Varsóvia, Polônia.

Exposição permanente, Museu Yad Mordechai, Hof Ashkelon, Israel.

Exposição permanente, Yad Vashem, Jerusalém, Israel.

Exposição permanente, Zabinski Villa, Zoológico de Varsóvia, Varsóvia, Polônia.

Faces of Resistance: Women in the Holocaust, Moreshet, Givat Haviva, Israel.

The Paper Brigade: Smuggling Rare Books and Documents in Nazi-Occupied Vilna, 11 de outubro de 2017-14 de dezembro de 2018, Yivo, Nova York.

Memoriais, Rua Miła 18, Varsóvia, Polônia.

Memorial, Saída de Esgoto na Rua Prosta, Varsóvia, Polônia.

Violated, Ronald Feldman Gallery, 12 de abril-12 de maio de 2018, Nova York.

Eventos selecionados

"Hitler Hanging on a Tree: Soviet Jewish Humor During WW2". Palestra proferida por Anna Shternshis em abril de 2018. Nova York. Yivo.

"In Dialogue: Polish Jewish Relations During the Interwar Period". Palestras proferidas por Samuel D. Kassow e Paul Brykczynski em 15 de novembro de 2018. Nova York. Fordham University, Columbia, Yivo.

"Kraków Ghetto: A Walking Tour". Agi Legutko. Junho de 2018. Cracóvia, Polônia, Festival de Cultura Judaica.

"Memorial for Warsaw Ghetto, Warsaw Ghetto Uprising Commemoration, 75th Anniversary". 19 de abril de 2018. Nova York. The Congress for Jewish Culture with Friends of the Bund, the Jewish Labor Committee, the Workmen's Circle e Yivo.

Nusakh Vilna Memorial Lecture and Concert. 16 de setembro de 2018 e 22 de setembro de 2019. Nova York. Yivo.

Uprising [*Insurreição*]. Exibição e discussão. 22 de abril de 2018. Nova York. Jewish Partisan Education Foundation, Directors Guild.

Entrevistas pessoais

Rivka Augenfeld, Montreal, Canadá, 10 e 17 de agosto de 2018.

Ralph Berger, Nova York, 10 de abril de 2018.

Havi Dreifuss, Tel-Aviv, Israel, 16 de maio de 2018.

Sandy Fainer, telefone, 27 de novembro de 2018.

Yoram Kleinman, telefone, 11 de fevereiro de 2019 (entrevista conduzida por Elisha Baskin).

Michael Kovner, Jerusalém, Israel, 17 de maio de 2018.

Jacob Harel e Leah Waldman, Haifa, Israel, 14 de maio de 2018.

Barbara Harshav, Nova York, 9 de março e 23 de abril de 2018.

Emil Kerenji, Washington, DC, 27 de abril de 2018.

Agi Legutko, Nova York, 2 de maio de 2018.

Jonathan Ornstein, Cracóvia, Polônia, 25 de junho de 2018.

Daniela Ozacky-Stern e Yonat Rotbain, Givat Haviva, Israel, 14 de maio de 2018.

Chayele Palevsky, Skype, 20 de novembro de 2018.

Katarzyna Person, Varsóvia, Polônia, 21 de junho de 2018.

Avihu Ronen, Tel-Aviv, Israel, 16 de maio de 2018.

Lilian Rosenthal, telefone, 12 de novembro de 2018.

Rochelle Saidel, Nova York, 8 de junho de 2018.

Elaine Shelub, telefone, 6 de novembro de 2018.

Anna Shternshis, Nova York, 9 de abril de 2018.
David Silberklang, Jerusalém, Israel, 17 de maio de 2018.
Holly Starr, telefone, 13 de novembro de 2018.
Michał Trębacz, Varsóvia, Polônia, 22 de junho de 2018.
Merav Waldman, Skype, 23 de outubro de 2018.
Yoel Yaari, Jerusalém, Israel, 17 de maio de 2018.
Racheli Yahav, Tzora, Israel, 17 de maio de 2018.
Eyal Zuckerman, Tel-Aviv, Israel, 15 de maio de 2018.

Materiais inéditos selecionados

GRABOWSKI, Jan. "The Polish Police: Collaboration in the Holocaust". Palestra no USHMM, 17 de novembro de 2016. Texto acessado online.

JEWISH TELEGRAPHIC AGENCY NEWSWIRE. 8 de janeiro de 1943. Vol. 10. Número 6. Nova York.

KASLOW, Maria Wizmur. "Mania: A Gestapo Love Story" e "Vanished". Coleção familiar.

KUKIEŁKA, Renia. Fotografias, cartas, testemunho do marido, tributo. Coleção familiar.

SHCHORI, Frumi. "Voyage and Burden: Women Members of the Fighting Underground in the Ghettos of Poland as Reflected in their Memoirs (1945-1998)". Tese, Universidade de Tel-Aviv, 2006 (em hebraico).

STARR, Holly. Tributo a Sara Rosnow, 2017.

Testemunho não publicado, Fundação Azrieli.

Livros selecionados

Não incluí capítulos ou artigos individuais. Muitos dos livros existem em diversas edições e idiomas; forneci informações relevantes quando disponíveis.

Hantze and Frumka: Letters and Reminiscences. Tel-Aviv, Israel: Hakibbutz Hameuchad, 1945 (em hebraico).

In Honor of Ala Gertner, Róza Robota, Regina Safirztajn, Ester Wajcblum: Martyred Heroines of the Jewish Resistance in Auschwitz Executed on January 5, 1945. S.l.: s.e., c. 1991 (em inglês, iídiche, polonês, alemão, francês).

In the Face of Annihilation: Work and Resistance in the Ghettos 1941-1944. Berlim: Touro College, 2017. Catálogo de exposição.

Portraits of the Fighters: Biographies and Writings of Young Leaders of the Jewish Resistance During the Holocaust. American Friends of the Ghetto Fighters' Museum.

Voice of the Woman Survivor 9, n. 2. Nova York: Wagro Women Auxiliary to the Community of Survivors, Holocaust Resource Centers and Libraries. Primavera de 1992.

Women of Valor: Partisans and Resistance Fighters. Center for Holocaust Studies *Newsletter* 3, n. 6. Nova York: Center for Holocaust Studies, 1990.

ACKERMAN, Diane. *The Zookeeper's Wife: A War Story*. Nova York: Norton, 2007 [ed. bras.: *O zoológico de Varsóvia*. Rio de Janeiro: HarperCollins, 2017.]

BAUMEL-SCHWARTZ, Judith Taylor e COHEN, Tova (orgs.). *Gender, Place and Memory in the Modern Jewish Experience: Re-Placing Ourselves*. Londres: Vallentine Mitchell, 2003.

BERÉS, Witold e BURNETKO, Krzysztof. *Marek Edelman: Being on the Right Side*. Tradução de William R. Brand. Cracóvia, Polônia: Berés Media, 2016.

BERGER, Ralph S. e BERGER, Albert S. (orgs.). *With Courage Shall We Fight: The Memoirs and Poetry of Holocaust Resistance Fighters Frances "Fruma" Gulkowich Berger and Murray "Motke" Berger*. Margate, Reino Unido: ComteQ, 2010.

BLADY-SZWAJGER, Adina. *I Remember Nothing More: The Warsaw Children's Hospital and the Jewish Resistance*. Nova York: Pantheon, 1990.

BRZEZINSKI, Matthew. *Isaac's Army: A Story of Courage and Survival in Nazi-Occupied Poland*. Nova York: Random House, 2012.

BURSTEIN, Dror. *Without a Single Case of Death: Stories from Kibbutz Lohamei Haghetaot*. Tel-Aviv, Israel: Casa dos Combatentes do Gueto/Babel, 2007.

CAIN, Larissa. *Ghettos en révolte: Pologne, 1943*. Paris: Autrement, 2003.

COHEN, Rich. *The Avengers: A Jewish War Story*. Nova York: Knopf, 2000.

CZOCHER, Anna; KAŁWA, Dobrochna *et al*. *Is War Men's Business? Fates of Women in Occupied Kraków in Twelve Scenes*. Tradução de Tomasz Tesznar e Joanna Bełch-Rucińska. Cracóvia, Polônia: Museu Histórico da Cidade de Cracóvia, 2011. Catálogo de exposição.

DIATŁOWICKI, Jerzy (org.). *Żydzi w walce 1939-1945* [Judeus em luta, 1939-1945]. 4 vols. Varsóvia, Polônia: Associação de Combatentes e Vítimas Judeus da Segunda Guerra Mundial e Instituto Histórico Judaico, 2009-2015.

DINER, Hasia R. *We Remember with Reverence and Love: American Jews and the Myth of Silence After the Holocaust, 1945-1962*. Nova York: New York University Press, 2009.

DRAENGER, Gusta Davidson. *Justyna's Narrative*. Tradução de Roslyn Hirsch e David H. Hirsch. Amherst, MA: University of Massachusetts Press, 1996.

DRAPER, Paula J. e MENKIS, Richard (orgs.). *New Perspectives on Canada, the Holocaust and Survivors. Canadian Jewish Studies*, edição especial. Montreal: Association for Canadian Jewish Studies, 1997.

DROR, Zvi. *The Dream, the Revolt and the Vow: The Biography of Zivia Lubetkin Zuckerman (1914-1978).* Tradução de Bezalel Ianai. Tel-Aviv: Federação Geral do Trabalho (Histadrut) e Casa dos Combatentes do Gueto, 1983.

EDELMAN, Marek. *The Ghetto Fights.* Nova York: American Representation of the General Jewish Workers Union of Poland, 1946.

ENGEL, David; MAIS, Yitzchak *et al. Daring to Resist: Jewish Defiance in the Holocaust.* Nova York: Museu da Herança Judaica, 2007. Catálogo de exposição.

ENGELKING, Barbara e LEOCIAK, Jacek. *The Warsaw Ghetto: A Guide to the Perished City.* New Haven, CT: Yale University Press, 2009.

EPSTEIN, Helen. *Children of the Holocaust: Conversations with Sons and Daughters of Survivors.* Nova York: Penguin, 1979.

FELDHAY BRENNER, Rachel. *Writing as Resistance: Four Women Confronting the Holocaust.* University Park, Pensilvânia: Penn State University Press, 2003.

FISHMAN, David E. *The Book Smugglers: Partisans, Poets, and the Race to Save Jewish Treasures from the Nazis.* Líbano, NH: ForEdge, 2017 [ed. bras.: *Os homens que salvavam livros: A luta para proteger os tesouros judeus das mãos dos nazistas.* São Paulo: Vestígio, 2018].

FREEZE, ChaeRan; HYMAN, Paula *et al.* (orgs.). *Polin: Studies in Polish Jewry*, vol. 18, *Jewish Women in Eastern Europe.* Liverpool: Littman Library of Jewish Civilization, 2005.

GABIS, Rita. *A Guest at the Shooters' Banquet: My Grandfather's SS Past, My Jewish Family, A Search for the Truth.* Nova York: Bloomsbury, 2015.

GEVA, Sharon. *El ha-aḥot halo yedu'ah: giborat ha-Shoah ba-ḥevrah ha-Yiśre'elit/ To the unknown sister: Holocaust heroines in Israeli society.* Tel-Aviv, Israel: Hakibbutz Hameuchad, 2010 (em hebraico).

GOLDENBERG, Myrna (org.). *Before All Memory Is Lost: Women's Voices from the Holocaust.* Toronto: Azrieli Foundation, 2017.

GOLDSTEIN, Bernard. *The Stars Bear Witness.* Tradução de Leonard Shatzkin. Londres: Victor Gollancz, 1950.

GROSSMAN, Chaika. *The Underground Army: Fighters of the Białystok Ghetto.* Tradução de Shmuel Beeri. Nova York: Holocaust Library, 1987.

GROVE, Kimberley Sherman e GELLER, Judy. *Stories Inked.* Brighton, Canadá: Reflections on the Past, 2012.

GRUNWALD-SPIER, Agnes. *Women's Experiences in the Holocaust: In Their Own Words.* Stroud, Reino Unido: Amberley, 2018.

GRUPIŃSKA, Anka. *Odczytanie listy. Opowieści o powstańcach żydowskich* [Lendo a lista. Histórias sobre rebeldes judeus]. Wołowiec, Polônia: Czarne, 2014.

GUREWITSCH, Brana (org.). *Mothers, Sisters, Resisters: Oral Histories of Women Who Survived the Holocaust.* Tuscaloosa, AL: University of Alabama Press, 1998.

GUTTERMAN, Bella. *Fighting for Her People: Zivia Lubetkin, 1914-1978.* Tradução de Ora Cummings. Jerusalém: Yad Vashem, 2014.

HEILMAN, Anna. *Never Far Away: The Auschwitz Chronicles of Anna Heilman.* Calgary, Canadá: University of Calgary Press, 2001.

IZHAR, Naomi. *Chasia Bornstein-Bielicka, One of the Few: A Resistance Fighter and Educator, 1939-1947.* Tradução de Naftali Greenwood. Jerusalém: Yad Vashem, 2009.

KALCHHEIM, Moshe (org.). *With Proud Bearing 1939-1945: Chapters in the History of Jewish Fighting in the Narotch Forests.* Tel-Aviv: Organização de Guerrilheiros, Combatentes Clandestinos e Rebeldes do Gueto em Israel, 1992 (em iídiche).

KATZ, Esther e RINGELHEIM, Joan Miriam (orgs.). *Proceedings of the Conference on Women Surviving the Holocaust.* Nova York: Institute for Research in History, c. 1983.

KIRSHENBLATT-GIMBLETT, Barbara e POLONSKY, Antony (orgs.). *POLIN, 1000 Year History of Polish Jews — Catalogue for the Core Exhibition.* Varsóvia: POLIN Museum of the History of Polish Jews, 2014. Catálogo de exposição.

KLINGER, Chajka. *I am Writing These Words to You: The Original Diaries, Będzin 1943.* Tradução de Anna Brzostowska e Jerzy Giebułtowski. Jerusalém: Yad Vashem e Moreshet, 2017. (Obra original publicada em hebraico em 2016.)

KLOIZNER, Israel e PERGER, Moshe. *Holocaust Commentary: Documents of Jewish Suffering Under Nazi Rule.* Jerusalém: Jewish Agency of Israel and the Rescue Committee for the Jews of Occupied Europe, 1945-1947.

KORCZAK, Riezl (Ruz'ka). *Flames in Ash.* Israel: Sifriyat Po'alim, Hakibbutz Ha'artzi Hashomer Hatzair, 1946 (em hebraico).

KORCZAK, Roszka; TUBIN, Yehuda e RAB, Yosef (orgs.). *Zelda the Partisan.* Tel-Aviv: Moreshet e Sifriyat Po'alim, 1989 (em hebraico).

KUKIEŁKA, Renia. *Underground Wanderings.* Ein Harod, Israel: Hakibbutz Hameuchad, 1945 (em hebraico).

KULKIELKO, Renya. *Escape from the Pit.* Nova York: Sharon Books, 1947.

LASKA, Vera (org.). *Women in the Resistance and in the Holocaust: The Voices of Eyewitnesses.* Westport, CT: Praeger, 1983.

LASKIER, Rutka. *Rutka's Notebook: JanuaryApril 1943.* Jerusalém: Yad Vashem, 2007.

LIWER, Dawid. *Town of the Dead: The Extermination of the Jews in the Zaglembie Region.* Tel-Aviv, Israel, 1946 (em hebraico).

LUBETKIN, Zivia. *In the Days of Destruction and Revolt.* Tradução de Ishai Tubbin e Debby Garber. Organização de Yehiel Yanay, índice biográfico de Yitzhak Zuckerman. Tel-Aviv: Am Oved; Hakibbutz Hameuchad; Casa dos Combatentes do Gueto, 1981. (Obra original publicada em hebraico em 1979.)

LUKOWSKI, Jerzy e ZAWADZKI, Hubert. *A Concise History of Poland*. Cambridge, UK: Cambridge University Press, 2001.

MEED, Vladka. *On Both Sides of the Wall*. Tradução de Steven Meed. Washington, DC: United States Holocaust Memorial Museum, 1993. (Obra original publicada em iídiche em 1948.)

MICHLIC, Joanna Beata (org.). *Jewish Families in Europe, 1939-Present: History, Representation and Memory*. Waltham, MA: Brandeis University Press, 2017.

MILGROM, Frida. *Mulheres na resistência: heroínas esquecidas que se arriscaram para salvar judeus ao longo da história*. São Paulo: Ipsis, 2016.

NAMYSLO, Aleksandra. *Before the Holocaust Came: The Situation of the Jews in Zaglebie during the German Occupation*. Katowice, Polônia: Gabinete de Educação Pública do Instituto Nacional da Lembrança; Instituto Histórico Judaico Emanuel Ringelblum em Varsóvia; Yad Vashem, 2014. Catálogo de exposição.

NEUSTADT, Meilech (org.). *Destruction and Rising, The Epic of the Jews in Warsaw: A Collection of Reports and Biographical Sketches of the Fallen*. 2. ed. Tel-Aviv: Comitê Executivo da Federação Geral do Trabalho Judeu em Israel, 1947.

OFER, Dalia e WEITZMAN, Lenore J. (orgs.). *Women in the Holocaust*. New Haven, CT: Yale University Press, 1998.

OSTROWER, Chaya. *It Kept Us Alive: Humor in the Holocaust*. Tradução de Sandy Bloom. Jerusalém: Yad Vashem, 2014.

PALDIEL, Mordechai. *Saving One's Own: Jewish Rescuers During the Holocaust*. Filadélfia: The Jewish Publication Society; Lincoln: University of Nebraska Press, 2017.

PAULSSON, Gunnar S. *Secret City: The Hidden Jews of Warsaw 1940-1945*. New Haven, CT: Yale University Press, 2003.

PERSON, Katarzyna (org.). *Warsaw Ghetto: Everyday Life*. The Ringelblum Archive, vol. 1. Tradução de Anna Brzostowska *et al*. Varsóvia: Instituto Histórico Judeu, 2017.

PORAT, Dina. *The Fall of a Sparrow: The Life and Times of Abba Kovner*. Stanford, CA: Stanford University Press, 2010.

PRINCE, Robert M. *The Legacy of the Holocaust: Psychohistorical Themes in the Second Generation*. Nova York: Other Press, 1999. (Obra originalmente publicada em 1985.)

RAKOVSKY, Puah. *My Life as a Radical Jewish Woman: Memoirs of a Zionist Feminist in Poland*. Tradução de Barbara Harshav e Paula E. Hyman. Bloomington, IN: Indiana University Press, 2001.

RAPAPORT, J. (org.). *Memorial Book of Zaglembie*. Tel-Aviv: s/e, 1972 (em iídiche, hebraico e inglês).

REINHARTZ, Henia. *Bits and Pieces*. Toronto: Azrieli Foundation, 2007.

RINGELBLUM, Emanuel. *Notes From the Warsaw Ghetto: The Journal of Emmanuel Ringelblum*. Tradução de Jacob Sloan. Nova York: ibooks, 2006. (Obra originalmente publicada em 1958.)

RITTNER, Carol e ROTH, John K. (orgs.). *Different Voices: Women and the Holocaust*. St. Paul, MN: Paragon House, 1993.

RONEN, Avihu. *Condemned to Life: The Diaries and Life of Chajka Klinger*. Haifa e Tel-Aviv, Israel: University of Haifa Press, Miskal-Yidioth Ahronoth, Chemed, 2011 (em hebraico).

ROSENBERG-AMİT, Zila (Cesia). *Not to Lose the Human Face*. Tel-Aviv: Kibbutz Hameuchad, Moreshet, Casa dos Combatentes do Gueto, 1990 (em hebraico).

ROTEM, Simha "Kazik." *Memoirs of a Ghetto Fighter*. Tradução de Barbara Harshav. New Haven, CT: Yale University Press, 1994.

RUFEISEN-SCHÜPPER, Hella. *Farewell to Miła 18*. Tel-Aviv: Casa dos Combatentes do Gueto e Hakibbutz Hameuchad, 1990 (em hebraico).

SAIDEL, Rochelle G. e BRUDIN, Batya (orgs.). *Violated! Women in Holocaust and Genocide*. Nova York: Remember the Women Institute, 2018. Catálogo de exposição.

SAIDEL, Rochelle G. e HEDGEPETH, Sonja M. (orgs.). *Sexual Violence Against Jewish Women During the Holocaust*. Waltham, MA: Brandeis University Press, 2010.

SCHULMAN, Faye. *A Partisan's Memoir: Woman of the Holocaust*. Toronto: Second Story Press, 1995.

SHALEV, Ziva. *Tossia Altman: Leader of Hashomer Hatzair Movement and of the Warsaw Ghetto Uprising*. Tel-Aviv, Israel: Moreshet, 1992 (em hebraico).

SHANDLER, Jeffrey (org.). *Awakening Lives: Autobiographies of Jewish Youth in Poland Before the Holocaust*. New Haven, CT: Yale University Press, 2002.

SHELUB, Mira e ROSENBAUM, Fred. *Never the Last Road: A Partisan's Life*. Berkeley, CA: Lehrhaus Judaica, 2015.

SOLOMIAN-LUTZ, Fanny. *A Girl Facing the Gallows*. Tel-Aviv: Moreshet e Sifryat Hapoalim, 1971 (em hebraico).

SPIZMAN, Leib (org.). *Women in the Ghettos*. Nova York: Pioneer Women's Organization, 1946 (em iídiche).

TEC, Nechama. *Resistance: Jews and Christians Who Defied the Nazi Terror*. Nova York: Oxford University Press, 2013.

THON, Elsa. *If Only It Were Fiction*. Toronto: Azrieli Foundation, 2013.

TUBIN, Yehuda; DEROR, Levi *et al.* (orgs.). *Ruzka Korchak-Marle: The Personality and Philosophy of Life of a Fighter*. Tel-Aviv: Moreshet e Sifriyat Po'alim, 1988 (em hebraico).

VITIS-SHOMRON, Aliza. *Youth in Flames: A Teenager's Resistance and Her Fight for Survival in the Warsaw Ghetto*. Omaha, NE: Tell the Story, 2015.

WILFAND, Yigal (org.). *Vitka Fights for Life*. Givat Haviva, Israel: Moreshet, 2013 (em hebraico).

YA'ARI-HAZAN, Bela. *Bronisława Was My Name*. Tel-Aviv: Hakibbutz Hameuchad, Casa dos Combatentes do Gueto, 1991 (em hebraico).

YERUSHALMI, Shimshon Dov. *Jędrzejów Memorial Book*. Tel-Aviv: Jędrzejów Community in Israel, 1965.

ZUCKERMAN, Yitzhak "Antek". *A Surplus of Memory: Chronicle of the Warsaw Ghetto Uprising*. Tradução de Barbara Harshav. Berkeley, CA: University of California Press, 1993.

Artigos selecionados

Esta lista inclui alguns artigos importantes selecionados que não aparecem nos livros ou fontes *online* listados anteriormente.

BERNARD, Mark. "Problems Related to the Study of the Jewish Resistance Movement in the Second World War". *Yad Vashem Studies* 3 (1959), p. 41-65.

FOX-BEVILACQUA, Marisa. "The Lost, Shul of Będzin: Uncovering Poland's Once vibrant Jewish Community". *Ha'aretz*, 7 de setembro de 2014, disponível em: <https://www.haaretz.com/jewish/.premium-the-lost-shul-of-Będzin-1.5263609>.

HARRAN, Ronen. "The Jewish Women at the Union Factory, Auschwitz 1944: Resistance, Courage and Tragedy". *Dapim: Studies in the Holocaust* 31, n. 1 (2017), p. 45-67.

KASONATA, Adriel. "Poland: Europe's Forgotten Democratic Ancestor". *The National Interest*, 5 de maio de 2016, disponível em: <https://nationalinterest.org/feature/poland--europes-forgotten-democratic-ancestor-16073>.

KOL-INBAR, Yehudit. "'Not Even for Three Lines in History': Jewish Women Underground Members and Partisans During the Holocaust". In HACKER, Barton e VINING, Margaret (orgs.). *A Companion to Women's Military History*. Leiden, Holanda: Brill, 2012.

OFER, Dalia. "Condemned to Life? A Historical and Personal Biography of Chajka Klinger". Tradução de Naftali Greenwood. *Yad Vashem Studies* 42, n. 1 (2014), p. 175-88.

The Pioneer Woman, n. 97, abril de 1944.

PORTER, Jack. "Jewish Women in the Resistance". *Jewish Combatants of World War 2*, n. 3 (1981).

RINGELHEIM, Joan. "Women and the Holocaust: A Reconsideration of Research". *Signs 10*, n. 4 (Verão 1985), p. 741-61.

RONEN, Avihu. "The Cable That Vanished: Tabenkin and Ya'ari to the Last Surviving Ghetto Fighters". *Yad Vashem Studies* 41, n. 2 (2013), p. 95-138.

______. "The Jews of Będzin". BRANDT, Kersten; LOEWY, Hanno *et al.* (orgs.). *Before They Perished... Photographs Found in Auschwitz.* Oświęcim, Polônia: Auschwitz-Birkenau State Museum, 2001, p. 16-27.

SZCZĘSNA, Joanna. "Irena Conti". *Wysokie Obcasy*, 21 de abril de 2014 (em polonês).

TZUR, Eli. "A Cemetery of Letters and Words". *Ha'aretz*, 1º de agosto de 2003, disponível em: <https://www.haaretz.com/1.5354308>.

VERSHITSKAYA, Tamara. "Jewish Women Partisans in Belarus". *Journal of Ecumenical Studies* 46, n. 4 (outono de 2011), p. 567-72.

YAARI, Yoel. "A Brave Connection". *Yedioth Ahronoth*, Suplemento de Páscoa, 5 de abril de 2018 (em hebraico).

ZARIZ, Ruth. "Attempts at Rescue and Revolt; Attitude of Members of the Dror Youth Movement in Będzin to Foreign Passports as Means of Rescue", *Yad Vashem Studies* 20 (1990), p. 211-36.

ZEROFSKY, Elisabeth. "Is Poland Retreating from Democracy?", *New Yorker*, 23 de julho de 2018.

Filmes e áudio

Blue Bird. DVD. Direção de Ayelet Heller. Israel, 1998 (em hebraico).

Daring to Resist: Three Women Face the Holocaust. DVD. Direção de Barbara Attie e Martha Goell Lubell. Estados Unidos, 1999.

The Heart of Auschwitz. DVD. Direção de Carl Leblanc. Canada, 2010.

Insurreição. DVD. Direção de Jon Avnet. Estados Unidos, 2001.

The Last Fighters. DVD. Direção de Ronen Zaretsky e Yael Kipper Zaretsky. Israel, 2006 (em hebraico).

Partisans of Vilna: The Untold Story of Jewish Resistance During World War II. Direção de Josh Waletsky. Estados Unidos, 1986.

Pillar of Fire (versão em hebraico, provavelmente episódio 13). Assistido no Museu Yad Mordechai. Direção de Asher Tlalim. Israel, 1981 (em hebraico).

Who Will Write Our History. Sessão no cinema. Direção Roberta Grossman. Estados Unidos, 2019.

Yiddish Glory: The Lost Songs of World War 2. CD. Six Degrees Records, 2018 (em iídiche).

The Zuckerman Code. Acessado *online* em: <https://www.mako.co.il/tv-ilana_dayan/2017/Article-bb85dba8ec3b261006.htm>. Direção de Ben Shani e Noa Shabtai. Israel, 2018 (em hebraico).

ÍNDICE